Turquie
de l'ouest et mer Noire

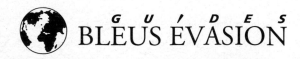

GUIDES
BLEUS ÉVASION

Ce guide a été établi par **Astrid** Lorber.

Captivée par le Moyen-Orient et l'Asie, **Astrid** Lorber se rend régulièrement en Turquie depuis plus de vingt ans. Elle a collaboré à la rédaction des guides Bleus *Istanbul* et *Turquie*, et à celle d'*Un grand week-end à Istanbul*.

Pour l'aide précieuse qu'ils lui ont apportée, l'auteur remercie Denis Montagnon, qui a contribué à la rédaction de l'ouvrage, Mehmet Akman, Ahmet Demirer, Ahmet, Tovi et Yasın Diler, Osman Diler de Kirkit Voyages, Carole Fournet, Ahmet Gökçalık, Philippe Grün, Halil Hobanoğlu, Fehmi Özgen, Emrah Özkan, Marek Pusiç.

Direction : Cécile Boyer-Runge. **Direction éditoriale** : Armelle de Moucheron. **Responsable de collection** : Élisabeth Sheva. **Édition** : Marie Barbelet. **Lecture-correction** : Véronique Duthille, Françoise Faucherre. **Documentation** : Sylvie Gabriel. **Informatique éditoriale** : Lionel Barth. **Maquette intérieure et mise en page PAO** : Catherine Riand. **Cartographie** : Cyrille Suss, Aurélie Huot. **Fabrication** : Nathalie Lautout, Caroline Artémon, Maud Dall'Agnola, Marc Chalmin. **Couverture** conçue et réalisée par François Supiot.

Avec la collaboration de Rémi Fregnac, Natacha Kotchetkova, Camille Mofidi, Christine Rivet et Véronika Vollmer.

Un **reportage photographique** a été spécialement réalisé par **Gil Giulio/ Hémisphères Images** pour ce titre.
Couverture : jeune danseuse à Şirince © Philippe Body/Hoa-Qui.

Régie de publicité : Hachette Tourisme, 43, quai de Grenelle, 75905 Paris Cedex 15. Contact : Valérie Habert ☎ 01.43.92.32.52.
Le contenu des annonces publicitaires insérées dans ce guide n'engage en rien la responsabilité de l'éditeur.

Conformément à une jurisprudence constante (Toulouse, 14-01-1887), les erreurs ou omissions involontaires qui auraient pu subsister dans ce guide, malgré nos soins et les contrôles de l'équipe de rédaction, ne sauraient engager la responsabilité de l'éditeur.

Turquie
de l'ouest et mer Noire

GUIDES BLEUS ÉVASION

Envie de partir ?

Rares sont les pays dans le monde qui offrent une telle densité de sites historiques. Prestigieux ou anonymes, ceux-ci témoignent que, depuis l'aube des temps, des civilisations venues de l'est et de l'ouest ont, tour à tour, colonisé cette terre, lui imprimant à chaque fois de nouveaux modes de vie et de pensée. Métissage des cultures et des populations ! L'histoire se superpose à chaque pas et, dans un pays aux facettes trop multiples pour ne pas engendrer d'inévitables tensions, elle est indéniablement capitale si l'on veut comprendre la Turquie d'aujourd'hui.

Les dieux ont gâté ce pays. Même les volcans crachèrent un chef-d'œuvre nommé Cappadoce ! Lacs turquoise, fleuves mythiques, calanques sauvages et plages de sable fin annoncent une terre d'abondance. Aux brunes collines de la steppe succèdent les reliefs escarpés de la haute montagne, recouverte d'épaisses forêts en mer Noire et découpée en crêtes minérales dans le Taurus. Et puis la Turquie, c'est tout un art de vivre qu'exprime avec chaleur la proverbiale hospitalité de ses habitants. Une terre éblouissante de diversité, dont le cœur balance entre l'Occident et l'Orient !

Ci-contre : la bibliothèque de Celsus à Éphèse.

sommaire

découvrir

itinéraires

itinéraires

itinéraires

sommaire

la Turquie en bref

- **Situation**. Entre l'Europe et l'Asie, au S-E des Balkans. Istanbul se trouve à 2 760 km de Paris.

- **Frontières**. 2 753 km. États frontaliers : Bulgarie et Grèce au N-O, Géorgie et Arménie au N-E, Iran à l'E, Irak et Syrie au S-E.

- **Climat**. Continental sur le plateau anatolien, méditerranéen sur les côtes égéenne et méditerranéenne, humide en mer Noire.

- **Côtes**. 8 333 km (mer Noire au N, mer de Marmara au N-O, mer Égée à l'O, mer Méditerranée au S).

- **Superficie**. 780 576 km^2 (Turquie d'Europe ou Roumélie : 3 % de la superficie totale ; Turquie d'Asie ou Anatolie : 97 %).

- **Point culminant**. Le mont Ararat (Ağrı Dağı ; 5 165 m).

- **Population**. 71 millions d'habitants en 2004. 80 à 90 % de Turcs, 7 à 15 % de Kurdes, 1,2 % d'Arabes, Circassiens, Grecs, Arméniens, Géorgiens et Juifs.

- **Taux d'alphabétisation**. 71 %. L'analphabétisme concerne 6,2 % des hommes et 22,7 % des femmes.

- **Capitale**. Ankara, capitale administrative (3,2 millions d'hab.).

- **Villes principales**. Istanbul, capitale culturelle (16 millions d'hab.), Izmir (2,5 millions d'hab.) et Adana (1,2 million d'hab.).

- **Langues**. Turc (langue officielle), kurde (usage privé autorisé depuis avril 1991), arabe (dans les régions frontalières de la Syrie).

- **Langues internationales utilisées**. L'anglais, l'allemand, le français.

- **Religions**. 98 % de la population est musulmane (2/3 de sunnites et 1/3 d'alevis). La principale communauté chrétienne est celle des Arméniens, mais il y a aussi des grecs-orthodoxes, des jacobites (église syriaque), des catholiques et des protestants, ainsi qu'une petite communauté juive.

- **Monnaie**. Livre turque.

- **Régime politique**. Démocratie parlementaire.

- **Chef de l'État**. Ahmet Necdet Sezer (depuis 2000).

- **Chef du gouvernement**. Tayyip Erdoğan (depuis 2003).

- **PIB**. 2 926 € par habitant en 2003.

- **Chômage**. 11 % de la population active.

- **Espérance de vie**. 70,5 ans.

- **Devise**. *Ne mutlu Türküm diyene* (Quelle fierté d'être Turc). ●

Une nation à cheval sur l'Orient et l'Occident

À l'école, l'uniforme est obligatoire. Il gomme toutes les différences sociales et ethniques.
La république laïque s'est beaucoup appuyée sur l'école pour asseoir ses fondements.

© Sylvain Grandadam/Hoa-Qui

Qu'est-ce que l'identité turque, héritière d'une histoire fondée sur le métissage des races et des cultures, forgée sur une terre qui fait le trait d'union entre l'Europe et l'Asie ? En instituant la République turque sur les débris de l'Empire ottoman, Atatürk avait choisi l'Europe contre l'Asie, l'Occident contre l'Orient. Membre du Conseil de l'Europe dès 1946 et de l'Otan depuis 1952, la Turquie n'a eu de cesse, depuis, de se rapprocher d'une Europe au sein de laquelle les gouvernants turcs et les partisans européens à l'adhésion aimeraient la voir jouer le rôle d'un pays « synthèse de l'Orient et de l'Occident, de l'islam et de la chrétienté ».

L'extrême diversité du peuple turc

Les Turcs évoquent parfois le souvenir de leur père, un **jeune guerrier de l'Altaï** qui vivait aux alentours du Ve s. au nord de la Chine. Laissé pour mort après un combat, il fut recueilli par une louve et vécut avec elle dans une grotte. Il en eut 10 garçons, qui se marièrent ensuite avec des femmes des environs de l'Altaï. Ainsi se propagea la « race » turque… Ce mythe a le mérite d'insister sur une coutume constante jusqu'à l'âge ottoman, l'exogamie, selon laquelle le mariage devait se faire hors du clan ou de la tribu. Associé aux vagues successives d'immigration, ce phénomène a considérablement transformé le physique du « Türk » originel, ce guerrier nomade à l'allure probablement mongoloïde. Aujourd'hui, l'un des éléments les plus frappants du paysage humain est l'extrême variété des types physiques, une diversité comparable à celle de la France. Ici, les blonds aux yeux verts, descendants des anciens Kirghiz, côtoient les bruns méditerranéens ou les Turcs originaires des Balkans (près de 10 millions d'individus). Malgré ce que proclament des extrémistes comme les «Loups gris» (parti nationaliste dont le nom rappelle le mythe fondateur du pays), la nation turque, résultat d'un brassage des populations, repose avant tout sur le facteur d'unité nationale qu'est la langue turque.

Des minorités qui disparaissent

Le pays comptait 71 millions d'habitants en 2004. Outre cette majorité de Turcs (80 à 90 % de la population), la Turquie est peuplée d'ethnies (51 au total) qui témoignent de son ancienne vocation de carrefour des peuples. Toutes ces minorités ont aujourd'hui perdu l'importance qu'elles avaient au XIXᵉ s., à l'exception des **Kurdes**, qui représentent 7 à 15 % de la population. Viennent ensuite les **Arabes** (1,2 % de la population), dont les chrétiens jacobites (100 000 personnes environ). Les **Grecs** (environ 2000 personnes) ont, pour la plupart, quitté le pays en 1923, conformément aux accords du traité de Lausanne *(p. 303)*, puis en 1965, lorsque de graves troubles ont éclaté à Chypre. Les **Arméniens** (environ 45 000 personnes) restés sur le territoire au lendemain du génocide de 1915 ont joué la carte de l'assimilation en turquisant leur patronyme. Les **Juifs** enracinés ici après leur expulsion d'Espagne en 1492 sont partis s'installer en Israël ou se sont intégrés (environ 25 000 personnes). Quant aux **chrétiens catholiques** descendant des Français et des Italiens, il n'en reste qu'une poignée dans les environs d'Izmir et d'Adana.

En fait, le visage actuel du pays résulte d'une progressive «**turquisation**» initiée par Atatürk, entre autres par le traité de Lausanne en 1923, qui eut pour conséquence un échange de population entre la Grèce et la Turquie *(p. 303)*. Le but de cette politique était alors d'asseoir une identité nationale forte

Les Kurdes

La **population kurde** est aujourd'hui écartelée entre la Turquie, la Syrie, l'Irak et l'Iran. En Turquie, elle est principalement basée dans le Sud-Est anatolien, bien que sa diaspora soit présente dans les grandes métropoles turques. Signé au lendemain du démantèlement de l'Empire ottoman, le **traité de Sèvres** (1920) reconnaissait au peuple kurde, dirigé par de puissantes chefferies, le droit de fonder une nation, mais le **traité de Lausanne** (1923) anéantit ce rêve d'indépendance. Dans cet échec, il faut incriminer la politique internationale, mais aussi le système féodal kurde, miné par des rivalités internes. En dépit de leurs mauvaises relations, la Turquie, la Syrie, l'Irak et l'Iran se sont toujours entendus pour faire échouer ce projet d'un État kurde indépendant qui menace leur intégrité territoriale.

Les Arméniens

En 2001, la France a officiellement reconnu le **génocide arménien** de 1915. Perpétré par le pouvoir ottoman (les Jeunes-Turcs, p. 303) pour enrayer l'avancée russe, il aurait fait de 250 000 à 500 000 morts selon la Turquie, 1,5 million de morts selon les Arméniens. ●

© Astrid Lorber

autour d'une république laïque en gommant les différences ethniques, susceptibles de «porter atteinte» à la sûreté de la nation.

Le peuple turc reste un peuple métissé, placé sous le sceau de la double culture, même si le communitarisme (attachement aux peuples turcs vivant hors des frontières du pays) reste un sentiment fort, surtout en politique. En 1989, le pays a accueilli quelque 300 000 Turcs chassés d'une Bulgarie en pleine crise xénophobe, puis des milliers de «frères» bosniaques dans les années 1990. Mais, avec un salaire moyen qui tourne autour de 365 € par mois (dans le secteur public), la Turquie est loin d'être considérée comme un eldorado par les candidats à l'émigration.

Le problème kurde

L'aspiration à l'indépendance de ce peuple multiséculaire d'origine indo-européenne, constitué en tribus féodales, s'est heurtée à partir du XIXᵉ s. aux convoitises des Russes, des Ottomans et des Perses. À leur tour, Atatürk et ses successeurs, dans leur dessein d'assimilation, ont dénié au peuple kurde tout droit officiel à la différence. Dès lors, Ankara a qualifié sa population kurde de «**Turcs de la montagne**». Créé en 1978 par une douzaine d'étudiants marxistes-léninistes, le **Parti des travailleurs du Kurdistan** (PKK) est passé à la lutte armée en 1984. Son but : obtenir l'indépendance pour les millions de Kurdes de Turquie – ce qui ne veut pas dire pour autant que le PKK représente les aspirations du peuple kurde de Turquie. L'année 1992 a été la plus meurtrière pour les Kurdes depuis les massacres perpétrés entre 1925 et 1939 par Atatürk : l'escalade de la violence a entraîné une répression du gouvernement qui a fait plus de 2 300 tués pour cette seule année (entre 1984 et 2000, ce conflit a fait 37 000 victimes). Trois millions de villageois ont dû s'exiler vers les villes de l'est ou de l'ouest du pays.

Le risque d'enlisement, le désespoir de populations déjà durement frappées par le chômage ont amené certains hommes politiques courageux à parler du droit des Kurdes, brisant ainsi le tabou majeur en Turquie. Deux événements ont modifié la

Les Yörük

Tribu nomade aujourd'hui sédentarisée, les Yörük sont l'un des groupes ethniques qui peuplent la chaîne du Taurus. Ils pratiquent la transhumance et, à l'approche de l'été, rejoignent avec leurs troupeaux des **yayla** (hauts plateaux) au cœur de la montagne. L'hiver, ils réintègrent leurs villages. On rencontre les Yörük essentiellement dans les **basses collines** autour de Muğla et d'Antalya, ainsi que dans les provinces de Mersin et d'Adana. La traduction littérale de Yörük signifie «**celui qui marche**», en référence à leur passé nomade. À la fin de l'époque ottomane, l'administration a contraint les peuplades nomades à se sédentariser pour mieux contrôler les mouvements de la population et collecter les impôts. D'âme vagabonde, les Yörük ont néanmoins conservé un mode de vie original. Convertis à l'islam,

© Gil Giuglio/Hémisphères Images

ils restent attachés à des croyances animistes célébrant la nature, tel le culte des montagnes et des sources. Ils excellent aussi dans le **tissage des kilims**.

Les Lazes

Dans l'imaginaire turc, le Laze (une ethnie de la mer Noire) s'appelle Temel ou Dursun. Il se nourrit d'anchois et se conduit d'une manière farfelue. Car les Lazes sont de joyeux lurons, qui ne se prennent pas trop au sérieux. Les meilleures blagues circulant sur leur compte sont de leur propre cru et d'une telle dérision qu'il est difficile de démêler le moqueur du moqué. ●

La Turquie est un savant mélange de traditions et de modernisme, d'Orient et d'Occident.

© Bruno Pérousse/~foo-Qui

donne : l'arrestation rocambolesque en 1999 du chef du PKK, **Abdullah Öçalan**, dit Apo, et le démantèlement du Hizbullah (Parti de Dieu), une organisation d'islamistes radicaux cautionnée un temps par les services de sécurité turcs, et responsable de massacres dans le sud-est du pays. Depuis, le PKK a déposé les armes (bien qu'en octobre 2003 il ait annoncé la fin du cessez-le-feu unilatéral) et le sud-est a retrouvé son calme d'antan.

Les droits des minorités

Ces dernières années, le gouvernement turc a assoupli sa politique d'assimilation en autorisant, en avril 1991, l'usage public de la **langue kurde** et en restaurant en août 2002 le **droit des minorités** : Ankara a rendu aux communautés grecque, juive et arménienne le droit d'acquérir des biens immobiliers (pas personnellement, mais dans le cadre de lycées, hôpitaux etc.), et a élargi la liberté d'expression du peuple kurde en autorisant la **diffusion** et l'**enseignement** des langues minoritaires. Depuis juin 2004, la chaîne de télévision TRT diffuse chaque jour une émission dans la langue d'une minorité : arabe, bosniaque, kurde ou circassien (langue du Caucase parlée en bordure de la mer Noire). En juillet 2003, le Parlement a adopté une loi d'amnistie pour les rebelles kurdes repentis (acceptant de donner des informations sur les activités illégales du PKK).

La question kurde traduit davantage un profond malaise politique qu'un problème de société, la quasi-totalité des habitants de l'Asie Mineure étant issus d'un vaste processus d'acculturation. L'idée de l'État kémaliste est celle d'un pays laïc, soucieux de l'intégrité de son territoire. Ces valeurs fondatrices de l'identité républicaine turque font que la reconnaissance d'une minorité est perçue comme une menace contre la stabilité de la nation. Il n'empêche que la poudrière pourrait à nouveau s'enflammer dans le sud-est anatolien, si des conflits ethniques devaient éclater en Irak *(p. 22)*.

Europhilie ou turcophilie ?

Un pays dont les principaux partenaires commerciaux sont l'Allemagne (un quart du total des exportations), l'Italie, les États-Unis, la Grande-Bretagne et la France devait logiquement demander son **adhésion à l'Union européenne**. La chose s'est faite en bonne et due forme en **1987**. Elle s'est heurtée à un refus, poli mais ferme, des Européens, deux ans plus tard. Motif invoqué : retards économique et social. Raisons moins avouables : démographie inquiétante, circonspection de la Grèce qui tenait à régler la question chypriote, et surtout réticence d'une Europe chrétienne devant l'intégration d'un pays musulman.

Un désir d'Europe

Finalement, un **accord d'union douanière**, signé en mars 1995, est entré en vigueur en 1996. Il devrait conduire à l'intégration de la Turquie, l'**un des 10 premiers marchés émergents du monde**, au sein de l'Union européenne. Elle n'était que le 10e partenaire commercial de l'Union en 1994, elle se classe aujourd'hui au 6e rang, à égalité avec la Pologne. Mais avant de nouer des liens plus étroits, les Vingt-Cinq attendent qu'Ankara assainisse son économie et traite trois dossiers brûlants : **Chypre** (*p. 17*), la revendication **kurde** (*p. 14*) et le contentieux avec la Grèce sur la **mer Égée** relatif au partage des couloirs aériens et des eaux territoriales le long des îles éoliennes. Après moult tergiversations, la Turquie s'est finalement vue accorder, en décembre 1999, le statut de candidat officiel à l'adhésion.

Une identité ancrée en Orient

Bien des critères plaident en faveur de l'intégration, ne serait-ce que pour appuyer l'ancrage dans la modernité d'un pays musulman et résolument laïc. L'Europe évalue le rôle géostratégique que pourrait jouer une Turquie tête de pont vers l'Asie et le pétrole. Les États-Unis appuient de tout leur poids sa candidature, espérant ainsi garder dans le giron européen un pays charnière avec le Moyen-Orient.

© Gil Giulio/Hémisphères Images

Le « Grand Orient » utopique

La mouvance islamiste en Turquie aurait préféré à l'adhésion à l'Union européenne la mise en place d'une sorte de Marché commun musulman avec les pays du Moyen-Orient. Un projet pour le moins utopique. Les **hommes d'affaires turcs** qui ont exploré, ces dernières années, les marchés iranien, pakistanais et même malaisien se sentent plus proches de New York et de Bruxelles que de Damas. À Gaziantep et Diyarbakir, respectivement à 50 km de la Syrie et 150 km de l'Irak, c'est bien avec l'Europe que les flux commerciaux sont les plus importants. Les industriels anatoliens considèrent l'ancrage à l'Europe comme la promesse d'une croissance rapide.

Pour ou contre l'adhésion ?

En France, l'UMP, par la voix de son président, Alain Juppé, a lancé la campagne européenne en avril 2004 en se prononçant contre l'adhésion de la Turquie à l'Union. Sans vouloir rompre les liens qui lient l'Europe à la Turquie, la droite européenne va dans ce sens. Elle est plutôt favorable à un partenariat privilégié

Si l'adhésion lui est refusée, la Turquie se sentirait humiliée face à une Europe soupçonnée de vouloir la flouer. Il est probable qu'elle nouerait alors des liens encore plus étroits avec les États-Unis dont elle est l'alliée au sein de l'OTAN.

Elle pourrait également trouver une solution de rechange dans une fédération avec les **républiques turcophones de l'ex-URSS** (Azerbaïdjan, Turkménistan, Ouzbékistan, Kazakhstan et Kirghizistan), qui correspondrait aux mentalités et à la tradition. Le premier **sommet de la turcophonie** à **Ankara en 1992** n'avait pas dépassé le stade des vœux pieux, mais la seconde réunion, en 1994, a débouché sur la signature d'un contrat relatif à la construction de **pipe-lines** reliant les « républiques sœurs » à l'Europe et à la Méditerranée *via* la Turquie... au grand dam de la Russie, premier partenaire de ces jeunes nations fragiles, qui craint le retour du « **panturquisme** » (mouvement tendant à l'union des peuples turcs), comme dans un étonnant raccourci de l'histoire, lorsque la Turquie était sa grande rivale sur la mer Noire.

Un pas vers l'intégration

Le gouvernement de Tayyip Erdoğan a mis les bouchées doubles afin d'obtenir, en décembre 2004, un feu vert de l'Union pour l'ouverture de négociations d'adhésion. Profitant d'une conjoncture économique favorable (l'inflation est à son plus bas niveau depuis vingt-huit ans), il a engagé les mesures exigées par Bruxelles, notamment une **adaptation de la Constitution** visant à répondre aux critères européens sur les droits de l'homme et diverses initiatives pour résoudre la situation à Chypre.

Du côté des institutions, le changement le plus marquant est la suppression des **Cours de Sûreté de l'État** (DGM), tribunaux qui, depuis 1980, ont condamné à la prison des « politiques » accusés de séparatisme. Cette cour avait confirmé, le 21 avril 2004, une peine de prison de 15 ans contre quatre députés kurdes coupables, en 1994, d'avoir prononcé leurs discours d'investiture en kurde à l'Assemblée nationale *(p. 305)*. Dans l'optique de la **démilitarisation des institutions**,

avec la Turquie, ainsi que les pays du Maghreb et du sud de l'ancien bloc soviétique. Les décideurs politiques européens sont, quant à eux, favorables à l'adhésion.

La réforme du système carcéral

Décidée en 2000, et entrée en application en 2001, elle a pour but de remplacer par des cellules les dortoirs carcéraux, propices à l'activisme politique et aux émeutes du fait que les détenus y étaient regroupés par dizaines. Des prisonniers ont fait front contre cette modernisation, synonyme pour eux d'isolement et de répression accrus.

La question chypriote

Après trente ans de statu quo, la situation évolue sur l'île, toujours coupée en deux États, l'un turc, l'autre grec. En 2002, les autorités chypriotes turques ont décidé d'ouvrir la « ligne verte », frontière entre les deux états.

Un plan concocté par Kofi Annan, et approuvé par Tayyip Erdoğan, prévoyait la réunification de l'île, composée de « deux États constituants, politiquement égaux ». Elle devait être gouvernée par une présidence collégiale de six membres (deux Turcs et quatre Grecs), la fonction de chef de l'État, assurée alternativement par

un Chypriote grec et un Chypriote turc, revenant au président du collège. La Grèce, qui n'envisage qu'un État unique, a affirmé qu'elle serait solidaire de la décision des Chypriotes grecs. L'Union européenne, la Turquie et les États-Unis ont appelé les Chypriotes à approuver le plan de réunification lors du référendum du 24 avril 2004, lequel s'est soldé par un oui turc et un non grec. Chypre n'est donc pas entrée réunifiée dans l'Europe, le 1er mai 2004. En décembre 2004, la République grecque de Chypre doit se prononcer sur la candidature d'Ankara à l'Union européenne. ●

l'état major perd son représentant au sein du Conseil de l'enseignement et de la Haute Autorité de l'audiovisuel. La Cour des Comptes est autorisée à contrôler les dépenses engagées par l'armée.

L'Union européenne a salué ces initiatives, jugées toutefois insuffisantes, dont elle surveillera attentivement la mise en application avant de prendre sa décision sur l'adhésion de la Turquie.

Les droits de l'homme en sursis

Si le parlement turc a aboli la peine de mort en août 2002, les **prisonniers politiques** continuent à croupir dans les geôles turques. Certes, leur chiffre n'atteint pas 250 000 personnes, comme aux tristes heures de la période 1980-1988, mais la torture sévit toujours. Chaque année, Amnesty International signale des entorses graves au respect des droits de l'homme.

En 1995, pour rassurer une population inquiète devant l'escalade de la violence dans l'Est du pays, le gouvernement Çiller avait étendu la notion d'atteinte à la sûreté de l'État : en vertu de l'article 312 du code pénal (surtout utilisé pour entraver la liberté de la presse),

tout **soutien officiel à des « terroristes »** devenait passible de **prison**. Les tribunaux turcs avaient ainsi infligé quinze ans de prison ferme à des députés du Parti de la démocratie (le DEP, un parti kurde alors légal) pour « aide à une bande armée ».

Les institutions européennes se sont émues, en 1998, de l'exode massif de clandestins kurdes vers l'Europe, puis, en 2000, de la mort d'une vingtaine de prisonniers qui avaient entamé une grève de la faim pour protester contre la réforme du système carcéral *(p. 17)*. Elles exigent qu'Ankara surveille mieux ses frontières (la Turquie est devenue une plaque tournante de l'immigration provenant du Moyen-Orient, un trafic contrôlé par la mafia) et mette en application les droits culturels et politiques des minorités, récemment affirmés juridiquement *(p. 15)*.

Le respect de ce cahier des charges conditionnera l'intégration de la Turquie à l'Union européenne. Les choses évoluent néanmoins très vite, puisque le gouvernement Erdoğan a fait adopter une série de mesures visant à sanctionner la pratique de la torture. ●

Une vie politique tumultueuse

© Gil Giuglio/Hémisphères Images

Le 29 octobre, la Fête de la République donne lieu dans tout le pays à des parades militaires et à de nombreux défilés.

La Turquie est une nation moderne qui progresse dans la voie du libéralisme, non sans quelques difficultés du fait de ses institutions contrôlées en sous-main par l'armée, garante de la laïcité. Seul pays musulman doté d'une Constitution laïque, elle est protégée d'une éventuelle tentation radicaliste par un **exécutif très puissant**. Au sommet, le président de la République (Ahmet Necdet Sezer), élu par le Parlement pour un mandat de sept ans non renouvelable, peut dissoudre l'Assemblée, opposer un droit de veto sur les lois et nommer les fonctionnaires. La Chambre des députés, élue au suffrage universel, est aujourd'hui dominée par un parti conservateur (AKP). Réfutant l'étiquette islamiste, ce parti se proclame libéral et démo-crate. Son leader, Recep Tayyip Erdoğan, entend défendre la candidature de la Turquie à l'Union européenne, tout en prônant une plus grande liberté d'expression et une liberté de religion en conformité avec les normes démocratiques européennes.

L'impossible cohabitation

Après 1950, le développement du multipartisme et le mode de suffrage à la proportionnelle ont engendré une instabilité gouvernementale chronique, si bien que des alliances, parfois contre nature, s'avérèrent indispensables pour gouverner.

En 1992, le Parti de la juste voie (DYP, centre droit) conclut une alliance avec son rival, le parti social-démocrate (SHP, centre gauche), pour contrer la droite affaiblie de l'ANAP (Parti de la mère patrie) et surtout les fondamentalistes du Refah (Parti de la prospérité). Après la mort de Turgut Özal en 1993, Süleyman Demirel (ANAP), élu président de la République, nomma **Tansu Çiller** (DYP) Premier ministre pour gérer cette fragile alliance. Elle se heurta à la rébellion kurde et à une dévaluation record de la monnaie. Aux législatives de 1995, le Refah arriva en tête. Les partis de Çiller et de **Mesut Yılmaz** (ANAP) formèrent une coalition, qui ne dura que neuf mois. Contre toute attente, Tansu Çiller s'allia avec le Refah, dont le leader, **Necmettin Erbakan**, fut nommé Premier ministre en juillet 1996. Sous la pression de l'armée, ce dernier fut contraint de démissionner en juin 1997.

Tansu Çiller, qui devait initialement prendre le relais, fut écartée par le président de la République au profit de Mesut Yılmaz (ANAP), coalisé avec le DSP (parti de la gauche démocratique), le DTP (dissidents de Tansu Çiller) et le CHP (Parti républicain du peuple, sociaux démocrates). Ces divers partis laïcs n'affichaient qu'un seul point commun : lutter contre le Refah, finalement dissous par un arrêté de justice en 1998, et qui se reconstitua sous le nom de Fazilet (Parti de la vertu). Les législatives de 1999 confirmèrent l'affaiblissement des partis de centre droit et l'émergence des courants nationalistes. Le gouvernement formé par Bülent Ecevit (DSP), avec Devlet Bahçeli (MHP) et Mesut Yılmaz (ANAP), se heurta, en 2000, à une grave crise financière doublée d'une contestation populaire grandissante.

L'émergence de la société civile

Ces crises politico-économiques à répétition montrent les limites du modèle républicain kémaliste, qui ne correspond plus à la volonté de progrès de la société turque. Englué dans les pesanteurs administratives, placé sous la tutelle de l'armée, qui oriente les décisions, l'appareil de l'État s'est développé en vase clos jusqu'à se couper de la société, laquelle lui reproche son inertie et sa mauvaise gestion des finances publiques.

Le Conseil national de sécurité

Institué au lendemain du coup d'État du 27 mai 1960, le **Conseil national de sécurité** (CNS) rassemble le président de la République, le Premier ministre, les ministres de la Défense, de l'Intérieur, des Affaires étrangères, de la Justice, les trois vice-premier ministres, ainsi que les cinq plus hauts responsables de l'armée. Temps forts de la vie politique turque, les réunions du CNS avaient lieu chaque mois afin que l'état-major puisse dicter au gouvernement ses «recommandations prioritaires».

C'est au sein de ce cénacle que s'était jouée la démission d'Erbakan et la dissolution de son parti, le Refah.

Cola Turka contre Coca-Cola

En 2003, la palme de la *success story* a été remportée par Cola Turka, le nouveau soda turc lancé sur le marché en pleine guerre froide entre Ankara et Washington. Concurrente de Coca-Cola, la boisson pétillante turque, en robe rouge et blanc, s'est chargée immédiatement de connotations politiques : boire Cola Turka signifiait son opposition symbolique à la guerre en Irak. ●

© Astrid Larber

Tansu Çiller est la première femme turque à s'être trouvée aux plus hautes commandes de l'État.

diplomatie

Unis dans l'épreuve

Il fallut les caprices de la terre en 1999 pour que les frères ennemis, la Grèce et la Turquie, se rapprochent. Dès l'annonce de la catastrophe sismique, le gouvernement grec mit des équipes de secours à la disposition de la Turquie, qui lui rendit la politesse quelques semaines plus tard, lorsqu'un autre séisme endeuilla Athènes. Laissant pour un temps leurs querelles au vestiaire, les uns et les autres se félicitèrent par voie médiatique interposée de cette « redécouverte » réciproque. Sur le plan diplomatique, celle-ci se solda en février 2000 par la visite du ministre des Affaires étrangères grec à Ankara, suivie par celle de son homologue turc à Athènes (la première depuis quarante ans !). Considérant le fait que l'intégration de son vieil ennemi dans l'Union européenne s'avérerait moins dangereuse que l'exclusion, la Grèce a depuis révisé sa politique d'ostracisme à l'égard de la Turquie. Cette volte-face tactique se heurte néanmoins au scepticisme des opinions publiques, foncièrement marquées par la crise chypriote, le problème kurde et bien sûr la question arménienne. ●

Une minute pour la vérité

Tout commence à Susurluk, le 3 novembre 1996, par un « banal » accident de la route. Une Mercedes fonçant à 200 km/h percute un camion. Bilan : trois morts et un blessé... mais voilà que de l'intérieur du véhicule accidenté les secours retirent un quatuor pour le moins inattendu : **Abdullah Çatlı**, un terroriste muni de faux papiers et recherché depuis plus de vingt ans ; une prostituée ; un **commissaire de police**, haut fonctionnaire de la Direction générale de la sécurité ; un **député kurde**, chef de file du parti de Tansu Çiller. La Turquie en état de choc découvre l'existence indubitable de liens entre la mafia, les politiciens et la justice.

Face à cette corruption révélée au grand jour, l'opinion publique se déchaîne et, pour la première fois dans l'histoire de la République, réclame des comptes en manifestant publiquement sa colère. Débute alors l'opération *Aydınlık için bir dakika* (Une minute pour que la lumière se fasse), observée un mois durant par des milliers de foyers qui, à 21 h précises, éteignent les lumières de leur appartement pendant une minute.

L'État montré du doigt

Au lendemain des tremblements de terre de 1999, l'opinion publique resta traumatisée devant un désastre qui a fait apparaître au grand jour les négligences des pouvoirs publics en matière d'urbanisme. Bouc émissaire de la vindicte populaire et de la presse, Veli Göcer, un grand promoteur, fut accusé de la mort de 166 personnes. Implicitement, c'est tout un système, impliquant mairies, ministères et constructeurs, dont le fonctionnement est remis en question.

Depuis plusieurs décennies, la corruption, le népotisme et le clientélisme gangrènent la vie politique du pays. La Turquie a pris conscience des dangers de cet immobilisme. Signe des temps : la voix de l'opinion publique, activement relayée par les médias, pèse désormais sur les débats, qui se sont soldés notamment par la condamnation de promoteurs peu scrupuleux et par de nombreuses opérations anticorruption.

Les conservateurs au pouvoir

Fatigué par dix-huit mois de crise économique, l'électorat déboussolé a propulsé au pouvoir un **parti conservateur** (l'AKP, Parti de la justice et du développement) lors du scrutin législatif de novembre 2002. Issu du parti islamiste Fazilet, dissous en juin 2001 pour «atteinte à l'ordre constitutionnel laïc», l'AKP a raflé 34,2 % des suffrages et la majorité absolue des sièges au Parlement.

Lors d'un meeting politique en 1997, son dirigeant charismatique, **Recep Tayyip Erdoğan** avait prononcé dans un discours les vers du poète turc Ziya Gökalp – «Les minarets sont nos baïonnettes, les dômes nos casques, les mosquées nos casernes, les croyants nos soldats…». Ces paroles lui ayant valu en 1998 quatre mois d'emprisonnement et cinq ans d'inéligibilité pour «incitation à la haine religieuse», Erdoğan ne pouvait prétendre au poste de Premier ministre. Celui-ci échut à son fidèle lieutenant, **Abdullah Gül**. La nouvelle Assemblée vota un changement de la Constitution, qui se traduisit par l'organisation d'élections législatives partielles auxquelles Erdoğan put prendre part. Il fut élu député de Siirt en mars 2003 et put endosser le titre de Premier ministre peu après.

Non à la guerre en Irak

Alliée de la Grande-Bretagne et des États-Unis au sein de l'Otan, la Turquie aurait dû logiquement se ranger dans le camp des coalisés. À priori favorable à l'envoi de troupes turques en Irak, en raison d'«intérêts vitaux» (les Kurdes), l'Assemblée s'est finalement rétractée devant le mécontentement populaire, opposé à toute intervention, semant du même coup le trouble dans les relations américano-turques.

Au début du conflit, la Turquie a même refusé l'ouverture d'un front nord depuis son territoire, malgré la promesse de George W. Bush de créer un fonds de soutien pour récompenser les pays participant à l'effort de guerre. Au centre du désaccord se trouve la **question kurde**: Ankara refuse que les villes de Mossoul et de Kirkouk soient contrôlées par des factions kurdes indépendantistes (voire qu'ils participent au pouvoir de Bagdad), qui marginaliseraient les Turkmènes d'Irak du Nord et encourageraient une rébellion kurde en Turquie. Les États-Unis, quant à eux, réfutent la présence militaire turque dans ces villes, du fait qu'elle générerait la discorde avec les Kurdes irakiens.

Le terrorisme international n'a néanmoins pas épargné la Turquie. En novembre 2003, deux attentats d'Al-Qaida, dirigés contre la communauté juive et les intérêts anglais, ont causé la mort de 51 personnes et fait des centaines de blessés à Istanbul.

L'armée turque ramenée dans les rangs

En juillet 2003, le Parlement turc a adopté des réformes visant à réduire l'influence de l'armée dans la conduite des affaires publiques. En vertu des nouvelles lois, le Conseil national de sécurité (CNS, *p. 20*) se réunira tous les deux mois et son rôle ne sera plus que consultatif. Le secrétariat général, désormais ouvert aux civils, sera nommé par le Premier ministre et confirmé par le président. En outre, le Parlement est autorisé à examiner les dépenses de l'armée, accusée d'absorber un tiers de la richesse nationale. Cette mini-révolution s'inscrit dans les efforts entrepris par la Turquie sur la voie de son adhésion à l'Union européenne *(p. 16)*. ●

La Turquie et l'islam

C'est de la chaire (minbar) que l'imam prononce ses sermons du vendredi.

En faisant table rase du passé ottoman et musulman, Mustafa Kemal voulait faire de la Turquie une nation occidentalisée. L'islam, en 1923, devint synonyme d'obscurantisme et d'ennemi à abattre pour accéder à la «civilisation». La laïcité, érigée en principe fondamental de l'État, était la seule valeur sur laquelle se focalisa le débat politique pendant la période du parti unique, soit jusqu'en 1946. Aujourd'hui, le pays cherche à concilier modernité et tradition.

Simple question de foi

La **persistance du sentiment religieux** reste une réalité. Les cinq appels à la prière résonnent quotidiennement du haut des minarets, et la plupart des Turcs, à l'exception de certains milieux urbains et des alevis (p. 24), observent le jeûne lors de la période du ramadan. Les mosquées poussent comme des champignons aux périphéries des villes en même temps que les *gecekondu* (bidonvilles, *encadré p. 118*). Ce ne sont plus seulement les femmes de l'Anatolie profonde ou des quartiers défavorisés d'Istanbul qui revêtent voiles, imperméables jusqu'aux chevilles et collants opaques, mais aussi des étudiantes qui veulent affirmer ouvertement leur liberté individuelle. Les lois laïques ne badinent pas dans ce domaine : depuis 1989, le port du foulard est strictement prohibé à l'université, dans les administrations publiques et les cérémonies officielles. Pour contourner l'interdit, quelques imaginatives jeunes filles dissimulent leur chevelure en l'affublant… d'une perruque !

Depuis l'arrivée de l'AKP au pouvoir, en novembre 2002, la querelle sur le port du voile s'amplifie entre l'élite pro-laïque et le mouvement pro-islamique. Elle a même pris un tournant politique à l'occasion du 80ᵉ anniversaire de la République turque (en 2003), après que le président, Ahmet Necdet Sezer, eut refusé d'inviter à la réception officielle les épouses, en majorité voilées, des députés de l'AKP ; en riposte, ces derniers boycottèrent la cérémonie.

Un islam non conformiste

Si la grande majorité des Turcs est **sunnite** *(encadré ci-dessous)*, 20 % de la population est composée d'**alevis** (alaouites), classifiés à tort comme une branche de l'islam chiite.

Se réclamant d'Ali, le gendre du Prophète qui n'a pas été reconnu comme son successeur lors des débats théologiques qui se soldèrent par un schisme, les alevis se singularisent par des pratiques liturgiques héritées du **chamanisme turkmène**, auquel se superposent des éléments partagés avec le christianisme, le bouddhisme, le manichéisme et l'antique religion des Mèdes. Il s'agit donc plutôt d'une religion syncrétique. Contrairement aux sunnites qui prient en arabe, la langue coranique traditionnelle, les alevis font leurs dévotions en **turc** et ne se rendent pas à la mosquée. Membres de **communautés spirituelles secrètes**, ils s'intéressent à l'**étude de sciences ésotériques** (science des lettres et des nombres, *p. 26*).

Chez les alevis, l'attitude par rapport à l'alcool est plus souple ; le vin, assimilé au sang des martyrs, a d'ailleurs une fonction religieuse dans leurs cérémonies. Autres particularités : ils ne jeûnent pas pendant le ramadan mais seulement huit jours au cours du mois de Muharrem, et un système de patriarches *(dede)* leur tient lieu de clergé. La communauté alevie, plus proche du laïcisme que ne le sont les sunnites, entretient depuis toujours d'excellentes relations avec l'État républicain dont elle soutient le sécularisme. La méfiance règne entre les communautés alevie et sunnite, mais les alevis garantissent l'équilibre républicain dans le sens où ils servent de **garde-fou** contre la montée radicaliste.

---

théologie

Les croyances de l'islam sunnite

L'islam entend restaurer dans toute sa pureté le message d'Abraham. Il repose sur le Coran (*qur'an* : « lecture »), message divin transmis à Mahomet (569-632) par l'archange Gabriel, et sur les hadiths ou *sunna*, paroles prêtées au Prophète. Le musulman (*muslim*, « qui se confie à Dieu ») se donne corps et âme à Dieu (*islâm*, « abandon à Dieu »).

L'islam est un **monothéisme pur**. Il n'y a pas de péché originel, ni de déchéance humaine. Un décret divin prédétermine le destin de chacun. Le Diable n'existe pas. Un musulman a **deux anges gardiens** : l'un écrit les bonnes actions, l'autre les mauvaises. Le livre consignant la vie de chacun est présenté à Dieu le jour du Jugement dernier. Après intercession de Mahomet, les justes entreront au Paradis et les mauvais iront en Enfer.

Dans l'islam, la géhenne n'est jamais éternelle et les péchés finissent toujours par être pardonnés. Les « **peuples du Livre** » (juifs et chrétiens) ne sont pas considérés comme des infidèles (les athées et idolâtres). Ils ont accès au salut, bien qu'ayant « falsifié » les Écritures. ●

Les tribulations d'un islam politique

Dans la vie politique, le multipartisme, en instaurant en 1950 le classique débat droite-gauche, changea la donne républicaine. On reparla dès lors de l'islam comme base possible d'une **solidarité sociale** que le libéralisme, avec son individualisme érigé comme dogme, avait mise à mal. Depuis le gouvernement de Türgüt Özal, les dirigeants politiques avaient adopté une attitude modérée face à l'islamisme. Aux législatives de 1996, l'arrivée au pouvoir du Refah, un parti islamiste qui dirigeait toutes les grandes villes du pays depuis les municipales de 1994, marqua un tournant dans l'histoire du pays. La Turquie était-elle en train de rompre avec son laïcisme ? L'armée veillait au grain !

Le 8 juillet 1996, le président du Refah, **Necmettin Erbakan**, devint le premier chef de gouvernement à étiquette islamiste de la Turquie. En septembre, il effectua son premier voyage officiel en Iran mais signa, sous la pression de l'armée, un accord de coopération militaire avec Israël. Le bras de fer avec l'armée, garante de l'idéal républicain, ne faisait que commencer. Le 31 janvier 1997 se tint à Sincan (banlieue d'Ankara) la « Journée de Jérusalem », commémoration au cours de laquelle le maire et l'ambassadeur d'Iran souhaitèrent publiquement l'instauration d'une république islamique turque. La réponse de l'armée ne se fit pas attendre : les blindés patrouillèrent dans le village, le maire fut arrêté, l'ambassadeur expulsé.

Le 28 février 1997, le **Conseil national de sécurité** dicta une **réforme de l'enseignement** au gouvernement afin d'annihiler la poussée islamiste. Elle visait les *imam hatıp* (encadré p. 26), des établissements étatiques de formation professionnelle théoriquement destinés à fournir le personnel des mosquées. Bien que tenus de respecter un cursus classique, ces *imam hatıp* étaient devenus un système d'éducation parallèle pour les familles désirant donner à leurs enfants une éducation religieuse approfondie. Grâce à leur développement dans les années 1970-1980, ils avaient formé

La propagation de l'islam

La conversion de l'Asie Mineure à l'islam est le fait d'un prosélytisme qui s'exerça par le biais des **écoles coraniques**, des marchands venus d'Arabie par la route de la Soie, mais surtout des **derviches itinérants** parcourant le pays. Les premières mosquées turques, pourvues de *zaviye* ↪, sont à l'image de cette première société musulmane, qui ignorait les hiérarchies cléricales mais entretenait un rapport direct avec son Dieu. L'époque ottomane eut recours au système des **devşime** (ramassage), consistant à recruter des enfants au sein des familles chrétiennes de l'Empire, puis à les islamiser dans des écoles spéciales avant de leur confier des postes dans l'administration. Tout sujet non musulman était d'ailleurs tenu de verser une lourde taxe à l'État, ce qui favorisa sans nul doute la conversion massive à l'islam.

Un Dieu unique

À l'époque byzantine, la subtilité de l'esprit grec a multiplié les querelles religieuses portant sur la double nature (humaine et divine) du Christ. En Anatolie, elles firent finalement le lit de l'islam, fondé sur la croyance en un Dieu unique, plus aisée à comprendre que la doctrine de la sainte Trinité.

Le soufisme

L'aspect le plus original de l'islam se révèle dans le soufisme, qui manifeste une liberté de pensée et d'interprétation. Officiellement abolies en 1925, les confréries soufies survivent dans une semi-clandestinité. Les plus connues sont celles des Bektaşi, des Nakşibendi et des Mevlevi. Nul prosélytisme dans ces doctrines : si on est alevi ou sunnite de naissance, on devient soufi par choix. ●

La réforme de l'éducation

Pour limiter l'action des *imam hatıp* et des écoles coraniques privées, le Conseil national de sécurité a fait voter en 1997 une loi qui étend la durée de scolarité obligatoire de cinq à huit ans. Cette mesure s'est soldée par la fermeture des collèges d'enseignement technique ou spécifique. Les collégiens suivent désormais une formation généraliste jusqu'à l'âge de 15 ans et n'entament une spécialisation (comme celle des *imam hatıp*) qu'au lycée. Le nombre d'étudiants de la filière *imam hatıp* est ainsi tombé de 190 000 en 1998 à 65 000 en 2004. L'AKP souhaite aujourd'hui une nouvelle réforme pour réduire les handicaps de cette filière. Tayyip Erdoğan envisage de proposer à l'assemblée une loi, qui risque de rencontrer quelques détracteurs du côté des défenseurs de la laïcité et du président de la République. ●

des dizaines de milliers d'étudiants, aujourd'hui disséminés dans l'administration (ou dans le paysage politique comme Tayyip Erdoğan).

Le 11 mai 1997, 100 000 personnes manifestèrent leur soutien aux *imam hatıp* à Istanbul. Quinze jours plus tard, une contre-manifestation de la gauche, tout aussi importante, demanda la chute du gouvernement. Le 21 mai, la Cour de cassation accusa le Refah d'être devenu un foyer d'activité incompatible avec la laïcité de l'État et déclencha une procédure qui aboutit à la démission d'Erbakan en juin 1997, puis à l'interdiction de son parti en janvier 1998. L'arrivée au pouvoir d'une nouvelle formation conservatrice, l'AKP, en novembre 2002, traduit plutôt le désarroi des électeurs, fatigués par deux années de crise économique, qu'une intention de tourner le dos à la modernité.

Identité religieuse

Bien que résolument laïc, l'État impose la mention de la confession sur les papiers d'identité de ses citoyens.

Chiffres symboliques

Chez les alevis, toute chose a un sens apparent et un sens caché, l'organisation du monde étant régie par six chiffres sacrés. Le **un** : Dieu. Le **trois** : Dieu, Ali et Mahomet. Le **cinq** : Mahomet, Fatima (sa fille), Ali (son gendre), Hassan et Hussein (ses petits-fils). Le **sept** : le visage humain (la première sourate du Coran comporte sept versets ; les sept dormants d'Éphèse...). Le **douze** : les douze imams du chiisme (analogie avec les douze apôtres). Le **quarante** : les entités célestes qui ont présidé à la création du monde (séjour de Mahomet chez les Quarante ; les quarante martyrs de Sébaste).

Dans les mosquées

Avant de pénétrer dans une mosquée, n'omettez pas de vous déchausser. À l'intérieur du sanctuaire, ne parlez pas à voix haute et ne dérangez pas ceux qui sont en train de prier. Dans la plupart des mosquées, le gardien tendra un **foulard** aux femmes pour qu'elles en recouvrent leur tête. Si vous êtes vêtu d'un short ou d'une mini-jupe, on vous priera de ceindre votre taille d'un pagne, voire de rester dehors. Les mosquées sont fermées à la visite aux heures de prière.

Usages

Accueillir l'étranger fait partie des vertus recommandées par l'islam, et les Turcs ont la réputation de se montrer **hospitaliers** envers leurs visiteurs. Ici, on vous offrira des douceurs, là, on n'hésitera pas à faire un détour de 10 km en voiture pour vous montrer le chemin si vous vous êtes égaré, là encore, on vous offrira un verre de thé, un repas, parfois même le gîte. ●

Les fêtes religieuses

Diversement suivi en Turquie, le ramadan ne perturbe pas la vie quotidienne : les commerces et les restaurants continuent de fonctionner normalement. Tout au plus certains établissements refusent-ils de servir de l'alcool. Dans les grandes villes règne une certaine fébrilité à l'heure qui sonne la rupture du jeûne, car tout le monde n'a plus qu'une idée en tête : manger ! La fête du Sucre et la fête du Sacrifice donnent lieu à d'importantes réjouissances familiales dans tout le pays. Les moyens de transport étant archi-bondés, il est extrêmement difficile de se déplacer pendant ces festivités, qui sont des jours chômés pour les administrations et la plupart des magasins.

Le ramadan (ramazan)

Pendant un mois, le musulman s'astreint à l'abstinence (nourriture, boisson, tabac, relations sexuelles) du **lever au coucher du soleil**. Les repas se prennent dès la rupture du jeûne, clamée par le muezzin, et avant l'aube. En revanche, les femmes enceintes, les malades et les jeunes enfants peuvent s'y soustraire. Calquée sur le calendrier musulman, la date du ramadan (neuvième mois lunaire de l'année hégirienne) change d'une année sur l'autre. Pendant la période de jeûne, évitez de boire ou de manger ostensiblement dans les rues des quartiers dits traditionalistes.

La fête du Sucre (fieker bayramı)

Trois jours de festivités succèdent à la rupture du ramadan. Les familles se réunissent pour un repas et échangent des vœux ainsi que des cadeaux. On offre bien sûr des « douceurs », mais aussi des « yeux bleus », ces amulettes porte-bonheur typiquement turques. Ces festivités n'ont rien de spectaculaire pour les étrangers, mais vous verrez des foules enjouées se promener dans les rues et, dans les rares magasins ouverts, on vous offrira des bonbons et parfois un petit cadeau symbolique.

La fête du Sacrifice (Kurban bayramı)

Voici l'une des plus belles traditions de l'islam, qui préconise la **charité** comme un devoir du musulman. Commémoration du sacrifice d'Abraham, elle célèbre les morts, dix semaines après la fin du ramadan, et dure quatre jours. Le premier jour, chaque famille qui en a les moyens fait sacrifier un **mouton** ou un **bœuf**, qui est mangé au cours du banquet familial. En réalité, les familles font distribuer une grande partie ou la totalité de la bête aux personnes démunies.

La circoncision : une fête familiale

S'il n'y a pas d'âge requis pour la circoncision (sünnet), elle se pratique traditionnellement avant l'âge de 12 ans, en général entre **4 et 6 ans**.

Après avoir récité des **prières à la mosquée**, l'enfant, déguisé pour la circonstance en prince ou en tout autre personnage incarnant la virilité, est opéré à son domicile par le circonciseur. Il est entouré pendant l'opération de tous ses proches, à l'exception des femmes, puis il reste allongé au milieu des convives qui donnent une **fête** en son honneur et lui offrent de menus cadeaux.

La circoncision est autant une cérémonie religieuse qu'un **rite initiatique,** le petit garçon quittant définitivement le monde féminin pour entrer dans celui des hommes. Aujourd'hui, elle est de plus en plus pratiquée à la naissance, les fêtes étant alors remises à plus tard. ●

La famille, une valeur sûre

Grâce aux réformes engagées par Atatürk, le modèle familial turc est devenu très proche de celui des nations occidentales. Hommes et femmes, égaux en droits, connaissent cependant des sorts très différents. L'homme des milieux traditionalistes tient compte de l'avis de son épouse pour les décisions de la vie courante. Il ne l'emmènera pourtant pas avec lui au café et ne voudra pas non plus voir sa fille s'installer seule ou vivre en concubinage.

Visages de la femme turque

Elle est, dans les textes, l'égale de l'homme et jouit du droit de vote et d'éligibilité depuis **1934** (quatorze ans avant les femmes françaises). L'une d'elles, **Tansu Çiller**, a même été nommée Premier ministre en 1993, un coup de pouce pour de nombreuses femmes turques qui affirment désormais publiquement leur droit à la parole. En fait, il n'existe pas une mais des femmes turques. Aucune comparaison possible entre la femme d'un hameau reculé du Sud-Est anatolien, donnée à un époux polygame contre une dot à l'occasion d'un mariage arrangé, et l'avocate d'Istanbul ou d'Ankara qui jouit de son indépendance. Entre ces deux extrêmes, tout est possible, de l'ouvrière agricole ramassant le coton à l'universitaire de renom, en passant par la fondamentaliste adepte du voile. Témoin de l'évolution rapide des mœurs entre les générations, la « mixité » entre les adeptes du voile et celles qui ne le portent pas est visible partout, même dans le sud-est du pays. Depuis les années 1980, différents mouvements féministes ont mené campagne contre les articles discriminatoires du **code de la famille**. Ainsi, le texte soumettant le travail de la femme à l'autorisation du mari a été abrogé en 1990.

Les reines du foyer

L'axiome selon lequel la femme est reine à la maison, tandis que l'homme est roi dans la rue, reste vrai, notamment dans les petites villes anatoliennes et dans le monde rural. Dans les grandes cités comme Istanbul, qui compte pourtant le plus grand nombre de diplômées, la plupart des femmes sont mères de famille et restent traditionnellement au foyer. La véritable **émancipation**, les mères ne l'imaginent pas pour elles-mêmes, mais elles la souhaitent pour leurs filles, qu'elles poussent à étudier afin qu'elles puissent accéder à un statut de femme plus indépendante. Quant aux femmes de la campagne, elles se marient très jeunes et, dans des villages reculés du Sud-Est, uniquement religieusement, ce qui, au regard de la Constitution turque exigeant le mariage civil pour reconnaître l'union, leur confère un statut de « concubine » et peu de droits.

La révolution des mœurs

Depuis 1995, la société turque a fait un formidable bond vers la modernité, telle que nous la concevons en Europe : émancipation de la femme, libéralisation des mœurs, avancée de la démocratie, mise en avant de l'individualisme…

La libération des ondes télévisées, qui s'est soldée par la multiplication des chaînes privées, a largement contribué à faire évoluer les mentalités. Leurs émissions débattent publiquement sur le statut de la femme, la sexualité abordée sans détours, etc. La jeunesse d'Istanbul, d'Izmir ou d'Ankara montre une liberté de manières encore impensable jusqu'en 1998.

Progressisme d'un côté, retour à l'islam de l'autre. Ces deux évolutions a priori contradictoires sont plutôt le signe d'une tentative d'équilibre entre tradition et modernité. •

Une économie en mutation

À Istanbul, les ponts suspendus sur le Bosphore facilitent la circulation entre l'Europe et l'Asie.

La transformation d'une économie longtemps restée protectionniste constitue la grande préoccupation des gouvernants turcs. La politique ultra-libérale porte ses fruits malgré un mécontentement social latent, dû essentiellement à la fragilisation de la classe moyenne et des petits revenus, et à une précarisation de l'emploi. Le PNB augmente constamment, tout en restant bien inférieur à celui des pays de l'Union européenne, et la croissance annuelle atteint 6 % en moyenne, jusqu'à atteindre 10 % en 2004. La Turquie s'ouvre aux marchés extérieurs. Elle construit des autoroutes, des barrages, des aéroports et des ponts, et espère bien retirer de substantiels bénéfices dans la construction d'oléoducs et de gazoducs qui doivent acheminer l'or de la Caspienne jusqu'à Ceyhan (près d'Adana). Cependant, la crise bancaire de 2001 a gonflé la dette extérieure ainsi que le taux de chômage (11 % de la population active). L'économie parallèle, estimée entre 30 et 40 % du PIB, est à cet égard révélatrice : nombreux sont ceux qui cumulent deux emplois pour faire face à la dégradation du pouvoir d'achat. L'intervention du FMI en 2001 s'est soldée par l'abandon du plan anti-inflation mis en œuvre en 1999 (l'inflation est tombée à 9,57 % entre juillet 2003 et juillet 2004), mais aussi par une série de privatisations touchant dans son premier volet les banques et les télécommunications turques.

Une terre à blé

Plus de la moitié des 200 000 km² de terres cultivées est consacrée aux productions céréalières, essentiellement sur le **plateau anatolien**. La Turquie occupe le septième rang mondial pour le blé, juste derrière la France. Aujourd'hui, le pays développe dans les **régions littorales, au climat tem-**

péré, les cultures plus rentables des fruits secs (les figues, les noisettes, les pistaches et les fameux raisins secs de Smyrne), des fruits (oranges, abricots, pommes, etc.), de la betterave à sucre, du thé et du coton. Autre aspect de l'agriculture : l'élevage du **mouton**. Le pays du *kebap* se classe au cinquième rang mondial des producteurs d'ovins.

Industrie, énergie, tourisme

L'industrie représente **84 % des exportations** du pays. Les secteurs de l'**automobile** et du **textile** (malgré la concurrence du Sud-Est asiatique pour ce dernier) sont les activités économiques phares du pays. Il faut également compter avec des activités rentables comme la production de produits manufacturés, la sidérurgie et la cimenterie.

Depuis les années 1980, les gouvernements successifs s'attachent à développer le potentiel hydroélectrique de l'Est anatolien. Considérée comme le réservoir d'eau du Moyen-Orient, la Turquie a construit **22 barrages** sur l'Euphrate et le Tigre, qui doivent assurer au pays son indépendance énergétique. La mise en eau du **barrage Atatürk**, le cinquième au monde par sa capacité, est un jalon spectaculaire du projet qui vise à transformer la région en **grenier à blé**… au grand dam de la Syrie et de l'Irak, qui soupçonnent la Turquie de vouloir s'approprier le robinet de l'or bleu pour mieux dicter sa loi dans ce coin du globe.

Quant au tourisme, il constitue, avec l'argent rapatrié des émigrés, une ressource essentielle en devises. **Quatorze millions d'étrangers** ont visité la Turquie en 2003. Les Turcs eux-mêmes commencent à visiter leur pays et à découvrir leur patrimoine culturel (ce n'était pas du tout le cas avant 2000). Actuellement, le sud-est du pays est très à la mode, alors que l'Anatolie centrale est la région qui reste à la traîne sur le plan économique.

La ruée vers l'ouest

Au nombre de 16 millions en 1935, les Turcs étaient 35 millions en 1970 et près de 71 millions en 2004. La population n'augmente plus désormais que de 1,6 % par an. Toutefois, compte tenu de la

Le berceau de l'agriculture

L'agriculture serait née dans le sud-est de la Turquie il y a environ **11 000 ans**, soit quelque 3 000 ans avant que l'Europe ne la découvre. À cette époque, la civilisation des chasseurs-cueilleurs laisse la place, dans le **Croissant fertile** du Proche-Orient, aux premiers cultivateurs de céréales et de légumineuses. En 1997, des biologistes européens analysèrent les empreintes génétiques de plus de **250 lignées de blé sauvage** et révélèrent que l'ancêtre des blés actuels poussait sur les pentes des **montagnes du Karaca-** dağ, au sud de Diyarbakır. Résultat qui ne surprit pas les archéologues : depuis longtemps, ils avaient découvert dans cette région des semences de blé cultivé vieilles de plus de 9 000 ans. ●

Sur le plateau anatolien, une steppe à graminées, du blé entre autres céréales, peut faire face aux rigueurs du climat.

La terre a tremblé

Les tremblements de terre survenus les 17 août et 12 novembre 1999 en mer de Marmara se soldèrent par des dégâts matériels considérables et des pertes humaines (18 000 morts en août et 1 000 morts en novembre, d'après les sources officielles) dont le bilan est contesté par diverses associations turques. Entre autres conséquences, le séisme a frappé le golfe d'Izmit, pôle industriel concentrant 45 % de la production turque (industrie lourde, textile, chimie, construction automobile et raffineries). Avec 91 % de son territoire en zone sismique, la Turquie est un pays particulièrement exposé. Et pourtant, aucune mesure d'envergure n'a été prise depuis pour prévenir l'éventualité d'une catastrophe annoncée : Istanbul, la clé de voûte de l'économie turque, pourrait devenir à son tour l'épicentre d'un séisme majeur sur la faille nord-anatolienne. •

grande jeunesse de ses habitants (l'âge moyen est de **22 ans**), la Turquie est déjà l'un des pays les plus peuplés d'Europe. Si le chiffre de la population semble raisonnable pour un territoire grand comme la France et la Grande-Bretagne réunies, la répartition démographique est de plus en plus inégale. En Anatolie centrale et dans le sud-est, la mécanisation de l'agriculture, l'absence de débouchés et une natalité plus forte qu'ailleurs ont conduit les habitants de ces régions défavorisées à quitter leurs terres pour les rivages plus attractifs des **grandes villes**, à l'ouest du pays et sur le littoral méditerranéen. Ce mouvement vers l'ouest se stabilise et, avec le retour du calme dans le sud-est, des populations regagnent leur village.

L'attrait des villes

Plus de 60 % de la population est néanmoins citadine. Izmir et surtout Istanbul, qui regroupe l'essentiel de l'activité économique du pays, font figure de **villes-refuges**. La population officielle de cette dernière a triplé en vingt ans, atteignant aujourd'hui 16 millions d'habitants, avec d'inévitables pro-

blèmes de logement. À Adana, très proche des régions de l'est, où sévit un chômage endémique, la situation est encore plus préoccupante. Les *gecekondu* (encadré p. 118), ces bidonvilles en parpaings construits en une nuit sur les terrains municipaux, sans permis, ceinturent la quatrième ville du pays, qui s'accroît au rythme record de 6 % l'an.

Ceux d'Allemagne

D'autres ont choisi de s'exiler vers un pays étranger qui représente également l'espoir d'une ascension sociale. Partis dans les années 1960, ils sont aujourd'hui plus de 3 millions en Europe (dont 2 en Allemagne). Quand ils reviennent passer leurs vacances en Turquie, on les appelle les *almanlı* (ceux d'Allemagne), même si leur voiture grosse comme un symbole de réussite est immatriculée en Belgique, en Hollande, en France ou dans un quelconque pays du Golfe. L'inconvénient majeur de l'entrée de la Turquie dans l'Union européenne serait celui de l'immigration : selon les spécialistes, 15 millions de Turcs pourraient alors être tentés de s'installer dans les pays européens. •

Entre les mers, la steppe

© Gil Giulio/Hémisphères Images

La Turquie asiatique est séparé de son territoire européen par la mer de Marmara que ferment deux longs détroits : celui du Bosphore, qui communique avec la mer Noire, et celui des Dardanelles, qui ouvre sur la mer Égée. Voisine de pays aussi différents que la Grèce, la Bulgarie, la Syrie, l'Irak, l'Iran, l'Arménie ou la Géorgie, la Turquie, au carrefour des civilisations, s'enorgueillit aussi d'une diversité géographique peu commune.

Baignée par quatre mers, la mer Noire au nord, la mer Méditerranée au sud, la mer Égée et la mer de Marmara à l'ouest, la Turquie totalise 8 370 km de côtes.

Un plateau pris en étau par les hautes montagnes

Sans compter la Thrace, ou Turquie d'Europe, qui représente à peine 3 % du territoire, la Turquie peut se résumer à un immense plateau d'environ 1 100 m d'altitude, l'Anatolie, que bordent deux massifs montagneux côtiers : la chaîne Pontique au nord et les monts du Taurus au sud. Ces deux chaînes fusionnent dans l'Est anatolien, au-delà de l'Euphrate, pour former la région la plus élevée du pays, là où de hauts volcans assoupis tel le mont Ararat (Büyük Ağrı Dağı, 5 165 m) côtoient de profondes dépressions comme le lac de Van.

Le Nord pontique, humide et couvert d'épaisses forêts d'essences variées (coudriers, hêtres, chênes, érables, châtaigniers, noisetiers, et, sur les cimes, des épicéas et des sapins), possède une végétation assez proche de celle de l'Europe centrale.

© Gil Giulio/Hémisphères Images

La façade maritime

En mer Noire et en Méditerranée, les montagnes plongent directement dans la mer, ménageant des littoraux abrupts, caractérisés par la rareté des plaines. Dans celles de la Pamphylie (région d'Antalya) et de la Cilicie (région d'Adana), qui bénéficient d'un climat chaud, poussent les palmiers, les agrumes et aussi quelques bananiers. Sur les côtes de l'Égée, les garrigues alternent avec les plantations d'agrumes, de coton ou d'oliviers. Sur la mer Noire, le tabac et les arbres fruitiers – notamment des cerisiers, des poiriers et des pommiers – laissent place, passé Trabzon, aux plantations de thé.

Une terre qui fait cohabiter les climats

Le climat turc est étonnamment varié. Typiquement méditerranéen sur les rives de l'Égée et au sud, tempéré et humide sur le littoral de la mer Noire, il devient de plus en plus continental au fur et à mesure que l'on gagne l'est de l'Anatolie.

Dans un pays où certaines régions ne connaissent pratiquement pas d'hiver (aux alentours d'Antalya) alors que d'autres doivent s'accommoder de températures qui avoisinent – 10 °C (région d'Erzurum) en janvier, on ne s'étonnera pas de rencontrer une végétation qui va du champ de coton à la steppe rase…

Aux sources des fleuves mythiques

Deux des prestigieux fleuves du Moyen-Orient prennent leur source dans le sud-est du plateau anatolien : le Tigre ou Dicle (au sud-est d'Elazığ) et l'Euphrate ou Fırat (près du mont Ararat, en Arménie turque). Après avoir sillonné la Turquie et, pour l'Euphrate, la Syrie, les deux fleuves traversent l'Irak, puis se jettent dans le golfe Persique. Sur son parcours de 1 718 km, le Tigre arrose des villes aussi célèbres que Mossoul, Samarra et Bagdad, tandis que l'Euphrate, long de 2 330 km, fit la fortune de l'antique Babylone.

Moins impétueux mais tout aussi célèbre, le fleuve Pactole, qui baignait Sardes, capitale de l'antique Lydie, charriait les pépites d'or à l'origine de la fabuleuse richesse de Crésus. Quant au Méandre (Menderes), dont les alluvions ont comblé les cités ioniennes de Priène et de Milet, près de l'ancienne Magnésie, son cours sinueux a laissé un mot bien connu. ●

Le feu, l'eau et le vent ont façonné les paysages uniques de la Cappadoce.

Vivre « alaturka »

© Astrid Lorber

Dans ce pays où le mode de vie balance entre Orient et Occident cohabitent des habitudes sociales se référant à cette double culture. Dans les rues des grandes villes, la mini-jupe côtoie le voile islamique. On marchande dans les bazars, mais pas dans les grands magasins à l'occidentale, qui pratiquent des tarifs fixes. Du temps pas si lointain où les femmes restaient sagement à la maison, la Turquie a gardé le goût des *gazino* mais aussi des *kahvehane* où les hommes se réunissent pour suivre les retransmissions de matchs de football.

Ci-dessus : dans les kahvehane, *les hommes passent d'interminables après-midi à discuter ou suivre les matchs de football.*

Bistrots orientaux

Chaque village possède son bistrot, le *kahvehane*, un fief exclusivement masculin. Les hommes y passent d'interminables après-midi, ponctués de verres de thé, à discuter ou à jouer au *tavla* (sorte de tric-trac). C'est aussi là que se retrouvent les **fumeurs de narguilé**, s'adonnant de longues heures à ce passe-temps hérité des Indes. Le serveur se charge de préparer le tabac, qu'il place au fond de l'embout enfoncé au sommet de la pipe. Il reviendra à intervalles réguliers pour l'alimenter en morceaux de charbon incandescents, posés à même le tabac. La carafe d'eau constituant la partie inférieure du narguilé sert à refroidir la fumée qu'on aspire par un long tuyau.

Histoire de gazino

En vogue depuis toujours, et pas seulement dans les classes populaires, le *gazino* est une sorte de **cabaret** dans lequel monsieur va, les jours de paie, faire la fête avec sa femme (rare), sa *metres* ou rien qu'entre moustachus. Dans un décor kitsch lourdement enfumé, on prend un repas frugal copieusement arrosé de *rakı*.

Quelques verres plus tard, on sombre dans une profonde mélancolie en écoutant, les yeux dans le vague, des airs lancinants (il faut avouer que les Turcs sont d'incorrigibles romantiques). Le rideau se lèvera peut-être sur une chanteuse blonde platine, véritable caricature du genre, qui susurrera la dernière mélodie en vogue accompagnée d'une sono assourdissante. Après avoir reçu quelques bouquets de roses des mains de ses admirateurs émus, elle s'éclipsera pour faire place, qui sait, à une brunette rivale. Chansonniers et artistes se succéderont alors tout au long d'une soirée entrecoupée de numéros de **danses du ventre**.

Le spectacle n'est pas toujours du meilleur goût mais, d'un point de vue sociologique, il vaut le déplacement (le mieux est de se faire indiquer les *gazino* les plus fréquentables).

La passion du football

Les Turcs sont de grands amateurs du ballon rond et la retransmission d'un match important donne lieu, dans les bistrots, à d'incroyables débordements.

Depuis que des équipes comme le Galatasaray, le Fernerbahçe, le Beşiktaş et le Trabzonspor se sont distinguées dans les compétitions européennes, le football turc participe activement au sentiment de fierté nationale, lequel a atteint des sommets en 2002, lorsque l'équipe nationale s'est classée troisième lors de la Coupe du monde en Corée. Ce résultat inespéré a été, pour les Turcs, la seule satisfaction d'une année assombrie par un contexte économique difficile. Grâce au football, la Turquie jouissait soudain de cette reconnaissance internationale à laquelle elle aspire tant.

Les danses folkloriques

Symboles de convivialité, la danse comme la musique tiennent une place importante dans le cœur des Turcs. Chaque région possède des danses qui lui sont propres. Dans les provinces de la **mer Noire**, seuls les hommes exécutent les pas du **horon**, en trémoussant leurs épaules au son du *kemençe* (sorte de violon). Dans la région de **Konya**, hommes et femmes revêtus de costumes chatoyants exécutent la célèbre **danse des cuillères** *(kaşık oyunu)*, en rythmant les évolutions à l'aide de deux cuillères en bois, un peu à la manière des castagnettes. Sur la **côte égéenne**, les hommes dansent le **zeybek**, un mouvement au rythme lent dont les figures symbolisent le courage et la bravoure. Illustrant la prise de la ville de **Bursa**, le *kılıç-kalkan*, **danse du sabre et du bouclier**, est interprété par des hommes costumés en soldats ottomans. Très spectaculaire, il simule un combat sans autre accompagnement musical que celui des armes s'entrechoquant. Plusieurs **festivals de danses et musiques folkloriques** ponctuent la saison estivale, notamment à Samsun, Foça ou Pergame, mais celui de Bursa est considéré comme la meilleure manifestation de ce genre.

Les fêtes saisonnières

Ce ne sont pas des jours chômés *(p. 288)*. Ces fêtes se célèbrent surtout dans les campagnes et sont issues d'anciennes traditions préislamiques, survivances de croyances chamaniques, qui évoquent les cycles saisonniers et la fertilité de la terre. Ainsi, le **Nevruz** (21 mars), fêté par les alevis, et le **Hıdırellez** (6 mai) célèbrent le **retour du printemps** : les jeunes filles se parent de tresses de fleurs et les réjouissances se poursuivent jusqu'à une heure avancée, autour de feux de joie. ●

●●● *Pour les* **fêtes**, *voir aussi p. 27, 288, et dans les carnets d'adresses.*

© Sylvain Grandadam

Le hammam traditionnel est divisé en deux parties : l'une pour les femmes, l'autre pour les hommes ; ou alors il fonctionne par tranches d'horaires fixes.

Le hammam : une tradition séculaire

Il serait dommage de ne pas expérimenter au moins une fois les bains turcs, héritiers des thermes romains. La plupart disposent d'une section réservée aux hommes et d'une autre réservée aux femmes, ou alors ils fonctionnent par tranches d'horaires fixes. Aucune femme turque ne mettrait les pieds dans les hammams mixtes, fréquentés uniquement par les touristes.

Le **bain turc** se déroule selon un rituel immuable, donnant le choix entre **deux sortes de bain** : la toilette faite par vous-même avec vos propres produits, ou le **bain assisté** par le personnel qui fournit savon et shampooing. Une fois passé au vestiaire, vous nouerez autour de votre taille un *peştemal* (sorte de pagne qu'on vous remettra à l'entrée), car il n'est pas question de se promener complètement dévêtu dans le hammam. Vous gagnerez d'abord l'étuve pour vous faire transpirer sur le banc en marbre (*göbektaşı*), chauffé par une tuyauterie interne. Vous pouvez à ce moment négocier les services d'un masseur, qui vous dispensera un **massage énergique** (pas forcément agréable…). Vient ensuite la phase de décrassage, qui se déroule devant les petites fontaines murales (*kurna*). Un laveur viendra vous savonner et vous frotter le corps avec un **gant de crin** (*kese*) pour éliminer les cellules mortes ; suit le rinçage au moyen d'une cuvette… puis le moment de **relaxation** dans votre cabine, accompagné d'un verre de thé. Vous voilà avec un épiderme lisse comme jamais !

Dernière précision, la plupart des hammams se trouvent **près des mosquées**, puisque leur rôle originel était de faciliter l'ablution des fidèles avant la prière.

●●● *Vous trouverez des adresses de **hammams** dans les carnets d'adresses des villes principales, à la fin de chaque chapitre de visite.*

Marchandage autour d'une tasse de thé

Le marchandage se pratique sur les marchés et dans toutes les boutiques où les prix ne sont pas explicitement affichés. Voici les règles élémentaires pour mener à bien cette joute verbale où chacun fera preuve de psychologie, de finesse, d'intuition et de beaucoup d'humour : **connaître la fourchette des prix est indispensable** avant de se lancer dans les achats.

Visitez plusieurs boutiques, comparez les prix, et vous serez en mesure d'évaluer le pourcentage de réduction auquel vous pouvez prétendre (de 10 à 60 %, voire plus !) ; **achetez seul** et dans les endroits de votre choix, car tout intermédiaire touche à votre insu un pourcentage sur la vente, qui gonfle le prix final d'une moyenne de 30 % ; **soyez avare de détails vous concernant** (le nom de l'hôtel où vous résidez, la voiture de location, votre profession et tous ces petits riens qui trahissent votre niveau de vie) ; **achetez l'objet qui vous plaît**, pas celui que le vendeur vous présente comme l'occasion du

siècle ! Ne vous laissez pas impressionner par un vendeur qui vous presse d'acheter. Si l'objet ou son prix ne vous convient pas, il n'est pas incorrect de quitter la boutique les mains vides, même si le commerçant vous a offert le thé.

En revanche, **n'entamez pas un marchandage** si vous n'avez pas l'intention d'acheter. **Prenez votre temps** ; ne montrez pas un intérêt prononcé pour l'objet de vos rêves, feignez plutôt d'hésiter entre trois ou quatre objets. Le commerçant essaiera alors de vous faire parler. Jouez le sphinx enjoué, et **laissez-le annoncer lui-même le prix de base** qui engagera la discussion décisive. Si ce dernier vous semble correct, à vous d'abattre vos cartes : proposez un prix inférieur à celui que vous avez l'intention de donner. Surenchérissez progressivement jusqu'à l'accord final.

Une fois qu'on s'est accordé sur le prix avec le commerçant, on n'y revient plus. Un marchandage commence et se termine par une boisson, accompagnée des félicitations du commerçant s'il vous a jugé dur en affaires.

● ● ● ● ● ● ● ● ● ● ● ● ● ● ● ● ● ● ● ●

À tue-tête !

L'*arabesk* découle de la musique arabe (libanaise et égyptienne), d'où son nom. Mélangeant les formes savantes et populaires, utilisant toutes les possibilités du mixage à l'occidentale, elle reflétait jadis les espoirs et les frustrations des classes populaires. Son chantre le plus célèbre, **Ibrahim Tatlıses**, a pu percer grâce aux radios privées qui ont fait le succès de cette musique jugée vulgaire par les autorités. Aujourd'hui, la **pop turque** a détrôné l'*arabesk*. Cette musique rythmée tient de la variété occidentale, agrémentée de sonorités orientales. Les vedettes en vogue

sont **Tarkan**, **Mustafa Sandal**, **Sertap Erener** (qui a remporté l'Eurovision 2003), **Sezen Aksu**, **Teoman** et **Athena**. Leurs tubes passent dans tous les bars branchés d'Istanbul, Ankara ou Izmir.

Où faire du shopping ?

Dans les bazars, bien sûr, qui, couverts ou non, sont de véritables cavernes d'Ali Baba. Pour la confection haut de gamme, voyez les grands magasins à l'occidentale des villes importantes. Les meilleures affaires se négocient néanmoins sur les marchés. On trouve de tout un peu partout, mais c'est à Istanbul que le choix est le plus vaste. ●

© Stéphane Frances / Hémisphères Images

Tapis et tissages anatoliens

En évoquant les tapis et surtout les kilims turcs, on peut parler d'art, car bon nombre de pièces anciennes sont le fruit de l'imagination de la tisserande et non la simple reproduction d'un modèle sur papier millimétré. Aujourd'hui, ce bel artisanat se perd, une bonne partie de la production étant fabriquée en série afin d'alimenter les boutiques pour touristes.

Tapis noué, tapis tissé

Il faut distinguer le tapis noué *(halı)* du tapis tissé : le kilim, le *sumak* et sa variante, le *cicim*. Un tapis noué se compose de fils de chaîne verticaux sur lesquels la tisserande noue horizontalement la laine, qu'elle coupe à l'aide d'un couteau une fois le nœud effectué. Lorsqu'elle a achevé une rangée de brins, elle actionne le peigne métallique pour tasser la trame. Avec des ciseaux, elle arase au fur et à mesure le velours pour contrôler l'évolution des motifs.

© Astrid Lorber

Un artisanat typique

Les motifs primitifs – des dessins géométriques et des figures abstraites, à valeur ésotérique – incarnent l'immensité infinie de la steppe et le substrat des croyances chamaniques, fondées sur le culte de la nature. La riche iconographie des kilims turcs perpétue ce langage ancestral. Les connaisseurs identifient la provenance de la pièce rien qu'en regardant les coloris et les motifs. Jusque vers 1850, les tisserandes teignaient la laine à partir de plantes

Ci-dessus : avec l'usage et le temps, les couleurs végétales de ce tapis du XIXe s. d'Ada Milas (île de Rhodes) se sont lustrées pour devenir encore plus chatoyantes.

© Astrid Lorber

© Gil Giuglio/Hémisphères Images

tinctoriales, d'insectes ou d'animaux marins. Aujourd'hui, la majorité des tapis et kilims sont réalisés avec des teintures chimiques. En Turquie, les tapis sont noués selon la technique du double nœud (ou nœud de Ghiordes), par opposition au nœud simple (nœud persan ou Senneh), en vigueur en Iran.

Le moment crucial

Choisir un tapis prend du temps, ne serait-ce que pour se familiariser avec les divers motifs et apprendre à évaluer la qualité. Si la confection de tapis et kilims découle d'un artisanat séculaire, n'allez pas croire que tous se valent. Le bel artisanat tend à disparaître et les pièces anciennes, véritables chefs-d'œuvre que l'on admire au musée des Arts turcs et au musée des Tapis d'Istanbul, se font rares. Le prix varie en fonction de l'originalité du dessin, de l'emploi ou non de couleurs végétales, du lieu de tissage (certaines villes sont plus cotées que d'autres), du travail (nombre de nœuds pour les tapis, qualité du tissage et finesse pour le kilim), de la matière utilisée (coton, laine ou soie) et de l'ancienneté. À voir aussi : les nappes traditionnelles *(sofra)* et les étoffes brodées du Caucase *(suzanı)*. Les sacs à grain, selles d'âne ou de chameau, se transforment en coussins aussi originaux que décoratifs.

Sous toutes les coutures

Un bon kilim ne gondole pas ; le travail de la chaîne est régulier et la gamme chromatique harmonieuse. Il doit être fin et un peu rugueux au toucher. Si la pièce a des couleurs délavées sur le recto et des couleurs trop vives sur le verso, c'est qu'elle a subi une exposition prolongée au soleil, destinée à la faire vieillir artificiellement. Le prix d'un kilim ancien rare dépasse largement celui d'un tapis en soie de production récente. Les plus beaux tapis en soie sont produits à Hereke. Ce sont des œuvres d'inspiration persane, dont la thématique fleurie fait référence au jardin coranique. Méfiez-vous néanmoins des imitations en coton mercerisé *(floş)*, une matière qui présente l'aspect brillant de la soie sans en avoir la qualité. Le velours d'un tapis en laine doit être uniforme et régulier ; inspectez la tranche en profondeur pour observer la tenue des couleurs. ●

Impossible de ne pas pénétrer dans une boutique de tapis au cours d'un voyage en Turquie. Il y règne une ambiance envoûtante qui séduira les amateurs comme les curieux.

Ci-contre : roulables et facilement transportables à dos de cheval, les kilims furent introduits en Asie Mineure au XIe s. par les nomades turcs. Il s'agit de tissages à plat, très souples et quasiment réversibles.

Que rapporter de Turquie ?

Dans la gamme des souvenirs à petits prix, il y a les produits d'alimentation typiques : helva, loukoums, café et thé turcs, eau de rose… L'industrie textile fabrique de la belle confection à prix attractifs : jeans, tee-shirts, etc. Les élégantes ne manqueront pas les soldes (30 à 70 % de rabais) de janv.-fév. et de juil.-août.

● **Antiquités**. Ceux qui aiment chiner seront servis : céramiques, meubles ottomans incrustés de nacre, tissus précieux, costumes brodés, objets traditionnels en bois, etc. Un seul hic : tout **objet de plus d'un siècle** est soumis à une législation très stricte qui interdit de le sortir du pays ; il faudra alors demander une autorisation spéciale auprès de la Direction générale des musées. Ne payez rien avant d'être sûr de pouvoir exporter votre achat et conservez précieusement la facture. Les **antiquaires sérieux** s'occupent de toutes les formalités douanières et se chargent, le cas échéant, de faire parvenir à votre domicile les objets encombrants.

● **Bijoux**. Vous trouverez des bijoux en or, incrustés ou non de pierres précieuses, des bijoux ethniques en argent (copies ou véritables antiquités) et de la pacotille, version orientale. Les bijouteries traditionnelles pratiquent la **vente à la pesée** à laquelle s'ajoute parfois un supplément de 10 à 20 % pour la façon. L'or comme l'argent étant cotés en Bourse, tout bijoutier se voit donc dans l'obligation d'afficher **sur une pancarte le cours journalier du gramme selon son titre en carats**. C'est bien sûr dans le **Grand Bazar d'Istanbul** que le choix est le plus vaste, mais n'importe quel bazar du pays abrite un quartier des bijoutiers. Les créations des **joailliers** s'avèrent plus originales,

mais leurs tarifs, n'étant pas basés sur le poids du bijou, sont aussi plus élevés. Les **vieux bijoux en argent** que vous dénicherez chez les antiquaires valent de petites fortunes. Comme partout en Orient, des étals et boutiques de frivolités regorgent de bijoux fantaisie, alliant originalité et prix dérisoire.

● **Cuivres**. On déniche de tout dans les boutiques spécialisées : aiguières, cruches, samovars, écuelles, etc. Ces objets sont fabriqués en **cuivre jaune**, appelé aussi laiton, en **cuivre rouge**, c'est-à-dire du cuivre pur, ou en **cuivre étamé**, recouvert d'un alliage de plomb et d'étain. Les **pièces anciennes**, généralement en cuivre rouge ou étamé, pèsent plus lourd que les productions récentes.

● **Épices**. Elles s'achètent dans les épiceries fines *(baharat)* : safran iranien (le safran turc, ou curcuma, a peu de goût), cumin, thym, origan, soumac, cardamome, piment en paillettes…

● **Pipes en écume de mer et narguilés**. L'écume de mer, une pierre de couleur blanche, provient des gisements d'**Eskişehir**. Si vous comptez vous servir de la pipe pour fumer, choisissez-en un qui soit **lisse** car les sculptures servent à dissimuler les défauts de la pierre. Les **narguilés**, très décoratifs, s'achètent dans des boutiques spécialisées voire chez les marchands de cuivre. Si vous voulez les utili-

ser en France, n'oubliez pas de vous approvisionner en **tabac spécial** et en **braises**.

● **Poteries, céramiques, porcelaines**. Les **poteries** en terre rouge d'**Avanos** *(photo p. 37)* reproduisent les modèles des vieilles civilisations anatoliennes. La **vaisselle en faïence** (vases, plats, assiettes, coquetiers, etc.), décorée de motifs floraux ou animaliers dans le goût ottoman, provient des ateliers de Kütahya. La **porcelaine** a une histoire plus récente en Turquie puisqu'elle ne fut implantée qu'au XIXe s. ; les productions, entièrement décorées à la main, se dénichent dans les centres d'artisanat ou dans la manufacture de Yıldız, à Istanbul.

● **Tapis**. *Voir p. 38.*

● **Vêtements de cuir ou de daim**. Plus abordables qu'en France, ils sont généralement de coupe actuelle et de bonne tenue (vérifiez les coutures et le boutonnage). Cependant, pour la qualité extra, il faudra y mettre le prix. Les cuirs sont principalement produits à **Istanbul**, mais vous trouverez des boutiques spécialisées dans tout le pays. Si vous n'optez pas pour du sur mesure, faites comme les Turcs, qui préfèrent acheter dans les grandes chaînes réputées : **Derimod**, **Kırcılar**, **Deri Sarayı**, **Desa**. Jetez également un coup d'œil aux sous-produits du cuir comme les chaussures, ceintures et sacs à main. ●

●●● *Attention*, acheter des contrefaçons (Lacoste, Vuitton…) est illicite et passible d'amende.

Saveurs d'Orient

Chez les épiciers, on peut faire emplette de loukoums, d'huile d'olive, de miel, de thé, d'épices, de parfums…

La cuisine turque passe pour être la troisième meilleure du monde. Sa spécificité consiste à garder la saveur naturelle des aliments. Mariant les viandes et les légumes avec un zeste d'épices ou d'herbes aromatiques, elle peut paraître à la longue sans grande imagination. En fait, les spécialités raffinées se servent plutôt dans le secret du giron familial, alors que les restaurants proposent la plupart du temps des *kebap* (brochettes de viande grillée) ou des variantes de potée. Sur les côtes, vous pourrez faire un excellent repas de poisson et de crustacés.

À chaque restaurant sa spécialité

On trouve des établissements de classe internationale à Istanbul, Izmir et Ankara. Les *lokanta* (petits restaurants populaires) servent une cuisine simple et bon marché. Les plats, préparés à l'avance, sont maintenus au chaud dans des comptoirs spéciaux devant lesquels vous défilerez pour faire votre choix. Les *restoran* d'un standing supérieur ont une décoration et un service plus soignés. Bien plus onéreux, ce sont les seuls à proposer une carte des vins. Les **tavernes** (*meyhane*) sont surtout réputées pour les *meze*, assaisonnés d'une animation musicale tzigane.

Il existe enfin une ribambelle de petits restaurants spécialisés qui servent un plat unique. Les plus répandus sont les **kebapçı** et les **köfteci** qui proposent uniquement des grillades (*kebap*, *döner* ou *köfte*), accompagnées de salades. Les **pideci** servent des pizzas turques (*pide* et *lahmacun*), les **börekçi** des *börek*, et les **işkembeci** le fameux potage aux tripes *(p. 43)*. Les *büfe* (buffets) proposent sandwichs de viande grillée, *börek* et jus de fruits frais à des prix dérisoires. Dans les *pastane* (pâtisseries), on peut déguster toute la variété de flans et gâteaux orientaux, mais aussi prendre son petit déjeuner. Les **stands ambulants** (moules fraîches, sandwichs aux sardines, patates fourrées, etc.) sont pratiques pour déjeuner sur le pouce. Les *mangal* sont des aires de pique-nique pourvues d'une maison de thé : vous vous installez à une table en plein air, et un garçon vient vous apporter un samovar rempli de thé ainsi qu'un *mangal*, c'est-à-dire un barbecue sur lequel vous ferez griller la viande que vous aurez préalablement achetée. Les familles turques fréquentent assidûment les *mangal* pendant le week-end.

Dans le dédale des meze

Le plateau de hors-d'œuvre, extrêmement copieux, s'avère une expérience culinaire mémorable. Choisissez un assortiment de meze (cinq à huit sortes), que vous partagerez en y grappillant des bouchées. Commencez par le plus simple pour aboutir au plus complexe, puis retournez-y. Dernier conseil : alternez le froid avec le chaud, le cru avec le cuit, les produits de la terre avec ceux de la mer.

Les meze à base de laitages

Les *börek*, beignets en pâte feuilletée servis chauds et farcis d'un mélange d'œufs et de fromage blanc ou de viande hachée ; le *cacık*, soupe froide au yoghourt, à l'ail et au concombre émincé ; le *beyaz peynir*, fromage au lait de brebis et de vache.

Les meze à base de poisson ou de viande

Le *çiroz*, hareng séché ; le *lakerda*, poisson mariné dans la saumure ; le *tarama*, préparation à base d'œufs de mulet, d'huile et de citron ; les *midye dolması*, moules farcies ; les *midye tavası*, moules frites qu'on assaisonne de citron ; le *çerkez tavuğu*, fibres de poulet mélangées à une sauce aux noisettes ; le *pastırma*, viande séchée ; l'*arnavut ciğeri*, sauté de foie aux oignons ; la *begyn salatası*, cervelle d'agneau en salade ; les *çiğ köfte,* boulettes de viande crue et épicée.

Chez vos hôtes

Si vous êtes reçu, il faudra commencer par **vous déchausser** avant de pénétrer dans la **maison**, puis attendre que l'on vous indique un siège.

Pour signifier que vous ne désirez plus de **thé**, placez la cuillère à l'horizontale sur votre verre.

Vos hôtes apprécieront que vous leur offriez un bouquet de fleurs, une boîte de baklavas ou de loukoums, et ils seront encore plus charmés si, pour leur rendre visite, vous vous êtes mis sur votre trente et un ; les Turcs ont un certain **souci de l'élégance** et ne jugent pas les

© Gil Giulio/Hémisphères Images

tenues débraillées ou « de vacances » forcément convenables pour sortir au restaurant ou aller dîner chez des amis.

Au restaurant

En Turquie, on peut se restaurer à n'importe quelle heure de la journée. Seuls les restaurants à l'occiden-

L'alternance, voilà le secret pour faire honneur aux multiples variétés de meze. Accompagnés idéalement d'un verre de raki, ils peuvent aisément tenir lieu de repas.

tale ont des créneaux horaires stricts. Beaucoup de *lokanta* disposent d'une **salle réservée aux familles** ou aux **femmes seules** (*aile salonu*). La **carte** est généralement bilingue (turc, anglais ou allemand).

Si ce n'est pas le cas, vous pouvez demander à voir en cuisine les plats dont vous ne comprenez pas le nom.

Potages (çorbalar)

Les Turcs les dégustent aussi bien pour débuter un repas qu'au petit déjeuner. Les plus fréquents sont le *mercimek çorbası* (potage aux lentilles), le *tavuk suyu* ou le *et suyu* (soupe de poulet ou de bœuf), le *yayla çorbası* (potage au yoghourt et à la menthe). L'*işkembe çorbası*, la célèbre soupe aux tripes, aurait des vertus curatives contre la gueule de bois.

Grignotage

Les gargotes servent également des **gözleme**, sorte de crêpe fourrée au fromage, au citron… Copieux et bon marché.

Loukoums

Les **confiseries** vendent les célèbres *lokum*, sorte de boules de gomme aux parfums divers. L'une des variétés est préparée à base de crème et fourrée de choco-

lat, pistaches, amandes, etc. Dans la gamme des **massepains**, goûtez aux pâtes d'amandes (*badem esmezi*) et au *helva*, un bloc à base de sésame, marbré ou non au chocolat, qui se débite en tranches. ●

●●● *Vous trouverez des adresses de restaurants dans les carnets d'adresses. Pour le budget, voir p. 285. Voir aussi Santé p. 290.*

© Gil Giulio/Hémisphères Images

Les meze à base de légumes

Le *fava*, purée de pois chiches ; l'*ezme*, salade très épicée de tomates, piments et ail ; le *pilaki*, mélange de haricots, oignons et herbes aromatiques, rissolé dans de la tomate et de l'huile d'olive ; les *yaprak dolması*, les fameuses feuilles de vigne farcies ; la *çoban salatası*, salade à base de concombres, tomates et oignons ; la *patlıcan salatası*, salade d'aubergines écrasées ; la *rus salata*, une macédoine de légumes ; le *piyaz*, salade de haricots blancs à l'oignon.

Ne manquez pas de goûter au célèbre **Imam bayıldı** (littéralement : « l'imam s'en est pâmé »), une aubergine farcie d'oignons et de tomates, qui est un vrai délice.

Les plats de résistance

Ils sont toujours accompagnés d'une salade, de blé concassé *(bulgur)* ou de **riz** *(pilâv)* généralement accommodé de raisins secs et de pignons. Les *mantı*, plat bon marché très populaire en Turquie, sont une sorte de raviolis accompagnés d'une sauce au yoghourt et à l'ail.

Une brochette de grillades

Les *kebap* (brochettes) sont le plat le plus courant. Il peut s'agir de *şiş kebap*, petits morceaux de viande grillée (agneau, mouton ou bœuf), ou de brochettes de viande hachée et épicée (*Adana kebap* et *Urfa kebap*). Les **köfte**, à base de viande hachée, mie de pain et œuf, forment des boulettes qui seront rôties dans l'huile ou grillées. Le populaire **döner kebap**, un rôti fait de minces filets de viande de mouton ou de poulet empilés en quenouille sur une broche, se déguste aussi bien dans les buffets que dans les *lokanta* spécialisées. Il faut absolument en goûter une variante, l'**Iskender kebap**, servi sur des tranches de pain avec du yoghourt et une sauce tomate, le tout arrosé de beurre clarifié.

Des légumes à toutes les sauces

Les légumes (courgettes, poivrons, concombres, aubergines, tomates, etc.) entrent dans la composition du *taş kebap* (un plat de viande en sauce), des *güveç* (ragoût qui a mijoté dans un récipient en terre), ou encore du *saç kavurma* (émincé

© Powel Wysocki/Hémisphères Images

À chaque circonstance sa boisson

● Ne buvez jamais l'**eau du robinet** : vous trouverez partout de l'eau minérale capsulée *(kapalı şişe su)* ou gazeuse *(maden suyu)*.

● Les **jus de fruits** capsulés *(meyve suyu)* sont excellents et les buffets proposent des jus d'oranges pressées à des prix dérisoires.

Grands buveurs de café à l'époque ottomane, les Turcs lui préfèrent aujourd'hui le thé, qu'ils boivent généralement dans de petits verres évasés en forme de tulipe.

de mouton avec oignons et tomates, sautés à la casserole), servi dans une poêle. Ils peuvent aussi être **farcis** (*dolma*) d'un mélange de viande, de riz et de pignons.

Saveurs de la mer

Aussi nombreux que variés, les poissons et crustacés pêchés dans les eaux turques sont légèrement différents de la faune aquatique européenne. Selon la saison, on vous proposera du rouget (*barbunya*), de l'espadon (*kılıç*), du bar (*levrek*), une sorte de mulet (*lüfer*), du mérou (*trança*), du turbot (*kalkan*), de la bonite (*palamut*) ou de la daurade (*çupra*). Question crustacés, votre choix portera sur la langouste (*böcek*), le homard (*istakoz*), les calamars (*kalamar*) ou les crevettes (*karides*). Attention ! Le **prix du poisson** est **affiché au kilo**. Au moment de la commande, il faut le faire peser pour connaître le montant exact de l'addition.

Un peu de douceur

En Turquie, le dessert consiste en fruits de la saison. Les Turcs dégustent plutôt les gâteaux dans le cou-

Les *simit*, petits pains très appréciés des Stambouliotes, se vendent à tous les coins de rue.

© Pawel Wysocki/Hémisphères Images

rant de l'après-midi avec un verre de thé. Les pâtisseries servent des **glaces** (*dondurma*), toute une variété de **flans** (*aşure, keşkül, güllaç, muhallebi, sütlaç*) et des pâtisseries orientales, fourrées au miel, aux amandes et aux pistaches, tels les **baklavas** et les *kadayıf*. Parmi les **spécialités insolites**, essayez donc le *tavuk göğsü* et sa variante, le *kazandibi*, sorte de pudding à base de lait, de sucre et de blanc de poulet effrité. •

• L'**ayran** est une boisson originale, faite de petit-lait allongé d'eau, qui accompagne idéalement un *döner kebap* ou un plat de *köfte*.

• Les Turcs n'ont pas une longue tradition vinicole, mais leurs **vins** sont de qualité acceptable. Dans la gamme des blancs (*beyaz*) et des rouges (*kırmızı*), les plus réputés proviennent des domaines **Doluca** (Muskado, Villa Doluca, Nevşah et Antik) et **Kavaklıdere** (notamment le Çankaya et le Dikmen).

• Le **rakı** est une anisette titrant entre 45 et 50°. Il se boit sec en alternant une gorgée d'alcool et une

gorgée d'eau, ou encore mélangé avec de l'eau, ce qui lui donne une couleur blanchâtre. Il accompagne divinement les *meze* et les fruits. N'en abusez pas car c'est un alcool traître, que les Turcs surnomment d'ailleurs le « lait de lion » (*aslan sütü*). Trois marques importantes : **Yeni rakı, Kulüp** et **Altınbaş**.

• La **bière** locale **Efes**, plutôt goûteuse, accompagne idéalement les beignets de moules et les tripes.

• Le **boza**, typiquement turc, est une boisson à base de millet fermenté qui enchantait jadis les redoutables janissaires.

• Le **thé** et le **café** sont les boissons de la convivialité. Il n'y a pas d'heure pour boire le thé (*çay*), véritable breuvage national.

Le **café turc** (*türk kahvesi*) n'est ni soluble ni filtré, mais préparé en décoction, le marc se déposant au fond de la tasse. Il faut donc se garder de le remuer à la petite cuillère et de vider la tasse jusqu'à la dernière goutte. Le sucre s'ajoute au café moulu pendant la préparation.

Vous pouvez le commander sans sucre (*sade*), peu sucré (*az şekerli*), moyennement sucré (*orta*) ou sucré (*şekerli*). •

itinéraires

Que voir région par région ?

Les capitales ottomanes

Cartes « Que voir ? »
en rabats de couverture

Istanbul★★★ *(p. 64)*, **Edirne★★** *(p. 90)* et **Bursa★★★** *(p. 92)* se partagent le privilège d'avoir été la capitale de l'Empire ottoman. Les trois villes possèdent de magnifiques mosquées et des bazars couverts remplis de tapis, de bijoux en or, d'épices, d'étoffes et autre bric-à-brac oriental. Mais c'est bien sûr dans la « ville des villes » que les sultans érigèrent leurs somptueux palais : le **sérail de Topkapı★★★** et le **palais de Dolmabahçe★★★**. Seule ville au monde à chevaucher deux continents, Istanbul faisait déjà rêver le monde lorsqu'elle s'appelait Constantinople, capitale de l'Empire byzantin. Son monument emblématique, la basilique **Sainte-Sophie★★★**, incarnait alors le christianisme triomphant.

La côte égéenne

Bienvenue au pays d'Homère et de Pâris, de Crésus et de tant d'autres… Cette côte fantasque, toute de criques, de baies et d'îlots, livre pêle-mêle sa mémoire de pierre, ses stations balnéaires survoltées et ses plages de sable fin. À **Izmir★** *(p. 116)* et à **Bodrum★** *(p. 136)*, les nuits peuvent être aussi longues que les jours. L'histoire de la Grèce antique se feuillette dans les cités d'♥ **Assos★** *(p. 111)*, de ♥ **Priène★★** *(p. 133)* et de **Milet★** *(p. 135)*. Quant au célèbre oracle de **Didymes★★** *(p. 136)*, son sanctuaire gigantesque est l'un des plus impressionnants du monde grec. Mieux que personne, les sculpteurs d'♥ **Aphrodisias★★★** *(p. 123)* surent rendre hommage à la déesse Aphrodite, en magnifiant par leur art la beauté et la fertilité. Les blanches concrétions qui sculptent la falaise de **Pamukkale★★** *(p. 121)* ne doivent pas faire oublier les ruines gréco-romaines de Hiérapolis, déjà réputée dans l'Antiquité pour ses sources d'eau chaude. **Pergame★★★** *(p. 112)*, à qui Rome décerna le titre de capitale des provinces orientales de l'Empire, se paya le luxe de rivaliser avec **Éphèse★★★** *(p. 129)*, dont le temple d'Artémis comptait parmi les Sept Merveilles du monde.

Page précédente : sur la chaîne Pontique qui borde la mer Noire, le village de Kırıklı se blottit au creux d'une vallée qui préfigure le paysage aride du plateau anatolien.

© Gil Giulio/Hémisphères Images

© Astrid Lorber

© Gil Giulio/Hémisphères Images

© Bureau de Tourisme de Turquie (Paris)

© Gil Giulio/Hémisphères Images

La côte méditerranéenne

Elles possèdent une beauté rare, ces baies protégées du vent par les contreforts majestueux du Taurus. De village en station balnéaire, on pénètre côté mer dans le quotidien d'un peuple qui sait cultiver la douceur de vivre. Lycie, Pamphylie, Cilicie : un parcours éblouissant jusqu'aux portes de la Syrie, le long d'un littoral abrupt, jalonné de cités antiques, **Caunus*** *(p. 152)*, **Xanthos**** *(p. 156)*, ♥ **Phasélis**** *(p. 161)*, ♥ **Termessos**** *(p. 165)*, **Pergé**** *(p. 166)*, **Aspendos***** *(p. 167)*, **Sidé*** *(p. 168)*, de nécropoles rupestres, **Kale**** *(p. 159)*, **Fethiye*** *(p. 155)*, et de châteaux médiévaux, **Anamur*** *(p. 171)*, **Yilanlı Kale**** *(p. 175)*, le plus souvent livrés à eux-mêmes. Les recoins les plus sauvages de la côte méditerranéenne, la ♥ **baie de Kekova**** *(p. 158)* et la ♥ **presqu'île de Bozburun**** *(p. 151)*, s'explorent en bateau. Quant à ♥ **Antalya**** *(p. 163)* et **Alanya*** *(p. 170)*, anciennes résidences hivernales des sultans seldjoukides, ce sont aujourd'hui des stations balnéaires de renommée internationale.

L'Anatolie centrale

Ils sont venus, ils ont vu, ils ont vaincu et ils ont laissé des traces… Ce plateau ocre sur lequel déferlèrent quantité d'envahisseurs symbolise l'identité nationale, fondée sur l'acculturation, qu'Atatürk érigea en république. Comme capitale, il aurait pu choisir **Konya***** *(p. 209)*, l'ancien siège du sultanat seldjoukide de Roum. Il lui a préféré **Ankara*** *(p. 192)*, dont le **musée des Civilisations anatoliennes***** est un complément indispensable à la visite de **Boğazkale**** *(p. 197)*, l'ancienne capitale hittite. ♥ **Amasya**** *(p. 201)* et ♥ **Tokat*** *(p. 202)* sont des clichés grandeur nature d'une carte postale d'autrefois. **Sivas**** *(p. 204)*, **Kayseri**** *(p. 205)* et **Niğde*** *(p. 207)* sont parsemées d'écoles coraniques et de *türbe* ↳ qui comptent parmi les chefs-d'œuvre produits par l'art seldjoukide. La steppe se mue parfois en jardin. Dans leurs écrins montagneux, les lacs turquoise d'**Eğirdir**** *(p. 217)* et de ♥ **Beyşehir**** *(p. 216)* célèbrent, au rythme des saisons, une nature qui s'est montrée si généreuse.

La Cappadoce

Basile le Grand, Grégoire de Nysse et Grégoire de Nazianze demeurent la mémoire de la Cappadoce chrétienne. De monastère en ville souterraine, on découvre des œuvres d'art inestimables et un mode de vie unique au cœur de fabuleux paysages nés du feu, du vent et de l'eau. Les églises rupestres de ♥ **Soğanlı**★★ *(p. 239)* et d'**Erdemli**★ *(p. 241)* renferment les fresques les plus fines de la Cappadoce. Celles de **Göreme**★★★ *(p. 229)* sont de véritables bibles illustrées. À ♥ **Ihlara**★★ *(p. 235)*, les moines choisirent une gorge encaissée pour offrir à Dieu leur spiritualité contemplative. Les peintures de **Çavuşin**★★ *(p. 228)* rappellent que la Cappadoce donna à Constantinople l'un de ses fils, Nicéphore Phocas, pour défendre les frontières de la foi chrétienne. Afin de se protéger des envahisseurs, les hommes creusèrent sous terre d'incroyables taupinières de cinq ou huit étages, que dévoilent en toute intimité **Derinkuyu**★ et **Kaymaklı**★ *(p. 234)*. Dans le village d'♥ **Uçhisar**★★ *(p. 232)*, des demeures semi-troglodytiques se blottissent contre une forteresse naturelle, creusée dans un piton rocheux.

© Bureau de Tourisme de Turquie (Paris)

La mer Noire

Une nature luxuriante et un littoral montagneux couleur émeraude, aux pans tapissés de forêts, de champs de thé et de noisetiers : l'éblouissante route côtière qui s'étire entre **Amasra**★ *(p. 256)* et **Rize** *(p. 266)* séduira les amateurs d'insolite, d'habitat et de traditions locales. Avec son tissu urbain quasi intact hérité de l'époque ottomane, ♥ **Safranbolu**★★★ *(p. 250)* a toute l'étoffe d'une vedette touristique. **Sinop**★ *(p. 256)* somnole dans ses remparts hellénistiques cernés de plages. Plaqué contre une paroi rocheuse, le **monastère de Sumela**★★★ *(p. 266)* semble une prière ardente pour se rapprocher du ciel. À l'est de **Trabzon**★★ *(p. 261)* parsemée d'églises byzantines vivent des minorités ethniques attachées à leurs coutumes. Les marches caucasiennes de la Turquie appartenaient jadis au royaume géorgien, administré un temps par les princes bagratides, qui édifièrent les églises d'**Öşk Vank**★★, **Dört Kilise**★★, **Barhal**★★ et **Işhan**★★ dans la **vallée du Çoruh** *(p. 269)*. ●

© Gil Giuilo/Hémisphères Images

© Gil Giuilo/Hémisphères Images

Si vous aimez…

La mosquée d'Ortaköy peut être considérée comme l'une des plus belles réussites du baroque ottoman.

© Bureau de Tourisme de Turquie (Paris)

Les sites antiques

Vous allez être servi ! Ils abondent tout particulièrement au sud-ouest du pays, se partageant équitablement entre les côtes égéenne et méditerranéenne. Chefs-d'œuvre de l'urbanisme gréco-romain à son apogée, **Éphèse★★★** *(p. 129)*, **♥ Aphrodisias★★★** *(p. 123)* et **Pergame★★★** *(p. 112)* viennent en tête.

Mais il faut aussi recommander les **cités ioniennes★★** *(p. 133)*, **Pamukkale★★** *(p. 121)*, **Pergé★★** *(p. 166)* et **Sidé★** *(p. 168)* pour la cohérence de leurs ruines, **Aspendos★★★** pour son fabuleux théâtre romain *(p. 167)*, **Caunus★** *(p. 152)* et **♥ Phasélis★★** *(p. 161)* pour leur charme, **♥ Termessos★★** *(p. 165)* et **♥ Kekova★★** *(p. 158)* pour la beauté de leur cadre naturel.

En plein cœur de l'Anatolie, vous ferez connaissance avec une peuplade encore plus ancienne : les **Hittites**, qui avaient établi la capitale de leur empire à **Boğazkale★★** *(p. 197)*.

Les nécropoles

Les Lyciens, peuplade méditerranéenne, ont exprimé l'originalité de leur art à travers des nécropoles. Les plus belles se trouvent à **Xanthos★★** *(p. 156)*, dans la **♥ baie de Kekova★★** *(p. 158)*, à **Kale★★** *(p. 159)*, ou à **Cyaneae★** *(p. 159)*. La magnifique nécropole de **Pamukkale★★** *(p. 121)* documente l'art funéraire de l'époque gréco-romaine. Celle d'**♥ Anemurium★★** *(p. 172)* contient des tours funéraires ornementées de fresques et de mosaïques.

L'inédit

Le **♥ plateau d'Uzunçaburç★★** *(p. 172)* est parsemé de villes mortes byzantines, contenant un bel habitat de pierre. **♥ Kanlıdivane★** *(p. 173)* mérite particulièrement le détour. On ne se bouscule pas davantage à **♥ Anemurium★★** *(p. 172)*, qui abrite de remarquables vestiges gréco-romains. En Cappadoce, la vallée d'**Erdemli★** *(p. 241)* possède un monastère unique en son genre.

Les forteresses

À **Kızkalesi*** *(p. 172)*, deux fortins romantiques, l'un sur la rive, l'autre sur un îlot à 200 m au large, entretiennent depuis des siècles le plus houleux des tête-à-tête. À **Anamur*** *(p. 171)*, les flots bleutés de la Méditerranée viennent caresser le château médiéval de l'émir de Karaman. Dans la Cilicie sévère, les forteresses de **Yılanlı Kale**** et **Anazarbus**** *(p. 175)* évoquent les luttes que se livrèrent chrétiens et musulmans pour contrôler les routes vers Jérusalem. Les Hospitaliers de Saint-Jean édifièrent le superbe château de Saint-Pierre qui garde la baie de **Bodrum*** *(p. 137)*.

L'art chrétien

Propagé par saint Paul, saint Jean et saint Luc, le christianisme supplanta les cultes païens. Il s'accompagna de la construction d'**églises** et de **monastères** qui comptent parmi les plus grandes œuvres de la chrétienté dans le monde : la **basilique Sainte-Sophie***** et l'**église Saint-Sauveur-in-Chora***** (Kariye Camii) à Istanbul *(p. 72 et 80)*, la **basilique Saint-Jean*** à **Selçuk*** *(p. 128)* et les **monastères rupestres** aux murs couverts de fresques de la Cappadoce, dont la fine fleur se trouve à **Göreme***** *(p. 229)*, ♥ **Soğanlı**** *(p. 239)* et ♥ **Ihlara**** *(p. 236)*. Sous l'impulsion des Comnène, **Trabzon**** se couvrit d'églises, la palme revenant à ♥ **Sainte-Sophie**** *(p. 265)*.

L'arrière-pays sauvage attira les ordres monastiques, qui y fondèrent notamment le **monastère de Sumela***** *(p. 266)*. L'Arménie et la Géorgie se targuent d'avoir été les premiers États chrétiens du monde ; inspirés par la foi qui transporte les montagnes, ces grands bâtisseurs édifièrent les admirables églises de **Barhal****, **Dört Kilise****, **Işhan**** et **Öşk Vank**** dans la **vallée du Çoruh** *(p. 269)*.

L'art musulman

L'art des **Seldjoukides** emprunte de sa technique à la Perse, à l'Arménie et à la Syrie. Les plus belles réalisations, incluant des caravansérails, des mosquées de type hypostyle ↪ ou basilical, des *türbe* ↪ et des écoles coraniques, s'admirent à **Konya***** *(p. 211)*, **Kayseri**** *(p. 205)*, **Niğde*** *(p. 208)* et **Sivas**** *(p. 204)*. L'époque des grandes **mosquées ottomanes** commence à **Bursa***** *(p. 92)*, où s'élabore la formule dite en T renversé. Après la prise de Constantinople, les architectes concentrèrent leurs recherches sur la grande coupole. D'**Istanbul***** *(p. 64)* à **Edirne**** *(p. 90)*, un nom se répète inlassablement : **Sinan** *(encadré p. 78)*, auteur de chefs-d'œuvre tels que la **Süleymaniye***** et la ♥ **Selimiye*****.

L'animation des grandes villes

Istanbul*** *(p. 64)* ne connaît pas de temps mort. Avec ses bazars grouillant d'une activité tout orientale, ses quartiers traditionalistes d'apparence plus sévère et ses quartiers occidentaux à peine dépaysants, elle résume magistralement bien des aspects de la Turquie actuelle. **Izmir*** *(p. 117)*, la plus délurée des métropoles turques, se montre effrontément avant-gardiste ; rien de tel qu'un petit tour au bazar pour replonger dans une ambiance orientale. **Ankara*** *(p. 192)*, siège des administrations gouvernementales, symbolise la Turquie d'aujourd'hui ; dynamique et moderne, cette bourgeoise qui s'enorgueillit de ses boulevards bordés d'arbres récite en élève modèle les leçons enseignées par Atatürk. Entre traditions et modernisme, le cœur de **Konya***** *(p. 212)* balance ; heureusement, elle sait encore à quel saint se vouer : le derviche Mevlana. **Adana** *(p. 174)* l'anarchique déborde de vie : klaxons, odeurs et foule dense revendiquent sans complexe un caractère plus oriental que méditerranéen.

© Gil Giulio/Hémisphères Images

© Gil Giulio/Hémisphères Images

© Gil Giulio/Hémisphères Images

© Bertrand Gardel/Hémisphères Images

Faire la fête

Vous irez chanter, danser et boire du *rakı* tout votre saoul sur les **hauts plateaux de la mer Noire** *(p. 271)* où se tiennent des réjouissances estivales. Celles de **Kadırga yaylası** et de **Kafkasör yaylası** *(encadré p. 274)* sont les plus courues.

Le charme des demeures anciennes

L'habitat traditionnel en bois, pisé ou pierre de taille, évolue d'ouest en est selon le climat : maisons blanchies à la chaux de **Bodrum★** *(p. 136)* ; chalets alpins de la vallée d'**Artvin** *(p. 269)* ; demeures levantines d'**Izmir★** *(p. 116)* et d'**Ayvalık★** *(p. 111)* ; maisons en pierre, aux linteaux sculptés, de ♥ **Mustafapaşa★** *(p. 233)*, ♥ **Güzelyurt★** *(p. 238)* et ♥ **Uçhisar★★** *(p. 232)*, ces villages cappadociens anciennement habités par les Grecs. À **Istanbul★★★** *(p. 64)*, c'est véritablement Byzance : édifices Art nouveau des quartiers européens, yalı ↪ du Bosphore, maisons en bois de la vieille ville. Si l'**habitat ottoman** vous passionne, c'est dans les vieux quartiers de **Bursa★★★** *(p. 92)*, d'**Antalya★★** *(p. 163)*, de ♥ **Tokat★** *(p. 202)*, d'♥ **Amasya★★** *(p. 201)* et surtout de ♥ **Safranbolu★★★** *(p. 251)* que vous découvrirez les plus beaux exemplaires de maisons à encorbellement.

La nature

Les sentiers de la **Cappadoce** *(p. 227)* sillonnent des paysages lunaires uniques au monde. La chaîne du **Taurus** au sud et la **chaîne Pontique** au nord déroulent des **paysages montagneux** que vous n'êtes pas près d'oublier ; dans les **monts Kaçkar** *(p. 275)* ou le **massif des Ala Dağlar** *(p. 223)*, autant d'opportunités pour randonner vers les hauts plateaux, dans l'univers des rapaces et des loups. En misant sur la couleur turquoise, vous gagnerez ces joyaux méconnus que sont les ♥ **grands lacs pisidiens★★** *(p. 216)*. Les côtes méditerranéenne et égéenne possèdent de magnifiques **parcs nationaux** : **Köprülü Kanyon** au nord-est d'Antalya *(p. 169)* et **Dilek Milli Parkı★** au sud de Kuşadası *(p. 133)*, pour ne citer qu'eux. Quant à la ♥ **presqu'île de Datça★★** *(p. 151)*, elle est tout simplement époustouflante.

Les vacances balnéaires

Il faudra alors choisir entre la **Méditerranée** et l'**Égée**. Si vous recherchez la tranquillité, optez sans hésiter pour la ♥ **presqu'île de Datça★★** *(p. 151)*, ♥ **Olympos★** *(p. 160)*, **Patara★** *(p. 157)*, **Kaş★** *(p. 184)*, ou encore ♥ **Assos★** *(p. 111)*.

Pour un séjour plus sportif, préférez une station ou un hôtel bien équipés, ce qui vous permettra de pratiquer vos **activités nautiques** favorites. **Bodrum★** *(p. 137)*, **Fethiye★** *(p. 154)* et **Marmaris** *(p. 150)* notamment disposent d'**écoles de plongée**. Quand vous en aurez assez de lézarder sur la plage, offrez-vous une **croisière bleue** *(p. 153)* d'un ou plusieurs jours le long du littoral. ●

Impossible de visiter l'ensemble du pays, à moins de prendre un congé sabbatique ! Rien que pour sillonner tranquillement la côte méditerranéenne, il faudrait disposer d'un mois complet. Si vous optez pour la **voiture de location**, vous y gagnerez en temps et en confort. Autrement, il vous faudra jongler avec les transports locaux, efficaces pour se déplacer d'une ville à l'autre mais à des horaires ne concordant pas forcément avec votre programme.

Turquie-Express (8 jours)

Jours 1, 2 et 3. Découverte d'**Istanbul. Jour 4. Bursa** et son centre monumental ottoman. **Jour 5.** La ville antique d'**Éphèse. Jour 6.** Les édifices seldjoukides de **Konya. Jour 7.** La Cappadoce : **Göreme, Uçhisar** et les **villes souterraines. Jour 8. Ankara** et son musée des Civilisations anatoliennes.

Ivresses antiques (14 jours)

Jours 1 et 2. Flânerie dans **Izmir** et continuation vers **Selçuk. Jour 3. Selçuk** et visite d'**Éphèse. Jour 4.** Le tour des antiques villes ioniennes : **Priène, Milet, Didymes. Jours 5 et 6.** Séjour à **Bodrum**, puis traversée en ferry vers la presqu'île de Datça : visite de **Cnide. Jours 7 et 8. Marmaris** et le site antique de **Caunus. Jours 9 à 12.** L'antique Lycie : **Fethiye, Xanthos**, la **baie de Kekova.** Sur la route d'Antalya, visite de **Kale** et de **Phasélis. Jours 13 et 14. Antalya** et les antiques cités pamphyliennes : **Termessos, Pergé, Aspendos** et **Sidé.**

La grande boucle anatolienne (21 jours)

Jours 1, 2 et 3. Découverte d'**Istanbul. Jours 4 et 5. Safranbolu** et ses belles maisons ottomanes. **Jours 6**

et **7. Ankara** et les monuments seldjoukides de **Kayseri. Jours 8, 9 et 10.** Le triangle d'or de la Cappadoce (**Ürgüp, Zelve, Çavuşin, Avanos, Göreme, Uçhisar**), ses **villes souterraines** et la **vallée d'Ihlara. Jours 11, 12 et 13.** Les monuments seldjoukides de **Konya** et les **grands lacs pisidiens. Jours 14 et 15.** Visite de **Pamukkale** et d'**Aphrodisias. Jours 16 et 17.** Visite d'**Éphèse** et de **Selçuk**; continuation vers Izmir. **Jours 18 et 19.** Visite de l'antique **Pergame** et détente à **Ayvalık** ou **Assos. Jours 20 et 21. Bursa** et ses monuments ottomans.

Rive bleue, rive noire (20 jours)

Jours 1, 2 et 3. Antalya et les villes antiques de la Pamphylie : **Termessos, Pergé, Aspendos** et **Sidé. Jours 4, 5 et 6.** Route vers **Beyşehir**, en empruntant la superbe route panoramique *via* **Akseki. Rive ouest** du lac de Beyşehir, puis route vers **Konya**, ville sainte du soufisme. **Jours 7 à 11.** La **vallée d'Ihlara** et la ville souterraine de **Kaymaklı.** Flâneries dans le triangle d'or de la Cappadoce (**Uçhisar, Avanos, Göreme**, le vallon de **Kızıl Çukur, Çavuşin, Zelve, Ortahisar, Ürgüp** et **Mustafapaşa**). La vallée de **Soğanlı** et la réserve d'oiseaux de **Sultansazlığı. Jours 12 et 13.** Deux journées bien remplies à **Kayseri** et **Sivas. Jours 14 et 15.** Découverte de **Tokat** et d'**Amasya. Jours 16 et 17.** Le **littoral de la mer Noire** entre **Samsun** et **Ordu.** Incursion vers les **hauts plateaux d'Ordu. Jours 18 et 19.** Le littoral de la mer Noire entre Ordu et **Trabzon.** Excursion vers le **monastère de Sumela. Jour 20.** Les champs de thé : excursion *via* Rize vers le **haut plateau d'Ayder.** ●

Les capitales ottomanes

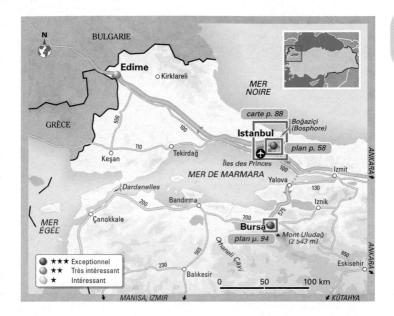

Fermée par deux longs détroits, les **Dardanelles** et le **Bosphore**, la mer de Marmara fut de tout temps un corridor stratégique entre le bassin méditerranéen et la mer Noire. Son rivage vit naître la prestigieuse Byzance, rebaptisée Constantinople, qui exerça un rayonnement incomparable en tant que capitale de l'Empire romain d'Orient puis de l'Empire byzantin. Au XIIIe s., alors que le pouvoir byzantin se fissure, une nouvelle dynastie régnante vient coloniser la Bithynie et fait de Bursa sa première capitale, en 1326. L'heure des Ottomans a sonné ! Ils passent le détroit des Dardanelles, anéantissent les places fortes et, en 1361, s'emparent d'Edirne, où ils transfèrent leur siège. En 1453, Constantinople la chrétienne tombe aux mains de Mehmet II le Conquérant, décidé à ériger la ville symbole au rang de capitale. En 1458, quand les sultans s'installent dans leur nouvelle résidence, Edirne devient une simple ville de garnison. Aujourd'hui, les capitales ottomanes à la croisée des cultures demeurent les locomotives d'un pays qui tend résolument la main vers l'Europe.

© Gil Giulio/Hemispheres Images

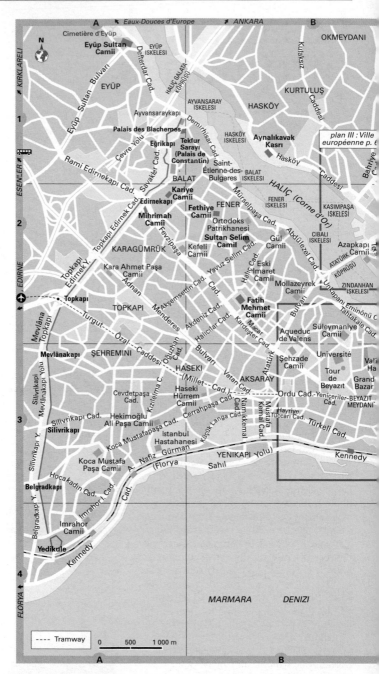

ISTANBUL I : PLAN D'ENSEMBLE

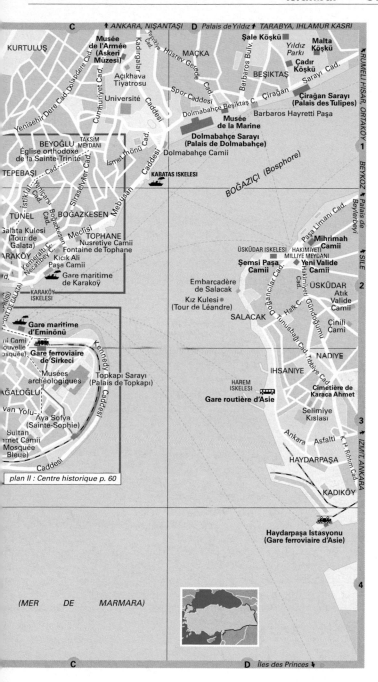

plan II : Centre historique p. 60

(MER DE MARMARA)

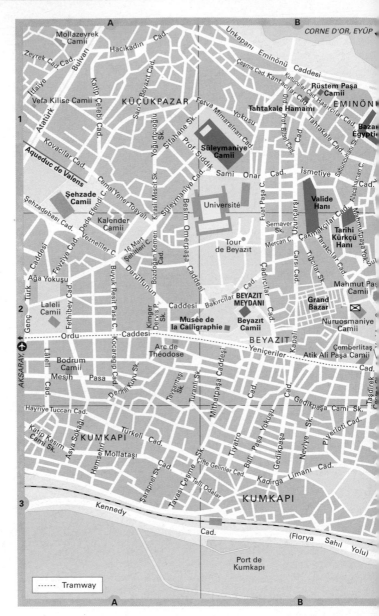

ISTANBUL II : LE CENTRE HISTORIQUE

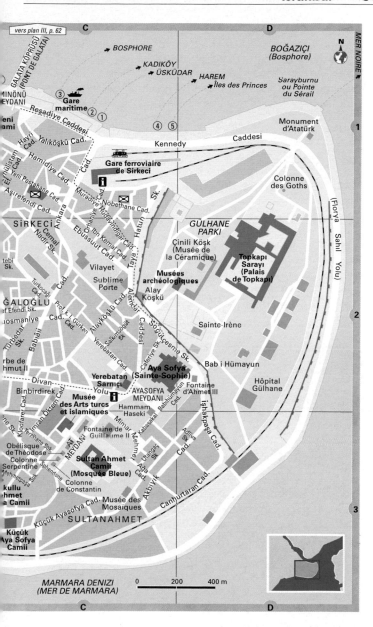

vers plan III, p. 62

C · D

N

MER NOIRE

BOSPHORE

KADIKÖY
ÜSKÜDAR

HAREM
Îles des Princes

BOĞAZIÇI
(Bosphore)

Sarayburnu
ou Pointe
du Sérail

GALATA KÖPRÜSÜ
(PONT DE GALATA)

MINÖNÜ
EYDANI

Gare
maritime ③ ② ①

Reşadiye Caddesi

eni
ami

④ ⑤

Monument
d'Atatürk

1

Kennedy   Caddesi

Hayri
Cad. Yalıköşkü Cad.

Hamidiye Cad.

Yeni Postahane Cad.

Aşirefendi Cad.

Gare ferroviaire
de Sirkeci

Ankara

Muradiye Cad.

Nöbethane Cad.

Hatun Sk.

Colonne
des Goths

(Florya Sahil Yolu)

SİRKECİ

Cemal
Nadir Sk.

tebî
Sk.

Ebussuut Cad.

GÜLHANE
PARKI

Çinili Köşk
(Musée de
la Céramique)

Topkapı
Sarayı
(Palais
de Topkapı)

Vilayet

Türkocağı
Cad.

ĞALOĞLU
ef Efendi Sk.

osmaniye

Sublime
Porte

Musées
archéologiques

Alay
Köşkü

Prof. k.İ. Gürken
Cad.

Alayköşkü Cad.

Caddesi

Sainte-Irène

2

Türbedar
Sk.

Babıâli
Cad.

Yerebatan Cad.

Salkımsöğüt
Sk.

Caferiye Sk.

Soğukçeşme Sk.

Bab i Hümayun

rbe de
hmut II

Divan

Binbirdirek

Yolu

Musée
des Arts turcs
et islamiques

Yerebatan
Sarnıcı

Aya Sofya
(Sainte-Sophie)

AYASOFYA
MEYDANI

Hammam
Haseki

Babıhümayun
Cad.

Fontaine
d'Ahmet III

İshakpaşa Cad.

Hôpital
Gülhane

ne Sk.

Klodfarer Cad.

İmran Ökten Cad.

Terzihane Sk.

AT
MEYDANI

Fontaine de
Guillaume II

Mimar
Mehmet

Kabasakal

Adliye
Sk.

Obélisque
de Théodose
Colonne
Serpentine

Sphendonè

Mehmetpaşa
Sk.

Sultan Ahmet
Camii
(Mosquée Bleue)

Üçler
Sk.

Ağa
Cad.

Uzunçarşı

Adliye
Cad.

kullu
hmet
a Camii

Küçük
Aya Sofya
Camii

Colonne
de Constantin

Küçük Ayasofya Cad.

Musée des
Mosaïques

Akbıyık

Canhurtaran Cad.

3

SULTANAHMET

MARMARA DENIZI
(MER DE MARMARA)

0   200   400 m

C · D

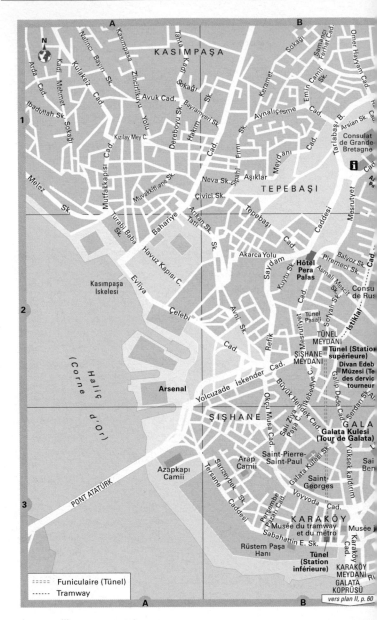

ISTANBUL III : LA VILLE EUROPÉENNE

C   Musée de l'Armée, NIŞANTAŞI →   D

TAKSIM

Cad.

TAKSIM
MEYDANI

Tak-ı Zafer Cad.

Atatürk
Kültür
Merkezi

Cad.

Consulat
de France

Église orthodoxe
de la Sainte-Trinité

Consulat de
Belgique

Istiklal Cad.

Çiçek Pasajı
alık Pazarı

Avrupa
Pasajı

Istiklal

ATASARAY
EYDANI

aint-
toine

Lycée
de Galatasaray

Sokağı

Liva Sk.

Maç Sk.

Arslan
Yatağı

Somuncu Sk.

Cihangir Caddesi

Palais
de France

Tribunal
de France

YOĞLU

ntom Kaptan Sk.

Palais
de Venise

BOĞAZKESEN

Sanatkar Cad.

Meclisi

CIHANGIR

Kumrulu Sk.

İlyas Çelebi Sk.

Mebusan

TOPHANE

Fontaine
de Tophane

Nusretiye
Camii

Kılıç Ali Paşa
Camii

Necatibey Cad.

Galata Mumhanesi Caddesi

Gare maritime
de Karaköy

Boğaziçi
(Bosphore)

0   200   400 m

ARAKÖY
SKELESI

C   D

Dolmabahçe, Çirağan → Yildiz Parkı, Ortaköy

1

2

3

Istanbul★★★

Au cœur de la Nouvelle Rome, la basilique Sainte-Sophie côtoie la mosquée Bleue.

Déchue de son titre de capitale au profit d'Ankara, la perle de l'Orient peut dormir tranquille. Riche de son histoire hors du commun et de sa situation géographique duelle, elle appartient au club fermé des plus belles villes du monde. Dotée de l'enclave portuaire naturelle que constitue la **Corne d'Or**, traversée par le Bosphore, Istanbul doit son fabuleux destin à l'eau. Devenue la prestigieuse capitale de l'Empire romain d'Orient puis de celle des Ottomans, la **ville des basileus** ↪ **et des sultans** fit rêver l'Occident des siècles durant. Au XIXᵉ s., alors que ses dorures se ternissent dans l'agonie d'un Empire décadent, elle continue de fasciner les écrivains-voyageurs qui lui dédient des mots d'amour,

esquissant son secret le moins palpable : **Istanbul est une séductrice**, une ville d'odeurs, de bruits et de couleurs, une ville insaisissable qu'il faudrait, à l'heure où retentit l'appel à la prière, contempler depuis le pont de Galata, trait d'union entre la **vieille ville aux sept collines** hérissées de minarets et le **quartier européen de Beyoğlu**. Dans les rues d'Istanbul, si chargées de souvenirs, se côtoient en permanence **deux modes de vie**, étrange raccourci d'une histoire tiraillée entre l'Europe et l'Asie. Le magnétisme d'Istanbul tient dans son pouvoir à évoquer le passé mais aussi dans les inévitables compromis avec le présent qui font d'elle une cité de son siècle, ni véritablement occidentale ni complètement orientale, tout simplement unique.

UNE VILLE, TROIS NOMS

Istanbul aurait été fondée au VIIᵉ s. av. J.-C. par un marin grec, Byzas. Alors dénommée **Byzantion** (Byzance), la ville devint romaine en 146 av. J.-C. En 324, elle fut promue au rang de **capitale de l'Empire romain d'Orient** par l'empereur Constantin, qui donna l'entière liberté de culte aux Chrétiens.

Cette Nouvelle Rome, rebaptisée **Constantinople**, fut remodelée selon les canons de l'urbanisme antique : à l'est, un espace sacré occupé par le palais impérial, l'hippodrome et la grande place de l'Augustéon, bordée par la première version de Sainte-Sophie ; à l'ouest, une zone résidentielle, corsetée d'un rempart terrestre. Dans ce plan hellénistique, Rome avait introduit le principe du *cardo* ↪ et du *decumanus* ↪, ces deux voies principales qui se croisent à angle droit. La voie triomphale – la Mésè (aujourd'hui Divan Yolu) – reliait l'Augoustéon à la porte Dorée (aujourd'hui Yedikule) en traversant tous les forums de la cité ; l'embranchement secondaire reliait le forum Tauri (aujourd'hui Beyazıt Meydanı) à l'actuelle Edirnekapı. Lorsque Rome tomba aux mains des Barbares (476), ses possessions orientales prirent le nom d'**Empire byzantin**. Le règne le plus brillant est celui de **Justinien** (527-565), symbolisé par un monument d'anthologie : la **basilique Sainte-Sophie**. La première chute de la ville, tombée aux mains des **barons latins** (1204-1261), amorça le déclin byzantin. Sous l'impulsion des **Paléologue**, Constantinople vécut son dernier âge d'or. Depuis le XIIᵉ s., la famille impériale résidait dans le **palais des Blachernes**, autour duquel s'érigèrent les églises de Saint-Sauveur-in-Chora (Kariye Camii) et Théotokos Pammakaristos (Fethiye Camii). En 1453, la menace ottomane se précisa.

La chute de Constantinople

Une véritable souricière se met progressivement en place autour de Constantinople, protégée par ses murailles terrestres et maritimes.

Le 5 avril 1453, **Mehmet II le Conquérant** entama le siège de Constantinople. Fort des expériences infructueuses de ses prédécesseurs, il commença par verrouiller le Bosphore en érigeant la **forteresse de Rumeli Hisarı**. Ses troupes pilonnaient inlassablement les remparts, mais les Byzantins réparaient les brèches la nuit tombée. Afin de contourner l'épaisse chaîne entravant l'accès de la **Corne d'Or**, le sultan fit hisser sa flotte sur la terre ferme pour la redéployer au fond de la crique. Il se trouva ainsi en mesure d'attaquer la ville sur son point stratégiquement faible. L'empereur Constantin XI Dragasès refusa la capitulation, mais dans la **nuit du 28 au 29 mai 1453**, Mehmet II entra triomphalement dans Constantinople par la porte d'Edirne. **Istanbul** l'ottomane était née. ●

© Photothèque Hachette

La légende dit que le nouveau nom de la capitale, **Istanbul**, proviendrait de la déformation de ces termes grecs : « *Eis tin polin* » (« dans la ville »). Après la Conquête, Mehmet II lança la construction du **palais de Topkapı** et créa le **Grand Bazar**, plaque tournante du commerce dans le Moyen-Orient. Sur l'emplacement de l'ancienne église des Saints-Apôtres (la sépulture de basileus ➜), il éleva une **mosquée** (Fatih Mehmet Camii), incarnant le nouveau centre de gravité de la capitale ottomane. Ainsi, l'espace monumental se structura progressivement le long d'un axe triomphal, reliant la porte de la Conquête (Edirnekapı) au palais de Topkapı. De part et d'autre de cet axe, qui emprunte en partie le tracé de la Mésè byzantine, furent édifiées diverses mosquées et fondations d'utilité publique. Les grands travaux débutèrent par un acte symbolique, l'édification de la **mosquée d'Eyüp**, visant à légitimer la toute-puissance ottomane en l'associant avec l'islam. C'est dans cette mosquée que les sultans nouvellement intronisés venaient ceindre le sabre d'Osman (le fondateur de la dynastie ottomane) le jour de leur sacre. Sous le règne de **Soliman le Magnifique** (1520-1566), la ville redevint un brillant **foyer artistique** et se couvrit de joyaux architecturaux, telle la Süleymaniye, édifiés par **Sinan** (*encadré p. 78*). L'heure du déclin sonna dès la fin du XVIe s. Massées de part et d'autre de la Corne d'Or, les communautés étrangères (Grecs, Arméniens, juifs et Occidentaux) détenaient alors le pouvoir économique. Initié à la fin du XVIIIe s. par une série de réformes, le **mouvement d'occidentalisation** s'accéléra. La laïcisation déboucha sur l'ouverture d'une université (1862) et de lycées privés, notamment le lycée français de Galatasaray (1868). Habités par l'élite, les **quartiers de Péra et Galata** incarnaient alors la modernité d'une ville qui s'ouvrait lentement à l'industrialisation. Signe des temps, les sultans quittèrent Topkapı pour s'installer dans des **palais baroques** le long des rives du Bosphore. Décadente et décrépie, Istanbul fin de siècle n'en perpétuait pas moins l'idéal impérial, réunissant sous son aile deux mondes et deux cultures. Cette page s'acheva avec la **proclamation de la république** (1923), qui priva la ville de son titre de capitale au profit d'Ankara.

Le centre historique

Plan II Le cœur historique de l'ancienne Constantinople concentre les monuments phares – le sérail de Topkapı, la mosquée Bleue et la basilique Sainte-Sophie –, mais dans leur ombre dorment des lieux plus insolites. Le quartier est si riche que l'on peut facilement lui consacrer 2 jours.

Le sérail de Topkapı★★★

> **II-D2** *Topkapı Sarayı. Ouv. t.l.j. sf mar. 9 h-17 h. Billetterie générale dans la 1re cour (supplément pour le Trésor). Harem : visites guidées toutes les 30 min de 9 h 30 à 12 h et de 13 h à 16 h. Supplément pour le harem à acquitter devant l'entrée dans la 2e cour (réservez de suite votre tour de visite). Plan p. 68.*

Siège du pouvoir pendant quatre siècles, la demeure des sultans s'ordonne autour de quatre cours juxtaposées, formant les modules publics et privés du palais. Primitivement installé à Eski Saray (sur le site de l'actuelle université de Beyazıt), **Mehmet II** fit ériger le nouveau palais sur l'antique acropole ➜ de Byzance, site grandiose qui domine le Bosphore et la Corne d'Or. Sa construction s'échelonna de 1465 à 1478. Cette micropole hiérarchiquement structurée ressemble à un campement pétrifié, avec ses bâtiments à auvent et ses kiosques organisés autour de jardins privés selon une conception héritée de la Perse.

histoire

Les janissaires

© Gil Giulio/Hémisphères Images

De Mehmet II à Selim II, les sultans remportèrent d'éclatantes victoires militaires grâce à ces farouches guerriers, totalement dévoués à leur service.

Ce corps d'élite se composait de soldats de métier. Recrutés très jeunes, généralement au sein des communautés chrétiennes, ils étaient islamisés puis envoyés à l'école du palais qui formait les militaires et les fonctionnaires de haut niveau. Les meilleurs éléments accédaient à des postes importants dans l'armée et l'administration. Les grands vizirs venaient pour la plupart du corps des janissaires.

Forts d'un nombre grandissant de recrues (12 000 janissaires sous Soliman le Magnifique, 48 000 sous Murat III), ils influençaient les décisions du palais, déclenchaient des révoltes, notamment pendant le règne d'Osman II, et n'hésitaient pas à déposer le sultan en cas de désaccord… Les réformes de l'armée introduites par Mahmut II engendrèrent la dernière mutinerie des janissaires et la suppression de ce corps en 1826. ●

Chaque sultan apporta sa touche personnelle à l'embellissement du complexe, ce qui lui confère un aspect hétéroclite, déconcertant pour l'œil occidental.

Le portail **Bab-i-Hümayun** donne accès à la **cour des Janissaires**, vaste esplanade qui abritait l'intendance du palais. Ne subsistent que l'hôtel des Monnaies et l'église byzantine **Sainte-Irène*** *(ouv. exceptionnelle pour des concerts ou des expositions)*, utilisée comme arsenal par les Ottomans.

On pénètre dans la **deuxième cour** par la **porte du Salut** (Bâb-üs-Selam). Seul le sultan avait le droit de la franchir sur sa monture. La vie administrative et les cérémonies publiques se déroulaient dans cette partie du palais. Toute l'aile droite est occupée par les **cuisines****, conçues par Sinan. Elles renferment l'une des plus **belles collections de céramiques du monde** : des céladons chinois des dynasties Song et Yuan (Xe-XIIIe s.), des porcelaines de la dynastie Ming (XIVe-XVIIe s.), des céramiques japonaises, des porcelaines de Yıldız (la manufacture impériale d'Istanbul) et d'Europe (Meissen, Sèvres, Vienne), ainsi que des pièces d'argenterie. Le vizir et ses ministres discutaient les affaires de l'État dans le **Divan**** (Kubbealtı), composé de trois pièces à coupoles, redécorées dans le style baroque au XVIIIe s. Le sultan assistait aux délibérations dans un **cabinet secret**, aménagé derrière une lucarne grillagée et accessible depuis le harem par un passage privé.

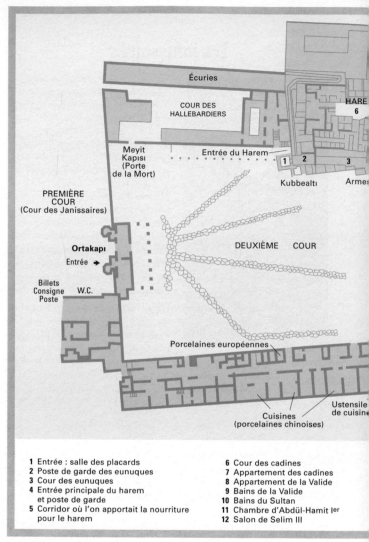

L'entrée au **harem***** s'effectue par la deuxième cour. Gardées par des eunuques noirs, les femmes vivaient en vase clos dans quelque trois cents pièces, reliées par un dédale de corridors. La loi coranique autorisait le sultan à prendre quatre épouses légitimes et un nombre illimité de concubines. Sa suite comprenait également des servantes, dépendant de la Valide Sultane (la reine mère) et des favorites. La configuration des bâtiments, articulés autour de quatre cours, illustre la stricte hiérarchisation régissant la vie du harem. Les femmes subalternes logeaient dans les appartements disséminés autour de la **cour des concubines et celle des servantes** ; les plus influentes avaient leurs quartiers autour de la **cour des favorites**, contiguë aux appartement impériaux. Au milieu du complexe trône la **cour de la Valide Sultane**. L'emplacement cen-

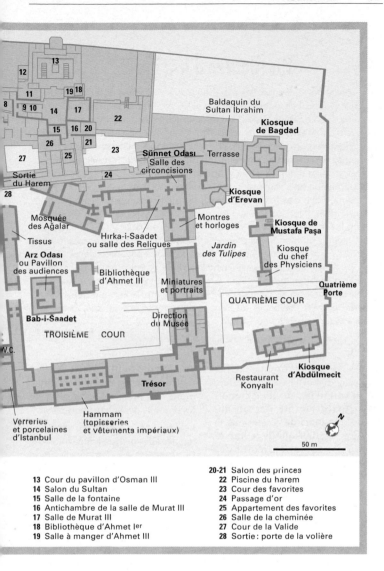

13 Cour du pavillon d'Osman III
14 Salon du Sultan
15 Salle de la fontaine
16 Antichambre de la salle de Murat III
17 Salle de Murat III
18 Bibliothèque d'Ahmet Ier
19 Salle à manger d'Ahmet III

20-21 Salon des princes
22 Piscine du harem
23 Cour des favorites
24 Passage d'or
25 Appartement des favorites
26 Salle de la cheminée
27 Cour de la Valide
28 Sortie : porte de la volière

tral de ses appartements lui permettait d'exercer efficacement son contrôle. Dans sa forme actuelle, le harem résulte principalement d'une reconstruction entreprise par Murat III (1574-1595).

Outre les **bains** et le **grand salon** de style baroque, les **appartements du sultan** contiennent une enfilade de pièces revêtues de magnifiques **faïences d'Iznik** : la **bibliothèque d'Ahmet Ier★**, le **kiosque double★★** (1666) utilisé comme salle d'étude par les princes héritiers, etc. Coiffée d'une coupole sur pendentifs ↪, la **chambre de Murat III★★★** s'orne d'une fontaine murale dont les jets murmurants protégeaient le secret des conversations. Les boiseries peintes du salon d'Ahmet III, dit la **chambre aux Fruits★**, illustrent les tendances baroques du XVIIIe s., qui révolutionnèrent le langage décoratif en y introduisant pilastres,

Un théâtre d'intrigues

La réalité ne rejoint pas les représentations picturales et les écrits rapportés par les Européens. La vie au sérail était régie par un code strict et une subordination rigide. Les femmes jouissaient selon leurs mérites du statut d'épouse, de favorite, de concubine (les fameuses **odalisques**), ou de servante. La loi coranique autorisait le sultan à prendre quatre épouses légitimes. Sa mère, la **Valide** ou sultane mère, régnait d'une main de fer sur le harem. Son emprise directe sur le sultan lui permettait de s'immiscer dans l'exercice du pouvoir, et s'exerçait par l'intermédiaire des **favorites**, choisies par elle pour servir ses desseins. Ce statut était fort convoité, à tel point que les concubines ourdissaient dans les recoins du harem de sombres complots pour y accéder. Celle qui mettait au monde un prince héritier pouvait prétendre au titre de Valide si son fils accédait au trône. Quand une concubine donnait une progéniture au sultan, elle recevait le titre de *ikballer* (heureuse) ou de *kadın efendi* (femme du sultan). Chez les Ottomans, les **lois de succession** ne tenaient pas compte de la primogéniture. N'importe quel fils du sultan pouvait prétendre au trône, efficacement épaulé par sa mère, qui intriguait en sa faveur. ●

formes en volutes, trompe-l'œil et panneaux de bois. La visite s'achève par la **voie d'Or**, un long couloir constituant l'épine dorsale du harem. Les jours de cérémonie, la coutume voulait que le sultan la remonte à cheval en jetant des pièces d'or aux servantes massées sur son passage.

La **porte de la Félicité** (Bab-i-Saadet) garde l'accès de la **troisième cour**, jadis réservée à l'usage privé du souverain et de ses quatre cents pages. Le sultan recevait les ambassadeurs étrangers dans la **salle d'audience*** (Arz Odası), qui contient un trône à baldaquin du XVIe s. Édifiée par Ahmet III en 1718, l'élégante **bibliothèque*** en marbre blanc incorpore une fontaine murale dans son portique. Habillée de faïences d'Iznik, la **salle des Reliques*** (Hirka-i-Saadet) abrite de précieuses reliques ayant appartenu au prophète Mahomet; ce pavillon logeait primitivement les appartements privés du sultan, qui furent définitivement transférés dans le harem à la fin du XVIe s.

Le **salon des Miniatures et des Portraits*** contient des manuscrits enluminés, des calligraphies et, à l'étage, les portraits des sultans ottomans.

Le **Trésor***** s'entasse dans les quatre salles de l'ancien pavillon des Curiosités. Il se compose d'extraordinaires présents offerts par les chefs d'État étrangers (Nadir Shah, souverain persan, fit notamment don du **trône**** incrusté de perles fines), de vaisselle de luxe façonnée dans les ateliers du palais, de pierres précieuses, d'armes d'apparat, etc. Pièces maîtresses de la collection : le **diamant du Marchand de cuillères**** titrant 86 carats et le **poignard de Topkapı**** au manche incrusté d'émeraudes.

Parsemée de plates-bandes florales, de bassins et de pavillons, la **quatrième cour** tenait lieu de jardin d'agrément. C'est, avec le harem, la plus belle partie du palais. Jouxtant le **kiosque d'Erevan** (1635), le **pavillon de la Circoncision** (Sünnet Odası) s'orne des plus beaux panneaux en faïence du sérail.

Le palais de Topkapı renferme quelques-uns des plus beaux panneaux en faïences d'Iznik que l'on puisse voir à Istanbul.

Entièrement revêtu d'émail bleu, le **pavillon de Bagdad★★** (1638) constitue le prototype par excellence du kiosque turc. L'usage voulait que le sultan vienne rompre le jeûne du ramadan sous le **baldaquin doré** qui domine la Corne d'Or.

Les Musées archéologiques★★★

> **II-D2** *Complexe composé de trois bâtiments. Ouv. t.l.j. sf lun. 9h30-17h30. Entrée payante valable pour les trois musées.*

Le **musée des Antiquités★★★** rassemble des sculptures et des objets appartenant aux civilisations grecque, romaine et byzantine, qui dominèrent en leur temps les pourtours du bassin méditerranéen. Les pièces majeures sont les **sarcophages** découverts dans la **nécropole royale de Sidon★★★** : le **sarcophage des Pleureuses★★** (v. 350 av. J.-C.), transposant l'architecture des temples ioniques ↪ ; le **sarcophage d'Alexandre le Grand★★★** (fin du IVᵉ s. av. J.-C.), miraculeusement intact, et sur lequel sont sculptées des scènes de combat et de chasse

d'un réalisme saisissant ; le **sarcophage lycien★★** (fin du Vᵉ s. av. J.-C.), lui aussi décoré de scènes de chasse.

La section intitulée « Istanbul à travers les âges » contient de superbes œuvres byzantines prélevées dans les anciens monastères de Constantinople : sarcophages, chapiteaux ↪ paléochrétiens, fresques, **icône de sainte Eudoxia★★**, etc.

Le **musée de l'Ancien Orient★★** documente les civilisations antiques de la Mésopotamie, de l'Égypte, de l'Arabie et, bien sûr, de l'Anatolie (civilisations hittite et ourartéenne). Vous verrez notamment le **traité de Qadesh★** (1269 av. J.-C., *p. 296*) conclu entre les Hittites et les Égyptiens, qui constitue le premier traité de paix de l'humanité.

Le **musée de la Céramique★** (Çinili Köşk) occupe un pavillon de goût persan, construit en 1472. Il est l'unique rescapé d'un ensemble composé de trois pavillons de styles grec, turc et persan, symbolisant les mondes dont Mehmet II s'était rendu maître. Les collections retracent l'évolution de la céramique turque depuis l'époque seldjoukide (XIIIᵉ s.) jusqu'au XIXᵉ s., notamment les productions des ateliers d'Iznik et de Kütahya.

Soğukçeşme Sokağı

II-CD2 Coiffée d'un toit à auvent, la monumentale **fontaine d'Ahmet III**** (1728) illustre l'assimilation du style baroque dans l'architecture turque. Sur la gauche s'ouvre **Soğukçeşme Sok.**, une ruelle restituant le vieil Istanbul. Des travaux entrepris par le Touring Club ont réhabilité les anciennes maisons en bois, adossées à la muraille du palais de Topkapı. En bout de parcours, vous buterez contre la **Sublime Porte II-C2**, un grand portail de marbre rococo, qui donnait accès au palais du grand vizir.

♥ Yerebatan Sarnıçı**

> **II-C2** *Ouv. t.l.j. 9 h 30-17 h 30. Entrée payante.*

Cette cathédrale engloutie a été construite au IVᵉ s. par l'empereur **Constantin** pour approvisionner les palais impériaux en eau potable. Exceptionnelle par ses proportions (138 m x 65 m), la citerne contient une forêt de **336 colonnes**, coiffées de chapiteaux corinthiens ↪, qui se mirent dans les eaux grâce à un éclairage soigné. On se laisse vite prendre par l'atmosphère mystérieuse du lieu, d'autant plus que la visite se fait sur un fond musical classique.

Sainte-Sophie***

> **II-C2** *Aya Sofya. Ouv. t.l.j. sf lun. 9 h-17 h. Entrée payante.*

Le symbole du pouvoir impérial byzantin manque singulièrement de cachet avec ses murs trapus, étayés par des contreforts massifs. Il faut pénétrer dans la nef pour comprendre l'admiration sans bornes que le bâtiment suscite depuis près de **quinze siècles**. Les premières versions de la basilique, érigées en 360 et 415, disparurent dans des incendies. L'édifice actuel, dédié à la **Sagesse divine**, date du règne de l'**empereur Justinien Iᵉʳ**, qui chargea les architectes Isidore de Milet et Anthémios de Tralles de lui édifier en un temps record (532 à 537) une église « telle que depuis Adam il n'y en eut jamais et qu'il n'y en aurait jamais plus ». Le prodige architectural réside dans la **coupole centrale** (31 m de diamètre), qui semble suspendue en apesanteur à 56 m au-dessus du sol. Il fallut attendre mille ans pour que ce record soit battu par la basilique Saint-Pierre de Rome…

Dans le narthex ↪, une mosaïque ornementant la porte Impériale figure un **Christ en majesté*** accompagné de l'inscription : « Paix à vous, je suis la Lumière du monde », qui résume la conception architectonique de la **nef**. Ses proportions grandioses combinent le plan centré et le plan basilical. Entièrement habillée de matériaux précieux, elle est délimitée en trois vaisseaux par quatre gros piliers qui supportent un vaste dôme contrebuté à l'est et à l'ouest par deux demi-coupoles, où s'imbriquent des conques semi-sphériques. Cette « voûte céleste », que les architectes ottomans cherchèrent en vain à surpasser, s'appuie sur les **quatre pendentifs** ↪ qui amènent la transition entre le plan rectangulaire de la nef et la circonférence du dôme. Il s'en dégage une impression de légèreté qui attire irrésistiblement le regard vers le haut.

Cette audace architecturale, unique en son temps, permit aux bâtisseurs de dégager un vaste espace central, qu'ils flanquèrent de bas-côtés surmontés de tribunes. Les murs tympans latéraux s'appuient sur deux niveaux de **colonnes en marbre**, intercalés entre les piliers pour camoufler les raccordements du système porteur. Les sources majeures d'éclairage s'infiltrent par les baies de la couverture, de telle sorte

Transformée en mosquée après la chute de Constantinople, Sainte-Sophie reçut en cadeau quatre minarets et les médaillons calligraphiés (XVIIᵉ-XVIIIᵉ s.) suspendus aux angles de la nef.

que la coupole semble flotter sur un rideau de lumière alors que la nef reste plongée dans une semi-pénombre.

Les **mosaïques figuratives** sur fond d'or furent exécutées après l'iconoclasme (726-842). Leur programme iconographique s'adapte aux nécessités du plan centré, qui font de la grande coupole le point focal accueillant l'effigie du Christ (aujourd'hui disparue), alors qu'une **Vierge à l'Enfant★★** (867) occupe la calotte de l'abside ↪, illustrant de fait l'importance du culte marial. Les plus beaux panneaux, datés des XIᵉ et XIIᵉ s., se trouvent dans les **tribunes★★**, jadis réservées aux femmes. La tribune sud abrite une poignante **Déisis★★** ↪, réunissant la Vierge et saint Jean-Baptiste autour du Christ, et **deux panneaux votifs** exaltant le pouvoir impérial : l'un montre le Christ encadré par l'impératrice Zoé et l'empereur Constantin IX Monomaque ; l'autre la Vierge, entre Jean II Comnène et l'impératrice Irène. En quittant la basilique par le vestibule contigu au narthex ↪, retournez-vous pour admirer sur le tympan de la **Belle Porte** la mosaïque de la **Vierge à l'Enfant★** (Xᵉ s.) entourée de Constantin et de Justinien, qui lui offrent la ville de Constantinople et la basilique Sainte-Sophie. En gagnant la mosquée Bleue, jetez un œil dans le **hammam de Haseki Hürrem★ II-C3**, un superbe bâtiment construit par Sinan *(encadré p. 78)* et reconverti en galerie de tapis.

La mosquée Bleue★★★

> **II-C3** *Sultan Ahmet Camii. Ouv. t.l.j. 8 h-18 h. Entrée libre.*

Avec sa volée de coupoles et de demi-coupoles savamment orchestrées vers le ciel, la mosquée Bleue surpasse sa voisine byzantine, Sainte-Sophie, en élégance mais pas en volume. Achevée en 1616, elle est l'œuvre de Mehmet Ağa, élève de Sinan. Son plan reproduit celui de la mosquée des Princes (Şehzade Camii) **II-A1** sans apporter d'innovation majeure. Dans la **salle de prière**, la coupole (23,50 m de diamètre) prend appui sur quatre piliers à «pattes d'éléphant» par trop massifs, encore que la gaucherie architecturale soit camouflée par la richesse du décor. Le visiteur sera d'emblée saisi par cette lueur bleutée qui nimbe l'intérieur de l'édifice et lui a valu son surnom. Elle résulte de la réflexion de la lumière

Flanquée de six minarets, la mosquée Bleue est l'une des plus belles réalisations ottomanes.

sur le **revêtement de faïences d'Iznik** à dominante bleue et verte. Ce décor carrelé est peint de renoncules, cyprès, bouquets de lis, œillets, tulipes, roses évoquant le céleste «jardin de Paradis», promis par le Coran. Les dépendances de la mosquée abritent le **musée des Tapis et des Kilims★** *(ouv. t.l.j. sf sam.-dim. 9 h-12 h et 13 h-16 h; entrée payante)*, qui communique par un escalier avec l'*arasta* (bazar).

Au bout de cette enfilade de boutiques de souvenirs se trouve le **musée des Mosaïques★** *(ouv. t.l.j. sf mar. 9 h30-16 h30; entrée payante)*, qui renferme des pavements de mosaïque datant du Vᵉ s., mis au jour sur l'emplacement des anciens palais byzantins.

L'hippodrome

II-C3 *At Meydanı*. Il se réduit à une vaste esplanade, peu évocatrice en soi. Ici avaient lieu les manifestations sportives et politiques de Constantinople. Du bâtiment construit au IIIᵉ s. par Septime Sévère et agrandi sous le règne de Constantin subsistent les trois obélisques naguère plantés sur la *spina*, un long podium en pierre autour duquel tournaient les chars : l'**obélisque de Théodose** prélevé sur le temple égyptien de Karnak (son socle s'orne de quatre **reliefs★** figurant le basileus ↪ Théodose Iᵉʳ en représentation), la **colonne Serpentine** qui provient du sanctuaire d'Apollon de Delphes, et la **colonne de Constantin**. L'hémicycle sud de l'hippodrome reposait sur les arches du **Sphendone★** (aujourd'hui murées), qui palliaient la déclivité du terrain. Ce sont les seuls vestiges des anciens murs encore visibles de nos jours *(accès par Nakilbent Sok.)*. La restauration de **Binbirdirek Sarnıçı★** *(ouv. 9 h-19 h 30; entrée payante; accès par Imran Öktem Cad.)*, une citerne byzantine datée du règne de Justinien, est achevée. Seule une petite portion a été remise en eau.

architecture

L'église byzantine

Caractérisée par une structure en brique coiffée d'une ou de plusieurs coupoles, elle n'a subi, au fil des siècles, qu'une faible évolution architecturale, ignorant en particulier l'exemple du gigantisme des cathédrales. Jusqu'au VIe s., son plan imite les monuments antiques. Les anciennes salles de réunion romaines inspirèrent les basiliques couvertes de charpente du temps de Constantin (**Saint-Jean-de-Stoudion**), et les martyria circulaires surmontés d'une coupole procèdent des mausolées païens. À l'époque de Justinien, les **basiliques** (Sainte-Irène) ou les **églises à plan central** (Saints-Serge-et-Bacchus) sont intégralement voûtées et coiffées au moins d'une coupole centrale, élément clé de l'architecture religieuse, qui symbolise la voûte céleste et s'élève toujours plus haut tout en dégageant un vaste espace central. •

Le musée des Arts turcs et islamiques*

> **II-C3** *Ouv. t.l.j. sf lun. 9h30-17h30. Entrée payante.*

Installé dans l'ancienne résidence d'Ibrahim Paşa, grand vizir de Soliman, le musée vaut le détour rien que pour son cadre. Les collections montrent un panorama complet du savoir-faire artisanal des Seldjoukides puis des Ottomans : manuscrits enluminés, calligraphies, cuivres ciselés, bois ouvragé et, surtout, **tapis et kilims anciens**. La **section ethnographique** reconstitue un campement nomade et des intérieurs bourgeois.

♥ La mosquée Küçük Aya Sofya**

II-C3 Sa ressemblance interne avec son illustre grande sœur lui a valu le surnom de «petite Sainte-Sophie». Construite en 536 sous Justinien Ier, l'ancienne église **Saints-Serge-et-Bacchus** constitue l'un des fleurons de l'architecture byzantine d'Istanbul *(encadré ci-dessus)*. Sa nef octogonale est bordée de deux niveaux de **colonnes**, ménageant des tribunes à l'étage. Ces colonnes portent des chapiteaux gravés pour certains des monogrammes de Justinien et de Théodora.

♥ La mosquée Sokullu Mehmet Paşa**

II-C3 Édifiée en 1571, elle résulte d'une prouesse architecturale de Sinan *(encadré p. 78)* qui compensa la forte dénivellation du terrain par une plate-forme, dont l'accès se fait grâce à un escalier aménagé en tunnel. Le visiteur débouche ainsi dans la cour aux ablutions, bordée par les bâtiments de la médersa ↪. Fondée sur le plan hexagonal, la salle de prière est plus haute que large. Un magnifique revêtement en **faïences d'Iznik** lambrisse les pendentifs ↪ de la coupole et le mur de la *qibla* ↪.

Le quartier des bazars

Plan II Cet inextricable réseau de ruelles pentues qui court entre la place de l'Université et la rive sud de la Corne d'Or conserve les parfums et les couleurs du vieil Istanbul. De bazar en caravansérail, vous découvrirez l'**organisation marchande** développée par les Ottomans, mais aussi, aux abords de la Süleymaniye, les **maisons en bois** qui ont échappé aux incendies. Dépaysement garanti !

La tuğra

Chaque sultan disposait d'une *tuğra*, qu'il apposait sur les édits impériaux. Cette signature artistiquement calligraphiée déclinait le nom et les titres du souverain. En voici deux exemples :

Soliman le Magnifique (1520-1566) : « Le Souverain Soliman, fils du Seigneur Selim, le Toujours Victorieux. »

Abdülhamit II (1876-1909) : « Le Seigneur Abdülhamit fils d'Abdülmecit, le Toujours Victorieux, le Conquérant. » •

La place de l'Université

II-B2 *Beyazıt Meydanı*. Envahie par les pigeons et les terrasses de cafés, la place de l'Université fait le trait d'union entre le Grand Bazar et les quartiers commerçants de **Laleli** et **Aksaray**, hauts lieux du shopping russe *(p. 106)*. Face au portail mauresque qui garde l'entrée de l'université se dresse la **mosquée de Beyazıt II★** (Beyazıt Camii), la plus ancienne mosquée impériale d'Istanbul (1512). Son plan en T renversé incorpore la solution byzantine du dôme unique, contrebuté par deux demi-coupoles. L'ancienne médersa ↪ du complexe est devenue le **musée de la Calligraphie** *(ouv. t.l.j. sf dim. et lun. 9 h-16 h ; entrée payante)*, qui renferme une riche collection de corans enluminés, de calligraphies et de *tuğra* (encadré ci-contre). Pour faire provision de travaux calligraphiés, *ebru* (papier marbré), gravures ou miniatures, faites un tour au ♥ **Sahaflar Çarşısı**, le marché des bouquinistes, attenant à la mosquée.

Le Grand Bazar★★

> **II-B2** *Kapalı Çarşı*. *Ouv. t.l.j. sf dim. 8 h 30-19 h.*

Véritable ville dans la ville, le Grand Bazar compte quelque **4 000 boutiques** (dont 1 000 bijouteries), des mosquées, fontaines, caravansérails, restaurants et cafés répartis le long de 61 ruelles entièrement couvertes. Même ceux qui n'ont nullement l'intention d'acheter se laisseront prendre par l'atmosphère fiévreuse qui règne dans ce labyrinthe résolument oriental. La sectorisation des commerces tend à disparaître, bien que les bijoutiers soient encore regroupés dans l'allée centrale, **Kalpakçılar Başı Cad.**, les boutiques de cuir dans le **Kürkçüler Çarşısı** et les antiquaires dans le noyau historique, ♥ **İç Bedesten** ↪, en plein cœur du bazar. Les bâtiments actuels datent d'une reconstruction du XIXᵉ s., mais en faisant un tour au **Sandal Bedesteni**, vous aurez une idée de la structure originelle. N'oubliez pas que dans cette fantastique boutique de souvenirs, tout se marchande ! En quittant le bazar par Nuruosmaniye Kapısı, jetez un coup d'œil à la **mosquée Nuruosmaniye**, une œuvre baroque du XVIIIᵉ s. qui marque un tournant dans l'architecture ottomane.

♥ Le quartier des han★

II-B1-2 Un fatras d'odeurs, de bruits et de couleurs émane de cet antre du commerce oriental, grouillant des mille et un petits métiers du vieil Istanbul. À l'époque otto-

Bien qu'envahi de pacotilles, le Grand Bazar reste un endroit incontournable pour acheter de l'or.

mane, les *han* ↳ ceinturaient le Grand Bazar, qu'ils approvisionnaient en marchandises. Aujourd'hui, ces bâtiments quelque peu délabrés dissimulent sous leurs arcades ateliers et boutiques de grossistes. Les plus vastes, **Valide Hanı**, **Büyük Yeni Han** et **Tarihi Kürkçü Hanı**, renferment deux ou trois cours intérieures. N'hésitez pas à entrer.

♥ Le bazar Égyptien★

> **II-B1** *Mısır Çarşısı. Ouv. t.l.j. sf dim. 9 h-19 h.*

Dans les allées de ce petit bazar couvert flottent les odeurs irrésistibles du safran, de la cannelle et de la menthe. On y dénombre aujourd'hui plus de bijouteries que d'épiceries fines, mais qu'importe ! Le charme agit toujours et, pour faire l'emplette de loukoums, de parfums ou de fruits secs et respirer toutes les odeurs enivrantes de l'Orient, c'est bien ici qu'il faut venir.

Yeni Cami★

II-C1 Achevée en 1660, la Nouvelle Mosquée reflète les acquis de l'âge d'or ottoman. La superposition pyramidale de coupoles et de demi-coupoles lui confère une **silhouette harmonieuse**, que les Stambouliotes contemplent à loisir depuis le pont de Galata ou la **gare maritime d'Eminönü**, théâtre aux heures de pointe d'un formidable ballet de *vapur* qui s'éloignent dans de tonitruants hurlements de sirène.

♥ La mosquée de Rüstem Paşa★★

II-C1 Un petit bijou d'art ottoman ! Construite en 1562 par Sinan *(encadré p. 78)*, elle s'élève sur un rez-de-chaussée de boutiques, dans la pittoresque **Hasırcılar Cad**. Le génial architecte s'essaya ici à un nouveau type de plan, qu'il portera à la perfection dans la mosquée Selimiye d'Edirne. La coupole (15,20 m de

portrait

Sinan

Avec près de 335 bâtiments à son actif (mosquées, *türbe* ↝, hammams, caravansérails, aqueducs et fortifications), l'infatigable **architecte de Soliman le Magnifique** poussa l'art ottoman à sa perfection. Issu d'une famille chrétienne, Sinan (1489-1588) fut d'abord incorporé dans le **corps des janissaires** *(encadré p. 67)*. Son talent éclata véritablement en 1539, lorsqu'il obtint le titre d'**architecte en chef** à la cour. Deux œuvres majeures, la **mosquée des Princes** (1548) et la **mosquée de Soliman** (1557), découlent du plan de Sainte-Sophie, dont Sinan voulut par la suite s'affranchir. L'essentiel de ses recherches porta sur la grande coupole qui doit couvrir un espace vide, lumineux et aérien. Dans la mosquée de **Sokullu Mehmet Paşa** (1571), il la fit reposer sur un système porteur hexagonal, et dans la mosquée de **Mihrimah** (1568), il la posa directement sur les murs tympans. Expérimentée dans la **mosquée de Rüstem Paşa** (1562), la formule sinanienne du dôme octogonal trouvera son accomplissement à Edirne dans la **mosquée Selimiye** (1573), considérée comme son chef-d'œuvre absolu. Le maître enseigna son art et sa technique à 250 élèves, notamment à Davut Ağa et à Mehmet Ağa, respectivement auteurs de la Nouvelle Mosquée et de la mosquée Bleue d'Istanbul. ●

diamètre) repose sur un baldaquin octogonal, contrebuté par des bas-côtés surmontés de tribunes. Un riche décor émaillé, incarnant le jardin de Paradis, habille les pendentifs ↝ de la coupole, le *mihrab* ↝ et la totalité des murs, jusqu'à la naissance des voûtes. En quittant la mosquée, ne manquez pas de jeter un coup d'œil dans le **hammam de Tahtakale★**, daté du règne de Mehmet II et magnifiquement restauré. Vous pouvez ensuite retourner vers le **Grand Bazar II-B2** par **Uzun Çarşı Cad.** (boutiques de souvenirs et babioles diverses) ou pousser jusqu'à ♥ **Küçük Pazar II-A1**, un quartier qui a gardé sa physionomie de l'époque ottomane.

La mosquée Süleymaniye★★★

II-B1 Avec sa volée de coupoles et de demi-coupoles s'étageant vers le ciel, la mosquée de Soliman le Magnifique, qui couronne la troisième colline d'Istanbul, est particulièrement admirable vue du pont de Galata.

Construit entre 1550 et 1557, ce chef-d'œuvre d'élégance rivalise avec son modèle, Sainte-Sophie. Sinan *(encadré ci-dessus)* s'en différencia par l'importance qu'il accorda à l'articulation de la façade extérieure en imprimant à la cascade de coupoles une **élévation pyramidale** couronnée d'un vaste dôme, symbole du firmament. Les **quatre minarets** cerclés de 10 balcons indiquent que Soliman était le quatrième sultan d'Istanbul et le dixième de la dynastie ottomane.

Dans la salle de prière, spacieuse et lumineuse, Sinan allia la pureté des lignes et la symbolique spirituelle de l'élévation vers Dieu en éliminant tout support intermédiaire apparent, qui aurait rompu l'unité architecturale. Le voûtement est similaire à Sainte-Sophie : la coupole centrale (26,50 m de diamètre et 53 m sous clé) est contrebutée par deux demi-coupoles dans lesquelles s'imbriquent des conques d'angle. Contrairement à la nef de la basilique justinienne, plongée dans une semi-obscurité, la salle de prière de la Süleymaniye est uniformément éclairée par de multiples baies percées dans les murs tympans et la couverture. Les volumes, remarquablement proportionnés, s'emboîtent avec d'autant plus de netteté qu'ils sont soulignés par un ruban bicolore ou une corniche à stalactites. Un *mihrab* ↪ en marbre blanc se découpe dans le mur de la *qibla* ↪, sobrement garni d'émail et d'un rideau de fenêtres.

Comme toutes les mosquées impériales d'Istanbul, la Süleymaniye s'intègre dans un **complexe** (*külliye* ↪) composé de médersas ↪, d'une école de médecine, d'un hôpital, d'un *imaret* ↪ (il abrite aujourd'hui le restaurant **Dârüzziyâfe** et le café **Lale**), d'un *tabhane* (pour loger les derviches de passage), d'un hammam et d'un *arasta* (bazar). Dans le jardin déployé derrière la mosquée se dressent le *türbe* ↪ de Soliman* (*ouv. t.l.j. sf lun. et mar. 9 h 30-16 h 30 ; entrée payante*) lambrissé de faïences d'Iznik et celui de son épouse favorite, **Haseki Hürrem**, plus connue sous le nom de **Roxelane** (*p. 94*).

La mosquée Şehzade**

II-A1 Une savante cascade de coupoles confère à la mosquée des Princes sa silhouette fluide et équilibrée. Achevée en 1548, cette œuvre majeure de Sinan le consacra maître architecte (*encadré p. 78*). Précédée d'une cour à portiques, la salle de prière s'inscrit dans un **plan tréflé** (la coupole est contrebutée par quatre demi-coupoles), formule qui permit à l'architecte de supprimer les murs tympans afin de dégager un espace interne transparent, plus adapté aux nécessités du culte musulman.

L'aqueduc de Valens*

II-A1 Terminé en 368 par l'empereur Valens, il acheminait l'eau potable vers les citernes byzantines puis vers le sérail de Topkapı. Il en subsiste la portion spectaculaire qui enjambe le boulevard Atatürk.

La mosquée de Fatih Mehmet

I-B2 Située dans le bastion traditionaliste d'Istanbul, la mosquée de Mehmet le Conquérant (*Fatih* en turc) frappe par ses proportions colossales mais manque d'élégance. Bâtie après la prise de Constantinople, puis détruite par le tremblement de terre de 1765, elle subit de notables modifications lors de sa reconstruction. Dans le quartier commerçant alentour, où se pressent des femmes voilées de pied en cap, animation garantie le mercredi, lorsque se tient le gigantesque ♥ **marché de rue** (Çarşamba Çarşısı).

La Corne d'Or

Il ne reste que les récits des voyageurs et d'anciennes gravures pour évoquer les fastes éteints de la Corne d'Or (Haliç) bordée, à l'**ère des Tulipes** (1703-1730), de palais et de merveilleuses demeures en bois que les sultans et les notables gagnaient en caïque. Des espaces verts ont été aménagés sur l'emplacement des entrepôts qui, au début du XXe s., transformèrent le chenal en un cloaque industriel. Outre ses monuments byzantins et islamiques, la Corne d'Or vaut pour l'atmosphère anatolienne des quartiers de **Balat** et de **Fener I-B1-2**, anciens fiefs des communautés juive et grecque qui firent d'Istanbul, jusqu'à l'abolition du sultanat, une ville cosmopolite.

La mosquée du sultan Selim*

I-B2 *Sultan Selim Camii*. Bâtie en 1520 en l'honneur de Selim Ier, père de Soliman le Magnifique, elle domine la Corne d'Or. L'édifice, antérieur aux réalisations novatrices de Sinan, s'inscrit sur le **plan en T renversé** du premier art ottoman, avec une salle de prière cubique flanquée de deux *tabhane* latéraux. Dans le jardin se dresse le *türbe* ↪ octogonal de Selim Ier, ornementé de faïences d'Iznik.

© Jacques Sierpinski/TOP

Dominé par la mosquée de Soliman et la Nouvelle Mosquée, l'embarcadère d'Eminönü est aujourd'hui le cœur du grand Istanbul.

La mosquée Fethiye★★

> **I-B2** *Fethiye Camii. Ouv. irrégulière.*

Cette église byzantine du XIIIe s. (Théotokos Pammakaristos) a conservé quelques fragments de **mosaïques sur fond d'or** dans le parecclésion ↪ (chapelle funéraire). La calotte de la coupole s'orne d'un **Christ Pantocrator** ↪, et l'abside d'une **Déisis** ↪. En 1591, les Ottomans convertirent l'édifice en mosquée qu'ils baptisèrent « Fethiye » (mosquée de la Conquête) pour commémorer la reconquête de l'Azerbaïdjan.

Le palais des Tekfur★

> **I-A1-2** *Tekfur Sarayı. Ouv. mer., jeu. et dim. 9 h-17 h. Entrée payante.*

Du palais de Constantin Porphyrogénète construit au milieu du XIVe s., il ne reste qu'un élégant **mur de façade polychrome**. C'est l'unique vestige d'Istanbul à témoigner de l'architecture civile paléologienne. En continuant à longer les remparts en direction d'Eğri Kapı,

vous rencontrerez les maigres vestiges du **palais des Blachernes**, devenu le centre du pouvoir byzantin dès le XIIe s. Les empereurs Paléologue y résidèrent jusqu'à la chute de Constantinople.

La mosquée Kariye★★★

> **I-A2** *Kariye Camii. Ouv. t.l.j. sf mer. 9 h 30-17 h. Entrée payante.*

Reconvertie en mosquée au XVIe s., l'ancienne église Saint-Sauveur-in-Chora renferme le plus bel ensemble de fresques et de mosaïques byzantines d'Istanbul. L'édifice fut fondé au XIe s. par Marie Doucas, la belle-mère d'Alexis Ier Comnène. Vers 1320, Théodore Métochite ajouta les deux narthex ↪ et le parecclésion ↪, qu'il fit richement décorer.

Les voûtes de l'exonarthex ↪ et du narthex, garnies de **mosaïques sur fond d'or**, décrivent deux cycles distincts : la **vie du Christ** (cycles de la naissance et de la mission de Jésus) et la **vie de la Vierge** (dans les croisées gauches du narthex) dans un style apparenté à la miniature, qui se traduit par un souci de réalisme (silhouettes élancées, visages expressifs) et la recherche d'effets de perspective (les épisodes s'inscrivent dans des paysages peuplés d'architecture). Dans le narthex, les panneaux dédicatoires montrent **Théodore Métochite** offrant l'église au Christ, et une **Déisis** ↪ devant laquelle sont prosternés deux donateurs.

La nef contient une belle **Dormition** et une **Vierge à l'Enfant**. Les fresques du **parecclésion** ↪ concluent les cycles précédents. Le programme iconographique consacre le Christ et la Vierge dans leur rôle rédempteur, et se termine par *La Résurrection des morts*. La première travée porte des scènes tirées de l'Ancien Testament, qui illustrent les préfigurations de la Vierge *(Le Songe de Jacob, Le Buisson ardent, L'Arche d'alliance,* etc.). La seconde travée est entièrement consacrée au Jugement dernier (notamment *La Pesée des âmes* et *La Préparation du trône du Jugement dernier*). Dans l'abside, l'**Anastasis** ↪ (le Christ vainqueur de la mort renverse les portes de l'Enfer et tire Adam et Ève de leur tombeau) compte parmi les chefs-d'œuvre de la peinture byzantine.

La mosquée de Mihrimah★★

I-A2 Sinan révèle toute la maestria de son art *(encadré p. 78)* dans la conception de cette mosquée, sorte de Sainte-Chapelle ottomane. Couronnant le **plus haut point de la vieille ville**, elle fut construite vers 1560-1565 pour Mihrimah, fille de Soliman. Pour que l'élévation du cube ne soit pas rompue par des attaches terrestres trop visibles, Sinan élimina tout contrebutement extérieur et inonda la salle de prière de lumière en perçant les quatre murs tympans de **200 fenêtres**! La grande coupole s'appuie sur quatre piliers d'angle habilement emprisonnés dans les murs, le dispositif étant contrebuté par les deux bas-côtés coiffés de petites coupoles.

Les remparts terrestres★★

Classés au Patrimoine mondial de l'Unesco, les remparts de Théodose II (422) s'étirent sur près de 7 km, entre le rivage de la Marmara et celui de la Corne d'Or. Ce formidable ouvrage qui arrêta les assauts ennemis pendant près de mille ans développait une **triple ligne défensive**: un rempart principal, jalonné de 96 tours et bordé d'un *peribolos* (chemin de ronde) que protégeait une seconde enceinte, précédée d'un *peribolos* et d'un fossé doté d'un mur d'escarpe et de contrescarpe. Des portes, telles la **Belgradkapı★ I-A3**, la **Mevlânakapı★ I-A3** et la **Topkapı I-A2**, en gardaient l'accès. Après la prise de la ville, en 1453, le dispositif défensif fut complété par l'édification de la **forteresse de Yedikule I-A4** *(ouv. t.l.j. sf lun. 9 h-16 h 30; entrée payante)*, dont l'enceinte incorpore le pan du rempart découpé par la porte Dorée, qui fut l'entrée triomphale de Constantinople. En flânant le long des murailles, vous découvrirez, coincés au creux du fossé, les **potagers d'Istanbul** qui se cherchent en vain dans tout autre quartier de la ville.

La mosquée d'Eyüp★

I-A1 *Eyüp Sultan Camii*. Son impressionnante silhouette domine le fond de la Corne d'Or. En 1458, le sultan Mehmet Fatih ordonna son édification pour honorer la mémoire d'Eyüp Ansari, compagnon du prophète Mahomet, qui mourut au combat sur ces lieux en 670. Entièrement reconstruit au XIXe s. par le sultan Selim III, le complexe vaut surtout pour l'atmosphère dévote qui règne dans le **tombeau du saint**, aux murs richement habillés de faïences d'Iznik. Derrière le complexe se déploie un émouvant **cimetière★** laissé à l'abandon. Stèles et cippes sculptés d'un turban pour les hommes et d'une fleur pour les femmes gisent « ivres morts » parmi les herbes folles. De part et d'autre de l'allée

Emblème de la ville européenne, la tour de Galata, unique vestige des remparts construits par les Génois au XIVᵉ s., veille sur l'embarcadère de Karaköy.

menant au rivage se dressent des fondations princières, tel le *türbe* ↪ **de Mihrişah Valide Sultane★★**, considéré comme le chef-d'œuvre du baroque ottoman. Le chemin qui grimpe au sommet de la colline conduit au célèbre **café Pierre Loti**, où l'écrivain aimait à rêver en contemplant la Corne d'Or.

♥ Le kiosque d'Aynalıkavak★

> **I-B1** *Aynalıkavak Kasrı. Ouv. t.l.j. sf lun. et jeu. 9 h 30-16 h 30. Entrée payante.*

Situé sur la rive nord de la Corne d'Or, ce gracieux pavillon d'été du XVIIIᵉ s. fut redécoré dans le style rococo par Selim III (1789-1807) qui y passa le plus clair de son temps à composer des poésies et de la musique. Pour honorer sa mémoire, le niveau inférieur du bâtiment abrite une collection d'**instruments de musique** ottomans.

La ville européenne

Plan III Au milieu du XIXᵉ s., une ville européenne habitée par l'élite des communautés étrangères se constitue face au vieux Stamboul. La **Grand-Rue de Péra**, alors l'avenue la plus élégante d'Istanbul, reçoit l'éclairage au gaz, le tramway et un funiculaire souterrain (le *Tünel*) qui relie toujours le haut quartier de Péra, l'actuel **Beyoğlu**, au bas quartier de **Galata**.

La montée vers l'ancienne Péra par les ruelles médiévales de ce qui fut une enclave génoise ménage un spectacle urbain inchangé : une ville orientale, avec ses mosquées et ses bazars, qui fait progressivement place aux cafés, cinémas et boutiques clinquants des quartiers occidentaux.

La tour de Galata*

> **III-B3** *Galata Kulesi. Ouv. 8 h 30-20 h. Entrée payante.*

Au XIVe s., les Génois conclurent des accords commerciaux avec le pouvoir byzantin, qui leur octroya une concession sur la colline de Galata. L'enclave s'entoura d'un rempart dont le point culminant était cette tour cylindrique. Du sommet *(accessible par un ascenseur)*, le **panorama***** est époustouflant. Pour gagner Tünel Meydanı, vous emprunterez **Galip Dede Cad.**, la rue des marchands d'instruments de musique.

Divan Edebiyatı Müzesi

> **III-B2** *Galip Dede Cad. 15. Ouv. t.l.j. sf mar. 9 h 30-17 h 30. Entrée payante.*

Le *tekke* ↪ des derviches tourneurs renferme une collection d'instruments de musique, de calligraphies et d'objets cultuels. Le dernier dimanche du mois, ne manquez pas les fameuses **danses giratoires** qu'exécutent les derviches au son de la musique soufie.

Istiklal Caddesi*

III-B2-C1 Depuis la réhabilitation de ses immeubles du XIXe s. et la remise en service de l'ancien tramway, l'ex-Grand-Rue de Péra a retrouvé son lustre d'antan. Le quartier regroupe les lycées internationaux (le lycée franco-turc de Galatasaray notamment), les églises de confessions chrétiennes et, surtout, les anciennes **ambassades** à l'architecture éclectique : voyez entre autres le consulat de Russie (n° 443), le consulat de France (n° 8) et, dans des ruelles adjacentes, le palais de France et le palais de Venise. Pour plonger dans le charme suranné de la Belle Époque, offrez-vous un verre au bar de l'hôtel **Pera Palas**, l'hôtel des voyageurs du mythique Orient-Express, ou flânez dans les multiples passages qui courent le long d'Istiklal Cad. : les bouquinistes de

Tünel Pasajı (sur Tünel Meydanı) et d'**Aslıhan Sahaflar Çarşısı**, les artisans d'**Aznavur Pasajı**, et les épiciers de ♥ **Balık Pazarı** (marché au poisson) sur lequel débouchent **Avrupa Pasajı**, une élégante galerie couverte de la fin du XIXe s., et **Çiçek Pasajı**, rempli de tavernes où la gent masculine venait jadis s'encanailler.

Le musée de l'Armée*

> **I-C1** *Askeri Müzesi. Ouv. t.l.j. sf lun. et mar. 9 h-17 h. Entrée payante.*

Ce passionnant musée contient des objets ayant trait à l'armée ottomane : canons, armes damasquinées, vêtements et, surtout, ces superbes tentes brodées que les sultans utilisaient pendant les campagnes. En été, entre 15 h et 16 h, une **fanfare de janissaires** gratifie les visiteurs d'une sérénade.

Nişantaşı et Osmanbey

Hors pl. I par C1 Hauts lieux du commerce à l'occidentale, version chic et branchée, ces deux quartiers délimités par les rues Rumeli, Halaskargazı et Valikonağı alignent boutiques de mode, chausseurs, bijouteries, etc.

Istanbul princière

Plan I Au XIXe s., alors que l'Empire ottoman agonisant s'acheminait vers la république, les sultans délaissèrent le palais de Topkapı, symbole du vieux pouvoir déliquescent, pour s'installer dans le **palais de Dolmabahçe**, à deux pas du bouillonnant quartier européen de Péra. La volonté rénovatrice s'imprima dans la pierre par le biais des courants architecturaux (baroque, rococo puis Art nouveau) venus d'Europe. En combinant ces nouveaux styles avec les formes et les couleurs de l'Orient, les Balyan, une famille d'architectes arméniens à qui échurent les grandes commandes (notamment les sérails du Bosphore), inventèrent un style éclectique original, parfois qualifié d'orientalisant. Entre deux palais, ne manquez pas de prendre un bain de foule au marché de **Beşiktaş** ou dans les ruelles d'**Ortaköy**.

Le palais de Dolmabahçe★★★

> **I-D1** *Dolmabahçe Sarayı. Ouv. t.l.j. sf lun. et jeu. 9 h-16 h. Visite guidée. Entrée payante (supplément pour le harem).*

En 1856, Abdülmecit Ier quitta officiellement le sérail de Topkapı pour s'installer dans cet extravagant palais de marbre blanc, construit par Garabed Balyan. Le site est symbolique à plusieurs titres. Mehmet II y massa sa flotte avant l'assaut final de Constantinople, et Atatürk s'y éteignit le 10 novembre 1938. Pour perpétuer sa mémoire, toutes les pendules du palais ont été arrêtées à 9 h 05, l'heure de sa mort.

Ce sérail compte 285 pièces dont 43 salons ornés de lustres en cristal de Baccarat ou de Bohême, de porcelaines de Sèvres, de mobilier victorien et de tapis de Hereke. L'opulence du décor, caractérisé par l'accumulation d'objets divers, d'un goût parfois redoutablement kitsch, avait pour but d'asseoir la toute-puissance du sultan dans l'esprit des visiteurs.

En dépit de ses jardins à l'occidentale et de sa façade baroque, le palais montre une conception interne typiquement turque, qui recourt à une juxtaposition de modules délimitant la section publique et les sections privées. Chaque module renferme un sofa central (pièce charnière autour de laquelle s'articulent les autres pièces), le *selamlık* (appartements impériaux) étant lui-même séparé du *haremlik* (quartier des femmes) par la salle du Trône.

Le corps de bâtiment forme un L renversé, dont la plus longue branche longe le Bosphore. Voilà pourquoi la porte d'entrée principale est percée dans la façade latérale, ouvrant la **section officielle**. Affectée aux affaires de l'État, elle contient divers salons de réception, meublés dans le goût de l'époque. Avant d'être reçus en audience dans le salon Rouge, les ambassadeurs patientaient dans le luxueux salon Süfera qui occupe le grand sofa du premier module. Éclairé par une verrière, le grand sofa du deuxième module abrite un monumental escalier d'apparat, à balustres de cristal. Son palier se segmente en quatre volées circulaires, desservant les parties publiques et privées du **selamlık**. Cette section loge le salon Zülveçheyn (beau décor de stucs) et le hammam impérial, habillé d'albâtre. Dans la **salle du Trône**, couverte d'une coupole, est suspendu le gigantesque lustre de cristal de 4,5 tonnes, offert par la reine Victoria. Plus anecdotique, le **haremlik** contient des salons familiaux (le salon de la Circoncision, le salon Bleu, etc.) et diverses chambres à coucher.

Le palais de Çırağan

I-D1 *Çırağan Sarayı.* À la fin du XIXe s., le sultan Abdülaziz (1861-1876) se fit construire ce luxueux palais en marbre blanc qui devint par la suite le **siège du Parlement des Jeunes-Turcs**. Dévasté par un incendie en 1910, il a été reconstruit en 1986, puis transformé en hôtel de luxe. Ses jardins à la française sont ouverts au public.

Le musée de la Marine★

> **I-D1** *Deniz Müzesi. Ouv. t.l.j. sf mer. et jeu. 9 h-17 h. Entrée payante.*

Les collections retracent l'histoire de la flotte ottomane. Clou de la visite : ces extraordinaires **caïques** qui promenaient les sultans d'un palais à l'autre.

♥ Le palais de Yıldız★★

> **I-D1** *Pour les musées de Yıldız (t.l.j. sf lun. 9 h-16 h ; entrée payante) et la mosquée, accès par Barbaros Bulv. ; pour Yıldız Parkı (entrée libre) et Şale Köşkü (t.l.j. sf lun. et jeu. 9 h 30-17 h ; entrée payante ; visite guidée), accès par Çiragan Sarayı Cad.*

architecture

L'Art nouveau

Vers la fin du XIXe s. émerge en Europe une nouvelle tendance qui s'insurge contre le classicisme enseigné dans les écoles des beaux-arts. L'Art nouveau est né. Il trouve un écho en Turquie en la personne de l'Italien **Raimondo D'Aronco**, promu architecte officiel d'Abdülhamit II jusqu'en 1908. Il édifia la **maison Botter** (Istiklal Cad. 475-477 **III-C1**), une synthèse du langage végétal avec un bel emploi du fer forgé, le **kiosque Huber** à Tarabya (Bosphore) et divers corps de bâtiment au **palais de Yıldız I-D1** où devrait s'ouvrir prochainement une section consacrée à l'Art nouveau.

Dans son sillage, les émules de D'Aronco créent un style original qui marie Art nouveau, classicisme et orientalisme. Les plus beaux échantillons se découvrent sur les rives du Bosphore : à **Bebek** (la façade du consulat d'Égypte), à **Çubuklu** (l'ancienne résidence du khédive d'Égypte, **Hidiv Kasrı**) et dans les **îles des Princes** (les demeures en bois sur Çankaya Cad., à Büyük Ada). Voyez aussi l'architecture métallique de l'**église Saint-Étienne-des-Bulgares** (Mürsel Paşa Cad. à Fener **I-B1**) importée de Vienne et la célèbre **pâtisserie Markiz** (Istiklal Cad. **III-C1**), aux panneaux de céramique Art déco figurant les quatre saisons. ●

Dans un vaste parc-belvédère se disséminent les dépendances de l'étonnant complexe palatin édifié sous le règne d'Abdülhamit II (1876-1909), ce sultan paranoïaque qui craignait non sans raison les complots. Posés au sommet de la colline, les bâtiments hétéroclites reflètent toutes les tendances architecturales de l'époque, le baroque comme l'Art nouveau. Dans sa structure, le complexe s'apparente au sérail de Topkapı, dont il a repris la formule des multiples pavillons organisés autour de jardins privés. À l'instar des autres palais, il se compose d'une section officielle, d'appartements impériaux et d'un harem, bien que la hiérarchisation de ces modules soit moins strictement ordonnée. La section officielle est constituée de pavillons de style baroque (Büyük Mabeyn et Çit Kasrı), édifiés par Sarkis Balyan, et de bâtiments Art nouveau (Yaveran Dairesi, Küçük Mabeyn et Limonluk) réalisés par Raimondo D'Aronco. Seuls quelques bâtiments sont ouverts à la visite. L'ancien atelier d'ébénisterie (**Marangozhane**) renferme de la vaisselle princière et du mobilier fabriqué par le sultan lui-même. Le **musée de la Municipalité** contient de la porcelaine de Yıldız, des jouets en bois fabriqués à Eyüp, etc.

En contrebas se déploient les **jardins royaux** avec leur bassin d'eau reproduisant la forme de la *tuğra* d'Abdülhamit II. Dans le **théâtre**, situé dans les appartements impériaux, sont entreposés divers costumes et affiches relatifs aux spectacles donnés en ces lieux. La **mosquée de Yıldız** (1885) est l'œuvre de Sarkis Balyan, qui rompit avec la tradition classique en posant une coupole purement décorative sur le toit plat de la salle de prière. Le sultan recevait ses hôtes de marque dans **Şale Köşkü***, long pavillon de bois à deux étages. Il contient divers salons d'apparat (notamment le salon de Nacre) ainsi que la salle du Trône, couverte du plus vaste tapis du monde. Au détour des allées paysagères, vous rencontrerez deux ravissants pavillons, **Malta Köşkü** et **Çadır Köşkü**, reconvertis en salons de thé.

♥ Le kiosque d'Ihlamur★★

> **Hors pl. I par D1** *Ihlamurdere Cad., Beşiktaş. Ouv. t.l.j. sf lun. et jeu. 9 h-17 h. Entrée payante.*

Deux pavillons en marbre blanc, de style rococo, se nichent dans un romantique vallon planté de tilleuls. Construits en 1855 par Nikoğos Balyan, ils servaient de résidence d'été aux sultans. Le plus grand (Merasim Köşkü) est meublé dans le goût tape-à-l'œil de l'époque, notamment la **salle des Miroirs** et le **salon de musique**. Les femmes et les serviteurs logeaient dans le pavillon annexe (Maiyet Köşkü), qui abrite aujourd'hui un élégant **salon de thé**.

♥ Ortaköy★

Hors pl. I par D1 Ce pittoresque quartier dominé par l'imposant pont suspendu connaît depuis 1992 une seconde jeunesse. Ses ruelles étroites regorgent de bars, restaurants, galeries d'art et boutiques d'artisanat installés dans de pimpantes demeures. À la nuit tombée, la faune branchée s'y donne rendez-vous *(p. 105)*. Le dimanche, un sympathique **marché aux puces** investit les rues. Jadis habité par des minorités, Ortaköy conserve une église arménienne, une synagogue et une église grecque orthodoxe qui voisinent avec **Ortaköy Camii★★**, une élégante mosquée de style baroque posée sur un remblai à fleur d'eau. Elle fut édifiée en 1855 par Nikoğos Balyan.

♥ Le palais de Beylerbeyi★★

> **Hors pl. I par D2** *Ouv. t.l.j. sf lun. et jeu. 9 h 30-16 h. Visite guidée. Entrée payante.*

Édifiée en 1865 par les frères Balyan, la résidence d'été du sultan Abdülaziz arbore une belle façade de marbre blanc, de style baroque. Le dispositif interne, en revanche, est une transposition fidèle de l'habitat ottoman traditionnel. À l'intérieur comme à l'extérieur, vous admirerez les effets d'escaliers, expérimentés comme un élément monumental. Le palais se niche dans un plaisant jardin, parsemé de bassins et de pavillons. Côté Bosphore, deux kiosques d'embarquement réceptionnaient les caïques. L'intérieur du palais comporte deux sections accessibles par des entrées séparées : la partie officielle (*selamlık*) et la partie privée (*haremlik*), qui s'articulent de part et d'autre d'une vaste pièce centrale (le sofa) tenant lieu ici de salon d'apparat. Si le mobilier occidental se conforme aux goûts de l'époque, la décoration picturale des murs, entrelaçant des motifs géométriques et végétaux, est orientalisante. Elle est particulièrement remarquable dans le salon Bleu (à l'étage), couvert d'un plafond richement ouvragé. Clou de la visite : le salon d'été agrémenté d'un bassin, au rez-de-chaussée, interprétation rococo d'un intérieur anatolien.

Le Bosphore★

Un séjour à Istanbul se complète par la traditionnelle croisière en **ferry** sur le Bosphore, long détroit de 32 km qui relie la mer de Marmara à la mer Noire. Le bateau passe sous les deux ponts suspendus et cabote d'une rive à l'autre jusqu'au terminus, Anadolu Kavağı, où il s'immobilise le temps d'une pause déjeuner (arrêts à Yeniköy, Kanlıca et Sarıyer). L'intérêt de la balade réside dans le spectacle qu'offrent les rives, jalonnées de palais en marbre, de forteresses et surtout de *yalı* ↪, ces gracieuses demeures en bois que se firent construire au XIXe s. les hauts dignitaires ottomans et les ambassadeurs. Les plus beaux s'admirent à **Arnavutköy**, **Kandilli**, **Yeniköy** et **Büyükdere**. Pour explorer à votre guise les curiosités du Bosphore, empruntez le *dolmuş* ou le taxi.

> *Carte p. 88.*

© Sylvain Grandadam

Les yalı, somptueuses demeures en bois construites au XIXᵉ s., bordent la rive asiatique du Bosphore (ci-dessus à Yeniköy).

La rive européenne

● **Rumeli Hisarı★**. *Ouv. t.l.j. sf mer. 9 h 30-17 h 30. Entrée payante.* Trois mois suffirent à Mehmet II pour édifier cette impressionnante forteresse, qui complétait le système de verrouillage du Bosphore avec **Anadolu Hisarı**, le fort délabré situé sur la rive opposée.

● ♥ **Emirgan★**. Ce parc princier, parsemé de parterres de **tulipes**, s'agrémente de trois pavillons du XIXᵉ s. : le **kiosque Jaune** (Sarı Köşk), le **kiosque Rose** (Pembe Köşk), et le **kiosque Blanc** (Beyaz Köşk), respectivement reconvertis en cafés et en salle de concerts.

● **Les pavillons de Maslak★**. *Maslak Astsubay Orduevi Yanı, Büyükdere Cad. Ouv. t.l.j. sf lun. 9 h 30-16 h.* Édifiée par Abdülhamit II, cette résidence de chasse comporte cinq pavillons nichés dans des jardins. Le plus grand, **Kasr-ı-Hümayun**, contient les appartements impériaux. Le joli **Mabeyn-i-Hümayun** s'ouvre sur des parterres plantés d'essences rares, alors que les camélias rapportés de France par le sultan fleurissent la serre (**Limonluk**). Un élégant café occupe **Çadır Köşkü**.

● **Büyükdere**. Cette localité typique recèle encore de nombreuses maisons en bois, autrefois habitées par de riches familles arméniennes. Deux **yalı** ↪ abritent les collections (céramiques, costumes ottomans, vaisselle précieuse) du musée privé de **Sadberk Hanım★** (*ouv. t.l.j. sf mer. 10 h 30-18 h ; entrée payante*).

La rive asiatique

● **Le palais de Küçüksu★** (*ouv. t.l.j. sf lun. et jeu. 9 h 30-16 h ; entrée payante*), de style baroque (1857), est situé près des **Eaux-Douces d'Asie**, une grande prairie plantée d'arbres centenaires, que la haute société ottomane gagnait

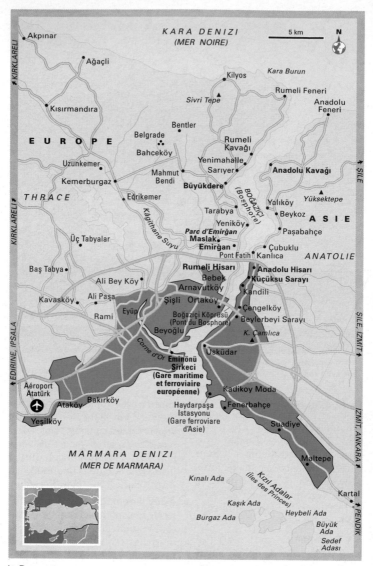

KARA DENIZI
(MER NOIRE)

5 km   N

Akpınar

Ağaçli

Kilyos   Kara Burun

KIRKLARELI

Sivri Tepe   Rumeli Feneri

Kısırmandıra   Anadolu
Feneri

Bentler

EUROPE   Belgrade   Rumeli
Kavağı

Bahçeköy   Yenimahalle

Uzunkemer   Sarıyer   Anadolu Kavağı

Kemerburgaz   Mahmut   Büyükdere
Bendi

THRACE   Edrikemer   Yolıköy   Yüksektepe

Tarabya   Beykoz   ASIE

Üç Tabyalar   Yeniköy   Paşabahçe

Parc d'Emirğan   Çubuklu
Maslak   Emirğan   ANATOLIE
Pont Fatih Kanlıca

Baş Tabya   Rumeli Hisarı   Anadolu Hisarı
Bebek   Küçüksu Sarayı

Ali Bey Köy   Arnavutköy   Kandili

Kavasköy   Ali Paşa   Şişli Ortaköy   Çengelköy

Rami   Eyüp   Boğaziçi Köprüsü   Beylerbeyi Sarayı
(Pont du Bosphore)

Beyoğlu   K. Çamlıca

Üsküdar

Eminönü
Sirkeci
(Gare maritime
et ferroviaire
européenne)

Aéroport   Kadıkoy Moda
Atatürk
Ataköy   Bakırköy   Haydarpaşa   Fenerbahçe
Istasyonu
Yeşilköy   (Gare ferroviare   Suadiye
d'Asie)

MARMARA DENIZI   Maltepe
(MER DE MARMARA)

Kınalı Ada   Kızıl Adalar
(Îles des Princes)   Kartal

Kaşık Ada   Heybeli Ada

Burgaz Ada   Büyük
Ada

Sedef
Adası

KIRKLARELI

EDIRNE, IPSALA

Kâğıthane Suyu

Corne d'Or

BOĞAZIÇI (Bosphore)

ŞILE

ŞILE, IZMIT

IZMIT, ANKARA

PENDIK

Le Bosphore

Où prendre le ferry ? Le ferry sillonnant le Bosphore se prend à Eminönü au quai n° 3 (Boğaz Hattı). Départs quotidiens à 10 h 30, 12 h 45 et 14 h 10 (sf le dim.). La balade totale dure 5 h. Le billet aller-retour coûte environ 4 €.

jadis en caïque pour ses parties de campagne.

● **Anadolu Kavağı**. Le village est réputé pour ses restaurants de poissons. Montez jusqu'à la **forteresse médiévale**, remaniée par les Génois au XIVe s., d'où vous jouirez d'un panorama grandiose sur l'embouchure du Bosphore dans la mer Noire.

Istanbul au fil de l'eau

Cernée par l'eau, Istanbul a depuis toujours étroitement lié son destin à la mer : ferries, bateaux de pêche et navires de guerre font partie du paysage stambouliote au même titre que les mosquées. Plus du tiers de la population stambouliote habite les quartiers asiatiques, régulièrement desservis par les *vapur*.

> *Voir la carte du Bosphore ci-contre.*

Üsküdar*

I-D2 Le faubourg asiatique dévoile son caractère populaire dès la sortie du débarcadère : cireurs de chaussures guettant le client, marché animé, *kahvehane* (cafés) typiques... À proximité se dressent trois mosquées : la **Mihrimah Camii** et la ♥ **Şemsi Paşa Camii**, œuvres mineures de Sinan *(encadré p. 78)*, mais à l'emplacement exceptionnel et, dans Hakimiyeti Milliye Cad., la **Yeni Valide Camii**, bâtie au XVIIIe s. Ne manquez pas de gagner en taxi le sommet de la **colline de Çamlıca** (panorama sur Üsküdar, le Bosphore, la ville européenne et les îles des Princes) et le ♥ **cimetière de Karaca Ahmet**★★ ombragé de cyprès, qui passe pour être le plus grand du genre en Orient.

♥ Les îles des Princes*

> *Kızıl Adalar ; accès en vapur depuis Eminönü.*

Dans cet archipel de neuf îles, parsemé de **monastères grecs**, le pouvoir byzantin maintenait en réclusion les princes dissidents condamnés à l'exil. Aujourd'hui, ces terres paisibles sont devenues la résidence estivale des Stambouliotes fortunés. **Heybeli Ada**★ et **Büyük Ada**★★ méritent tout particulièrement l'arrêt. Aucune voiture à l'horizon, rien que des calèches qui vous promèneront dans des ruelles intemporelles, bordées de magnifiques **demeures en bois**★ des années 1900. ●

Edirne★★

La mosquée Selimiye : un chef-d'œuvre de perfection signé Sinan.

laque tournante entre l'Europe de l'Ouest, les Balkans et la Turquie, l'ancienne **Andrinople** cultive une atmosphère provinciale déjà empreinte de parfum oriental. Peu visitée en raison de sa situation excentrée aux confins de la Thrace, la ville possède pourtant de superbes mosquées résumant l'évolution de l'art ottoman. Fondée en 125 apr. J.-C. par Hadrien, Edirne tomba en 1361 aux mains des Ottomans, qui la consacrèrent **capitale** de leur empire naissant entre 1367 et 1458. Le centre monumental gravite autour de la grande place centrale, Hürriyet Meydanı.

> À 228 km au N-O d'Istanbul. Prévoir 1 journée de visite. *Carnet d'adresses p. 99.* Voir la *carte p. 57.*

Le bazar★

Ce réseau de ruelles qui exhalent toutes les senteurs de l'Orient renferme de vénérables bâtiments ottomans tels le **bazar d'Ali Paşa** ou encore le *bedesten* ↪. Servant toujours de marché couvert, il fut construit au XVe s. pour procurer des revenus à l'**Eski Cami** (1414), mosquée hypostyle ↪ que couvrent neuf coupoles s'appuyant sur de lourds piliers ornementés de calligraphies. En 1560, Sinan *(encadré p. 78)* édifia le **caravansérail de Rüstem Paşa**, agencé autour de deux cours intérieures. Sa façade asymétrique épouse la courbe de la rue.

La mosquée Üç Şerefeli*

Les quatre minarets sont tous différents : l'un est torsadé, l'autre comporte trois balcons, etc. Terminé en 1447, le sanctuaire réinterprète le plan hypostyle ↪ syrien (une salle de prière rectangulaire, orientée dans la largeur, que précède une vaste cour aux ablutions) en y introduisant une **grande coupole centrale**, s'appuyant sur un tambour ↪ hexagonal et deux gros piliers. Au lieu d'être délimité en nefs par des colonnes, l'espace est entièrement libre, préfigurant ainsi les grandes mosquées ottomanes inspirées du plan centré de Sainte-Sophie.

♥ La mosquée Selimiye***

Elle est à l'art ottoman ce que Sainte-Sophie est à l'art byzantin : un chef-d'œuvre inégalé, constituant l'aboutissement des recherches de Sinan (*encadré p. 78*). Édifiée en 1569-1574 pour honorer le règne de Selim II, elle couronne le sommet d'une colline nivelée en plates-formes par des volées de marches, l'ascension du monticule symbolisant ainsi les étapes d'une **élévation mystique** vers Dieu. L'étagement pyramidal des murs externes, terminé par une grande coupole, symbole du firmament, obéit à la même démarche spirituelle, qui s'affirme dans la **verticalité des lignes**. Les quatre minarets effilés, placés aux angles du sanctuaire, lui impriment un tel élan ascensionnel qu'il paraît véritablement sur le point de décoller.

Précédée d'une cour aux ablutions, la **salle de prière** procède d'un plan centré qui ne doit plus rien à Sainte-Sophie. Posée sur un baldaquin octogonal, la **coupole** (31 m de diamètre et 42,50 m sous clé) couvre un espace lumineux d'une cohérence absolue. La formule choisie par Sinan pour passer du rectangle au cercle recourt aux conques d'angle et aux pendentifs ↪ en stalactites du répertoire oriental. Les arcs du système porteur retombent sur huit piliers, formant le dessin fondamental de la composition. Toute cette structure est maintenue par un système d'arcs-boutants internes, qui se fondent littéralement dans l'enveloppe du bâtiment en se soudant aux murs des bas-côtés surmontés de tribunes. Le *mihrab* ↪ en marbre se loge dans une abside ↪ en saillie. Des **faïences d'Iznik** de la meilleure facture tapissent la loge impériale, aménagée dans les tribunes.

La mosquée fait partie d'un complexe comprenant deux écoles coraniques (l'une d'elles loge désormais le **musée des Arts turcs et islamiques**) et, en contrebas, l'*arasta* (un bazar couvert ajouté après coup), toujours en activité.

Le complexe de Beyazıt II**

> *À Sarayiçi, à 20 min à pied du centre-ville.*

Cette forêt de cubes et de coupoles (133 au total !) est le testament du premier art ottoman. Achevé en 1448, le complexe comporte deux médersas ↪, une école de médecine, un *imaret* ↪, un hôpital, et un **asile d'aliénés**** nanti d'une salle hexagonale unique dans les annales de l'architecture ottomane. La **mosquée**, redécorée ultérieurement dans le style baroque, s'inscrit dans un plan en T renversé plus mature, employant une coupole centrale unique. ●

Bursa★★★

Accrochée aux pentes du mont Uludağ (2 543 m), Bursa voit la vie en vert. Vert comme ses jardins et ses sanctuaires lambrissés de faïence monochrome ! Fondée au IIIᵉ s. av. J.-C. par Prusias Iᵉʳ, roi de Bithynie, la ville fut conquise en 1326 par **Orhan Gazi**, qui en fit la **première capitale ottomane**. Ses successeurs l'embellirent de monuments qui marquent l'émergence d'une nouvelle architecture turque, synthétisant les influences persane, seldjoukide et byzantine. L'élevage du ver à soie, introduit au VIᵉ s., favorisa l'essor commercial de la cité, et aujourd'hui encore l'industrie textile fait sa prospérité. Même si son centre historique manque d'homogénéité, Bursa recèle des demeures en bois, des marchés animés, des hammams historiques et des terrasses de cafés qui dévoilent au promeneur sa facette la plus attrayante : l'art de vivre oriental.

> À 363 km au S d'Istanbul. Une partie de la route se fait en car-ferry entre Bandırma et Yalova. Prévoir 1 à 2 journées de visite.

Yeşil Külliye★★★

D2 Le complexe composé d'une mosquée, d'un *türbe* ↪ et d'une école coranique a été construit par Mehmet Iᵉʳ en 1419-1424. Devenue le **musée des Arts turcs et islamiques** *(ouv. t.l.j. sf lun. 9 h 30-17 h 30 ; entrée payante)*, la medersa abrite une collection de céramiques d'Iznik (XVIᵉ et XVIIᵉ s.) et une section ethnographique (tapis, broderies, marionnettes de Karagöz, costumes et bijoux).

La **mosquée Verte★★** (Yeşil Cami) affecte un plan en T renversé élaboré. Précédée d'une salle contenant le bassin aux ablutions, la salle de prière possède un haut mihrab ↪ en faïence polychrome, qui porte la signature des « maîtres de Tabriz ». Une parure de la même facture lambrisse les deux **loges** latérales et la **tribune royale**, sorte de paradis mystique typiquement persan. Là s'arrêtent les réminiscences orientales, car la mosquée Verte inaugure une forme de sanctuaire musulman qui découle du plan des églises byzantines : recours à deux coupoles en file déterminant un axe longitudinal, et surélèvement de la salle du mihrab par analogie avec l'autel. Ce dispositif est flanqué de pièces latérales (l'édifice en compte quatre), jadis utilisées comme vestiaire, salle de réunion ou dortoir par les derviches itinérants. Les grandes coupoles sont soudées au cube par des **plissés turcs**, formule qui met en relief la surface lisse du voûtement et des murs.

Le **mausolée Vert★★** (Yeşil Türbe ; *ouv. 8 h-12 h et 13 h-17 h*), puissante tour octogonale lambrissée de faïence turquoise, s'inscrit dans la tradition des monuments funéraires persans. Il contient le somptueux cénotaphe en céramique polychrome de Mehmet Iᵉʳ. Le mihrab ↪ de tournure persane est un chef-d'œuvre de minutie réalisé par les maîtres de Tabriz. L'arc polylobé de la niche fait écho à celui de la porte d'entrée, revêtue de carreaux hexagonaux émeraude à l'instar de la partie inférieure des murs.

Pour jouir d'un **panorama★★** sur la ville, attablez-vous dans l'un des cafés jouxtant la mosquée ou dirigez-vous à l'est vers la **mosquée d'Emir Sultan hors pl. par D2**, un édifice ottoman bâti dans le style rococo.

Plan de Bursa p. 94.
Carnet d'adresses p. 98.

♥ Ulu Cami**

C2 Achevée en 1396, la Grande Mosquée affecte un plan hypostyle ↪ – un rectangle coiffé de 20 coupoles – qui sera définitivement abandonné après la construction de l'Eski Cami à Edirne. Comme il n'y a pas de cour, le **bassin aux ablutions** occupe le centre de la salle de prière, délimitée en nefs par 12 piliers ornementés de **calligraphies**. Ces détails confèrent à l'édifice une atmosphère de recueillement et de quiétude; d'ailleurs, les locaux viennent ici autant pour prier que pour palabrer dans les recoins. Le **minbar**★★ ↪ en noyer finement travaillé date du XVe s.

♥ Le bazar*

C2 Il est ceinturé de *han* ↪, ces anciens caravansérails qui servaient à la fois d'entrepôts, de magasins et d'hôtellerie. Le plus vaste, **Koza Hanı**★★ (1490), dissimule deux cours intérieures remplies de terrasses de cafés et de boutiques vouées au négoce de la soie. La fièvre des transactions y est intense en juin ou au début de juillet, quand les paysans apportent leurs ballots chargés de cocons. Les boutiques disséminées autour d'**Emir Hanı**, un autre caravansérail restauré, regorgent de tissus-éponges, de *yazma* (cotonnades imprimées artisanalement à Tokat) et de coutellerie, seconde spécialité locale. **Eski Aynalı Çarşı**, jadis un hammam, regroupe les boutiques de souvenirs telle **Karagöz** (n° 22), qui vend les fameuses marionnettes en peau de chameau (*encadré ci-dessous*).

♥ Tophane*

B1 Corsetée d'une épaisse muraille d'époques romaine et byzantine, la ville haute (*Hisar*) constitue le plus ancien quartier de Bursa. Ses ruelles pavées recèlent des vieilles demeures ottomanes, notamment aux alentours de l'hôtel Safran (*p. 98*). Le **parc de Tophane** abrite deux **mausolées** ottomans de style baroque (Osman Gazi Türbesi et Orhan Gazi Türbesi) et des terrasses de cafés panoramiques. À moins que vous ne préfériez, en contrebas, celles dont les tables sont logées dans les alcôves de la muraille. On peut y descendre par un tortueux passage, qui est le rendez-vous nocturne des amoureux.

---

traditions

Karagöz

La légende raconte qu'au XIVe s., période de grands chantiers à Bursa, le **maçon Karagöz** et le **forgeron Hacıvat**, l'un et l'autre employés à la construction d'une mosquée, compromirent le bon ouvrage par leurs incessants bavardages et plaisanteries. Leurs palabres distrayaient tant les autres ouvriers que, pour ne perdre aucun bon mot, ceux-ci lâchaient outils et matériaux. Quand Orhan Gazi eut vent de l'affaire, il châtia les deux coupables en ordonnant leur mise à mort immédiate. Puis, pris de remords, il sombra dans une grande mélancolie que rien ne semblait pouvoir distraire. C'est alors qu'un certain **Şeyh Küsteri** eut l'idée du **théâtre d'ombres**: devant son inconsolable souverain, il mit en scène les dialogues des joyeux drilles en projetant leurs silhouettes sur un écran éclairé. Ce nouveau passe-temps se répandit rapidement dans les couches populaires pour devenir une forme de **satire socio-politique**. Tombé en désuétude, ce type de spectacle renaît au cours des manifestations culturelles qui ont lieu à Bursa aux mois de **juin-juillet**. ●

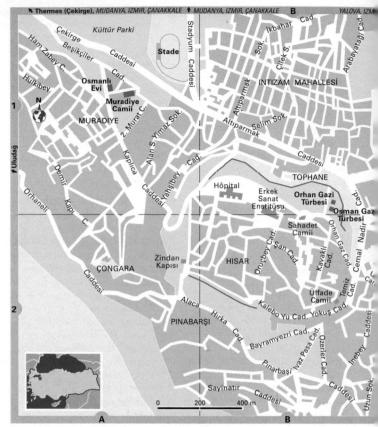

Thermes (Çekirge), MUDANYA, IZMIR, ÇANAKKALE ↑ MUDANYA, IZMIR, ÇANAKKALE **B** YALOVA, IZM

BURSA

Muradiye★★

A1 Noyé dans un jardin ombragé, le complexe religieux comprend une mosquée, une école coranique et une nécropole princière. La **mosquée** (Muradiye Camii), construite par Murat II, date du XVe s. Sa salle de prière, sobrement habillée de faïences, s'inscrit dans le dispositif du plan en T renversé.

Dans le **cimetière★** *(ouv. 8h-12h et 13h-17h)* s'élèvent 11 *türbe* ↪ hexagonaux en forme de yourte, référence au passé nomade du peuple turc. Leurs chambres funéraires richement décorées contrastent avec l'austérité de la façade. Le *türbe* **du prince Cem★★**, fils de Mehmet II, a conservé ses peintures murales et sa parure en carreaux de faïence bleue. Ce prince, évincé du pouvoir par Beyazıt II, se réfugia en Italie, où il fut finalement assassiné par Alexandre Borgia. Le mausolée de **Şehzade Mustafa★** s'orne de faïences d'Iznik d'une grande qualité. Il abrite la dépouille d'un fils de Soliman le Magnifique, Mustafa, qui perdit la vie dans un complot fomenté par Roxelane, la toute-puissante épouse du sultan, qui intrigua en faveur de son propre fils, Selim II. Telle une yourte d'apparat, le **mausolée de Murat II★** s'ouvre par un auvent en bois. Des colonnes antiques coiffées de chapiteaux byzantins supportent la coupole, percée d'un *oculus* afin que les pluies d'avril puissent s'y infiltrer pour purifier le cénotaphe du sultan. Le quartier alentour regorge

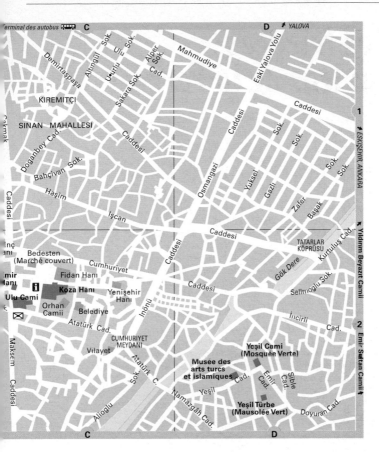

d'anciennes demeures ottomanes en bois, comme Osmanlı Evi★ (XVIIe s.), transformée en musée ethnographique (à l'angle de la place de Muradiye ; ouv. t.l.j. sf lun. 8 h 30-12 h et 13 h-17 h 30 ; entrée payante), ou **Hüsnü Züber Evi** (Uzunyol Sok. 3 ; ouv. t.l.j. sf lun. 10 h-12 h et 13 h-17 h ; entrée payante), restaurée par M. Hüsnü Züber, un passionné d'artisanat populaire anatolien, qui y entrepose une collection d'objets en bois pyrogravé (cuillères, plats, outils).

Çekirge★

> **Hors pl. par A1** À 4 km à l'O du centre-ville.

C'est le faubourg « thermal » de Bursa, déjà réputé dans l'Antiquité pour ses sources d'eau chaude. Si vous avez envie d'expérimenter le hammam, faites-le donc dans les magnifiques bains d'**Eski Kaplıca★** construits par les Ottomans au XIVe s. ou dans ceux de **Yeni Kaplıca**.

Uludağ★

Hors pl. par A1 Le parc national du mont Uludağ se gagne soit en téléphérique (départ toutes les 30 min de 8 h à 21 h, suivant les conditions météorologiques), soit en voiture ou dolmuş par une bonne route sinuant à travers prairies et forêts. Entre décembre et mars, l'ancien **Olympe de Mysie**, montagne sacrée dans l'Antiquité, se métamorphose en **station de ski** assidûment fréquentée le week-end par les Stambouliotes en quête d'air pur. En été, l'ascension du sommet (comptez 6 h aller-retour) ne présente pas de difficulté. ●

Les faïences : un legs de la Perse

Qu'il s'agisse de vaisselle de luxe ou de ces somptueux « jardins de Paradis » qui couvrent les mihrabs ↪ des mosquées, les faïences turques, d'une extraordinaire variété de motifs, de formes et de couleurs, témoignent d'un grand raffinement.

L'âge seldjoukide

Les Seldjoukides décoraient leurs édifices religieux et leurs palais de faïences qu'ils associaient aux stucs ou à la brique, comme le montrent les quelques monuments conservés à Ankara (Arslanhane Camii) et à Konya (Büyük Karatay Medresesi). Ce goût de la couleur – c'est-à-dire du turquoise, du noir, du bleu cobalt et du blanc – sera légué aux Ottomans. Les artisans de Tabriz, déportés lors des conquêtes ottomanes en Perse, importèrent la technique de la *cuerda seca*, qui s'inscrit dans la tradition timouride.

La décadence

Après le XVIIᵉ s., la production d'Iznik perdit de son importance, conjointement au déclin économique que connaissait alors l'Empire ottoman. La faïence produite à Istanbul (les ateliers de la Corne d'Or) ou à Kütahya (près d'Eskişehir) prit le relais. Mais, avec la banalité de ses dessins répétant à l'envi les mêmes motifs, elle ne connut pas le succès de son illustre devancière.

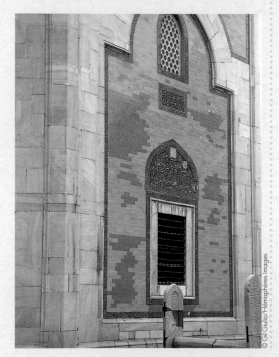

© Gil Giulio/Hémisphères images

Les Ottomans utilisèrent la technique de la *cuerda seca* pour décorer leurs mosquées de Bursa, capitale de la jeune dynastie. Le mausolée Vert en possède d'admirables panneaux.

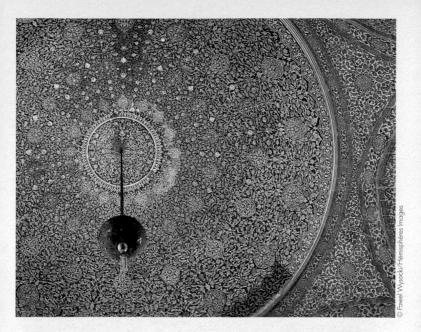

© Pawel Wysocki/Hémisphères Images

Un art hypnotique

Sur les murs des mosquées, un naturalisme aussi exacerbé pourrait sembler *a priori* porter atteinte à l'aniconisme cher à l'islam. En réalité, il n'en est rien : en se répétant symétriquement à l'infini, en se mêlant aux entrelacs géométriques et à la calligraphie, les éléments floraux perdent toute individualité et deviennent abstraits. De cette succession de formes colorées naît un art du rythme purement décoratif, dont le déroulement continu entraîne l'œil dans une contemplation hypnotique.

L'Occident séduit

Vers Çinili Iznik (« Iznik des faïences »), centre incontesté de la faïence aux XVIe et XVIIe s., affluaient non seulement les commandes des dignitaires ottomans mais aussi celles de l'Occident. L'Europe entière s'arrachait la vaisselle aux couleurs vives et aux motifs délicats que l'on produisait ici : Maximilien d'Autriche, le grand-père de Charles Quint, François Ier et autres souverains illustres passèrent commande auprès des marchands vénitiens qui en assuraient le commerce. Le choix était épineux : outre des plats décorés de bateaux et des vases où s'ébat une faune variée, les potiers fabriquaient aussi des cruches, des aiguières, des lampes, des chandeliers et même des coquetiers… ●

Les faïences d'Iznik qui lambrissent la coupole du kiosque de Bagdad, au palais de Topkapı, montrent le goût des Ottomans pour les fleurs et la nature.

© Michel Levassort

La faïence d'Iznik est peinte de fleurs – tulipes, œillets, narcisses, violettes, lys, jacinthes, roses, fleurs de grenadiers – et même d'animaux, qui s'entremêlent à des réseaux d'arabesques, de vigne, de feuilles lancéolées ou de « ruban de nuages ».

Carnet d'adresses

À Istanbul, les vapur cabotent inlassablement entre la rive européenne et la rive asiatique.

Bursa

> *Visite p. 92. Plan p. 94. Indicatif téléphonique* ☎ *(0 224)*

❶ Orhangazi Altgeçidi 1, Heykel **C2** ☎ 220.18.48.

Se déplacer

● **Terminal des Autocars**. À 10 km au N, sur la route de Yalova **hors pl. par C1**. Liaisons fréquentes pour Istanbul, Ankara et Izmir.

● **Dolmuş**. Ils desservent le terminal des autocars, la station du téléphérique (Uludağ), Çekirge, Kültür Parkı et la Muradiye. L'une des stations se trouve à 100 m au N-O de Cumhuriyet Meydanı **C2**.

Adresses utiles

● **Banques et poste**. Dans Atatürk Cad. **C2**.

● **Hammams**. Eski Kaplıca, Çekirge Meydanı **hors pl. par A1**. Ce hammam historique appartient au complexe hôtelier du Kervansaray Termal. Accès payant pour les non-résidents ; ouv. de 7 h à 23 h pour les

hommes, de 7 h 30 à 23 h pour les femmes. **Yeni Kaplıca**, Mudanya Cad. 10 **hors pl. par A1**. Ce somptueux hammam du XVIe s. est géré par le luxueux Çelik Palas Hotel. Ouv. de 6 h à 23 h (hommes uniquement). La section féminine (mêmes horaires) se trouve dans le bâtiment attenant, Kaynarca Hamamı.

● **Location de voitures**. Budget, Çekirge Cad., Kültür Parkı Karşısı, Keren Apt 39/1 **A1** ☎ 223.42.04. **Avis**, Çekirge Cad. 139 **A1** ☎ 236. 51.33.

Hôtels

▲▲▲ **Authentique Club**, Botanik Parkı Soğanlı ☎ 211.32.80, fax 211. 39.03. Belle maison ottomane. *21 ch.* coquettes de bon confort.

▲▲▲ **Gönlüferah**, 1 Murat Cad. 24, Çekirge **hors pl. par A1** ☎ 233. 92.10, fax 233.92.18. Le meilleur dans sa catégorie. *62 ch.* agréables, certaines avec vue sur la vallée. Bain thermal.

▲▲▲ **Safran ♥**, Kale Sok., Tophane **B1** ☎ 224.72.16, fax 224.72.19. Hôtel de charme dans un ancien *konak* ↦ ottoman. Environnement plaisant. *10 ch.* fonctionnelles avec s.d.b. et TV.

▲▲ **Dikmen**, Maksem Cad. 78 **C2** ☎ 224.18.40, fax 220.40.85. Bien dans sa catégorie, à condition de choisir une chambre calme. *60 ch.*

▲▲ **Mavi Boncuk** ♥, Cumalıkızık Köyü, à 12 km à l'E de Bursa ☎ 373. 09.55. Ce village ottoman, classé au patrimoine historique, contient 200 demeures à encorbellement. Celle-ci est devenue une pension de confort modeste, mais l'endroit a du charme. *6 ch.*

Restaurants

Vous pouvez déjeuner dans l'une des *lokanta* d'Içkoza Hanı **C2**, ou l'un des restaurants plus chics de Kültür Parkı **A1**.

♦♦ **Arap Şükrü**, Sakarya Cad. **B1**. Au pied des murailles, dans une ruelle pittoresque bordée de tavernes. Ambiance joyeuse le soir.

♦♦ **Bayraktar**, Akgün Sok. 4, Kırcaali Mah. **C1**. Cuisine ottomane.

♦ **Iskender Kebapçısı**, Ünlü Cad. 7 **C2**. D'excellents *Iskender kebap*, arrosés de beurre clarifié.

♦ **Ömür Köftecisi**, Atatürk Cad., à côté de l'Ulu Cami **C2**. Dans un cadre impeccable, grillades diverses, notamment les goûteux *köfte* au *kaşar* (fromage jaune).

♦ **Yavuz Iskenderoğlu**, Botanik Parkı. Délicieux *iskender kepab*.

Edirne

> *Visite p. 90. Indicatif téléphonique* ☎ *(0 284)*

❶ Hürriyet Meydanı 17 ☎ 213.92.08.

Se déplacer

● **Terminal des autocars**. À 2 km au S-E du centre-ville. Des *dolmuş* et des autobus urbains le desservent régulièrement.

Hôtels

▲▲▲ **Rüstempaşa Kervansaray**, Iki Kapılı Han Cad. 57 ☎ 225.21.95, fax 212.04.62. Dans un caravansérail du XVIᵉ s. dessiné par l'architecte Sinan, *100 ch.* d'une charmante simplicité.

▲▲ **Balta**, Talat Paşa Asfaltı 97 ☎ 225.52.10, fax 525.35.29. *75 ch.* correctes.

---

festivités

Lutteurs de choc

Chaque année, à la fin du printemps, se déroulent à Sarayiçi *(à 2 km au N du centre-ville d'Edirne)* les célèbres **championnats nationaux**, qui mettent aux prises des centaines de lutteurs. Ces joutes rythmées par un orchestre traditionnel se déroulent selon un rituel immuable, débutant par le défilé des combattants simplement vêtus d'un pantalon de cuir. Le **maître de cérémonie** *(cazgır)* récite des versets du Coran, puis proclame l'ouverture du tournoi. Commence alors l'**échauffement** *(peşrev)*, pendant lequel les lutteurs exécutent des pas de danse et des mouvements de bras. Durant le combat, le lutteur doit renverser son adversaire et s'efforcer de le maintenir sur le dos. C'est l'occasion de mesurer non seulement la **force** des combattants mais aussi leur **ruse**, car ils se sont enduits le corps d'**huile** afin de rendre les prises plus difficiles. Outre le titre envié de *başpehlivan* (maître lutteur), le vainqueur toutes catégories reçoit comme récompense une ceinture d'or accompagnée d'une somme d'argent, d'un cheval ou d'un taureau. ●

Les corporations
à l'époque ottomane

Les Seldjoukides et les Ottomans, d'âme guerrière, n'ont pas une tradition de commerçants. Les sultans encouragent les échanges en érigeant caravansérails et bazars, mais ils laissent les rênes du négoce aux Grecs, Arméniens, juifs et Génois. À l'ère ottomane, les artisans et les négociants fonctionnent en corporations, organismes puissants qui seront dissous par Atatürk à l'avènement de la République.

Une « chambre des métiers » plutôt stricte

Chaque corporation (ébénistes, fourreurs, ferronniers, etc.) se régissait selon un code propre et élisait un chef (*yiğitbaşı*) par bulletin secret. Épaulé par quatre ou cinq assistants tenus de garder leur identité secrète, ce chef établissait les stratégies de production, s'assurait que les marchandises entreposées dans les boutiques répondaient aux normes de fabrication, résolvait les conflits opposant les négociants aux artisans, et organisait les examens professionnels. Nul ne pouvait enfreindre ses décisions sous peine de sanction : toute marchandise défectueuse devait être détruite sur-le-champ ; en cas d'escroquerie, le *yiğitbaşı* ordonnait de promener le coupable dans tout le bazar ou l'excluait de la corporation.

Des codes régis par un cérémonial

Les examens professionnels se déroulaient au café de la corporation (*lonca kahvesi*). L'apprenti montrait son savoir-faire devant un jury composé des maîtres artisans de la profession. À l'issue des épreuves, le jury décernait le grade d'ouvrier qualifié ou de maître au candidat, en lui ceignant la taille d'une sorte de tablier. Lors des fêtes, la coutume voulait que les corporations défilent en costume dans les rues. Aujourd'hui, seuls le marchand de glace et le porteur d'eau arpentent le bazar, vêtus de leurs traditionnels habits corporatifs. ●

À l'ère ottomane, impossible d'ouvrir une boutique ou un atelier sans l'aval de l'autorité corporative qui régissait le secteur d'activité. Entre autres avantages, le système corporatif garantissait l'emploi et l'entraide financière aux artisans en difficulté.

Restaurants

♦♦ **Çatı**, Talat Paşa Asfaltı. La meilleure table d'Edirne.

♦ **Meşhur Serhab Köftecisi**, Nazir Haşimler Tahmis Sok. 6. *Lokanta* très propre dans une ruelle qui en compte beaucoup. *Köfte* divins.

Istanbul

> *Visite p. 64. Indicatifs téléphoniques :*
☎ *(0 212) pour la rive européenne ;*
(0 216) pour la rive asiatique.

❶ Sultanahmet Meydanı ☎ 518. 18.02 **II-C2**. Beyazıt Meydanı ☎ 522.49.02 **II-B2**. Hôtel Hilton Girişi, Elmadağ ☎ 233.05.92 **I-C1**. Karaköy Yolcu Salonu, Karaköy ☎ 249.57.76 **III-C3**. Sirkeci Tren Istasyonu ☎ 511.58.88 **II-C1**. Atatürk Havalimanı ☎ 663.69.93 **hors pl. I par A3**.

Accès

● **Autocars**. Deux terminaux de bus : à **Esenler** (rive européenne) **hors pl. I par A1** ☎ 658.10.10 et à **Harem** (rive asiatique) **I-D3** ☎ 333. 37.63. Les grandes compagnies ont un point de vente à Taksim **III-D1**, où s'effectuent les réservations : **Varan** ☎ 25174.74 ; **Ulusoy** ☎ 444. 18.88 ; **Pamukkale** ☎ 658.22.22 ; **Kamil Koç** ☎ 444.05.62.

● **Chemin de fer et ferry**. *Encadré p. 102.* **Gare ferroviaire de Sirkeci I-C3** : lignes pour Edirne et l'Europe ☎ 527.00.51. **Gare ferroviaire d'Asie Haydarpaşa I-D4** : lignes vers Izmir et l'Anatolie ☎ 336.44.70. **Gare maritime de Karaköy**, Turkish Maritime Lines, Rihtim Cad., Merkez Hanı 4, Karaköy **III-C3** ☎ 249.92.22 (rés.) et 244.02.07 (rens.). Ferries hebdomadaires pour Izmir et les ports de la mer Noire.

> **Istanbul plan I** (plan d'ensemble) p. 58,
> **Istanbul plan II** (le centre historique) p. 60,
> **Istanbul plan III** (la ville européenne) p. 62.

---

budget

Hébergement

En haute saison, pour une chambre double (petit déjeuner inclus) :

▲▲▲▲▲ plus de 120 €
▲▲▲▲ de 80 à 120 €
▲▲▲ de 40 à 80 €
▲▲ de 20 à 40 €
▲ de 10 à 20 €

Restaurants

Pour un repas (plat avec une boisson non alcoolisée, salade, thé ou café) :

♦♦♦♦ plus de 30 €
♦♦♦ de 15 à 30 €
♦♦ de 7 à 15 €
♦ moins de 7 € ●

● **Compagnies aériennes**. Aéroport international Atatürk, Yeşilköy, à 23 km au S-O du centre **hors pl. I par A2**. Navettes **Havaş** depuis Taksim, *via* Aksaray, toutes les 30 min de 5 h à 23 h. **Air France**, Emirhan Cad. 145, Dikilitaş **hors pl. I par D1** ☎ 310.19.19. **Swiss**, Iş Towers, tower 2-4, Levent **hors pl. I par C1** ☎ 319. 19.99. **Turkish Airlines**, Cumhuriyet Cad. 7, Taksim **I-C1** ☎ 252.11.06.

● **Location de voitures**. Les agences internationales disposent d'un comptoir à l'aéroport Atatürk. **Avis**, Cumhuriyet Cad. 107, Taksim ☎ 368.68.00 **III-D1**. **Europcar**, Taksim ☎ 254.77.88 **III-D1**. **Budget**, Taksim ☎ 253.92.00 **III-D1**.

Se déplacer

● **Autobus**. Le réseau ne figure pas sur le plan de la ville de l'❶. Une pancarte affichée sur le flanc du bus indique son itinéraire. Dans la vieille ville, au départ de la station coincée entre la place de l'Université **II-B1** et Şehzade Camii **II-A1**, des autobus se rendent à la place de Taksim **III-D1**. Les billets, très bon marché, s'achètent aux guichets des stations.

transports

Ferries et autobus de mer

Malgré la multiplication des ponts, prendre le bateau reste une habitude bien ancrée chez les Stambouliotes : ils l'utilisent pour gagner la **rive asiatique**, les **îles des Princes** et le **Bosphore**. À chaque passage, vous achèterez un jeton au guichet. Les embarcadères se situent à **Eminönü II-C1** (ferries pour Üsküdar, Kadıköy, les îles des Princes et Harem) ; **Kabataş I-C1**, près de Dolmabahçe (pour Eminönü, Üsküdar, Kadıköy et le Bosphore) ; **Beşiktaş I-D1** (Üsküdar et Kadıköy). Au départ du **pont de Galata II-C2**, un *vapur* de moindre fréquence cabote dans la Corne d'Or jusqu'à Eyüp. Les **autobus de mer** *(deniz otobüsü)*, vedettes très rapides, relient désormais tous les embarcadères de la ville et desservent de nombreux ports de la mer de Marmara, ainsi que les îles des Princes. •

● **Taxis et dolmuş**. Les taxis, de couleur jaune, se prennent en maraude (évitez les taxis stationnés devant les hauts lieux touristiques, qui sont des spécialistes de l'arnaque). Le prix de la course reste modique mais il varie en fonction des embouteillages. Au départ de Sultanahmet **II-C3**, comptez entre 3 € pour Taksim **III-C-D1**, 15 € pour l'aéroport **hors pl. I par A2**, 5 € pour Nişantaşı **hors pl. I par C1** et 5 € pour Ortaköy **hors pl. I par D1**. Emprunter le *dolmuş* (encadré p. 293) nécessite de connaître la ville, car les lignes ne figurent sur aucun plan (stations principales à Üsküdar **I-D2**, Eminönü **II-C1** et Taksim **III-D1**). Le passager paie en fonction du trajet effectué.

● **Tramway et funiculaire**. Une ligne de **tramway** traverse toute la vieille ville, depuis la gare de Sirkeci **I-C3** jusqu'à la porte de Topkapı **I-A2**, pour aboutir à Zeytinburnu. Une autre ligne plus folklorique remonte Istiklal Cad. **III-B2-C1**. Le funiculaire *(Tünel)* **III-B2-3** relie le pont de Galata avec Istiklal Cad. Une ligne de **métro** part d'Aksaray en direction de la gare routière d'Esenler (raccordement avec l'aéroport en cours) ; l'autre ligne relie Taksim, *via* Nişantaşı, avec les riches quartiers de Levent et Etiler.

Adresses utiles

● **Consulats**. **France**, Istiklal Cad. 8, Taksim **III-C1** ☎ 334.87.30. **Belgique**, Sıraselviler Cad. 73, Taksim **III-D1** ☎ 243.33.00. **Suisse**, 1 Levent Plaza, A Blok, Kat 3, Büyükdere Cad. 173, Levent **hors pl. I par C1** ☎ 283.12.82. **Canada**, Istiklal Cad. 373, Beyoğlu **III-B2** ☎ 251.98.38.

● **Hammams**. **Cağaloğlu**, Prof. Kazım Gürkan Cad. 34 **II-C2**. *Ouv. de 7h à 22h (de 8h à 20h pour les femmes)*. **Çemberlitaş**, Vezirhan Cad. 8 **II-B2**. *Ouv. de 6h à minuit*. **Gedikpaşa**, Gedikpaşa Cad., Beyazıt **II-B3**. *Ouv. de 6h à minuit*. **Süleymaniye**, Mimar Sinan Cad. 20 **II-B1**. *Ouv. de 6h30 à minuit*.

● **Hôpitaux**. **Hôpital américain**, Güzelbahçe Sok. 20, Nişantaşı **hors pl. I par C1** ☎ 311.20.00. **Hôpital international**, Istanbul Cad. 28, Yeşilyurt **hors pl.I par A3** ☎ 663.30.00.

● **Police touristique**. Yerebatan Cad. 6 **II-C2** ☎ 527.45.03.

● **Postes**. **Poste centrale**, Yeni Postahane Cad., Sirkeci *(ouv. jusqu'à minuit, le dim. de 9h à 19h)* **II-C1**. Autres bureaux sur la place Taksim **III-D1**, en face de Galatasaray **III-C1**, au Grand Bazar **II-B2** et à l'entrée du palais de Topkapı **II-D2**.

Hôtels

> Sirkeci et Sultanahmet

▲▲▲▲ **Ayasofya Evleri** ♥, Soğukçeşme Sok. **II-C2** ☎ 513.36.60, fax 513.36.69. Adossées aux murailles du palais de Topkapı, ces neuf demeures en bois abritent *66 ch.* restituant le cadre raffiné de l'Istanbul ottoman. *12 ch.* supplémentaires dans la magnifique annexe, **Konuk Evi.**

▲▲▲▲ **Ibrahim Paşa**, Terzihane Sok. 5 **II-C3** ☎ 518.03.94, fax 518.44.57. Dans une maison ottomane en pierre de la fin du XIXe s., *19 ch.* simples mais intimistes. Terrasse panoramique sur le toit.

▲▲▲▲ **Sokullupaşa** ♥, Şehit Mehmetpaşa Sok. 5 **II-C3** ☎ 518.17.90, fax 518.17.93. Ce gracieux *konak* ↪ rose abrite *36 ch.* adorables. À la belle saison, petit déjeuner servi dans le patio fleuri.

▲▲▲ **Celal Sultan** ♥, Salkımsögüt Sok. 16 **II-C2** ☎ 520.93.23, fax 522.97.24. Dans une jolie maison en pierre de l'époque ottomane, *28 ch.* meublées à l'ancienne. Terrasse panoramique, donnant sur Sainte-Sophie.

▲▲▲ **Empress Zoe** ♥, Adliye Sok. 10 **II-D3** ☎ 518.25.04, fax 518.56.99. Une demeure ancienne magnifiquement arrangée, surtout le jardinet. *18 ch.*

▲▲▲ **Erboy**, Ebussuut Cad. 32 **II-C2** ☎ 513.37.50, fax 513.37.59. Un établissement moderne de taille humaine. *65 ch.* de bon confort.

▲▲ **Side**, Utangaç Sok. 20 **II-C3** ☎ 517.22.82, fax 517.65.90. Un hôtel-pension joli et bien entretenu. *28 ch.* (pension) et *12 ch* (hôtel, plus chic), toutes d'un excellent rapport qualité/prix.

▲▲ **Uyan**, Utangaç Sok. 25 **II-C3** ☎ 516.48.92, fax 517.15.82. Style pension de famille. *17 ch.* un rien désuètes. Superbe terrasse pour prendre un verre… ou un bain de soleil.

> Aksaray et Edirnekapı

▲▲▲▲ **Berr**, Akdeniz Cad. 78 **I-B2** ☎ 534.20.70, fax 534.20.79. Excellent établissement très bien insonorisé. Transfert gratuit vers l'aéroport. *106 ch.* tout confort.

▲▲▲▲ **Kariye** ♥, Kariye Camii Sok. 18 **I-A1** ☎ 534.84.14, fax 521.66.31. Le charme des demeures ottomanes dans un environnement calme. Son restaurant, Asitane, est réputé. *27 ch.*

▲▲▲ **Daphnis** ♥, Sadrazam Ali Paşa Cad. 26, Fener **I-B1** ☎ 531.48.58, fax 532.89.92. Dans une demeure restaurée de l'ancien quartier grec. *16 ch.* au charme suranné.

▲▲ **Astor**, Laleli Cad. 12 **II-A2** ☎ 518.64.70, fax 518.64.80. Des chambres très correctes pour un prix abordable.

▲▲ **Nazar**, Yeşil Tulumba Sok. 17 (entre Genç Türk Cad. et Atatürk Bulvarı) **I-B3** ☎ 257.83.66. Un hôtel classique pratiquant des tarifs intéressants. *90 ch.*

> Taksim et Beyoğlu

▲▲▲▲ **Pera Palas**, Meşrutiyet Cad. 98 **III-B2** ☎ 251.45.60, fax 251.40.89. Hôtel 1900 construit pour les voyageurs de l'Orient-Express. Ascenseur et mobilier d'époque. *145 ch.*

▲▲▲ **Büyük Londra**, Meşrutiyet Cad. 117 **III-B1** ☎ 293.16.19, fax 245.06.71. Beaucoup de charme dans les salons rétro de ce bâtiment 1900. *54 ch.* défraîchies avec TV et s.d.b.

▲▲▲ **Vardar**, Sıraselviler Cad. 54/56 **III-D1** ☎ 252.28.88, fax 525.15.27. Dans un ancien bâtiment levantin. *40 ch.* à la décoration plus contemporaine.

Restaurants

> Sirkeci, Beyazıt et Sultanahmet

♦♦♦ **Hammam**, Sepetçiler Kasrı, Kennedy Cad., Sarayburnu **II-D1** *Ouv. uniquement le soir.* Jadis une dépendance du sérail de Topkapı, ce pavillon ottoman du XVIIe s. abrite un restaurant et deux cafés. Goûteuses spécialités ottomanes. Animation musicale le mercredi.

♦♦♦ **Sarnıç**, Soğukçeşme Sok. **II-C2**. Dans une ancienne citerne byzantine. Touristique, mais son cadre vaut le détour.

♦♦ **Amedros**, Hoca Rüstem Sok. 7 **II-C2**. En retrait de Divan Yolu, un bon restaurant tenu par un couple franco-turc. Cadre chaleureux pour déguster une cuisine honorable, dont la spécialité maison : le *testi kebap*.

♦♦ **Dârüzziyâfe** ♥, Şifahane Sok. 6 **II-A1**. Dans une dépendance de la Süleymaniye Camii. Spécialités ottomanes à la carte. Pas d'alcool.

♦♦ **Hamdi Steak House**, Kalçın Sok. 17, Eminönü **II-D2**. Une adresse en or pour les carnivores. Rien que des *kebap* préparés dans la plus pure tradition anatolienne : *kebap* d'aubergines, *çig köfte*, *kebap* aux pistaches, etc.

♦♦ **Havuzlu**, Gani Çelebi Sok. 3, Grand Bazar **II-B2**. Idéal pour la pause-déjeuner.

♦ **Sultanahmet Köftecisi**, Divan Yolu 12 A **II-C2**. Une cantine qui a pignon sur rue depuis 1920. *Köfte* à la turque, avec une salade de haricots et un verre d'*ayran*.

> Kumkapı

II-A3 Le quartier compte une cinquantaine de tavernes, à tenter plutôt le soir pour l'ambiance. Partout, prix élevés.

> Beyoğlu

♦♦♦ **Çiçek Pasajı**, Istiklal Cad., en face du lycée Galatasaray **III-C1**. Un passage rempli de tavernes, notamment **Kimene** et **Seviç**. Ambiance joyeuse. Tavernes plus authentiques dans Balık Pazarı, Navizade Sok. III-C1.

♦♦♦ **Rejans**, Emir Nevruz Sok. 17 (face à l'église Saint-Antoine) **III-C1**. Un restaurant russe naguère fré-

quenté par Atatürk. Spécialité : le canard aux pommes arrosé de vodka.

♦♦♦ **Süheyla**, Kalyoncu Kulluğu Cad. 45, Balık Pazarı **III-C1**. Une taverne *alaturka*. Bons *meze* et ambiance musicale.

♦ **Hacibey**, Teşvikiye Cad. 156/B, Teşvikiye **I-C1**. L'un des meilleurs endroits pour déguster un *Iskender kebap*.

♦ **Pide**, Hüsrev Gerede Cad. 77/B, Teşvikiye **I-D1**. Excellentes pizzas à la turque. Copieux et bon marché.

> Beşiktaş et Ortaköy
Hors pl. I par D1

♦♦♦ **Aynalı** ♥, Tramvay Cad. 104, Kuruçeşme. Taverne chaleureuse servant une excellente cuisine égéenne.

♦♦♦ **Hanedan**, Barbaros Meydanı, Beşiktaş. Un grand classique, magnifiquement situé sur la rive du Bosphore. Au r.-d.-c., on sert des grillades et des spécialités ottomanes ; à l'étage, du poisson succulent et des *meze* aux saveurs de la mer.

♦♦♦ **Pafuli**, Kuruçeşme Cad. 116, Kuruçeşme. On y déguste d'excellentes spécialités de la mer Noire : poissons de la saison, anchois, chou rouge farci, etc. En été, on dîne agréablement dans le jardin.

♦♦ **Çinaraltı**, Iskele Meydanı, Ortaköy. Du bon poisson à prix raisonnables.

> Le Bosphore
Hors pl. I par D1

♦♦♦ **Kıyı**, Kefeliköy Cad. 126, Tarabya. Réputé pour le poisson comme pour le cadre, où sont exposées des peintures et des photographies d'artistes turcs célèbres.

♦♦♦ **Körfez**, Körfez Cad. 78, Kanlıca. Restaurant de poissons très

Istanbul **plan I** (plan d'ensemble) p. 58,
Istanbul **plan II** (le centre historique) p. 60,
Istanbul **plan III** (la ville européenne) p. 62.

chic, merveilleusement situé sur le Bosphore.

♦♦♦ **Le Pêcheur**, Yeniköy Cad. 80, Tarabya. Une vaste salle panoramique. Toute la gamme des poissons et fruits de mer.

♦♦ **Deniz Kizi**, Balıkçılar Çarşısı 7, Sarıyer. Poisson, moules-frites et crustacés à prix raisonnables.

Pâtisseries et cafés

Agréables terrasses de cafés à **Tophane III-C2**, où l'on peut fumer le narguilé.

Cafe Wien, Reasürans Çarşısı, Teşvikiye Cad., Teşvikiye **hors pl. III par D1**. Café élégant réputé pour ses viennoiseries.

Çorlulu Ali Paşa, Yeniçeriler Cad. 3 **II-B2**. Un sympathique *kahvehane*, installé dans une médersa ↪ du XVIIIe s.

Güllüoğlu, Rihtim Cad. 83, Karaköy **III-C3**. Les meilleurs baklavas de la ville.

Inci ♥, Istiklal Cad. 124 **III-C1**. Une tradition à Istanbul. Les fameuses profiterolles continuent d'attirer des générations de gourmands.

Markiz ♥, Markiz Pasajı, Istiklal Cad., Beyoğlu **III-C1**. Diverses gourmandises dans le cadre raffiné d'un café Arts Déco joliment rénové.

Şark ♥, Fesciler Cad., Grand Bazar **II-B2**. Atmosphère, atmosphère ! Ce café oriental fait partie des endroits les plus envoûtants de la vieille ville.

Taksim Sütiş, Istiklal Cad. 7, Taksim **III-D1**. La vraie pâtisserie orientale pour s'empiffrer de baklavas et autres *kadayıf*.

Vie nocturne

En juin-juil., vous pouvez assister aux spectacles donnés dans le cadre du **Festival international** (rés. : Atatürk Kültür Sarayı Merkezi, Taksim **III-D1** ☎ 251.56.00). Un spectacle **son et lumière** a lieu à la mosquée Bleue (*p. 74*) t.l.j. en été, à partir de 21 h (en français, 1 jour sur 4). Les **bars** les plus en vogue fleurissent dans les quartiers européens, notamment à **Beyoğlu III-CD1** et Ortaköy ♥ **hors pl. I par D1**. S'y déroulent des concerts de rock, pop turque ou jazz. Les Stambouliotes, véritablement épris de musique et de danse, ne se gênent ni pour se trémousser ni pour reprendre le refrain en chœur.

Andon Pera, Sıraselviler Cad. 89/2, Beyoğlu **III-D1**. Un complexe composé d'une discothèque, d'un bar à vins, d'un bar branché et d'un restaurant. Terrasse panoramique ouverte uniquement pendant la belle saison.

Babylon, Şeybender Sok. 3, Asmalemescit Tünel, près de l'hôtel Pera Palas **III-B2**. Le bar en vogue.

Hayal, Istiklal Cad. et Büyükparmakkapı Sok. 19 **III-C1**. Le chouchou de la jeunesse stambouliote. Concerts de rock, blues ou jazz tous les soirs à partir de 23 h.

Laila, Muallim Nacı Cad. 141-142, Ortaköy **hors pl. I par D1**. Ouvert en été uniquement. Un complexe bar-restaurant-dancing qui tient le haut de l'affiche depuis plusieurs saisons.

Nu Pera, Meşrutiyet Cad. 147/149, Tepebaşı **III-B2**. Passé les coups de minuit, l'animation bat son plein dans le bar (Nu Club), où se pressent toutes les célébrités d'Istanbul. En été, on vient pour la vue panoramique de la Nu Teras.

Reina, Muallim Nacı Cad. 120, Ortaköy **hors pl. I par D1**. Un club d'été très à la mode. Style bon chic bon genre, mais la piste de danse attire toute la faune branchée d'Istanbul.

Roxy, Arslan Yatağı Sok, Sıraselviler **III-D1**. Un indémodable, tendance rock.

Soho, Meşelik Sok. 12/14, Beyoğlu **III-C1**. Un café-restaurant très design, qui devient un bar en soirée.

marchés

Mardi : Salı Pazarı à Kadıköy/
Söğütlüçeşme **I-D3**

Mercredi : marché de rue à
Çarşamba (Fatih) **I-B2**

Jeudi : Perşembe Pazarı à Ulus
(Etiler)

Vendredi : marché de rue à
Üsküdar **I-D2**

Samedi : marché de rue à
Beşiktaş **I-D1**

Dimanche : puces dominicales
d'Ortaköy **hors pl. III par D1** ●

Shopping

Les pôles commerçants se situent
autour du **Grand Bazar II-B2** et du
bazar Égyptien II-B1 (souvenirs
divers, tapis, bijoux et alimentation). Dans les quartiers européens
de **Beyoğlu** (sur Istiklal Cad. **III-
B2-C1**) et de **Nişantaşı/Osmanbey
hors pl. I par C1** : prêt-à-porter
dernier cri. À **Aksaray I-B3** et **Laleli
II-A2** : prêt-à-porter de qualité
« russe ». Sur la **rive asiatique**
(Bağdad Cad. et Bahariye Cad. à
Erenköy **hors pl. I par D3**) : shopping chic. Dans les boutiques de
Beyoğlu et d'Erenköy, les prix sont
fixes. Ailleurs, marchandez !

● **Antiquités**. Plusieurs marchés à la
brocante (meubles ottomans,
tableaux, objets incrustés de nacre,
vaisselle ancienne) : **Bit Pazarı** à
Üsküdar (Büyük Hamam Sok. 19 **I-
D2**), **Horhor Bit Pazarı** (Kırık
Tulumba Sok. 13/22, Aksaray, **I-B2**),
Kasımpaşa Bit Pazarı (Kulaksız
Cad. 5, Hasköy **III-A1**) et **Çukur-
cuma III-C2**.

● **Artisanat**. Intéressantes boutiques dans **Aznavur Pasajı** (Istiklal
Cad. 209 **III-C1**), dans le **Grand
Bazar II-B2**, mais aussi dans les
centres d'artisanat (céramiques, gravures, miniatures, papier marbré)
de la **Caferağa Medresesi** (Caferiye
Cad. **II-C2**) et **Mehmet Efendi
Medresesi** (Kabasakal Cad. **II-C3**).

● **Bijoux**. Les boutiques du **Grand
Bazar II-B2** proposent toutes les
mêmes modèles ; il suffit de faire le
tour pour comparer les prix (vente
à la pesée !). Pour plus d'originalité, voir les créations onéreuses des
célèbres joailliers **Gilan** (Nuruosmaniye Cad. 58., Çemberlitaş **II-
C2**), **Ziya** (Halaskargazı Cad. 78,
Harbiye **hors pl. I par C1**) ou
Urart (Abdi Ipekçi Cad. 18/1,
Nişantaşı **hors pl. III par D1**) et
ses superbes reproductions de
bijoux ourartéens. Chez **Sema Pak-
soy** (Atiye Sok. 9, Teşvikiye **hors
pl. III par D1**), on déniche des
antiquités en argent. Dans les rues
d'Ortaköy **hors pl. I par D1** et les
ruelles adjacentes d'Istiklal Cad. **III-
C1** (Yeşil Çam Sok. notamment),
des stands proposent des bijoux
fantaisie bon marché.

● **Cuirs**. Plus abordables qu'en
France, ils sont généralement de
coupe actuelle et d'assez bonne qualité (*p. 40*). Quelques bonnes affaires
dans les boutiques du Grand Bazar
II-B2, mais choix plus vaste dans les
magasins des grandes chaînes : **Yako**,
Derimod, **Kırcılar**, **Deri Sarayı**
(Beşkardeşler Sok. 16/18, Zeytinburnu **hors pl. I par A3**).

● **Tapis**. C'est dans le Grand Bazar
II-B2 que se concentre le plus
grand choix de tapis. Voyez aussi
les trois étages du **Babiali Çarşısı**
(Babiali Cad. 18, Cağaloğlu **II-C2**),
un centre entièrement dédié aux
tissages : prix compétitifs chez **Ana-
dol** (Babiali Çarşısı 18/9 **II-C2**) et
chez **Can Halı** (Klodferer Cad. 25
II-C2). Chez **Hazal** (Mecidiye
Köprüsü Sok. 27/29, Ortaköy **hors
pl. I par D1**), belle collection de
kilims exposée dans les pièces
d'une ancienne demeure restaurée.

● **Vêtements**. Les boutiques abondent à Beyoğlu, sur **Istiklal Cad.
III-B2-C1** ; à Nişantaşı **hors pl. I
par C1**, dans Rumeli Cad., Halaskargazı Cad. et Valikonağı Cad. Voyez
aussi les déballages des marchés
d'**Eminönü II-B1** et d'**Üsküdar
I-D2**. ●

La côte égéenne

La station balnéaire d'Ayvalık.

L e littoral déchiqueté de l'Égée jouit, selon Hérodote, père de l'Histoire, «du plus beau ciel et du meilleur climat». Il déroule sur près de 600 km un spectaculaire chapelet de golfes et de criques, parsemé d'une myriade d'îles et d'îlots. Patrie d'Homère, de Crésus et d'une multitude de grands esprits, cette région fait parcourir au visiteur quatre millénaires d'histoire. Ses vestiges les plus prestigieux se nomment Éphèse, Aphrodisias, Pergame et Hiérapolis (Pamukkale), mais bien d'autres ruines enfouies dans la pinède ou les oliveraies livrent, au détour d'un chemin caillouteux, des pans de la mémoire gréco-romaine.

Occupé successivement par les Grecs, les Perses, Alexandre le Grand, les Romains et les Ottomans, le littoral égéen communique avec la Grèce continentale par les ponts naturels que forment les îles Éoliennes. L'arrivée des premiers **colons grecs** coïncida avec la **chute de Troie**, immortalisée par les épopées homériques de *L'Iliade*. Au début de notre ère, les prédications de saint Paul et de saint Jean bousculent le gotha de la mythologie antique : Artémis, dont le temple à Éphèse comptait parmi les Sept Merveilles

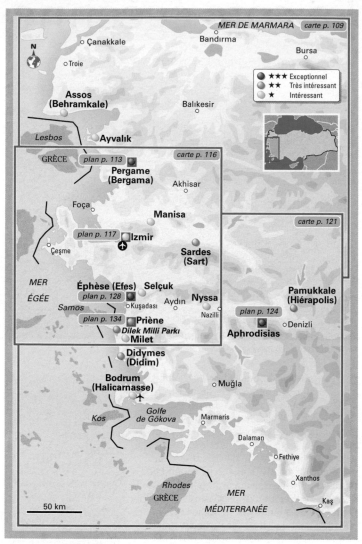

LA CÔTE ÉGÉENNE

du monde, ne résiste pas aux élans du christianisme ! Tombée sous la coupe des Turcs au XIIᵉ s., l'Égée s'islamise mais conserve son caractère cosmopolite dans les bourgs habités par les **communautés levantines**. D'ailleurs, à l'exception de Manisa, aucune ville ne compte de mosquées significatives. L'histoire des Grecs sur le sol égéen s'achève en 1923 par le tragique épisode de l'échange de populations entre la Grèce et la Turquie.

Dépositaire de l'**héritage grec**, la région la plus occidentalisée du territoire draine l'essentiel du flux touristique. Elle doit cet engouement à ses sites incomparables mais aussi à d'attractives stations balnéaires, jalonnant ce littoral de légende qui n'a malheureusement pas été épargné par les promoteurs. ●

L'Égée du Nord

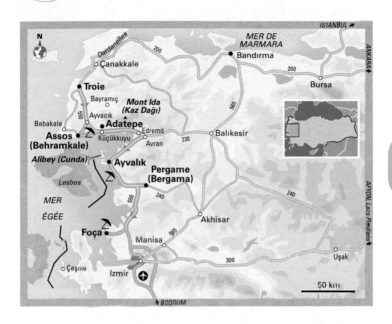

S urnommé **la Riviera des oliviers**, le littoral nord dissimule, au creux de ses baies vallonnées, les bourgades les plus attachantes de l'Égée. Des beautés fatales ont marqué l'histoire de ce rivage, lié aux **épopées de la Troade** : Marc Antoine offrit la bibliothèque de Pergame à **Cléopâtre** qui pleurait celle d'Alexandrie, consumée dans les flammes ; le souvenir de la **belle Hélène** hante Troie ; quant à son séducteur, le légendaire Pâris, il départagea trois déesses lors d'un concours de beauté au pied du mont Ida (Kaz Dağı), en décernant la pomme d'or à **Aphrodite**. Son choix provoqua le courroux d'Athéna et d'Héra, et entraîna la région dans une guerre contre Athènes et Sparte…

Les termes signalés par le symbole ↝ sont expliqués dans le glossaire p. 308.

Troie

> *À 298 km au S-O de Bursa. Ouv. 8h-19h (17h en hiver). Entrée et parking payants.*

En 1868, un fervent lecteur d'Homère, **Heinrich Schliemann**, réalisa son rêve d'enfance en exhumant la Troade sous le tertre d'Hisarlık, sommairement fouillé en 1812 par l'Américain Frank Calvert. Cette découverte relança le débat sur l'authenticité de la guerre de Troie, cette légendaire épopée antique devenue la bataille d'Hernani des historiens et des archéologues. Les ruines s'avèrent décevantes.

La totalité du parcours est fléchée ; la visite débute par le **musée**, situé à l'entrée du site. Les fouilles ont dégagé 10 couches citadines superposées, les plus anciennes remontant à l'âge du bronze. Les premiers établissements, classifiés de **Troie I** à **Troie V** (3000-1900 av. J.-C.), s'apparentaient à un village fortifié. À cette période appartiennent les

épopée

Pour l'amour d'Hélène

Lorsque **Tyndare**, roi d'Amyclée, décida de marier sa fille adoptive, **Hélène**, il fit promettre à tous les prétendants de voler au secours de son futur gendre si le malheur s'abattait sur lui. Hélène devint l'épouse de **Ménélas**, frère d'Agamemnon, roi de Mycènes, mais sa grande beauté ensorcela un prince troyen, **Pâris**, qui l'enleva. Fidèles à leur serment, les princes grecs se coalisèrent et entamèrent le **siège de Troie** (la ville se nomme Ilion dans les

La réplique du cheval en bois, trônant à l'entrée du site, vous fera vagabonder dans les récits de L'Iliade.

récits de *L'Iliade*), qui dura dix années. Pour mettre un terme à cette guerre, **Ulysse** usa d'un subterfuge : des guerriers se dissimulèrent dans le ventre d'un gigantesque cheval en bois que les Grecs, faisant mine de lever le siège, abandonnèrent devant les remparts. Les Troyens introduisirent ce curieux trophée dans leur ville, qui fut mise à feu et à sang. La belle Hélène rentra au bercail, au bras de son mari… ●

fondations d'**habitations mégarons** et la **rampe pavée*** qui menait à la citadelle de Troie II. Les habitants excellaient dans le travail du bronze et soudaient les pierres des remparts à l'aide de mortier.

Après la destruction de **Troie V**, le site fut colonisé par une nouvelle population qui y introduisit le cheval. Les épopées homériques concernent **Troie VI** (1900-1300 av. J.-C.) et **Troie VIIa** (1300-1250 av. J.-C.), contemporaines des Grecs mycéniens avec qui la ville entretenait des relations attestées par les fragments de poterie mycénienne exhumés sur le site. La guerre de Troie eut-elle finalement lieu ? Aucune trace archéologique ne le

confirme, d'autant que la petitesse du site rend peu vraisemblable l'important déploiement offensif décrit par Homère.

Une population d'origine balkanique s'installa dans **Troie VIIb** (1250-1100 av. J.-C.), qui fut ensuite désertée pendant quatre siècles. **Troie VIII** (700-350 av. J.-C.) et **Troie IX** (350 av. J.-C.-400 apr. J.-C.) correspondent à la ville gréco-romaine. Elle tomba sous le joug perse au VIe s. av. J.-C., passa sous la domination d'Alexandre le Grand en 334 av. J.-C., puis des Romains au Ier s. av. J.-C. Les vestiges les plus parlants, l'**odéon** ↪, les **thermes** et le **temple d'Athéna**, datent de l'occupation romaine.

♥ Assos★ (Behramkale)

> *À 69 km au S de Troie.* **Carnet d'adresses** *p. 140.*

La perle de l'Égée du Nord occupe un site admirable, environné d'une campagne bosselée où paissent des troupeaux de moutons. Les ruines antiques et les maisons du haut village s'accrochent à un promontoire rocheux, qui domine la baie fermée par l'île grecque de Lesbos. Recroquevillé au pied de la falaise, le minuscule ♥ **port** *(iskele)* héberge ses visiteurs dans d'anciens entrepôts en pierre grise, reconvertis en hôtels.

La plus belle plage se trouve dans la **baie de Kadırga**, en direction de Küçükkuyu. Les criques désertes abondent à l'ouest d'Assos (**Koruoba**, **Yeşil Liman** et **Sivrice**) le long de la route qui rejoint le village de **Babakale★**, dominé par les ruines d'une forteresse ottomane.

● **La ville antique★**. *Ouv. 8h-17h. Entrée payante.* Fondée par les Grecs éoliens au Iᵉʳ millénaire av. J.-C., la ville passa sous le contrôle des rois de Pergame, puis des Romains. Elle est ceinte de puissants **remparts★★** (IVᵉ s. av. J.-C.) qui sont parmi les mieux conservés du monde grec. Datée du XIVᵉ s., la petite **mosquée ottomane** a valeur d'expérimentation. D'exécution maladroite, elle inaugure le plan centré à coupole unique, dérivé des églises byzantines. Au sommet de l'acropole, le **temple d'Athéna★** embrasse un **panorama** époustouflant. Sa colonnade, en partie remontée, associe les ordres dorique ↪ et ionique ↪. Un sentier conduit dans la ville basse, où subsistent des vestiges de l'**agora★**, du **bouleutêrion** ↪ et du **théâtre**.

● **Le mont Ida★**. Les versants du légendaire mont Ida (Kaz Dağı) méritent le déplacement. À 5 km au nord-est de Küçükkuyu, l'ancien village grec d'**Adatepe★** ne manque pas de pittoresque avec ses maisons en pierre soigneusement restaurées; poussez la promenade jusqu'à l'**autel de Zeus** (Zeus Sunağı), qui domine un **panorama★★** côtier des plus spectaculaires. Le concours de beauté opposant les trois déesses de la mythologie grecque se serait déroulé dans les vergers d'**Ayazma** *(au N-E d'Assos, dans les environs de Bayramiç)*, un site bucolique où prend source le fleuve Scamandre, mentionné par Homère dans *L'Iliade*. Le mythe a trouvé un écho chez les nomades turkmènes, qui ont fait de la montagne un lieu de pèlerinage. Un **Musée ethnographique**, sis dans le village de Tahtakuşlar, rend hommage à leurs traditions.

Ayvalık★

> *À 139 km au S-E d'Assos.* **Carnet d'adresses** *p. 140.*

Cette charmante station balnéaire, environnée d'oliveraies et de pinèdes, s'étire sur une presqu'île à la découpe fantasque, constellée d'une vingtaine d'îlots. Le panorama côtier se laisse admirer du haut des collines, et plus particulièrement depuis la **table du Diable** (Şeytan Sofrası, au S-O du centre-ville). Habitée par les Grecs jusqu'en 1923, la ville recèle d'anciennes **demeures en pierre** et des **églises**, transformées en mosquées. Les plus intéressantes s'ornent de fresques : **Taksiyarhis Kilisesi**, **Panaya** (Hayrettin Paşa Camii) et **Hagios Yannis** (Saatlı Cami). Un sympathique marché se tient le jeudi. Les *dolmuş* desservent les longues plages de sable fin de **Sarmısak** *(à 7 km au S)* et d'**Altınova** *(à 14 km au S)*. Nombreuses criques sablonneuses dans les îles.

● ♥ **Alibey★** (Cunda). Sur l'île d'Alibey, reliée à la terre ferme par une digue, vous découvrirez un fascinant échantillonnage d'**habitat levantin** du XIXᵉ s. ; les plus riches façades arborent des formes architecturales héritées de la Grèce antique. La population actuelle, de souche turque, fut rapatriée de la Crète lors de l'échange des populations entre la Grèce et la Turquie. Voilà pourquoi bon nombre d'habitants parlent encore entre eux le dialecte crétois. Au nord de l'île, couvert de pinèdes et de plantations, vous dénicherez des moulins à vent et des monastères grecs en ruines. Le plus évocateur, **Ayışığı Manastırı**, gît parmi les citronniers dans la jolie baie de Pateriça.

Pergame★★★ (Bergama)

> À 61 km au S-E d'Ayvalık. **Carnet d'adresses** p. 147. **Plan de l'acropole** ci-contre, **plan de l'asclépieion** p. 115.

Dominée par son acropole millénaire, la tranquille bourgade de Bergama vit aujourd'hui de l'agriculture et du tissage des tapis. Le passé de cette orgueilleuse cité, qui concurrença Antioche et Alexandrie dans le domaine des arts et des lettres, puis disputa à Éphèse le titre de **capitale de la Province romaine d'Asie**, se lit à ciel ouvert. Au sommet de la colline, cernée d'une muraille longue de 4 km, émergent les temples construits par les **rois de Pergame**. Les bâtisseurs nivelèrent le relief accidenté de l'acropole au moyen de vastes terrasses, sur lesquelles s'élevèrent de monumentales constructions doublées d'un portique. À l'époque romaine, la ville déborda des remparts pour s'étendre dans la plaine. En partie recouverte par la bourgade actuelle, cette zone porte les vestiges des gigantesques complexes édifiés à l'image de la puissance impériale.

L'HISTOIRE D'UNE CAPITALE

À la mort d'Alexandre le Grand en 323 av. J.-C., Pergame échut à l'un de ses généraux, **Lysimaque**. Après avoir fait ceindre l'acropole de puissantes murailles, il y entreposa un trésor de 9 000 talents d'or dont il confia la garde au lieutenant **Philé-**taire. La mort de Lysimaque, battu en 281 av. J.-C. par Séleucos, ouvrit une voie royale à Philétaire, qui fonda une dynastie. **Attale Ier** (241-197 av. J.-C.) scella l'alliance avec les Romains qui fit la fortune de la ville. Sous le règne d'**Eumène II** (197-159 av. J.-C.), féru de littérature et de sciences, Pergame connut la période la plus brillante de son histoire. Un nouvel art de bâtir, dédié à la monumentalité du paysage urbain, consacra des formes architecturales qui se répandirent dans tout le monde hellénistique. Demeuré prospère sous **Attale II** (159-138 av. J.-C.), le royaume de Pergame fut légué à Rome par son successeur, **Attale III** (138-133 av. J.-C.). Devenue la capitale de la Province romaine d'Asie (129 av. J.-C.), la ville se développa au pied de l'acropole. En 166 apr. J.-C., elle comptait 150 000 habitants. Au IIIe s., un violent séisme précipita son déclin.

L'acropole★★

> À 6 km de la ville. Ouv. 8 h 30-17 h (19 h en été). Entrée et parking payants.

On y accède par une route sinueuse qui grimpe au sommet de la colline. Les ruines globalement mal conservées risquent de vous décevoir, mais le paysage dans lequel elles s'inscrivent garde toute sa puissance d'évocation. Hors de l'enceinte gisent les fondations de l'**Hérôon**, un monument funéraire dédié au culte des rois Attale Ier et Eumène II. Passé la **porte Royale**, le sentier longe les vestiges peu significatifs des **palais royaux** et du **temple d'Athéna**.

À l'époque romaine, Pergame disputait à Éphèse et à Smyrne l'obtention convoitée du titre de Neokoros (gardienne du temple). Auguste (31 av. J.-C.-14), Trajan (98-117), puis Hadrien (117-138) autorisèrent la ville à dédier un temple au culte impérial. Commencé sous Trajan et achevé sous Hadrien, le **temple de Trajan★** repose sur une plate-forme suppor-

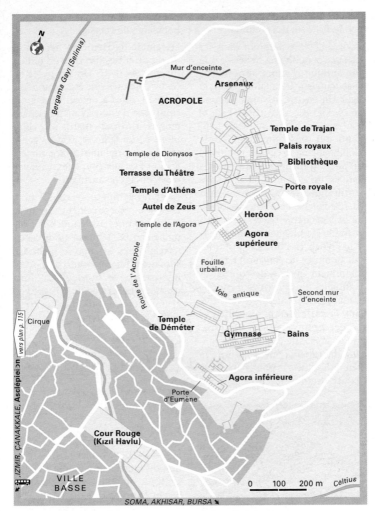

L'ACROPOLE DE PERGAME

tée par d'imposants soubassements voûtés, qui pallient la déclivité naturelle du terrain. Il jouxte les restes de la **bibliothèque** construite par Eumène II, la plus prestigieuse de l'Antiquité après celle d'Alexandrie. Elle renfermait 200 000 rouleaux, rédigés pour la plupart sur parchemin, une invention attribuée aux Pergaméens.

Des **arsenaux**, à l'extrémité de l'éperon, vous jouirez d'un spectaculaire panorama sur la vallée, jalonnée d'aqueducs ruinés qui acheminaient l'eau potable vers la cité. Le célèbre **autel de Zeus**, édifié par Eumène II, s'ornait d'une longue frise considérée comme le chef-d'œuvre de la sculpture hellénistique ; un fragment figurant le combat des dieux contre les géants fait aujourd'hui la gloire du Pergamon Museum de Berlin. La configuration du **théâtre**★★ hellénistique est unique en son genre.

Ses gradins d'une capacité de 10 000 personnes épousent la forte dénivellation de la colline. La structure ne possédait pas de bâtiment de scène en dur, mais un décor en bois mobile, fiché sur des poutres.

La vie de la cité palpitait dans les deux places publiques, reliées par la voie antique : l'**agora supérieure**, où se traitaient les affaires d'État, et l'**agora inférieure**, dévolue au commerce. En descendant vers l'agora inférieure, on rencontre divers bâtiments qui renseignent sur la vie quotidienne de la cité. Le complexe du **petit gymnase** associe des thermes, un odéon ↪, et une **salle de culte★** dédiée à Diodoros Pasparos, bienfaiteur de la ville. Reconstitué par les archéologues, son hall est revêtu de plaques de marbre et de bas-reliefs (les originaux se trouvent au musée de Pergame) figurant notamment un coq de combat et les insignes des Dioscures. Les bons vivants se réunissaient à dates fixes dans la **salle des orgies dionysiaques** pour célébrer Dionysos, dieu de la Nature et du Vin. Ils préconisaient l'enivrement comme le chemin le plus sûr pour parvenir à l'extase divine. Ce culte avait de nombreux adeptes dans les couches populaires de Pergame.

Le **temple de Déméter**, dédié à la déesse de la Fertilité, date du milieu du IIIᵉ s. av. J.-C. Un propylée ↪ (deux colonnes ont été remontées) donnait accès à l'enceinte sacrée, composée d'une esplanade et d'un temple. Les participants aux cérémonies (des femmes mariées généralement) prenaient place sur les gradins face aux cinq autels cultuels érigés devant le sanctuaire.

Le **grand gymnase** s'étage sur trois terrasses, respectivement assignées aux disciplines athlétiques, à l'entraînement à la course, et aux jeux récréatifs des enfants. Le **gymnase supérieur**, plus élaboré, comportait une palestre ↪ bordée de colonnades, des **bains** assez bien conservés, et un odéon ↪ qui pouvait accueillir 1 000 spectateurs.

L'asclépieion★★

> *Ouv. 8 h 30-17 h 30, 19 h en été. Entrée payante.*

À l'instar des sanctuaires de Cos et d'Épidaure, ce centre thérapeutique, dédié au dieu guérisseur **Asclépios** (l'Esculape des Romains), jouissait d'une grande popularité dans le monde hellénistique. La construction du sanctuaire remonte au IVᵉ s. av. J.-C., mais les vestiges actuels datent du règne d'Hadrien (IIᵉ s. apr. J.-C.). À l'époque romaine, le complexe était relié à la ville basse par la **via Tecta**, longue de 820 m. Le dernier tronçon, bordé d'un portique de style ionique ↪, vous conduira jusqu'à l'entrée monumentale du sanctuaire (le **propylée** ↪), édifiée au IIᵉ s. apr. J.-C. Les spectacles donnés dans le **théâtre romain**, d'une capacité de 3 500 places, faisaient partie d'une thérapie associant activités culturelles et soins médicaux pour soulager le corps et l'esprit. Le traitement consistait essentiellement en cures de sommeil, bains de boue, massages et exercices physiques. Après avoir effectué leurs ablutions dans les bassins sacrés,

Les archéologues ont remonté la colonnade corinthienne en marbre blanc du temple de Trajan, jadis le point de mire de l'acropole.

© Gil Giulio/Hémisphères Images

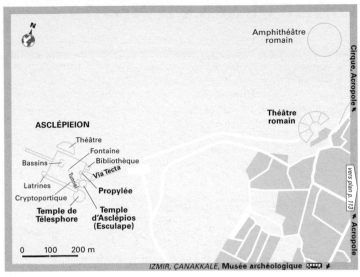

L'ASCLÉPIEION DE PERGAME

creusés dans la cour centrale du sanctuaire, les patients empruntaient le **tunnel**★★ voûté en berceau qui conduit au **temple de Télesphore**★. Traités par hypnose, ils racontaient leurs songes aux médecins qui se chargeaient de les interpréter pour établir un diagnostic. Quant au **temple d'Asclépios**, le dieu guérisseur, il est aujourd'hui réduit à ses fondations.

La cour Rouge★

> *Kızıl Havlu. Ouv. 8 h 30-17 h 30 (19 h en été). Entrée payante.*

Construit sous le règne d'Hadrien, au IIe s. apr. J.-C., cet impressionnant sanctuaire en briques rouges était probablement dédié à **Sérapis**, une divinité égyptienne vénérée en tant que dieu guérisseur chez les Romains. Les Byzantins convertirent ultérieurement la bâtisse en basilique.

Le Musée archéologique★

> *Ouv. 8 h 30-12 h et 13 h-17 h 30. Entrée payante.*

Il contient des sculptures (notamment la **statue d'Hadrien**★★, qui trônait dans la bibliothèque de l'Asclépieion), des stèles funéraires et des poteries découvertes sur le site antique, ainsi qu'un bon département ethnographique.

♥ Foça

> *À 94 km au S de Pergame.* **Carnet d'adresses** *p. 144.*

L'antique **Phocée** est devenue une petite station balnéaire qui respire la tranquillité. Bordées d'anciennes demeures levantines, les ruelles convergent vers deux minuscules ports encombrés de yachts et de bateaux de pêche, où l'on vend le poisson à la criée.

De la cité antique subsistent un théâtre fragmentaire et quelques pans de la muraille. Les îlots et les récifs du **rocher de la Sirène**, mentionnés par Homère dans les épopées de *L'Odyssée*, s'explorent en bateau. Les derniers phoques moines de la Méditerranée y ont élu domicile. Les **plages** s'égrènent entre Foça et Yeni Foça (*à 20 km au N*), le long d'une route qui dévoile de sublimes panoramas côtiers. •

Izmir et ses environs

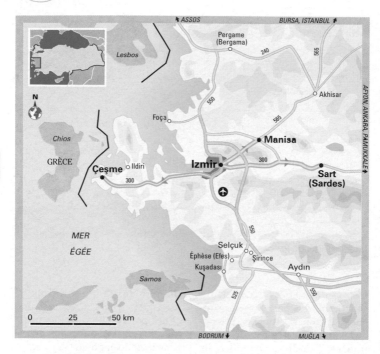

Bien desservie par les vols charters, Izmir est généralement le port d'entrée en Turquie pour les vacanciers qui s'adonnent au séjour balnéaire dans les stations du littoral. Comme elle se situe à peu de distance des hauts lieux égéens, les visiteurs ne font qu'y transiter. Dommage ! Les rues d'Izmir débordent de vitalité et ses environs, notamment **Sardes**, n'ont pas à rougir devant leurs prestigieux rivaux.

Izmir⋆

> *À 70 km au S-E de Foça.* **Carnet d'adresses** *p. 144.*

L'ancienne **Smyrne** s'est désagrégée dans le tragique incendie du 9 septembre 1922, clôturant la prise de la ville par les troupes d'Atatürk. Dans cet ultime sursaut d'honneur, la Grèce perdit la patrie d'Homère. Habitée jusqu'au début du XXᵉ s. par des communautés juive, armé-nienne, levantine et grecque, cette métropole de tradition cosmopolite a toujours regardé vers la mer et l'Occident. Devenue aujourd'hui le **deuxième port** et la **troisième ville du pays**, elle s'étire démesurément autour d'une baie superbe, ceinturée de banlieues insalubres qui grignotent les collines.

Dans le bazar oriental règne une atmosphère extraordinaire et, sur la rade bordée de palmiers se sont ouverts le métro et une galerie commerçante aménagée dans l'ancienne **halle au poisson** du XIXᵉ s., signée Gustave Eiffel. La plus dynamique des métropoles turques réhabilite son passé et construit l'avenir, mais sa vitalité, Izmir la doit à sa population, à la jeunesse surtout, qui, sous l'œil perplexe du paysan anatolien venu chercher fortune en ville, ne s'embarrasse pas des pruderies du sacro-saint code social ; une jeunesse délurée qui

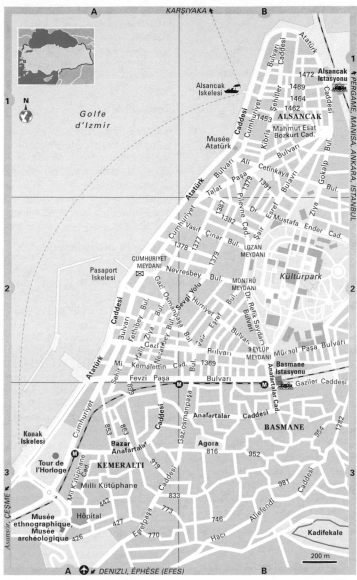

IZMIR

imprime une ambiance de fête aux **bars branchés d'Alsancak** où l'on danse souvent jusqu'à l'aube.

♥ Le bazar de Kemeraltı★★

A3 Il s'étend de part et d'autre d'Anafartalar Cad., entre la gare de Basmane et la grande place de Konak. On peut passer des heures dans ce dédale labyrinthique, regorgeant de boutiques en tous genres, pâtisseries, restaurants, *kahvehane* typiques et autres endroits insolites, dissimulés dans le secret des arrière-cours. En plein cœur du bazar, dans la 894 Sok., ne manquez pas de siroter un thé dans le café jouxtant la fontaine aux ablu-

Les « gecekondu »

Lorsqu'un paysan anatolien arrive à la ville, il va directement là où des parents ou d'anciens habitants de son village se sont installés, afin de bénéficier de leur aide. Il acquiert alors un minuscule lopin de terre (ou mieux, investit un terrain appartenant à l'État) et stocke les parpaings chez les voisins pendant que l'on prépare le socle en béton de sa future maison. Les murs et le toit du *gecekondu* sont ensuite élevés en une nuit, sans permis de construire évidemment. Ces lotissements sauvages en dur, se rapprochant des bidonvilles par leur absence de voirie, forment rapidement de véritables villages qui ceinturent désormais les métropoles, Ankara, Istanbul, Izmir et Adana en tête. •

tions de la Şardivan Camii ; les fumeurs de narguilé s'y donnent rendez-vous. Dans la 878 Sok., un vieux caravansérail du XVIIIᵉ s., **Kızlarağası Hanı**, abrite, depuis sa réhabilitation, diverses boutiques de souvenirs et de plaisantes terrasses de cafés.

L'agora*

> **B3** *Ouv. t.l.j. sf lun. 8h30-12h et 13h-18h. Entrée payante.*

Construite sous Alexandre le Grand, elle fut dévastée en 178 par un tremblement de terre, puis reconstruite sous Marc Aurèle à l'époque romaine. Cette vaste place commerçante était bordée d'un **portique corinthien** ↳ en partie redressé lors des travaux de restauration. Sous ce portique furent creusées des galeries souterraines, aménagées en boutiques et entre-

pôts. Cette section est la plus spectaculaire du site. Le ♥ **quartier alentour**, traversé par **Anafartalar Cad.**, vaut vraiment la balade pour son atmosphère populaire, ses marchés de rue et ses maisons ottomanes décrépites.

Kadifekale

B3 Les ruines de la « forteresse de velours », construite pendant le règne d'Alexandre le Grand, couronnent le mont Pagos qui domine la vieille ville. Allez-y juste avant le coucher du soleil, pour jouir du panorama sur la baie et les collines scintillantes.

Le Musée archéologique*

> **A3** *Ouv. t.l.j. sf lun. 9h-12h et 13h-17h30. Entrée payante.*

Bien présentées, les collections datent pour l'essentiel de la période gréco-romaine (sarcophages, stèles funéraires, statues, bronzes, bijoux). À l'étage est rassemblée une importante collection de céramiques. Au sous-sol, voyez la **mosaïque romaine**, les **statues de Poséidon** et de **Déméter** exhumées sur l'agora d'Izmir, la **statue de Flavius Damianus** découverte à Éphèse et les **frises** provenant du mausolée de Belevi (IIIᵉ s. av. J.-C.). Le bâtiment voisin abrite un intéressant **Musée ethnographique*** (tapis, costumes, reconstitution d'intérieurs ottomans).

Le front de mer

Il est longé par Atatürk Cad., le boulevard qui compte les meilleurs restaurants, les cafés huppés et les boutiques chics. En partant de la grande place de Konak où trône la **tour de l'Horloge*** (Saat Kulesi) **A3**, un chef-d'œuvre de l'époque ottomane, vous remonterez le boulevard vers le nord jusqu'au ♥ **quartier d'Alsancak*** **B1**, fief de la jeunesse. Même atmosphère bohème dans **Sevgi Yolu**, ou rue des Amoureux **B3**, une allée piétonne qui est le lieu de rendez-vous des bouquinistes et des jeunes couples. Au S de la place de Konak se trouve le vieux **quartier juif d'Asansör hors pl. par A3**, en voie de réhabilitation. La balade vaut surtout pour le spectaculaire **panorama** qui se dévoile depuis le restaurant ♥ **Asansör Teras** (*p. 145*), desservi par un audacieux ascenseur mis en service en 1907.

Les environs d'Izmir

Çeşme

> *À 90 km à l'O d'Izmir.* **Carnet d'adresses** *p. 144.*

Une autoroute met la mer et quelques belles plages de sable fin à portée de voiture ou de *dolmuş*. Excursion favorite des Smyrniotes pendant le repos dominical, cette pimpante station balnéaire a conservé de son charme dans le réseau des ruelles colorées qui montent à l'assaut de la colline. Face au port s'élève le **château** (*ouv. 8 h 30-12 h et 13 h-17 h 30 ; entrée payante*) construit par les Génois au XIVe s. Un petit musée y a été aménagé, mais montez plutôt au sommet des remparts pour découvrir un panorama grandiose sur la baie

et l'île de Chios. Côté plage, les plus belles se trouvent à **Boyalık** (*1,5 km*), à **Ilica** (*6 km*), à **Pırlanta** (*10 km*) et à **Altınkum** (*10 km*), toutes desservies par les *dolmuş*.

Manisa★

> *À 43 km au N-E d'Izmir.*

Cette jolie ville, mentionnée dans les écrits d'Homère et de l'écrivain-voyageur turc Evliya Çelebi, s'étend dans une plaine verdoyante dominée par l'imposant mont Sipyle. Au XVe s., les princes ottomans y résidaient, le temps de s'initier aux choses de l'État. Ils ont laissé de belles mosquées, illustrant le premier art ottoman. La **Sultan Camii★** (*Izmir Cad., encadré ci-dessous*) fut édifiée en 1522 sur l'ordre de la mère de Soliman le Magnifique, alors gouverneur de la province de Manisa. Le complexe comprend un hammam, un hôpital et une école coranique.

En face, la **Muradiye Camii★**, construite au XVIe s., renferme un **mihrab** ↪ en faïences émaillées. Ses dépendances abritent le **Musée archéologique★** (*ouv. t.l.j. sf lun. 9 h-12 h et 13 h-17 h ; entrée payante*) où sont exposés les objets découverts sur le site de Sardes (statues, mosaïques, etc.).

---

festivité

La fête de Mesir

Hafsa Sultan, la mère de Soliman, tomba gravement malade, mais aucun des médecins se succédant à son chevet ne sut identifier le mal. Ils firent quérir **Merkez Efendi**, pharmacien de son état, et lui firent part de leurs observations. Ce dernier prépara une certaine **pâte à base de 40 ingrédients**, qu'il envoya à la sultane. Promptement rétablie, Hafsa Sultan donna l'ordre de distribuer gratuitement ce remède miracle aux habitants de **Manisa**. Par la suite, il fut décidé de le lancer à la volée, du haut des minarets de la **Sultan Camii**. Cette tradition a perduré. Des gens venus de toute la Turquie se pressent aux festivités qui ont lieu le troisième ou le dernier dimanche d'avril pour attraper au vol l'un de ces « bonbons » épicés dont l'absorption, d'après la croyance populaire, les protégera efficacement de la maladie, des piqûres d'insectes et des morsures de serpent. ●

Sart** (Sardes)

> *À 91 km à l'E d'Izmir.*

Connaissez-vous l'origine des expressions «riche comme Crésus» ou «toucher le pactole»? Elles font référence à Sardes, capitale du puissant royaume de **Lydie**, qui domina en son temps l'Égée. Son légendaire roi **Crésus** (560-546 av. J.-C.) puisait ses prodigieuses richesses dans le fleuve **Pactole**, qui charriait des pépites d'or. Aux Lydiens est également attribuée l'**invention de la monnaie**. Dupé par une prédiction de l'oracle de Delphes lui attribuant la destruction d'un grand État, Crésus déclara la guerre à Cyrus le Grand, initiative qui se solda par l'anéantissement du royaume lydien. Devenue la capitale d'une satrapie perse, Sardes passa sous le contrôle d'Alexandre le Grand en 334 av. J.-C., puis devint une dépendance romaine en 133 av. J.-C. Au début de notre ère, le christianisme se répandit dans la ville, qui fut le siège de l'une des sept églises de l'Apocalypse.

Deux groupes de ruines se disséminent autour du petit bourg de **Sart**, environné d'oliveraies et de vignobles produisant les fameux raisins secs de Smyrne. Situé dans la jolie vallée du Pactole, le **temple d'Artémis*** *(à dr. de la route principale; accès fléché)* fut l'un des plus vastes sanctuaires du monde gréco-romain. Débutée en 300 av. J.-C., sa construction s'échelonna en trois étapes, mais ne fut jamais achevée. Au dernier stade des travaux (IIe s. apr. J.-C.), le temple comptait deux *cellae* probablement consacrées au culte divin et au culte impérial, puisque les fouilles y mirent au jour les bustes de Faustine et d'Antonin. La **ville antique** *(ouv. 8h-19h; entrée payante)* se trouve à la sortie du village *(sur la g. de la route)*. Une **voie à colonnade**, bordée de **boutiques** reconstruites à l'époque byzantine, conduit devant une ancienne basilique romaine reconvertie en **synagogue*** au IVe s. apr. J.-C. Sa cour à péristyle ↳ communique avec la salle cultuelle, fermée par un hémicycle de gradins réservés aux anciens. Murs et sols étaient richement ornementés de plaques de marbre polychrome et de **pavements de mosaïque**, dont il subsiste d'importants fragments. Le monument le plus spectaculaire du site est le **gymnase***, un vaste complexe composé d'une palestre ↳ et de bains dotés d'une entrée monumentale (la **cour de marbre***). Cette altière construction, formée d'un double étage de galeries, a été admirablement reconstituée par les archéologues. ●

L'Égée du Sud

S ur ce rivage naquit **Éphèse**, l'une des plus prestigieuses cités du monde antique. À la découverte archéologique s'ajoutent les plaisirs de la mer dans les stations balnéaires les plus huppées de la Turquie. Rançon du succès, la côte qui draine chaque été des millions de visiteurs ne cesse de se dégrader. Il suffit de bifurquer vers l'arrière-pays pour retrouver un monde rural authentique. Les champs de coton se déploient à l'infini et des villages entiers attendent l'automne pour vivre l'effervescence de la récolte.

Les termes signalés par le symbole ↪ sont expliqués dans le glossaire p. 308.

Pamukkale★★ (Hiérapolis)

> À 179 km au S-E de Sardes. 3 voies d'accès au parc national de Pamukkale. Entrée payante. Parking devant le musée. **Carnet d'adresses** p. 146.

L'Antiquité connaissait déjà les vertus des **sources thermales de Pamukkale** : en témoignent les émouvantes ruines de l'**antique Hiérapolis** qui dominent l'une des grandes curiosités naturelles de la Turquie (encadré p. 123). Sur toute la hauteur de la falaise s'étagent des travertins d'une blancheur éblouissante, comme autant de mini-baignoires alimentées en eaux limpides par une robinetterie sibylline de torrents et de cascades. Par ciel clément, le spectacle de ce «château de coton» parsemé de flaques turquoise tient de la féerie. Tant de beauté se mourait, victime des promoteurs et du flot croissant d'admirateurs. Le site bénéficie à présent d'un plan de réhabilitation, mais l'eau continue à être parcimonieusement distribuée dans les vasques.

UN DESTIN MOUVEMENTÉ

La **cité antique** synthétise les différents courants architecturaux qui prévalurent en région égéenne. La Hiérapolis hellénistique était **découpée en damier**, à l'instar des villes ioniennes. En 17 apr. J.-C., un tremblement de terre l'anéantit. Entre le Ier s. et le IIIe s. apr. J.-C., Hiérapolis se redressa pour devenir l'un des centres les plus brillants de l'Empire romain. Sous le règne de **Septime Sévère**, sa population comptait 100 000 habitants. Convertie au christianisme, la ville passa aux mains des Byzantins en 395. Elle fut alors le siège d'un important évêché. Les monuments encore visibles datent essentiellement des périodes romaine et chrétienne.

● **Le secteur des temples**. Le **musée★** *(ouv. 9 h-12 h 30 et 13 h 30-19 h 15 ; entrée payante)* est installé dans les thermes romains du IIe s. apr. J.-C., qui jouxtent une **palestre** ↪ et, plus à l'est, les restes d'une **basilique chrétienne** à trois nefs. Les sculptures exposées s'inscrivent dans la lignée de l'école d'Aphrodisias.

En plein cœur de la cité antique trônent les vestiges du principal sanctuaire romain, le **temple d'Apollon**, qui jouxte le **plutonium** *(accès interdit)*, une grotte d'où émanent des gaz asphyxiants. Dans l'Antiquité, seuls les eunuques du temple pouvaient sortir vivants de cet orifice dédié à Pluton, dieu des Enfers. Préalablement entraînés à retenir leur respiration, ils usaient de ce subterfuge pour faire croire à un pouvoir surnaturel. Jonchée de débris gréco-romains, la piscine du Pamukkale Termal correspond vraisemblablement au **bassin sacré**

antique ; les eaux de la source y débouchent à 37 °C.

● **Le théâtre romain★★**. Adossé au flanc de la colline, il pouvait accueillir 15 000 personnes. Admirablement reconstitué, son **bâtiment de scène★★★** s'orne de reliefs consacrés aux cycles mythologiques d'Artémis et d'Apollon. D'élégantes colonnes torsadées, coiffées de chapiteaux corinthiens ↪, rythment les niches du podium. Le monticule surplombant le théâtre porte les ruines du **martyrium** élevé au IVe s. sur la tombe présumée du prédicateur saint Philippe. Ce fut un important lieu de pèlerinage à l'époque byzantine.

● **Le cardo★**. Au IIIe s., la ville romaine s'étendit vers le nord. Entre la **porte Byzantine** et la **porte de Domitien**, un segment du cardo ↪ a conservé son pavement et des fragments de sa colonnade dorique ↪. L'un des bâtiments les mieux préservés abrite les **latrines**. Déployée à l'est de la chaussée, l'**agora** (170 m x 280 m) fut l'une des plus vastes du monde antique. Ce goût de la démesure caractérise également les **thermes du nord**, transformés en basilique chrétienne au Ve s.

● **La nécropole★★★**. Quelque 1 200 **tombeaux** et **sarcophages** gisent parmi les herbes folles. Diversement datés, ils documentent cinq siècles d'art funéraire : sarcophages, maisons coiffées d'un toit à deux pans, etc. Les tumuli semi-sphériques datent du IIe s. av. J.-C. ; une ouverture pratiquée à leur base donne accès à la chambre funéraire.

Dès le Ier s., les hauts dignitaires se firent inhumer dans les *minerva*, qui s'apparentent à de petits temples. Le *bornos* se répandit au IIe s. Il s'agit d'un caveau familial, constitué d'un sarcophage et d'une chambre funéraire ; certains sont gravés de reliefs et d'épigraphes mentionnant le nom, la profession et les faits marquants de la vie du fondateur.

nature

Du blanc immaculé à l'arc-en-ciel

Les cascades pétrifiées de Pamukkale forment des terrasses reliées entre elles par un jeu harmonieux de stalactites.

Les sources de Pamukkale libèrent une **eau chaude saturée de sels calcaires**, qui dévale le long de la falaise, déposant ses sédiments sur la roche et les brindilles. En refroidissant, ces particules se solidifient pour se transformer avec le temps en des **travertins d'une blancheur immaculée**. Privés d'eau, ils noircissent. Ce fragile écosystème bénéficie aujourd'hui de mesures de protection. Les motels implantés au bord de la falaise ont été rasés et l'accès aux vasques est réglementé. Il faudra néanmoins du temps pour que la nature répare les dégâts causés par deux décennies d'exploitation sauvage. À **Karahayıt** *(à 5 km au N)*, il existe des sources d'une composition quasi identique à celles de Pamukkale, mais plus chaudes. Leurs eaux se caractérisent par une forte teneur en oxyde de fer qui, en se pétrifiant, zèbre la roche d'un arc-en-ciel multicolore. ●

♥ Aphrodisias★★★

> *À 103 km au S-O de Pamukkale. Ouv. 8 h 30-19 h (17 h en hiver). Entrée payante avec un supplément pour le musée.* **Plan** *p. 124.*

La richesse du site, l'un des plus passionnants de toute la Turquie, mérite largement le détour. Cette rayonnante cité antique, qui abrita une **école de sculpture** incomparable *(encadré p. 126)*, n'a pas encore livré tous ses secrets aux archéologues.

À LA GLOIRE D'APHRODITE

Aphrodisias abrita un célèbre **sanctuaire dédié à Aphrodite**, déesse de la Nature, de l'Amour et de la Fertilité. Géographiquement attachée à l'ancienne Carie, la ville se développa autour de son sanctuaire lorsque l'Asie Mineure tomba sous la coupe romaine au IIe s. av. J.-C. À partir de 39 av. J.-C., Rome lui accorda même l'autonomie et l'exonéra d'impôts. L'ère romaine apporta la prospérité à la cité deve-

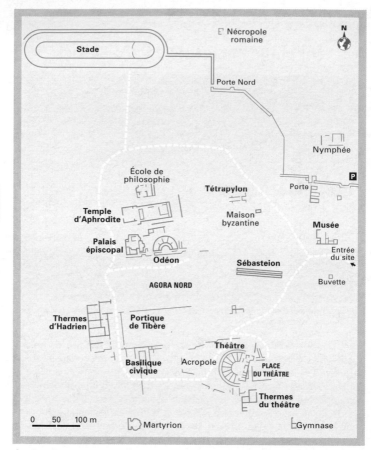

E' Nécropole romaine

Stade

Porte Nord

Nymphée

École de philosophie

Tétrapylon

Porte

P

Temple d'Aphrodite

Maison byzantine

Musée

Palais épiscopal

Odéon

Sébasteion

Entrée du site

AGORA NORD

Buvette

Thermes d'Hadrien

Portique de Tibère

Théâtre

Thermes du théâtre

Basilique civique

Acropole

PLACE DU THÉÂTRE

0   50   100 m

Martyrion

Gymnase

APHRODISIAS

nue un **centre intellectuel brillant**. En 395, un séisme endommagea les canalisations, provoquant des inondations. À l'époque byzantine, un nouveau séisme précipita son déclin.

● **Le Tétrapylon***. Constituée par quatre modules de quatre colonnes surmontées d'un entablement sculpté, cette porte ornementale ne manque ni d'allure ni d'originalité. Redressée par les archéologues, elle soulignait l'entrée du cardo ↪ (la voie principale des cités romaines) dans la zone sacrée.

● **Le stade****. Miraculeusement intact, il est sans équivalent dans tout le bassin méditerranéen. Long de 262 m sur 59 m de large, il pou-

vait accueillir près de 30 000 spectateurs. Le pan nord s'intégrait dans les fortifications de la ville, ceinte de 3,5 km de remparts.

● **Le temple d'Aphrodite**. Avec ses 14 colonnes cannelées encore debout, il reste le point de mire de la cité. Le sanctuaire primitif fut entouré d'un **temenos** ↪ sous Hadrien. Lorsque les architectes byzantins reconvertirent le temple en basilique, ils supprimèrent les murs de la *cella* ↪ pour ménager une nef, complétée d'une abside, d'un narthex ↪ et d'un atrium ↪.

● **L'odéon*****. Le petit bijou d'Aphrodisias ! D'une capacité de 1 000 places, il accueillait les spectacles culturels et les réunions du

Sénat. De la *cavea* ↪ originelle, jadis recouverte d'une toiture à charpente de bois, subsistent les huit rangées inférieures. Des statues, déposées au musée, décoraient les niches du bâtiment de scène. Sa façade externe, richement ornementée, faisait corps avec le portique de l'agora nord. À l'ouest de l'odéon, un bâtiment comportant une cour à péristyle ↪ ornée de colonnes en marbre bleu servait probablement de **palais épiscopal**.

● **L'agora**. Elle comporte deux portiques ioniques ↪, d'une longueur de 211 m. De l'**agora nord** il ne reste pratiquement rien. Dans la partie centrale du **portique de Tibère**★, les archéologues ont mis au jour un long bassin terminé en hémicycle. Cet élément inhabituel donne à penser que la place servit de gymnase ou de palestre ↪, hypothèse corroborée par la proximité des thermes d'Hadrien. En raison des inondations, la porte monumentale est fut transformée en nymphée ↪ au IVᵉ s. Dans l'angle sud-ouest du portique ont été dégagés la nef et les bas-côtés d'une **basilique civique** (fin du Iᵉʳ s.) qui abritait le centre administratif de la cité.

● **Les thermes d'Hadrien**. Diverses pièces partiellement pavées de marbre ont été dégagées. On distingue parfaitement le système souterrain de chambres à fourneaux et de tuyauteries en terre cuite qui alimentait le caldarium ↪ en eau chaude.

● **Le théâtre**★. 10 000 spectateurs pouvaient y prendre place. Creusé dans le tertre de l'acropole ↪ au Iᵉʳ s. av. J.-C., il fut remanié pour permettre le déroulement de jeux violents. Après avoir creusé l'orchestre, les architectes remplacèrent les gradins inférieurs par un muret protecteur et firent fusionner la scène avec l'hémicycle de la *cavea* ↪. Les gladiateurs et les fauves gagnaient la fosse par deux galeries aménagées sous le podium. Précédé d'un portique dorique ↪, le **bâtiment de scène** abritait des loges ou des salles de dépôt. Sur le mur externe gauche (accès par une porte en bois), des **inscriptions grecques** gravées aux IIᵉ et IIIᵉ s. apr. J.-C. relatent l'histoire de la cité d'Aphrodisias. Les Byzantins transformèrent le théâtre en citadelle.

● **Le Tétrastôon et les thermes du théâtre**★. Les séismes du IVᵉ s. affectèrent le niveau de la nappe phréa-

L'hémicycle oriental du stade d'Aphrodisias fut réaménagé pour servir aux jeux du cirque.

© Astrid Lorber

`sculpture`

L'école d'Aphrodisias

Pas étonnant que les sculpteurs aient signé leurs œuvres de la mention « Aphrodisien ». Environnée de **carrières de marbre**, Aphrodisias fut en effet l'un des centres de sculpture les plus prolifiques du monde romain. Entre le Iᵉʳ s. av. J.-C. et le Vᵉ s., les commandes affluèrent de tout le bassin méditerranéen. Les sculpteurs d'Aphrodisias usaient de procédés techniques sophistiqués et, bien que fidèles aux canons hellénistiques, leurs créations traduisaient une indéniable originalité. Le **style aphrodisien** se caractérise par une certaine **idéalisation du visage** alors que les modelés du corps dénotent un **réalisme** d'une étonnante précision. Devant le soin accordé au lustre des chairs, aux mouvements des drapés et à la gestuelle des mains, on peut même parler de maniérisme voire de baroque avant la lettre. Les sculpteurs excellaient aussi dans l'exécution de pièces modulaires destinées à décorer les édifices : chapiteaux ↪, reliefs sculptés de scènes mythologiques, médaillons. ●

tique, qui causa des inondations dans la zone de l'agora. C'est pourquoi une nouvelle place publique, le **Tétrastôon**, vit le jour au pied du théâtre. À l'angle sud, deux pilastres aux rinceaux richement sculptés forment une porte qui communique avec un **hall basilical**, délimité en trois nefs par des colonnes en marbre bleu. Les **thermes**★ attenants ont été partiellement dégagés, notamment le **caldarium**★★ ↪, étonnamment conservé.

● **Le Sébastéion**★ était dédié au culte de la dynastie julio-claudienne, qui prétendait descendre d'Aphrodite. Une allée processionnelle s'engageait entre deux longs portiques, formés par trois rangées de demi-colonnes. Au cours des fouilles, on exhuma quantité de panneaux sculptés qui s'inséraient dans l'entrecolonnement des galeries supérieures.

● **Le musée**★ regroupe un riche ensemble de sculptures et de céramiques, retrouvées sur le site. Le département des sculptures couvre l'histoire d'Aphrodisias, de l'époque archaïque à l'époque byzantine. La **frise de Zoilos**★ décorait un monument honorifique dédié à Zoilos, cet esclave affranchi par Octave et

devenu au Iᵉʳ s. av. J.-C. le bienfaiteur de la cité. Dans la **salle de Melpomène**★, vous admirerez les expressives statues qui logeaient jadis dans les niches du théâtre. Une monumentale représentation de la déesse trône au milieu de la **salle d'Aphrodite**.

 ## Nyssa★

> À 65 km au N-O d'Aphrodisias. Ouv. 8 h-17 h. Entrée payante, et parking devant le théâtre.

Ce site bucolique a conservé de magnifiques ruines romaines, éparpillées de part et d'autre d'une gorge arrosée par un torrent. Construit à flanc de colline, le **théâtre**★★ possède encore tous ses gradins et son bâtiment de scène orné de reliefs sculptés, relatifs au cycle mythologique de Dionysos. Pour épargner la construction des eaux, les Romains canalisèrent le torrent en perçant un **tunnel** de 150 m de long. Il débouche dans le ravin qui porte les vestiges d'un **stade** en cours de dégagement. Un peu plus haut, un sentier part vers la droite et conduit, à travers les oliveraies, vers le **bouleutêrion**★ ↪ (fin du IIᵉ s.) et l'**agora** dont la colonnade a été partiellement remontée.

Le culte d'Artémis

L'Artémision abritait une gigantesque **statue de la Déesse Mère**, vénérée sous divers noms (Isis en Égypte ; Cybèle, Hepa et Artémis en Anatolie ; Lat en Arabie) par les peuplades antiques. Les représentations de l'Artémis anatolienne trahissent l'influence orientale. Son buste s'orne en effet de rangées ovoïdes, symbolisant la fertilité. Le culte d'Artémis donnait lieu, en mai, à une **grande procession**, consistant à promener la statue à travers la ville. À la tombée de la nuit, un cortège de chantres, prêtres et gardiens du temple s'ébranlait par la Voie sacrée et entrait dans Éphèse par la porte de Magnésie. Les habitants convergeaient vers le grand théâtre, où se tenait une cérémonie publique, puis le cortège regagnait le temple par la porte de Coressos. Les festivités s'achevaient par des sacrifices d'animaux et un banquet. La statue présidait aussi les **Artemisia** (compétitions sportives), qui se déroulaient au théâtre pendant le mois d'Artémision (mars-avr.). ●

Selçuk★

> *À 76 km au S d'Izmir ; à 87 km à l'O de Nyssa. Carnet d'adresses p. 147.*

Quand le port d'Éphèse s'ensabla définitivement, une ville se développa autour de la basilique Saint-Jean, haut lieu de pèlerinage chrétien. La conviviale Selçuk est la base idéale pour visiter Éphèse et, pourquoi pas, rayonner dans l'antique Ionie. Les petites pensions bon marché abondent et un service régulier de *dolmuş* dessert la longue **plage** de sable noir de **Pamucak**, à 9 km de la ville.

Le Musée archéologique★★

> *Ouv. 8h30-12h et 13h-19h. Entrée payante.*

Les collections proviennent des fouilles d'Éphèse. **Salle I** : trouvailles faites dans les maisons des notables (fresques, mobilier domestique et sculptures, notamment la célèbre figurine de Priape au phallus gigantesque). **Salle II** : sculptures prélevées sur les nymphées ↪ de la ville, notamment le **Dionysos nu★** (fontaine de Trajan) et le **groupe de Polyphème★★** (fontaine de Pollio). **Salle III** : dernières

découvertes, lampes à huile, et une admirable **frise en ivoire★★★** (Ier s. apr. J.-C.) illustrant la campagne militaire menée par Trajan contre les Barbares. **Atrium** ↪ : sculptures monumentales, notamment le **sarcophage★** trouvé dans le mausolée de Belevi. **Salle V** : objets funéraires, verreries et stèles découverts dans les tombes. **Salle VI** : objets se rapportant au culte d'Artémis, notamment les deux colossales **statues★★** de la déesse. **Salle VII** : sculptures se rapportant au culte impérial, dont la **frise★ du temple d'Hadrien** relatant la fondation d'Éphèse.

L'Artémision

> *Entrée libre.*

Il n'en subsiste qu'une colonne émergeant des eaux stagnantes et quelques fondations. Difficile d'imaginer que ce temple hellénistique dédié à Artémis (*encadré ci-dessus*) comptait au nombre des Sept Merveilles du monde antique ! Il mesurait 105 m de long sur 55 m de large et comptait **127 colonnes** d'une hauteur de 17,65 m. Ses pierres alimentèrent la construction de la basilique Saint-Jean et celle de Sainte-Sophie.

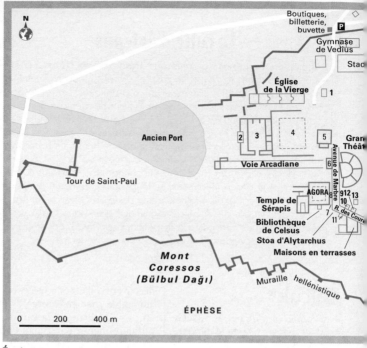

ÉPHÈSE

La basilique Saint-Jean★

> *Ouv. 8 h-19 h. Entrée payante.*

On y accède par la **porte de la Persécution**. Cette gigantesque basilique fut construite au VIᵉ s. apr. J.-C. sur l'emplacement présumé de la tombe de saint Jean. Précédée d'un atrium ↪, elle affecte un plan en croix originellement coiffé de six coupoles, et complété à l'ouest par un **baptistère★** dont on voit encore la cuve baptismale.

Les murs de la nef comportaient deux étages de colonnes, maintenus par de puissants piliers. Les éléments reconstitués, tel le pavement en marbre polychrome du chœur, donnent une idée de la splendeur initiale.

De la **forteresse byzantine d'Ayasoluk** (VIᵉ s.) qui couronne la colline, vous découvrirez un beau panorama sur la plaine.

Isa Bey Camii★

Achevée en 1375, cette mosquée seldjoukide s'ouvre par un **portail à stalactites★** joliment ouvragé. Son plan reprend l'archétype syrien : une vaste cour aux ablutions, qui précède une salle de prière rectangulaire délimitée en deux nefs par des piliers antiques.

Les environs de Selçuk

● **Şirince**. *À 8 km au S-E de Selçuk. Dolmuş fréquents.* Agrippé à flanc de colline parmi les vignes et les oliveraies, cet ancien village grec a gardé deux églises laissées à l'abandon et de nombreuses demeures typiques. Vous serez peut-être convié à y pénétrer par de vieilles femmes qui confectionnent des dentelles. La balade est agréable en soirée, quand les ruelles désertées par les touristes retrouvent leur calme villageois.

1 Thermes byzantins
2 **Thermes du port**
3 **Palestre du gymnase du port**
4 Hall de Verulanus
5 **Gymnase du théâtre**
6 **Fontaine hellénistique**
7 Porte de Mazaeus et Mithridate
8 Galerie dorique sur la rue de marbre
9 **Maison close**
10 **Latrines**
11 Octogone
12 **Temple d'Hadrien**
13 **Thermes de Scholastikia**
14 **Fontaine de Trajan**
15 Hydreion
16 **Monument de Memmius**
17 **Fontaine de Pollio**
18 **Temple de Domitien**
19 **Fontaine de Læcanius Bassus**
20 **Basilique civique**
21 **Prytanée**
22 **Zone du temple d'Artémis et d'Auguste**
23 **Agora d'État**
24 Thermes de Varlus
25 **Porte de Magnésie**

↓ Maison de la Vierge (Meryemana)

● **La maison de la Vierge** (Meryemana). *À 8 km au S-O de Selçuk. Entrée payante.* Nichée dans les frondaisons, la chapelle datée du XIIIe s. s'élève sur l'emplacement présumé de la maison où la Vierge termina ses jours. De nombreux pèlerins viennent s'y recueillir, notamment pour les offices du 15 août qui célèbrent l'Assomption.

Éphèse★★★ (Efes)

> À 3 km au S-O de Selçuk. Ouv. 8 h-19 h. Entrée payante.

Les vestiges de la prestigieuse capitale de la Province romaine d'Asie comptent parmi les plus beaux du bassin méditerranéen. Son incroyable prospérité, Éphèse la devait à son **port**. Les bateaux empruntaient un étroit chenal, long de 2 km, qui débouchait dans une **rade bien abritée**, protégée par les **remparts** escaladant le **mont Coressos** au sud et le **mont Pion** au nord-est. La ville telle qu'on la découvre aujourd'hui résulte de la période romaine. Les murailles font partie de l'héritage hellénistique.

UNE PUISSANCE COMMERCIALE

L'origine de la ville se perd dans les légendes. Colonisée par les Ioniens, elle prospéra rapidement malgré l'invasion des Cimmériens (VIIe s. av. J.-C.), la domination lydienne (550 av. J.-C.), puis perse (Ve s. av. J.-C.). Libérée en 330 av. J.-C. par Alexandre le Grand, elle gagna en importance sous le règne de **Lysimaque**, qui fit aménager son port. Idéalement placée à la croisée des routes maritimes entre l'Anatolie, la Grèce et le bassin méditerranéen, Éphèse devint à la fin du IIIe s. av. J.-C. **le plus grand pôle marchand d'Asie**. En 133 av. J.-C., la ville passa sous le contrôle des Romains ; elle

La bibliothèque de Celsus, à Éphèse, telle que la découvre le promeneur descendant la rue des Courètes. La façade, orientée vers l'O, jouit du meilleur éclairage le matin.

comptait plus de 200 000 habitants et rivalisait en prestige avec Alexandrie. Sous le règne d'Auguste (31 av. J.-C.-14 apr. J.-C.), elle devint un joyau architectural renommé dans tout le bassin méditerranéen.

Dans la première moitié du Iᵉʳ s. apr. J.-C., les apôtres Paul et Jean vinrent y prêcher le **christianisme**. En 381, l'édit de Théodose ordonna la fermeture des temples. Finalement, la mer se retira à une dizaine de kilomètres, précipitant le déclin de la ville.

● **La voie Arcadiane** reliait le port au théâtre. Dans l'Antiquité, elle était bordée de deux galeries marchandes pavées de mosaïques. Au Vᵉ s., quatre colonnes monumentales portant les statues des quatre évangélistes furent érigées au milieu de la rue. À l'ouest se trouvent les vestiges du **gymnase** associé aux **thermes du Port**, où les Éphésiens se cultivaient le corps et l'esprit après le labeur.

Dans l'**église de la Vierge★**, siège en 431 du premier concile d'Éphèse, l'hérésie nestorienne fut condamnée et la maternité divine de la Vierge Marie fut proclamée ; le culte de la Théotokos ↪ pouvait désormais se répandre dans tout l'Orient chrétien.

● **Le grand théâtre★**. Adossé au flanc nord-ouest du mont Pion, il pouvait accueillir 24 000 personnes. Commencée sous le règne de Claude (41-54 apr. J.-C.), sa construction fut achevée sous Tra-

Les sept églises de l'Apocalypse

Saint Jean aurait accompagné la Vierge à Éphèse où, comme saint Paul, il fit de nombreux prêches et écrivit son Évangile. *Le livre de l'Apocalypse* s'adresse à **sept églises**, toutes situées en terre égéenne: Izmir, Éphèse, Sardes, Laodicée, Philadelphia (Alaşehir), Pergame et Thyatira (Akhisar). ●

jan (98-117 apr. J.-C.). Le bâtiment de scène, haut de 18 m, comportait trois étages de colonnes et de niches où logeaient des statues. Ici se tenaient les spectacles culturels ainsi que les assemblées du **Démos** (le peuple) auxquelles assistait la population masculine d'Éphèse. Le système politique de la cité, qui conserva son statut de ville libre sous l'Empire romain, fonctionnait avec deux assemblées. La seconde (**Boulé**) siégeait à l'odéon ↪. Du haut des gradins, vous jouirez d'un panorama exceptionnel sur la voie Arcadiane.

● **L'avenue de Marbre** mène à la bibliothèque. Elle est pavée de dalles de marbre gravées, par endroits, d'inscriptions. Ainsi, un pudique graphique associant la tête d'une femme, un cœur et un pied indiquait aux passants l'emplacement de la **maison close**. L'**agora inférieure** occupe le cœur de la ville. Entièrement doublée d'un portique, cette vaste place publique, dévolue au commerce de produits alimentaires et d'objets manufacturés, jouait un rôle clé dans la vie de la cité. Les habitants s'y retrouvaient pour discuter, une fois leurs affaires terminées. Dans le coin sud-ouest de l'agora s'élève un **temple** (138-192 apr. J.-C.) dédié à Sérapis, un dieu égyptien.

● **La bibliothèque de Celsus★★★**. Pendant l'Antiquité, les nécropoles devaient obligatoirement être construites en dehors de la cité. Pour contourner cet interdit, le consul Julius Aquila fit don de cette grandiose bibliothèque (110 apr. J.-C.), dans laquelle se dissimulait une crypte funéraire renfermant la dépouille de son père, Tiberius Julius Polemaenus Celsus. Minutieusement reconstituée par les archéologues, la **façade à tabernacle corinthien** ↪ illustre les splendeurs de l'architecture romaine à l'époque d'Hadrien. Les niches s'ornent de statues (des copies) symbolisant la Sagesse, la Vertu, la Science et la Fortune. Cette bibliothèque était l'une des plus importantes du monde antique après celles d'Alexandrie et de Pergame. 12 000 rouleaux garnissaient les niches de la salle de lecture.

● **Les maisons en terrasse★★★**. (*actuellement en restauration*). Les habitations des notables s'étageaient sur les pentes du mont Coressos. Les fouilles ont dégagé deux *insulae* ↪, comportant diverses unités résidentielles ordonnées autour d'une cour à péristyle ↪. Les pièces d'habitation valent par le luxe de leur décoration: pavements de mosaïque et fresques murales se référant à la mythologie ou à la dramaturgie.

● **La rue des Courètes**, bordée de monuments honorifiques et de statues juchées sur des socles, grimpe vers l'agora d'État. On appelait Courètes un collège de six prêtres (il y en eut neuf par la suite) attachés au culte d'Artémis. Un magnifique parterre de mosaïques a été mis au jour dans la **stoa** ↪ **d'Alytarchus★**, derrière laquelle s'élevait une rangée de boutiques. Le plus bel édifice de la rue, le **temple d'Hadrien★★** (138 apr. J.-C.), s'ouvre par un élégant porche de style corinthien ↪. L'arche du fronton s'orne d'un buste de femme identifié avec Tyché, déesse de la Fortune. La frise sculptée du vestibule, rela-

L'eau, symbole impérial

Sous les climats chauds, celui qui mettait l'eau à la disposition de ses concitoyens renforçait son prestige. **Laecanius Bassus**, gouverneur de la Province d'Asie au cours du Iᵉʳ s., offrit la fontaine *(hydrekdocheion)* jouxtant le coin sud-ouest de l'agora d'État. Sur la place de Domitien, les Éphésiens dédièrent un nymphée ↪ monumental à **Sextilius Pollio**, qui dota la ville de l'aqueduc de Marnas. Mais bientôt les fontaines publiques devinrent le symbole de la puissance impériale. Leur façade à tabernacle, forme architecturale inspirée des baldaquins dressés au-dessus du trône des rois orientaux, s'orne de statues figurant l'empereur, à qui est attribué l'écoulement de l'eau. Au **nymphée de Trajan**, ce lien visuel entre le caractère sacré de l'eau et le pouvoir Impérial apparaît clairement. Devant l'**hydréion** encastré dans le monument de Memmius, quatre socles portant les statues des tétrarques (les quatre coadjuteurs qui se partagèrent le pouvoir entre 293 et 305) furent dressés pour symboliser l'unité de l'Empire. ●

tant la fondation légendaire de la ville, est un moulage de l'original, conservé au Musée archéologique. Derrière le temple se déploie le vaste complexe des **thermes de Scholastikia** communiquant avec les **latrines publiques**, une cour encadrée par des banquettes de marbre percées de trous. À l'époque romaine, elles tenaient lieu autant de commodités que d'espace social où l'on s'attardait à bavarder. La **fontaine de Trajan★**, comme l'atteste une inscription dédicatoire, fut construite en 114 apr. J.-C. en l'honneur de l'empereur Trajan. Le bassin s'encastrait dans une façade à tabernacle de deux étages. La niche centrale abritait une colossale statue de l'empereur dont il subsiste le socle et les pieds. Au-delà de la **porte d'Héraclès**, la rue des Courètes s'engage dans la zone sacrée de la cité. La reconstitution du **monument de Memmius** (Iᵉʳ s. av. J.-C.), ornementé de reliefs, ne rend pas compte de sa structure originelle, qui avait l'aspect d'une tour.

● **La place de Domitien**. L'érection du **temple de Domitien** (81-96 apr. J.-C.) concorda avec l'obtention du titre prestigieux de *neokoros*,

c'est-à-dire le droit pour la cité d'être la gardienne d'un temple consacré à l'empereur. Il se dressait sur une terrasse dont il subsiste les soubassements voûtés (le **crypto-portique★**), précédés d'un portique fragmentaire. Le dispositif monumental était complété à l'est par la **fontaine de Pollio**, dont l'arche s'appuyait contre la terrasse supportant l'agora *(encadré ci-dessus)*.

● **Le quartier administratif**. Les réunions politiques et religieuses se déroulaient dans l'**agora d'État** (58 m x 160 m), qui abritait un **temple** rectangulaire dédié à la Dea Roma et au Divius Julius Iulis. Sous le règne d'Auguste, son portique nord fut incorporé dans la **basilique civique**, délimitée en trois nefs par des colonnades en partie redressées. On y donnait les réceptions et les banquets officiels. Les prytanes, hauts fonctionnaires religieux, entretenaient le feu perpétuel dans le **prytanée** dédié à Hestia, la déesse du Foyer ; deux colonnes doriques ↪ de son vestibule ont été remontées. À ce complexe religieux appartient également la **maison des banquets**, qui contient une salle de réception pavée d'une mosaïque de marbre. Le **temple** adjacent, vraisemblablement dédié à Artémis et à Auguste, glorifiait le culte impérial qui n'était pas perçu comme une vraie religion, mais plutôt comme une institution visant à maintenir l'unité des peuples au sein de l'Empire romain. D'une capacité de 1 500 personnes, l'**odéon**★ ↪ (150 apr. J.-C.) accueillait les concerts et les réunions du conseil de la cité. La visite s'achève devant la **porte de Magnésie**, d'où s'échappe la Voie sacrée qui aboutissait à l'Artémision après avoir contourné le mont Pion.

● **La grotte des Sept Dormants** (*en dehors du site*). La légende raconte qu'au IIIe s., sept chrétiens se réfugièrent à l'intérieur de la grotte pour échapper à leurs persécuteurs, qui en murèrent l'entrée. Ils sombrèrent dans le sommeil et se réveillèrent deux cents ans plus tard, alors que le christianisme venait d'être proclamé religion d'État. Devenu un important lieu de pèlerinage, le site se cribla de tombes rupestres au cours des VIe et VIIe s.

Kuşadası

> *À 20 km au S-O de Selçuk.* **Carnet d'adresses** *p. 146.*

Si vous aimez la grande foule estivale, les hôtels en pagaille et les boutiques clinquantes, assurément Kuşadası va vous plaire. Mais autant dire que la réputation de cette aguicheuse station balnéaire est surfaite. Sacrifié au tourisme de masse, le village de pêcheurs d'antan s'est métamorphosé en un club de vacances bétonné.

Dans la vieille ville, vous verrez un **caravansérail ottoman** transformé en hôtel de charme et, sur l'îlot de Güvercin relié à la terre ferme par une digue, une **forteresse** du XVIe s. envahie de restaurants. Le soir, on peut apprécier l'animation survoltée des bars, mais, si vous êtes venu pour découvrir une Turquie plus authentique, passez votre chemin.

Dilek Milli Parkı★★

> *À 28 km au S de Kuşadası. Ouv. 8h-18h. Entrée payante.*

Le parc national de Dilek s'étend sur une péninsule vallonnée, aux pans couverts de résineux et de fleurs. Des chacals, lynx et sangliers vivent en liberté dans ce petit coin de paradis. Sur 8 km, des aires de pique-nique et quelques plages de sable fin ou de galets (**Içmeler, Aydınlık, Kavaklı Burun, Karasu**) s'égrènent dans de petites anses bien abritées. Ne manquez pas de vous promener dans le canyon (**Kanyon**) qui s'enfonce dans les collines. Un *dolmuş* dessert régulièrement les diverses plages.

Les antiques cités ioniennes★★

L'antique Ionie englobait toute la région entre Phocée (Foça) au nord et Milet au sud. Douze cités se regroupèrent pour former le «**Dodécapole**»: Milet, Éphèse, Phocée, Clazomènes, Colophon, Priène, Téos, Chios, Samos, Érythrée, Myonte et Lebedos. Les ruines hellénistiques de Milet, Priène et Didymes sont accessibles en *dolmuş* (qui partent de Söke), mais si vous n'êtes pas motorisé, autant opter pour l'excursion incluant les trois sites que proposent les agences de voyages locales.

À 4 km de Didymes, la journée peut s'achever agréablement sur la plage de sable fin d'**Altınkum**.

♥ Priène★★

> *À 42 km au S de Kuşadası. Ouv. 8h30-19h. Entrée payante.* **Plan** *p. 134.*

Bâtie sur les flancs du mont Mycale, la ville antique domine la vaste plaine du Méandre. Avec ses rues pavées qui se coupent à angle droit en délimitant des îlots d'habitation, elle est un bel exemple d'urbanisme grec. Les bâtiments sont orientés vers le sud, conformément aux canons architecturaux de l'époque. La ville

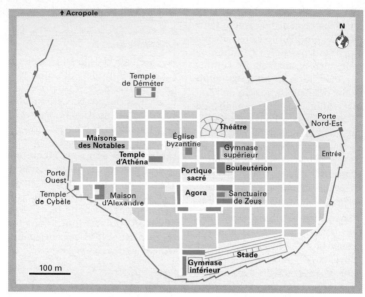

PRIÈNE

primitive occupait un autre promontoire. Rasée par les Perses au Ve s. av. J.-C., elle fut reconstruite au siècle suivant sur son emplacement actuel. Intégrée dans l'Empire romain en 129 av. J.-C., elle déclina lorsque les alluvions déposées par les bras du Méandre ensablèrent définitivement son port.

La cité est corsetée de **puissants remparts**, qui épousent le tracé abrupt du relief. D'une capacité de 5 000 places, le **théâtre★** (IVe s. av. J.-C.) possède un bâtiment de scène assez bien préservé. La présence d'un autel consacré à Dionysos, en plein milieu de l'*orchestra* ↪, démontre que les représentations théâtrales débutaient généralement par une cérémonie religieuse. Les hauts dignitaires prenaient place dans les **cinq fauteuils en marbre** disposés au premier rang de la *cavea* ↪. Lors de l'agrandissement du théâtre, au IIe s. av. J.-C., une seconde proédrie ↪ fut construite dans les gradins supérieurs.

Le **temple d'Athéna★** est l'œuvre de Pythéos, l'architecte du célèbre mausolée d'Halicarnasse. Érigé sur un podium à trois degrés, il abritait une imposante statue de la déesse, promue protectrice de la cité. L'innovation majeure vient des chapiteaux ioniques ↪, expérimentés pour la première fois en remplacement de l'ordre dorique ↪. Cinq colonnes ont été redressées par les archéologues. Derrière le temple, un sentier conduit aux **maisons des notables★**, organisées autour d'un atrium ↪. La plus vaste contenait 26 pièces.

En plein cœur de la ville, le **bouleutérion★★** ↪ (IIe s. av. J.-C.) est en excellent état de conservation. 640 citoyens pouvaient prendre place sur les gradins disposés en fer à cheval autour d'un petit autel de marbre, sur lequel on procédait à des sacrifices pour débuter et clore la séance. Sa façade fusionnait avec le **portique sacré★**, vaste promenoir bordé de pièces à usage officiel. Un escalier monumental descendait vers l'**agora**, en contrebas de laquelle se trouve le **gymnase inférieur★** (130 av. J.-C.). Les jeunes gens se réunissaient dans l'éphébéion, aux murs gravés de graffitis. La salle d'eau contient des lavabos alimentés par un conduit sculpté de têtes de lion. Quelques gradins du **stade** (190 m de long) sont encore visibles.

Milet*

> *À 25 km au S de Priène. Ouv. 8 h 30-19 h. Entrée payante.*

Au XIᵉ s. av. J.-C., des Ioniens chassés de la Grèce continentale colonisèrent le site. Avec ses **quatre ports** facilitant le commerce, la cité occupa une place prépondérante au sein du Dodécapole. Au VIIᵉ s. av. J.-C., son **école de philosophie** jouissait d'une réputation qui dépassait les frontières de l'Asie Mineure. En 499 av. J.-C., la révolte des cités ioniennes contre l'envahisseur perse se solda par la destruction de Milet, qui retrouva une certaine prospérité après 479 av. J.-C. Une nouvelle conception urbanistique y fut alors expérimentée. Entièrement retracées, les rues se coupaient à angle droit selon le célèbre plan orthogonal mis au point par **Hippodamos**. Passée sous la domination romaine en 133 av. J.-C., Milet périclita. Elle fut néanmoins habitée jusqu'au XVIᵉ s.,

époque pendant laquelle son port s'ensabla définitivement.

Le **théâtre**★★ (IVᵉ s. av. J.-C.) est l'édifice le mieux conservé de Milet. La *cavea* ↪, remaniée à l'époque romaine, pouvait accueillir 15 000 spectateurs. Quatre piliers circonscrivaient l'emplacement de la loge d'honneur. Une partie de la décoration sculptée gît derrière le bâtiment de scène. Du haut des gradins, le panorama embrasse tout le site *(pour faciliter sa visite, les archéologues ont reconstitué l'aspect de chaque monument sur des panneaux explicatifs)*.

Flanqués d'une palestre, les **thermes de Faustine**★ furent construits au IIᵉ s. av. J.-C. par l'épouse de l'empereur Marc Aurèle. Leurs puissants murs atteignent encore par endroits une élévation de 15 m. Une **statue** du dieu Méandre orne le frigidarium ↪. La petite **mosquée d'Ilyas Bey**★ date du XVᵉ s. Elle vaut par son élégant **portail**★ à trois arcades et son **mihrab**★ ↪ en marbre ouvragé. Le sentier conduisant vers le centre monumental longe l'**agora du sud**

Une pépinière de talents

Thalès, gravure de 1616 (BNF, Paris).

© Photothèque Hachette

Les savants issus de la célèbre école de Milet édifièrent les bases de la pensée scientifique et philosophique. Les lycéens planchent toujours sur le théorème de **Thalès** (640-546), un scientifique natif de Milet qui s'illustra dans les mathématiques, l'astronomie et la physique. **Anaximandre** (610-545) dessina les premières cartes géographiques et son disciple **Anaximène** (555-480) avança une théorie selon laquelle l'Univers dépendait de l'air. Le géographe et historien **Hécatée de Milet** (540-480) écrivit l'histoire de la Grèce antique et le récit de ses voyages en Égypte, Asie et Europe. Deux autres natifs de Milet excellèrent dans l'architecture : **Hippodamos** (Vᵉ s. av. J.-C.), à qui l'on doit le plan hippodaméen, et **Isidore de Milet** qui, en 537 apr. J.-C., édifia la basilique Sainte-Sophie à Constantinople. ●

(196 m x 164 m), la plus vaste des trois places publiques que comptait la cité. Sur son flanc ouest se dressait le **temple de Sérapis**, dont le beau fronton triangulaire gît sur le sol. Son flanc nord s'agrémentait d'une **porte monumentale** (aujourd'hui au Pergamon Museum de Berlin), qui fermait la perspective de la **Voie sacrée** reliant le port à l'agora. De part et d'autre de cette voie d'apparat, vous verrez les gradins du **bouleutêrion★ ↪**, la façade inférieure du **nymphée ↪**, les fragments poétiques de la **stoa ionique★ ↪** et les vestiges du **Delphinion**, dédié à l'Apollon de Delphes. L'**agora du nord** communique avec l'ancien **port des Lions**, où trône la base du **Trophée**, un monument circulaire dédié à Pompée. Ses reliefs figurent un triton et un dauphin.

Didymes★★ (Didim)

> *À 19 km au S de Milet. Ouv. 8 h 30-19 h 30. Entrée payante.*

Dans l'Antiquité, le **temple d'Apollon** abritait un célèbre oracle rivalisant avec celui de Delphes. La croyance populaire en matière d'oracle reposait sur le fait que les dieux influaient sur le cours des événements et pouvaient donc à ce titre prédire l'avenir. Dès le VIIe s. av. J.-C., une foule nombreuse affluait sur le site pour demander conseil au dieu. Les pèlerins débarquaient à Milet, reliée au temple par une Voie sacrée pavée de marbre

Le **temple archaïque**, érigé vers 550 av. J.-C., disparut dans les représailles perses qui matèrent la révolte des cités ioniennes. La reconstruction du **temple hellénistique** (109 m x 51 m) débuta en 332-331 av. J.-C. sous la domination d'Alexandre le Grand, mais ne fut jamais achevée. Les vestiges actuels, très impressionnants, datent de cette époque. La **double colonnade ionique** du péristyle ↪ comptait 108 colonnes surmontées d'une architrave sculptée (sa frise incorporait la colossale **tête de Méduse★**,

déposée au pied de l'escalier). Les trois colonnes encore debout donnent la mesure d'un gigantisme monumental savamment orchestré pour inspirer la crainte et le respect devant les mystères d'Apollon. Une fois dans l'enceinte, le consultant commençait par se purifier avec l'eau du **puits sacré** puis sacrifiait un animal sur l'**autel circulaire**, posé devant le temple. Il remettait sa requête aux prêtres dans le **pronaos ↪**, composé d'une forêt de 12 colonnes dont il subsiste les bases, richement ouvragées. Muni de la question, le prêtre partait interroger l'oracle. Par l'un des deux corridors voûtés, il gagnait l'**adyton ↪**, où s'élevait le **petit temple** (naiskos) abritant la statue d'Apollon, le laurier et la source sacrés. Ici siégeait la pythie, ivre de nourriture sacrée, qui débitait un flot d'incohérences. Fort de cette réponse, le prêtre gravissait l'escalier monumental desservant le **chresmographéion**. Il ne lui restait qu'à interpréter par écrit les propos divins, puis à franchir le seuil de la **porte des Apparitions★** pour communiquer une réponse intelligible au consultant qui patientait dans le pronaos.

Bodrum★ (Halicarnasse)

> *À 131 km au S de Didymes ; à 196 km au N-O de Marmaris.* **Carnet d'adresses** *p. 141.*

Fief de la jet-set turque, la célèbre station égéenne cultive son atmosphère délurée. Tout respire le farniente : les ruelles étroites encombrées de boutiques, les terrasses de cafés d'où les badauds lorgnent les élégantes goélettes en bois verni amarrées dans le port. Dès la nuit tombée, la fête se poursuit dans les bars et discothèques qui hurlent les derniers airs à la mode. Découpée d'une multitude de **criques** et de **grottes** riches en faune marine, la péninsule se prête merveilleusement aux croisières bleues et à la plongée.

faune

À vos éponges

Dans l'Antiquité, la cueillette des éponges faisait partie des **disciplines olympiques**. Il s'agissait effectivement d'une prouesse sportive, car le plongeur en apnée se risquait parfois à plus de 30 m de profondeur. Les éponges, petits animaux marins vivant à une profondeur de 20 à 70 m, abondaient dans les eaux de Bodrum mais, en 1986, une épidémie décima leurs bancs et affecta cruellement l'économie locale. Quelques scaphandriers continuent néanmoins de s'adonner à cette activité périlleuse, dont le produit alimente les boutiques spécialisées du bazar. •

Le château Saint-Pierre**

> *Ouv. t.l.j. sf lun. 9 h-12 h et 13 h-19 h. Entrée payante.*

Ses murs gravés d'armoiries entretiennent le souvenir des Hospitaliers de Saint-Jean, cet ordre militaire chargé de garder les routes maritimes vers la Terre sainte. Le château Saint-Pierre faisait partie d'un réseau de places fortes protégeant l'île de Rhodes, où l'ordre était basé. Édifié au XVe s. avec les pierres du Mausolée, il abrite à présent les collections du **musée des Découvertes sous-marines**. La chapelle des Hospitaliers contient une épave du VIIe s. avec sa cargaison d'amphores. Il faut acquitter des suppléments pour visiter la **salle de l'épave fatimide**, chargée de verreries, et celle consacrée au **trésor de la reine Ada**. La terrasse supérieure donne accès aux diverses tours, notamment la **tour d'Angleterre**, dans laquelle une salle à manger médiévale a été reconstituée.

Le mausolée

> *Ouv. 9 h-12 h et 13 h-18 h. Entrée payante.*

L'antique Halicarnasse, fief de Mausole, satrape ↬ de Carie, comptait l'une des **Sept Merveilles du monde** : un monument funéraire commencé en 355 av. J.-C. sous le règne de Mausole et achevé après sa mort par son épouse Artémise. Les tremblements de terre eurent raison de sa magnificence. Vous verrez le tracé des fondations, quelques fragments sculptés et, dans le petit **musée**, diverses maquettes expliquant les phases de construction de l'édifice. Au-dessus du mausolée, le **théâtre** d'époque hellénistique accueille occasionnellement des spectacles culturels. Seuls les gradins inférieurs ont survécu.

La presqu'île de Bodrum*

En dépit d'une urbanisation excessive, les reliefs accidentés de la presqu'île déroulent de merveilleux panoramas côtiers. L'intérieur des terres, plus champêtre, recèle de pittoresques moulins à vent chaulés. Les plus belles plages s'égrènent au sud de la péninsule à **Ortakent**, **Bağla**, **Karaincir**, **Turgutreis** et **Gümüşlük**, mais celles situées au nord, à **Yalıkavak**, **Gündoğan** et **Torba**, bénéficient d'un environnement plus agréable. Nichée au fond d'une anse sauvage, **Göltürbükü** (la nouvelle appellation des villages de Gölköy et Türkbükü) est devenue le repère de la jet-set. De part et d'autre du petit port s'alignent les restaurants en vogue et les hôtels sélects où le Tout-Istanbul donne volontiers ses réceptions de mariage. Il n'y a pas de plage, mais des beach-clubs branchés où l'on lézarde sur des pontons flottants. •

L'architecture grecque en Asie Mineure

Très vite, les cités d'Asie Mineure interprètent de manière personnelle les règles architecturales édictées en Grèce. L'opulence qu'elles connaissent après la mort d'Alexandre le Grand et l'influence de l'Orient avec lequel elles commercent expliquent les libertés toujours plus grandes qu'elles prennent vis-à-vis du modèle classique. Un nouveau style s'affirme : l'ordre ionique.

Un art original

Au IVe s., l'architecture en Asie Mineure s'éloigne encore un peu plus du modèle grec classique. Le Mausolée d'Halicarnasse, aux allures de temple ionique ↘ coiffé d'une immense pyramide à degrés, devait ainsi apparaître comme une construction bien étrange aux yeux d'un Athénien peu habitué à cet amoncellement de formes, d'esprit très oriental… D'ailleurs, la fonction même d'un tel édifice – un temple-tombeau dédié à un roi déifié, Mausole, et à son épouse Artémise – était encore tout simplement inconnue en Grèce.

L'aspect colossal des temples élevés au IVe s. en Asie Mineure impressionnait aussi l'ensemble du monde antique. Avec sa double colonnade (triple à l'entrée) et ses dimensions plus de deux fois supérieures à celles du Parthénon d'Athènes (150 m de long contre 70 seulement !), le nouveau temple d'Artémis à Éphèse n'usurpait pas son titre de Merveille du monde. Une somptuosité tout aussi spectaculaire affectait le temple d'Apollon à Didymes.

D'impressionnantes têtes de Méduse ornaient l'entablement du temple d'Apollon, à Didymes : le sanctuaire hellénistique était si vaste que jamais personne ne songea d'ailleurs à le recouvrir entièrement…

Construits en pierre à partir du IVe s., les théâtres se dotent de bâtiments de scène et s'adaptent toujours mieux aux pentes naturelles. Celui de Pergame est le plus spectaculaire.

L'amour du décor

Le gigantisme n'était pas la seule originalité des créations grecques d'Asie Mineure. Les monuments y recevaient aussi une ornementation sans égale. À l'Artémision d'Éphèse ou au temple de Didymes, on n'hésita pas à décorer les parties inférieures des colonnes, au mépris de toutes les traditions. Au Mausolée d'Halicarnasse, le sculpteur Scopas déploya une bataille d'Amazones pleine d'obliques et d'expressions douloureuses tout à fait contraires aux canons de l'art classique.

L'explosion de l'art hellénistique

Au lendemain des conquêtes d'Alexandre, les cités grecques d'Asie Mineure connaissent une période de grande prospérité. Bien plus encore qu'au début du IVe s. av. J.-C., l'art cherche à plaire aux rois et aux hommes plutôt qu'aux dieux. La décoration et la tendance au gigantisme éclatent dans toute leur démesure, particulièrement à Pergame. L'autel de Zeus, élevé au IIe s. av. J.-C., déroule ainsi une colossale frise décrivant un combat de dieux et de géants sur plus de 120 m de long… D'autres monuments encore plus étonnants voient le jour, tel le sanctuaire funéraire élevé par Antiochos Ier au sommet du Nemrut Dağı (Ier s. av. J.-C.). Ce tumulus à la gloire du roi de Commagène, gardé par de colossales effigies divines, s'inscrit à première vue dans la tradition hellénistique. La mise en scène du site, le caractère oriental des statues ou la sculpture dans la maçonnerie sont autant d'éléments qui dénotent pourtant l'influence de l'Orient ancien, et plus particulièrement de la Perse.

L'essor de l'architecture civile

L'effort architectural des cités-États ne concerne pas seulement les sanctuaires religieux. Il touche l'ensemble du cadre monumental nécessaire aux divers aspects de leurs activités. Les stoas ↳ de Milet ou de Pergame, avec leurs salles doublées de longues colonnades, accueillent un nombre toujours plus important de magistrats, de marchands et parfois de philosophes (les fameux stoïciens), qui avaient coutume de s'y rassembler. Les salles d'assemblée, ou bouleutêrions ↳ (à Éphèse), les gymnases et les stades s'agrandissent également. La recherche d'esthétique architecturale touche enfin les théâtres. Les Romains donneront au plus vaste d'entre eux – celui d'Éphèse – la capacité record de 25 000 places. ●

Le temple de Trajan à Pergame : l'architecture grecque en Asie Mineure se distingue dès le VIe s., par l'édification de temples (à Pergame, à Éphèse ou à Milet) adoptant un style nouveau qui prend le nom d'« ionique ».

Carnet d'adresses

De la Kibris Şehitler Cad. à Izmir (quartier Alsancak) s'échappent des ruelles bordées d'anciennes demeures levantines, reconverties en bars ou en restaurants.

L'infrastructure touristique est très bien développée. Beaucoup d'hôtels balnéaires imposent la demi-pension. Réservez en été. Cartes de crédit acceptées partout.

> *Cartes Égée du Nord p. 109, Égée du Sud p. 121.*

Assos

> *Visite p. 111. Indicatif téléphonique* ☎ *(0 286)*

Hôtels

À Assos, l'hébergement se fait dans les multiples pensions de charme disséminées dans le haut village et sur le port (rés. recommandée en haute saison). Si vous privilégiez le calme, optez pour les flancs du mont Ida (Kaz Dağı).

▲▲▲▲ **Hünnap Han ♥**, Adatepe Köyü, Küçükkuyu ☎ 725.65.81, fax 752.65.93. Le cadre d'une demeure ottomane restaurée, dans un ravissant village au pied du mont Ida. Demi-pension uniquement, avec un dîner copieux. *10 ch.* Rés. obligatoire.

▲▲▲ **Assos**, Iskele ☎ 721.70.17, fax 721.72.49. Le charme de l'ancien. *36 ch.* pimpantes. Restaurant convivial.

▲▲▲ **Çetmihan ♥**, Yeşilyurt Köyü, Küçükkuyu Kazdağları ☎ 752.61.69, fax 752.64.88. À 29 km d'Assos. Beaucoup de cachet, cadre idyllique. *16 ch.*

▲▲ **Timur Pansiyon ♥**, dans le haut village ☎ 721.74.49, fax 575.78.24. *8 ch.* de charme dans deux maisons anciennes. Jardin panoramique et bon petit restaurant.

Ayvalık

> *Visite p. 111. Indicatif téléphonique* ☎ *(0 266)*

❶ Yat Limanı Karşısı ☎ 312.21.22.

Se déplacer

● **Bateau**. Au départ du port, **tour des îles** en goélette (1 journée). **Service passagers** de mai à oct. entre Ayvalık et l'île d'Alibey (20 mn de traversée). **Vers l'île de Lesbos (Grèce)** : ferry les mar., jeu. et sam. de juin à sept. (2 h de traversée). Départ à 9 h, retour à 17 h. Rés. : agences de voyages.

Hôtels

La plupart se concentrent le long de la plage de Sarmısaklı, à 5 km env. du centre-ville.

▲▲▲ **Cunda**, Cunda Adası ☎ 317. 15.98, fax 327.24.64. Cadre attrayant et prix compétitifs. *42 ch.* avec tout le confort.

© Gil Giulio/Hémisphères Images

▲▲ **Yalı Pansiyon**, PTT arkası 25 ☎ 312.24.23. Le charme de l'ancien à petits prix. Attractif jardin. *8 ch.*

▲ **Taksiyarhis Pansiyon**, Mareşal Çakmak Cad. 71 ☎ 312.14.94. Pension bon marché, aménagée dans deux maisons du vieux village. Cadre charmant et ambiance sympathique. *11 ch.*

Restaurants

● **Dans le centre-ville**. Plusieurs restaurants de poissons sur le front de mer, près de Cumhuriyet Meydanı. ♦♦ **Dayım**, Atatürk Bul. 15 : une adresse populaire pour les kebap, les pizzas turques et les meze.

● **Sur l'île d'Alibey**. Les tavernes du port servent des meze, du poisson et divers crustacés. **Artur** et surtout **Lale** jouissent d'une bonne réputation. ♦ **Taş Kahve** ♥ : dans une ancienne savonnerie rénovée. Bonne cuisine méditerranéenne et beaucoup d'ambiance.

Bodrum

> *Visite p. 136. Indicatif téléphonique* ☎ *(0 252)*

❶ Barış Meydanı 48 (sur le port) ☎ 316.10.91.

Se déplacer

● **Ferry**. Pour **Kos** (Grèce) : t.l.j. en haute saison, départ à 9 h, retour à 16 h 30 (1 h de traversée) ; pour **Datça** : t.l.j. à 9 h et à 17 h (2 h de traversée). Rés. : **Bodrum Ferry Association**, Gümrük Alanı 22 ☎ 316.08.82.

● **Gare routière**, Cevat Şakır Cad. ☎ 316.26.37. Un service extensif de minibus dessert l'ensemble des localités de la presqu'île. Les meilleures compagnies d'autocars (Varan, Metro, Kamil Koç, Hakiki Koç, etc.) y ont un point de vente.

● **Hydroglisseur**. Pour **Kos** : t.l.j. sf dim., départ à 9 h, retour à 16 h 30 (15 min de traversée). Rés. : **Bodrum Express Lines**, Kale Cad. 18 ☎ 316.10.87.

Hébergement

En haute saison, pour une chambre double (petit déjeuner inclus) :

▲▲▲▲▲ plus de 120 €

▲▲▲▲ de 80 à 120 €

▲▲▲ de 40 à 80 €

▲▲ de 20 à 40 €

▲ de 10 à 20 €

Restaurants

Pour un repas (plat avec une boisson non alcoolisée, salade, thé ou café) :

♦♦♦♦ plus de 30 €

♦♦♦ de 15 à 30 €

♦♦ de 7 à 15 €

♦ moins de 7 € ●

Adresses utiles

● **Compagnie aérienne**. Turkish Airlines, Oasis Shopping Mall ☎ 317.12.03. Une navette **Havaş** opère entre l'aéroport de Bodrum-Milas et la gare routière de Bodrum. Rens. ☎ 523.00.40.

● **Croisières bleues**. Arya, Caferpaşa Cad., Myndos Evleri 25/1 ☎ 316.15.80. **Motif**, Caferpaşa Cad. 15 ☎ 316.23.09. **Neyzen**, Nafiz Özsoy Cad. 6 ☎ 316.72.04. Vos circuits en goélette sur mesure.

● **Excursion en goélette**. Tour des îles de la baie (2 itinéraires au choix). Départ du port à 10 h et retour vers 17 h 30. Rens. : directement auprès des bateaux amarrés sur les quais ; le déjeuner est inclus dans le prix.

● **Location de voitures**. Avis, Neyzen Tevfik Cad. 92/A ☎ 316.23.33. **Europcar**, Hamam Sok. 1 ☎ 316.56.32.

● **Plongée**. Motif, Neyzen Tevfik Cad. 48 ☎ 316.62.52. **Aegean Pro Dive Center**, Neyzen Tevfik Cad. 212

Des maisons blanches débordant de bougainvilliers enserrent l'admirable baie de Bodrum,

☎ 316.07.37. **Crystal** ☎ 316.10.86. (Transfert à l'hôtel, déjeuner et moniteur sont inclus dans le prix de la sortie journalière.)

● **Poste et banques** dans Cevat Şakır Cad.

Hôtels

Le centre-ville est très bruyant en été. Les hôtels excentrés disposent d'une navette gratuite pour se rendre en ville, sinon dolmuş fréquents.

▲▲▲▲ **Antik Tiyatro** ♥, Kibris Şehitler Cad. 243 ☎ 316.60.53, fax 316. 08.25. *17 ch.* raffinées, avec vue imprenable sur la baie. Piscine magnifiquement aménagée. Restaurant gastronomique réputé.

▲▲▲▲ **Marina Vista** ♥, Neyzen Tevfik Cad. 226 ☎ 316.22.69, fax 316. 23.47. Sur le port. *85 ch.* intimistes, de grand confort. Piscine de belles dimensions.

▲▲▲ **Bitez Antik**, Yalı Mevkii, Bitez ☎ 363.88.03, fax 363.88.05. À 6 km du centre-ville. Dans le style traditionnel de Bodrum. *60 ch.* agréables. Piscine.

▲▲▲ **Manastir** ♥, Kumbahçe Mah., Barış Sitesi ☎ 316.28.54, fax 316. 27.72. Dans un ancien monastère, qui domine la baie de Bodrum. *59 ch.* à la décoration soignée.

▲▲▲ **Sami**, à Gümbet ☎ 316.10.48, fax 316.28.38. À 2 km du centre. *50 ch.* lumineuses, disséminées dans un dédale de maisons blanches, abondamment fleuries. Piscine et sports nautiques.

▲▲ **Seçkin Konaklar**, Neyzen Tevfik Cad. 246 ☎ 316.13.51, fax 316.33.36. Belle situation sur la marina. *39 ch.* simples mais correctes. Piscine dans une cour joliment fleurie.

> La presqu'île de Bodrum

▲▲▲▲ **Ada** ♥, Bağarası Mah., Tepecik Cad. 128, Türkbükü ☎ 377.59.15, fax 377.53.79. Le rêve à l'état pur. *14 ch.* d'un luxe raffiné, jardin poé-

dominée par la fière silhouette du château des croisés.

tique et restaurant gastronomique réputé. Prix vertigineux.

▲▲▲▲ **Lavanta** ♥, Papatya Sok. 32, Yalıkavak ☎ 385.21.67, fax 385.22.90, <www.lavanta.com>. Excellent rapport qualité/prix dans sa catégorie. Un gentleman francophone, M. Tosun Merey, rivalise de délicates attentions pour faire de votre séjour un moment d'exception : dégustation de vins au clair de lune, menu gourmet, etc. Les chambres sont toutes différentes. Vous pouvez les visiter sur Internet et réserver celle qui a votre faveur. La formule appartement (location à la semaine) est particulièrement intéressante. *8 ch. et 6 appartements.*

▲▲▲ **Bayırhan** ♥, Bayır Mahallesi 9, Mumcular ☎ 373.54.11, fax 373.62.68. À 35 km au N-E de Bodrum, dans un village encore préservé. Adorable bâtisse en pierre, pour les amateurs de calme et d'authenticité. Restaurant sympa, qui accueille aussi les non-résidents. *4 ch.*

Restaurants

♦♦♦ **Secret Garden** ♥, Danacı Sok. 20 ☎ 313.16.41. Le cadre romantique d'un patio fleuri pour savourer une cuisine méditerranéenne inventive. Très belle carte des vins.

♦♦ **Sünger**, Neyzen Tevfik Cad. 218. Pizzas et grillades à prix corrects.

♦♦ **Zetaş**, Atatürk Cad. Une adresse prisée par les locaux. Surtout des grillades.

♦ **Liman Köftecisi**, Neyzen Tevfik Cad. 172. Excellents köfte et addition modique.

> La presqu'île de Bodrum

♦♦♦ **Alarga**, Yalı Mevkii, Türkbükü ☎ 377.56.12. Un des meilleurs restaurants de poissons du coin. Rés. indispensable.

♦♦♦ **Mey Balık**, Atatürk Cad. 62, Yalı Mevkii, Türkbükü ☎ 377.51.18. L'adresse la plus branchée de Türkbükü. Menu fixe très copieux, incluant des meze, du poisson, un dessert et les boissons.

♦♦♦ **Ship Ahoy**, Yalı Mevkii, Türkbükü ☎ 377.50.70. Réputé pour le poisson et les fruits de mer. Rés. indispensable.

Bars et discothèques

Ils abondent dans Cumhuriyet Cad., Neyzen Tevfik Cad. et Dr Alimbey Cad.

Halikarnas Disco, sur le toit de l'hôtel Halikarnas, Cumhuriyet Cad. 178. La plus célèbre discothèque de la côte, décor kitsch néogrec et vue sur le port.

Küba Bar, Neyzen Tevfik Cad. 62. Un incontournable du circuit branché.

Marina Yacht Club, Karada Marina. Idéal pour prendre un verre en soirée dans une ambiance chic et décontractée. Concerts.

Çeşme

> *Visite p. 119. Indicatif téléphonique* ☎ *(0 232)*

❶ Iskele Meydanı 8 ☎ 712.66.53.

Se déplacer

● **Ferry**. Pour l'île de Chios (Grèce) : de juin à mi-sept., départs t.l.j. à 9 h et retour à 18 h. En basse saison, 1 à 5 liaisons/sem. Rés. : **Ertürk**, Beyazıt Cad. 7/8 ☎ 712.67.68.

Hôtels

▲▲ **Ridvan**, Cumhuriyet Meydanı 11 ☎ 712.63.36, fax 712.76.27. Dans le centre-ville. 36 ch. convenables. Plage privée.

▲ **Yalçın**, Kale Sok. 38 ☎ 712.69.81, fax 712.06.23. Établissement familial situé près de la forteresse. Très belle terrasse dominant la baie. 16 ch. propres avec s.d.b. Un excellent rapport qualité/prix.

Restaurants

♦♦ **Balıkçı Hasan**, Liman Cad. 21. Un restaurant de poissons abordable.

♦♦ **Kale**, Kale Yanı. Au pied de la forteresse. On vient surtout pour le cadre, mais la cuisine est très correcte.

Foça

> *Visite p. 115. Indicatif téléphonique* ☎ *(0 232)*

❶ à côté de l'otogar, sur la place principale ☎ 812.12.22.

Hôtels

▲▲ **Amphora**, Ismet Paşa Mah., 206 Sok. 7 ☎ 812.28.06, fax 812.24.83. Maison grecque restaurée. 23 ch. agréables avec s.d.b. Piscine.

▲▲ **Karacam** ♥, Küçükdeniz Sahil Cad. 70 ☎ 812.14.16, fax 812.20.42. Sur le front de mer. Ambiance familiale dans une demeure ancienne restaurée. Terrasse sur le toit. 24 ch.

Restaurants

Nombreux restaurants de poissons autour du port.

♦♦ **Bedesten**, Aşıklar Cad. 22. Réputé localement pour le poisson.

Izmir

> *Visite p. 116. Plan p. 117. Indicatif téléphonique* ☎ *(0 232)*

❶ Akdeniz Cad., 1344 Sok. 2, Pasaport **A2** ☎ 489.92.78.

Se déplacer

● **Autocars**. Terminal Işıkkent, à 3 km au N-E du centre **hors pl. par B3**. Rens. ☎ 472.10.10. Liaisons fréquentes vers toutes les métropoles turques. Achat des billets : les grandes compagnies (**Varan**, **Pamukkale**, **Ulusoy**, **Kamil Koç**, **Izmir Turizm**, etc.) ont des points de vente sur Gazi Osman Paşa Cad. et sur 9 Eylül Meydanı, à côté de la gare de Basmane **B2-3**. Elles acheminent gratuitement leurs passagers jusqu'à l'otogar avec des navettes privées. **Terminal Üçkuyular hors pl. par A3**. Service régulier avec la péninsule de Çeşme.

● **Avion**. Aéroport Adnan Menderes à 18 km du centre-ville. Une navette **Havaş** assure la liaison Izmir-aéroport entre 4 h 45 et 19 h 30 (départ toutes les 90 min. devant le bureau de Turkish Airlines). **Turkish Airlines**, Gazi Osman Paşa Bul. 1/F, Büyük Efes Oteli Altı **A2** ☎ 444.08.49.

● **Lignes maritimes turques**. Yeni Liman, Alsancak **B1** ☎ 464.88.64. Un ferry part le dim. à 14 h pour Istanbul ; arrivée le lun. matin à 9 h. Rés. nécessaire.

● **Transports ferroviaires**. Alsancak **B1** ☎ 464.77.95. Une des lignes dessert aussi l'aéroport. **Basmane B2-3** ☎ 484.53.53. Les principales lignes partent de cette gare : Ankara mavi tren, en direction d'Ankara ; Marmara ekspresi en direction d'Istanbul.

Adresses utiles

● **Banques**. Sur Cumhuriyet Bul. A2-3.

● **Consulats**. Belgique, 1374 Sok. 18/4 **A2** ☎ 483.70.73. France, Cumhuriyet Bul. 152 **A1** ☎ 421. 42.34.

● **Location de voitures**. Avis, Şair Eşref Bul. 18/D **B2** ☎ 441.44.17. Hertz, aéroport Adnan Menderes ☎ 274.21.93.

● **Poste centrale**. Sur Cumhuriyet Meydanı **A2**.

Hôtels

▲▲▲▲ **Karaca B2**, 1379 Sok. 55, Sevgi Yolu ☎ 489.19.40, fax 483. 14.98. Dans une rue piétonne qu'affectionne la jeunesse. *73 ch.* confortables à souhait. Excellent service.

▲▲▲▲ **Konak**, Mithatpaşa Cad. 128 **hors pl. par A3** ☎ 489.15.00, fax 489.17.09. Belle situation sur le front de mer. *76 ch.* avec tout le confort. Accueil professionnel.

▲▲▲ **Amba**, Cumhuriyet Bul. 124 **A2** ☎ 484.43.80, fax 484.43.83. Situation centrale. *53 ch* fonctionnelles à prix accessibles.

shopping

Les marchés de la péninsule

Lundi : à Türkbükü

Mardi : à Bodrum et à Gölköy

Mercredi : à Gümüşlük et à Gündoğan

Jeudi : à Yalıkavak

Vendredi : à Bodrum

Samedi : à Turgutreis. ●

▲▲▲ **Antik Han** ♥, Anafartalar Cad. 600 **B3** ☎ 489.27.50, fax 483. 59.25. Un hôtel de charme aménagé dans une demeure du XIXᵉ s. *30 ch.*, certaines en duplex, ordonnées autour d'un mignon patio. Rés. conseillée.

▲▲▲ **Balçova Termal**, Vali Hüseyin Öğütcen Cad. 2 **hors pl. par A3** ☎ 259.01.02, fax 259.08.29. À 6 km du centre-ville. Cadre attrayant, au pied des collines. Deux piscines, tennis, jardin, bains thermaux. *204 ch.*

▲▲▲ **Izmir Palas**, Vasif Çinar Bul. 2 **B2** ☎ 421.55.83, fax 422.68.70. Belle situation sur le front de mer. *148 ch.* un peu défraîchies.

Restaurants

On mange divinement bien à Izmir. Si vous êtes dans le bazar à l'heure du déjeuner, attablez-vous à l'un des petits restaurants de la 899 **Sokak A3**, une sympathique ruelle piétonne sous la treille.

♦♦♦♦ **Deniz** ♥, Atatürk Cad. 188/B **A1**. Cadre confortable pour déguster des meze goûteux et du poisson extra-frais.

♦♦♦♦ **1888**, Cumhuriyet Bul. 248 **B1** ☎ 421.66.90. Le beau décor d'une demeure Art nouveau. Cuisine méditerranéenne basée sur les produits de la mer. L'entretien des pièces et du jardin laisse malheureusement à désirer.

♦♦♦ **Asansör Teras** ♥, Şehit Nihat Bey Cad. 79 **hors pl. par A3** ☎ 255. 54.20. Cet étonnant restaurant panoramique met Izmir à vos pieds.

♦♦♦ **Bonjour**, 1387 Sok. 3, Alsancak **B1**. Une adresse très appréciée des Smyrniotes. Plats copieux et poisson très abordable pour le cadre.

♦♦♦ **Pina**, 1382 Sok. 82/B, Alsancak **B1**. Bonne cuisine du terroir : crevettes sautées au beurre et à l'ail, börek maison, poisson.

♦♦ **Smyrna**, Mithatpaşa Cad. 88/A, Göztepe **hors pl. par A3**. Saveurs de la mer à prix doux.

♦ **Şato/Iskender Kebap Salonu**, 854 Sok. 2, Kemeraltı **A3**. Excellents Iskender kebap, servis dans les règles de l'art. Addition modique.

♦ **Tabaklar** ♥, Kestane Pazarı, Kuşçular Karşısı 128, Kemeraltı **A3**. Dans le bazar, à proximité de la Başdurak Camii. Bon poisson à petits prix.

Bars

La plupart se trouvent dans le quartier d'Alsancak **B1**.

Mavi, Cumhuriyet Bul. 206, Alsancak **B1**. Un chouchou des étudiants ; concerts.

Pâtisseries

Bolulu Hasan Usta, 853 Sok. 13, Kemeraltı **A3**. Puddings, crêpes au sirop, etc. Goûtez absolument au Noah Aşure.

Mennan ♥, 899 Sok. 30/A, Hisarönü **A3**. 50 ans de bons et loyaux services : puddings délicieux et sorbets faits maison.

Kuşadası

> *Visite p. 133. Indicatif téléphonique* ☎ *(0 256)*

❶ Liman Cad. 13 ☎ 614.11.03.

Adresses utiles

● **Agences de voyages**. Elles proposent la visite des sites archéologiques proches, l'excursion en bateau vers Dilek Milli Parkı (départ à 9 h et retour vers 16 h) et vendent les billets de ferry pour l'île grecque de Samos (t.l.j. d'avr. à oct. ; départ à 8 h 30 et retour à 17 h ; 1 h 30 de traversée). **Camel Ege**, Atatürk Bul. 68 ☎ 614.26.64. **Diana**, Atatürk Bul. 90 ☎ 614.49.00. **Priene**, Nazilli Sitesi Kadıkalesi 687 ☎ 633.11.90.

Hôtels

Les meilleurs hôtels sont excentrés.

▲▲▲▲ **Kismet**, Akyar Mev. ☎ 618. 12.90, fax 618.12.95. Situation idyllique sur une presqu'île rocheuse. *107 ch.* d'un confort irréprochable.

▲▲▲ **Villa Konak**, Yıldırım Cad. 55 ☎ 612.21.70, fax 613.15.24. Un endroit aussi plaisant qu'accueillant. Piscine et bons petits plats sur demande. *27 ch.*

▲▲ **Stella**, Hacı Feyzullah Mah., Bezirgan Sok. 44 ☎ 614.16.32, fax 614.51.00. Un petit hôtel tranquille et plutôt bon marché. Piscine. *20 ch.* avec vue sur le large.

Restaurants

♦♦ **Değirmen**, Davutlar Yolu, Saraydamları Mevkii. À 4 km de Kuşadası. Un cadre original, façon ranch. À la carte, diverses cuisines régionales de la Turquie. Croustillant pain maison. Café servi dans le kiosque surplombant un étang.

♦♦ **Sultan Han**, Bahar Sok. 8. Bonne cuisine turque dans une vieille demeure, joliment décorée.

Pamukkale

> *Visite p. 121. Indicatif téléphonique* ☎ *(0 258)*

❶ Ören Yeri (à proximité du musée) ☎ 272.20.77.

Se déplacer

Un **minibus** opère toutes les 30 min entre Pamukkale (arrêts dans le village et à Hiérapolis) et Denizli (à 14 km au S), où se trouve la gare routière.

Hôtels

Les hôtels de standing se trouvent à Karahayıt (à 5 km au N de Pamukkale).

▲▲▲ **Herakles**, Karahayıt ☎ 271. 44.25, fax 271.42.54. *56 ch.* fonctionnelles dans un cadre contemporain. Piscine et toutes les activités thermales. Demi-pension obligatoire, incluant de copieux buffets.

▲▲▲ **Lycus River**, Karahayıt ☎ 271.43.41, fax 271.43.51.*180 ch.* claires et gaies. Toutes les facilités thermales sans supplément de prix, et une superbe piscine paysagée. Intéressante formule demi-pension.

▲▲▲ **Pamuksu**, Stad Cad., Pamukkale Kasabası ☎ 272.28.18, fax 272.21.09. *55 ch.* de bon confort, mais le cadre est plutôt kitsch. Piscine et bains thermaux.

▲▲ **Venüs**, Pamukkale Kasabası ☎ 272.21.52. Dans une coquette demeure, *15 ch.* impeccables, équipées de l'air conditionné et de TV. Piscine, coin Internet, parking. Une excellente adresse dans la gamme des petits prix.

Restaurant

♦♦ **Ünal**, Cumhuriyet Meydanı. L'adresse favorite des locaux. Spécialité de la maison : les mantı (raviolis turcs).

Pergame (Bergama)

> *Visite p. 112. Indicatif téléphonique* ☎ *(0 232)*

❶ Hükümet Konağı, B Blok Zemin Kat ☎ 631.28.51.

Se déplacer

● **Gare routière** en face du Musée archéologique. Départs fréquents vers Izmir et Ayvalık.

Carte de l'**Égée du Nord** p. 109, d'**Izmir et ses environs** p. 116, de l'**Égée du Sud** p. 121.

Hôtels

▲▲▲ **Asude**, Izmir Cad. 147 ☎ 631. 21.16, fax 631.30.04. *50 ch.* impersonnelles d'un confort moderne.

▲▲▲ **Berksoy**, Izmir Yolu ☎ 632. 96.09, fax 633.53.46. *57 ch.* agréables, qui s'alignent autour d'une grande piscine, nichée dans le jardin.

▲ **Böblingen Pansiyon**, Zafer Mah., Asklepion Cad. 2 ☎ 633.21.53. Ambiance familiale et excellent accueil. *13 ch.* simples mais parfaitement tenues.

Restaurants

♦ **Sağlam**, Istiklal Meydanı 3. Grillades, pide, etc., le tout d'excellente qualité. Un coin oriental avec musique live le soir.

♦ **Yeni Meydan**, Cumhuriyet Cad. 99. Toute la brochette des grillades et meze, servie dans une salle confortable.

Selçuk (Éphèse)

> *Visite p. 127. Indicatif téléphonique* ☎ *(0 232)*

❶ Atatürk Mah. Agora Çar. 35 ☎ 892.63.28.

Se déplacer

● **Gare routière**, à côté du marché. Les minibus desservent régulièrement Kuşadası et la plage de Pamucak (à 9 km au S). Dolmuş pour Şirince toutes les 30 min, de 7 h à 21 h (en haute saison). Pour se rendre à Priène, Milet et Didymes, prendre le dolmuş pour Söke puis attraper la correspondance.

Adresses utiles

● **Agences de voyages**. Toutes les agences proposent des excursions dans les sites de la région (les cités ioniennes et le lac de Bafa). **Peron Tur**, en face de la poste, ☎ 892. 95.47. **Seven Wonders**, Atatürk Mah., 1019 Sok. 6 ☎ 892.73.64. **Aker**

Turizm, Aydın Asfaltı 39/B ☎ 892.80.00 s'occupe de la location de voitures.

Hôtels

▲▲▲ **Kalehan**, Atatürk Cad. 49 ☎ 892.61.54, fax 892.56.37. *54 ch.* décorées à l'ancienne. Préférez celles qui donnent sur le jardin, nanti d'une piscine. Le restaurant est l'une des meilleures tables de Selçuk.

▲▲▲ **Nilya** ♥, 1051 Sok. 7 ☎ 892. 90.81, fax 892.90.80. *11 ch.* stylées s'étagent autour d'un patio joliment fleuri, où l'on sert un copieux petit déjeuner. Le maître des lieux, M. Kaytancı, est un érudit francophone qui se réjouit tout particulièrement de converser avec ses hôtes français.

▲▲ **Monaco Pansiyon**, Atatürk Mah. Kubilay Cad. 34 ☎ 892.51.18. Les propriétaires, qui ont vécu en France, réservent un excellent accueil. *12 ch.* impeccables avec s.d.b.

▲▲ **Naz Han**, Saint-Jean Cad., 1044 Sok. 2 ☎ 892.87.31, fax 892.00.11. *5 ch.* d'une charmante simplicité. Patio orné d'un amusant bric-à-brac, et terrasse d'où l'on admire toute la ville.

> À Şirince (8 km)

▲▲▲ **Nişanyan Evleri** ♥, Şirince Köyü ☎ 898.32.08, fax 898.32.09. *5 ch.* et *6 maisons* à louer à la semaine. Décor à l'ancienne magnifiquement arrangé. Les propriétaires sont des spécialistes dans le domaine : ils sont les auteurs d'un excellent guide recensant les meilleurs hôtels de charme de la Turquie.

▲▲▲ **Şirince Evleri** ♥ ☎/fax 898.30. 99, 898.30.63. Deux adorables maisons grecques magnifiquement rénovées, à louer à la semaine ou pour la nuit. Chacune contient 2 ou 3 ch., un salon, une kitchenette équipée, une s.d.b., un jardin privatif. Le tout est meublé à l'ancienne, avec des tapis et des objets ayant appartenu à la famille du propriétaire, M. Ahmet Koçak, francophone érudit.

Restaurants

Une foule de petits restaurants dans Cengiz Topel Cad.

♦♦ **Bizim Ev**, Şirince Yolu. À 2 km de Selçuk. Cadre bucolique. Cuisine familiale copieuse. Jardin arrangé à l'orientale.

♦ **Selçuk Köftecisi**, Atatürk Mah., Şehabettin Dede Cad. 8. Localement réputé pour les grillades et les boulettes. ●

La côte méditerranéenne

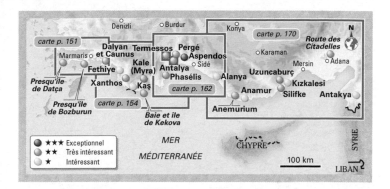

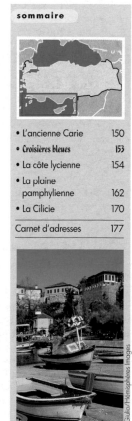

P
lus de 1 200 km séparent Marmaris
d'Antakya – la première est vouée
aux plaisirs balnéaires, la seconde,
aux portes du désert, et déjà
presque arabe. La côte méditerranéenne est
l'image même de la diversité des cultures et
de la splendeur des paysages qui font tout le
charme de la Turquie.

À l'ouest d'Antalya, les versants abrupts de la
chaîne du Taurus plongent dans la mer,
ménageant une succession de petites **criques**
désertes et de **grottes marines** qui ne s'explorent qu'en bateau. Plus à l'est surgissent
les majestueuses **forteresses de Cilicie**, qui
gardaient la route de la Terre sainte. Le relief
torturé de la côte turquoise résiste naturelle-
ment à l'urbanisation intensive, même si
l'amélioration du réseau routier a contribué
à l'essor anarchique des grandes stations balnéaires. Il suffit de s'écarter de la route
côtière pour découvrir une plage paisible,
des ruines oubliées et des bourgades
typiques, cultivant la douceur de vivre.
Changement de décor dans l'arrière-pays,
parsemé de villages montagnards, aux
mœurs rudes, et de hauts plateaux *(yayla)* où
campent les derniers **nomades yörük**. C'est
là que les littoraux viennent chercher un peu
de fraîcheur pendant la fournaise estivale.

Les sites archéologiques abondent, certains à
peine fouillés. Sans égaler ceux de la côte
égéenne, ils n'en sont pas moins impressionnants, tels **Phasélis**, **Kekova** et **Termessos**.

L'ancienne Carie

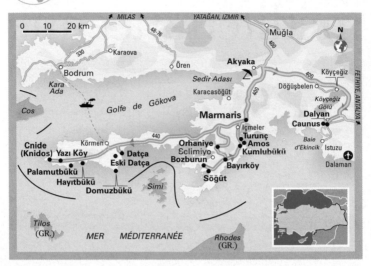

Habitée par les Louvites, lointains cousins des Hittites, depuis le IIe millénaire av. J.-C., la Carie fut colonisée par les Doriens, qui fondèrent des comptoirs commerciaux sur son rivage. Son histoire se confond avec celle des provinces limitrophes, l'Ionie et la Lycie, bien qu'elle ne soit jamais parvenue au même degré de civilisation. Ses cités les plus célèbres jalonnent les rives du golfe de Gökova : **Halicarnasse** (aujourd'hui Bodrum), **Keramos** (aujourd'hui Ören), **Kedria** (îles Sedir) et **Knidos**.

Marmaris

> *À 180 km au S-E de Bodrum. Carnet d'adresses p. 185.*

La station se love dans une baie magnifique, ceinturée de collines vertes. À l'origine, il s'agissait d'un mignon village de pêcheurs, déployé autour d'un petit **château ottoman** (*ouv. t.l.j. sf lun. 8 h 30-17 h 30 ; entrée payante*) et d'un port de plaisance huppé. Victime de son succès, la station s'est agrandie à un point tel que les installations balnéaires asphyxient désormais tout l'ouest de la baie, où s'égrènent quelques **plages** (notamment celle d'**Içmeler**, bien desservie par les *dolmuş*). Les amateurs de calme et de paysages rêveurs séjourneront plutôt à Akyaka, dans la presqu'île de Bozburun ou celle de Datça, encore épargnées par la fièvre immobilière.

Akyaka*

> *À 35 km au N de Marmaris.*

Quand les architectes turcs mettent leur génie au service de l'esthétisme, cela donne Akyaka : une station balnéaire entièrement constituée de pavillons dans l'esprit ottoman. Beaucoup de ces jolies maisons en bois sont l'œuvre de **Nail Çakırhan**, natif de la ville voisine d'Ula qui contient un bel habitat ancien. L'une de ses réalisations s'est même vu décerner le prestigieux prix de l'Aga Khan. Posée sur la pointe du golfe de Gökova, Akyaka jouit d'un environnement splendide. En été, les bateaux d'excursion desservent les **îles Sedir**, toutes proches. La station est bordée de **plages**, mais la plus belle, fréquentée par les familles d'estivants turcs, est celle de Çinar *(sur la corniche, à 2 km à l'O).*

♥ La presqu'île de Bozburun★★

D'Armutalan, une bonne route asphaltée conduit jusqu'à **Söğüt**, en longeant un chapelet de baies aux eaux limpides. Un panorama spectaculaire fait le charme des villages de pêcheurs d'**Orhaniye**, de **Selimiye** et de **Bozburun★** où se construisent les goélettes en bois verni. On peut rejoindre **Turunç** par une route solitaire qui s'enfonce dans les terres en passant par **Bayıran**, destination favorite des safaris en Jeep organisés depuis Marmaris. Une douzaine de villes antiques, jamais fouillées, parsèment la presqu'île. La plus romantique, **Amos**, occupe un promontoire rocheux, qui veille sur **Kumlubükü** et ses sympathiques restaurants au bord de l'eau. À l'extrême pointe, le château de Loryma (Bozukkale), du IIIe s. av. J.-C., ne s'atteint qu'en bateau.

♥ La presqu'île de Datça★★

De Marmaris à Datça *(75 km)*, une **route★★** splendide musarde à travers les pinèdes et les champs de fleurs parsemés de centaines de ruches (le **miel** est une spécialité de la région).

Ces terres sont quasi vierges de béton et on espère bien qu'elles le resteront, tant les paysages côtiers sont éclaboussants de beauté. Si Datça, port de plaisance en pleine expansion, n'a guère d'intérêt, il n'en va pas de même pour ♥ **Eski Datça★** *(à 3 km au S-O de Datça)*, délicieux hameau rempli d'anciennes bâtisses en pierre que des esthètes restaurent minutieusement.

Question baignade, il faut s'engager dans les voies de traverse pour rejoindre l'une des **52 baies** que compte la presqu'île. Celles de **Palamutbükü, Hayıtbükü, Domuzbükü** et **Kurucabuk** sont ourlées de sable fin, **Gebekum** déroulant même une belle écharpe dorée de 7 km de long. Le séjour balnéaire dans les hameaux limitrophes conviendra à ceux qui souhaitent échapper un moment aux bruits de la civilisation. La route pour Cnide est asphaltée jusqu'à **Yazı Köy**, un village méditerranéen d'autrefois.

● **Cnide★** (Knidos). *À 38 km à l'O de Datça. Ouv. 8 h-19 h. Entrée payante.* L'antique **Knidos** s'accroche à des collines rocailleuses qui dominent le cap Tropium, relié

Presqu'île de Bozburun, baie de Selimiye.

© Astrid Lorber

à la terre ferme par un isthme artificiel. Les ruines, le plus souvent réduites à leurs fondations, s'éparpillent autour des deux ports, un sur l'Égée, l'autre sur la Méditerranée. En vous dirigeant vers le **port militaire***, corseté d'un rempart fragmentaire, vous verrez les gradins du **théâtre*** grec et les mosaïques pavant le sol de quelques **basiliques byzantines**. Les terrasses nivelant la colline portent les vestiges des **temples d'Apollon et d'Aphrodite***. Imaginez l'émotion des voyageurs de la mer quand ils découvraient leurs façades de marbre scintillantes, dressées dans ce spectaculaire **paysage côtier***** à la croisée des eaux. La tholos ↪ abritait la célèbre statue de Praxitèle, *Aphrodite nue*, dont tous les marins étaient amoureux. À proximité d'un **temple corinthien** ↪ gît le **cadran solaire** réalisé par le savant Eudoxos au IVe s. av. J.-C.

♥ Dalyan**

> *À 70 km à l'E de Marmaris.* **Carnet d'adresses** *p. 182.*

Le village de Dalyan est posé sur un delta marécageux, à l'embouchure du canal reliant le lac de Köyceğiz à la Méditerranée. L'**excursion en bateau** vers le port antique de **Caunus** et la **plage d'Iztuzu** reste à jamais gravée dans la mémoire. On glisse le long d'une falaise ocre, creusée de **tombes rupestres**, avant de s'engager dans le méandre des canaux, frangés de roseaux et parsemés de pêcheries lacustres. Les **tortues marines caouannes** viennent se reproduire sur la plage d'Iztuzu, une bande sableuse de 5 km de long, qui barre le delta. L'accès est interdit de nuit pendant la période de la ponte *(encadré ci-dessus)*.

● **Caunus***. *Ouv. 8 h-18 h. Entrée payante.* Si les tombes creusant la falaise sont de style lycien (IVe s. av. J.-C.), les ruines de la cité antique se conforment aux canons hellénis-

écologie

Les tortues caouannes

La reproduction des derniers représentants de la branche caouanne *(Caretta caretta)* a lieu **en juin et juillet**. Les tortues creusent dans le sable un trou d'une cinquantaine de centimètres de profondeur pour y pondre en moyenne 100 œufs, qu'elles abandonnent à leur sort après les avoir recouverts de sable. L'incubation dure deux mois. Quand le bébé tortue sort de son œuf, il lui faut vite gagner le large, **la nuit de préférence**, pour échapper aux crabes et aux oiseaux de proie. À l'âge adulte, la tortue mesure près d'un mètre et pèse jusqu'à 130 kg. Elle se distingue des autres tortues marines par sa **carapace de couleur brune** et son régime carnivore. ●

tiques en vigueur dans toute la Carie. Dans l'Antiquité, son **port** retirait d'importants bénéfices dans le commerce du sel, des salaisons et des esclaves. Aujourd'hui ensablé, il s'abritait entre deux collines protégées par des murailles qui atteignent encore par endroits 8 m de hauteur. Les recherches archéologiques se poursuivent dans la ville basse, où l'on peut voir le podium circulaire d'une **tholos*** ainsi que la **stoa** ↪ **hellénistique**, fermée par un monumental **nymphée*** ↪. Les monuments de la ville haute comprennent un **théâtre romain***, adossé aux flancs de l'acropole, des **thermes** et une **église byzantine**. De l'**acropole** ↪ ne subsiste aucun vestige mais la **vue**** sur le delta récompense des difficultés de la montée. ●

Croisières bleues

© Gil Giulio/Hémisphères Images

Goûtez le plaisir de jeter l'ancre dans une crique de sable blanc déserte, ou d'explorer des ruines antiques à flanc de montagne : nul autre moyen d'y accéder que le bateau. À bord d'une goélette, vous sillonnerez les golfes du littoral sud de la Turquie, probablement l'un des plus beaux de la Méditerranée.

« Made in Turkey »

Dérivées des bateaux de pêche à l'éponge, les goélettes *(gulet)* en bois verni sont fabriquées artisanalement dans les chantiers navals de Bodrum, Marmaris, Bozburun, Güllük mais aussi dans des ports de la mer Noire. Ces voiliers à moteur, d'une capacité de 8 à 12 passagers, disposent de cabines doubles équipées de sanitaires et d'un vaste pont pour s'adonner au bronzage.

La vie à bord

Nul besoin de savoir naviguer ou encore de préparer les repas : un capitaine mènera la goélette à bon port et son équipage se charge de l'intendance à bord. Une fois quitté le port d'attache, vous caboterez de crique en village de pêcheurs et profiterez des petites plages sablonneuses pour la baignade. L'après-midi est consacré aux balades dans les terres. En soirée, la goélette mouille dans une baie bien abritée et vous dînerez aux chandelles sous un ciel étoilé.

Le golfe de Gökova

La plus belle croisière vous fera voguer une semaine dans le golfe de Gökova, entre Bodrum et Cnide. La goélette accoste dans l'île d'Orak, réputée pour ses eaux limpides ; à Çökertme, un plaisant hameau au pied de la montagne ; à Ören (ruines hellénistiques de l'ancienne Keramos) ; à Akbük, et sa belle plage de sable fin cernée de pinèdes ; dans les îles Sedir, surnommées les îles de Cléopâtre, qui recèlent des plages et les ruines de l'antique Kedria, enfouies sous la végétation ; les baies encore sauvages de Söğüt, Löngöz et Tuzla ; Yedi Adalar, un archipel de sept îles plantées de gommiers ; les villages de pêcheurs dans les baies de Gökçeler et de Mersincik ; le site antique de Cnide, à la croisée des eaux égéennes et méditerranéennes. ●

Au départ de Marmaris, les goélettes s'en vont sillonner la presqu'île de Bozburun ou cabotent le long de la côte lycienne jusqu'à Fethiye.
Au gré de ce voyage bleu, les sportifs pourront s'adonner à la plongée sous-marine, à la planche à voile ou même à la pêche.

La côte lycienne

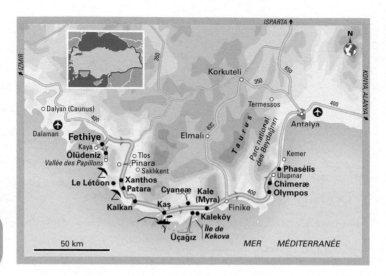

C'est l'antique Lycie que vous découvrirez ici, avec ses **cités antiques** (Xanthos, Le Létôon, Patara, Phasélis), ses **nécropoles rupestres** à flanc de falaise (Kale, Fethiye, Cyaneae), son **littoral escarpé** entrelaçant mer et montagnes, ses **plages** de sable fin (Ölüdeniz, Patara, Olympos) et ses **baies** secrètes à explorer en bateau.

LA LYCIE, UN MONDE À PART

Apparentés aux **Louvites** (un peuple indo-européen qui vivait sur la côte égéenne au IIᵉ millénaire av. J.-C.), les Lyciens, excellents **marins**, manifestèrent très tôt leur **esprit d'indépendance**. *L'Iliade* nous apprend que leur roi, le légendaire **Sarpédon**, s'était allié aux Troyens pendant la guerre de Troie. L'histoire des cités lyciennes ne remonte pourtant qu'au VIIᵉ s. av. J.-C. Marquée par les grands mouve-

ments de colonisation (Perses, Grecs, Séleucides, etc.), la région conserva néanmoins une certaine indépendance en raison de son relief escarpé qui la protégea de l'ambition de son puissant voisin carien.

En 167 av. J.-C., **23 cités** se regroupèrent au sein de la **Confédération lycienne**, dont le territoire s'étendait entre Dalaman et Antalya. **Tlos**, **Pınara**, **Xanthos**, **Patara**, **Myra** (Kale) et **Olympos** disposaient chacune de trois voix de vote à l'assemblée, qui se réunissait une fois l'an pour élire le président du Sénat et débattre des problèmes politico-économiques.

Absorbée par l'hellénisme, la culture lycienne s'éteignit à l'aube de notre ère. Elle a laissé pour seuls vestiges des tombeaux illustrant un art funéraire original, caractérisé par le souci de ne point souiller la terre : **tombes rupestres** en forme de temple ou de maison, **piliers** funéraires et **sarcophages** fermés par un couvercle en forme de carène renversée.

Les termes signalés par le symbole ↪ sont expliqués dans le glossaire p. 308.

Fethiye★ et ses environs

> *À 90 km à l'E de Dalyan.* **Carnet d'adresses p. 182.**

Dominée par sa **forteresse** du XIVᵉ s. construite par les Hospitaliers de Saint-Jean, l'ancienne Telmessos cultive la douceur de vivre, qu'il faut savourer sur le **port** encombré de goélettes vernies. Comme les touristes ne font qu'y passer, la ville a su rester elle-même, avec ce tempérament méditerranéen sans fioritures qui anime les venelles de son **bazar**. Le tremblement de terre de 1958 a eu raison de la plupart de ses vestiges. Un **théâtre** antique a récemment été mis au jour près du port. Dans les hauteurs, une magnifique **nécropole rupestre** *(ouv. 8h-19h ; entrée payante)* creuse la falaise. Le **tombeau d'Amyntas**★★ (IVᵉ s. av. J.-C.) est un bel exemple de tombe lycienne en forme de temple, avec ses deux colonnes ioniques ↪ précédant une fausse porte. Le **musée**★ *(ouv. t.l.j. sf lun. 8h-17h ; entrée payante)* contient le produit des fouilles régionales, notamment la stèle trilingue du Létôon (textes lycien, grec et araméen). Un service régulier de *dolmuş* dessert la **plage de Çalış**, à 5 km au nord du centre-ville.

Les **environs** sont si riches que vous pouvez facilement leur consacrer trois journées. À **Pınara**★★ *(à 45 km au S-E)*, des ruines composées d'un théâtre, de temples, de sarcophages et de tombes rupestres sculptées de reliefs dorment dans un décor montagneux à couper le souffle. Sur la colline de **Tlos**★ *(à 40 km à l'E)*, couronnée par les remparts d'une forteresse ottomane, s'étagent les ruines d'un théâtre, d'un bain, d'une agora et d'un stade. Pour trouver un peu de fraîcheur, parcourez la superbe gorge de **Saklıkent**★ *(à 59 km au S-E)*, dont un tronçon, à fleur de torrent, est aménagé en promenade. Enfin, offrez-vous l'excursion d'une journée en mer vers les **12 îles** qui ferment la baie de Fethiye. Toutes les agences de voyages locales proposent ces excursions.

Ölüdeniz

> *À 15 km au S de Fethiye. Accès payant.*

Dans une anse montagneuse, couverte de pinèdes, dort une lagune aux eaux limpides, lapées par une langue de sable blanc. Les parapentistes qui s'élancent du mont Babadağ (1975 m) ne peuvent rêver plus beau spectacle. Si le site est protégé, il n'en va malheureusement pas de même pour ses abords, qui se sont fortement bétonnés. En haute saison, « la plus belle plage du monde » est sale et bondée. Mieux vaut passer son chemin ou pousser jusqu'à la **plage de Belceğiz** *(à 3 km au S)*, plus tranquille.

À 5 km de là, les falaises sont entaillées par un vertigineux canyon que l'on appelle la **vallée des Papillons** pour honorer ses hôtes estivaux : les papillons Jersey Tiger.

---

habitat grec

Il était une fois Kaya

Tragique destin que celui de ce village fantôme adossé sur les collines, à 10 km au S-O de Fethiye. Le temps y suspendit son cours en 1923, conformément aux accords du **traité de Lausanne**, qui fut suivi d'un échange de populations entre la Grèce et la Turquie. 2000 maisons en pierre blotties autour de deux églises furent abandonnées aux pilleurs. Kaya est aujourd'hui un **site classé**. Les ruelles escarpées invitent à une nostalgique promenade au milieu des demeures sans toit ni porte, si ce n'est celle du Souvenir, que poussent quelques touristes grecs venus ici en pèlerinage pour commémorer cette douloureuse page de l'histoire. ●

Xanthos★★ et Le Létôon★

> *À 66 km au S-E de Fethiye. Ouv. 7 h 30-19 h (17 h hors saison). Entrée payante.*

Xanthos possède les plus étranges **monuments funéraires** de Lycie, comme pour mieux illustrer son histoire pleine de péripéties. Au VIᵉ s. av. J.-C., l'armée perse l'assiégea. Vaincus, ses habitants préférèrent périr dans les flammes, plutôt que de se rendre. Pourtant, la cité renaquit de ses cendres, reconstruite par quelques habitants qui se trouvaient ailleurs au moment du drame. Après avoir subi la domination d'Alexandre le Grand (333 av. J.-C.) et de ses successeurs, la ville occupa, à partir du IIᵉ s. av. J.-C., une place prépondérante au sein de la **Confédération lycienne**. Assiégée par le Romain Brutus en 42 av. J.-C., Xanthos préféra à nouveau le suicide collectif à la soumission. Reconstruite par les libéralités romaines, elle continua de prospérer avec les Byzantins, qui en firent un évêché. Sur la route qui conduit au site, vous verrez d'abord la **porte de la ville** (*sur la g.*), construite pendant l'époque hellénistique, puis l'**arc de triomphe** dédié à Vespasien. De l'autre côté de la route, une plaque signale l'emplacement du **monument des Néréides**, chef-d'œuvre de l'art grec dont les sculptures ont été transférées au British Museum. Adossé contre l'**acropole** ↪ **lycienne** (on y voit les vestiges du palais lycien), le **théâtre★** d'époque romaine a conservé ses gradins inférieurs. À côté se dressent deux tours funéraires, l'une portant un **sarcophage lycien** coiffé de son caractéristique couvercle en carène. Le célèbre **pilier des Harpies★★** (480 av. J.-C.) est constitué d'un monolithe de 5,40 m de haut, qui supporte une chambre sépulcrale ornementée de reliefs montrant des harpies et des scènes d'offrandes (il s'agit de moulages, les originaux étant au British Museum). Au fond de l'**agora romaine**, on voit le «**pilier inscrit**» (Vᵉ s. av. J.-C.), aux faces gravées de douze vers grecs et d'une longue inscription en langue lycienne, relatant les victoires remportées par le roi Khérié sur les Athéniens. Une **voie romaine** récemment dégagée

Le pilier des Harpies (à dr.), à Xanthos. Selon les archéologues, il semblerait que les harpies soient plutôt des sirènes psychopompes (conductrices des âmes des morts).

(à dr. du parking) mène à une **basilique byzantine****, dont on lit aisément le plan : atrium ↪, narthex ↪, nef, et l'abside qui contient toujours son synthronon ↪. Le sol est en partie pavé de **mosaïques** à motifs géométriques. En poursuivant vers la **nécropole**, vous verrez d'autres monuments funéraires lyciens, tels le **sarcophage des Danseuses*** et le **pilier du Lion**.

Le Létôon*

> *À 6 km au S-O de Xanthos. Ouv. 8 h 30-18 h. Entrée payante.*

Ici se trouvait le cœur religieux de la Lycie, alors que Xanthos en était le centre politique. Le site a beaucoup de charme, avec sa poignée de colonnes et de vieilles pierres qui émergent des eaux stagnantes. Une frise sculptée de masques orne la porte orientale du **théâtre*** hellénistique. Le **grand temple**, de style ionique ↪, était dédié à la nymphe **Léto**, aimée de Zeus, dont elle eut des jumeaux : **Artémis** et **Apollon**, à qui sont consacrés les deux temples voisins. Dans celui d'Apollon, il y a une **mosaïque** figurant les insignes de ces divinités : un arc avec une flèche, un soleil et une lyre. Dans le bassin semi-circulaire du **nymphée** ↪ **monumental** s'écoulait la source dans laquelle Léto, guidée par des loups, serait venue baigner ses enfants. L'amante délaissée avait en effet dû fuir en Lycie pour échapper aux foudres d'Héra, la fort jalouse épouse de Zeus.

Patara*

> *À 18 km au S de Xanthos. Ouv. 8 h-20 h. Entrée payante. Billet valable pour une semaine, ce qui permet de retourner à la plage sans acquitter de droits. Carnet d'adresses p. 187.*

Capitale des provinces lycienne et pamphylienne pendant l'époque romaine, siège d'un important **évêché** sous les Byzantins, Patara fut avant tout le **grand port** de la Confédération lycienne. Ce qu'il en reste est peu à peu exhumé des sables par les archéologues. Le site mérite d'autant plus la visite que sa **plage de sable fin** *(on peut y accéder en voiture)*, de 18 km de long, est certainement l'une des plus belles de Turquie. Les tortues caouannes venant s'y reproduire, l'accès est interdit la nuit.

Vous verrez d'abord un **monument funéraire*** romain, qui se dresse solitaire au bord d'un marécage, puis l'**arc de triomphe** construit par Mettius Modestus au début du IIe s. Il est dominé par une colline qui portait vraisemblablement le **temple d'Apollon** où officiait, durant l'été, l'un des plus célèbres oracles du bassin méditerranéen. Le long d'un sentier mangé par les herbes folles se succèdent les **bains Hurmalık*** (au sol pavé de mosaïques à motifs floraux), le **plan routier*** indiquant le kilométrage entre les villes lyciennes, le **tombeau de Marciana**, et les **bains de Vespasien** (Ier s.) composés de cinq pièces. Un tronçon de la **voie en marbre***, la plus large qui soit connue en Asie Mineure, a récemment été dégagé. Elle bute contre le rempart d'une **forteresse byzantine**, devant lequel se dresse un petit **temple corinthien*** ↪ (IIe s.) bien conservé. Plus au nord, le **phare** de l'ancien port veille sur les huit pièces du **granarium*** (silo à grains) construit par Hadrien. Les gradins du **théâtre*** s'adossent contre une colline, du sommet de laquelle on jouit d'un spectaculaire panorama.

Kalkan*

> *À 21 km au S-E de Patara.* **Carnet d'adresses p. 184.**

Enclavé dans un amphithéâtre montagneux, ce village de pêcheurs a un cachet indéniable, avec ses vieilles maisons croulant sous les bougainvilliers. Ses charmes se sont colportés tant et si bien que l'élégante station de jadis verse aujourd'hui dans le fast-food et les bars fêtards. À 10 km à l'est de Kalkan, ne manquez pas la plage de **Kaputaş** *(accessible par un escalier ; petit parking)*, anse de sable fin au pied d'une vertigineuse falaise. En quelques brasses, vous pourrez gagner la **grotte Bleue** *(Mavi Mağara)* ou encore la visiter en barque. Des goélettes proposent également cette balade au départ de Kalkan.

Kaş★
et ses environs

> *À 29 km à l'E de Kalkan.* **Carnet d'adresses** *p. 184.*

Posé dans les replis d'une baie magnifique, ce port de pêche avait tous les ingrédients pour devenir une villégiature estivale. Sa rade fourmille de goélettes en partance pour les croisières bleues, mais dans son dédale de ruelles, abondamment fleuries, flotte le parfum méditerranéen d'antan. Il n'y a pas de plage, mais de petites criques bordées de sable ou de galets : **Akçagerme** *(à 3,5 km à l'O)*, **Küçük Çakıl** et **Büyük Çakıl**, toutes deux situées au sud-est de la marina. Du temps où elle s'appelait **Antiphellos**,

Kaş a conservé de beaux **tombeaux★** rupestres (IVᵉ s. av. J.-C.), qui creusent la falaise dominant le port. Un deuxième groupe de tombes surplombe le **théâtre** hellénistique *(à l'entrée de la presqu'île)*, orienté vers la mer. Le **tour de la presqu'île de Çukurbağ** *(à 12 km au N-O de Kaş)* vaut la peine pour son panorama grandiose, entrelaçant mer et montagne. Les affleurements rocheux recèlent des petites criques pour la baignade.

♥ La baie de Kekova★★

> *Accès par* **bateau** *depuis Kaş (excursions organisées d'une journée). En* **voiture***, vous pouvez gagner Üçağız, à 29 km à l'E de Kaş, puis louer un bateau pour visiter la baie (comptez 30-35 € pour une balade de 2 h).*

Kekova est à la fois une île sauvage et une baie de bout du monde, où s'éparpillent entre terre et mer des vestiges antiques et des villages champêtres. Le relief escarpé garantissait la protection des habitants, qui édifièrent maintes tours d'observation et petites forteresses pour surveiller la côte, infestée de pirates. La

© Astrid Lorber

Dans la baie de Kekova, Kaleköy à l'ombre de sa forteresse byzantine.

plongée est interdite dans la baie, zone archéologique protégée, mais on peut se baigner dans les criques, notamment à **Karaloz** ou au lieu-dit **Aquarium**, une calanque creusée de grottes qui se visitent à la nage (prévoir une journée en bateau).

● **Üçağız***. Cette bourgade autarcique, qui fait face à l'île de Kekova, est bâtie sur le site de l'antique Teimiussa. À l'est des habitations subsiste une belle **nécropole*** avec ses sarcophages lyciens disséminés dans les rochers et la broussaille.

● **Kaleköy****. Un délicieux hameau en pierre se blottit au pied d'une forteresse d'origine byzantine, bâtie sur l'acropole ⤷ de l'antique cité de **Simena**. Les remparts dissimulent un petit **théâtre** excavé dans le rocher. À l'extérieur des murs, le sol est jonché de **sarcophages** lyciens identiques à celui qui gît près du port, à demi immergé.

● **L'île de Kekova****. Les bateaux se contentent d'accoster à **Tersane**, où se dresse l'abside ⤷ d'une basilique byzantine, environnée d'habitations ruinées. Vous ne ferez ensuite que longer l'île, car les falaises escarpées et la végétation touffue rendent l'accès difficile. Par temps clément, on aperçoit les vestiges d'une **ville engloutie** sous 2 à 3 m d'eau limpide.

Cyaneae*

> *À 23 km au N-E de Kaş, par la route de Kale. Le site occupe la plate-forme rocheuse surplombant le village de Yavu; accès par un sentier.*

Ce site à peine fouillé renferme l'une des plus belles **nécropoles**** de Lycie : tombes rupestres, sarcophages (le plus curieux, orné de têtes de lions, est taillé à même la roche !), et un monument funéraire en forme de temple grec. La ville est ceinte d'un **rempart** percé de quatre portes et de poternes quasi intactes. Les vestiges se résument à des bains, une bibliothèque et des citernes. Du **théâtre***, on jouit d'un superbe panorama sur la baie de Kekova.

Kale** (Myra)

> *À 48 km à l'E de Kaş.*

Noyé dans les serres, le bourg moderne n'a guère d'intérêt, mais il recèle quelques-uns des plus beaux monuments de Lycie. Le port d'Andriake contribua à l'essor de **Myra**, une des villes phares de la Confédération lycienne. Au IVe s., **saint Nicolas**, originaire de la ville de Patara, devint l'évêque de la cité.

● **L'église Saint-Nicolas****. *Au centre-ville, accès fléché. Ouv. 8 h-19 h. Entrée payante.* Ce fut jusqu'au Moyen Âge un haut lieu de pèlerinage. L'édifice actuel date en grande partie d'une reconstruction du XIIe s. Une galerie donne accès dans une **chapelle** ornée de fresques, qui communique avec deux pièces à abside, pavées d'un bel **opus sectile**. Couverte d'une voûte d'arête, la nef affecte un plan en croix grecque. L'**abside** ⤷, richement

Les trois sacs d'or de saint Nicolas

De nombreuses légendes entourent la vie de saint Nicolas. L'une d'elles raconte que, pour aider un pauvre homme n'ayant pas de quoi doter ses trois filles, l'évêque déposa en pleine nuit **trois bourses** remplies d'or sur le rebord de sa fenêtre. D'où les trois boules d'or, emblème des prêteurs sur gages dont Nicolas est le patron. Parmi les autres « protégés » du saint, il y eut aussi les **petits enfants**. Sankt Nikolaus (le saint Nicolas des pays germaniques) aurait en effet ressuscité trois petits garçons tués par un boucher qui voulait les dévorer. Dans ces légendes naquit la tradition chrétienne d'offrir des cadeaux à Noël. ●

Dans la nécropole de Myra, les tombes rupestres reproduisent la façade d'un temple ou d'une maison avec son assemblage de poutres et son toit en terrasse.

pavée de marbre, a conservé son synthronon ↪ et son autel. Le prétendu **sarcophage** du saint est entreposé dans la nef collatérale sud. Au XIᵉ s., des commerçants de Bari l'auraient fracturé pour s'emparer des reliques. Mais, d'après la légende, enivrés par la très forte odeur de myrrhe émanant de la tombe, ils se seraient trompés de corps…

● **L'antique Myra★★**. *À env. 2 km au N de la ville. Ouv. 8 h-19 h. Entrée payante.* Ses **tombes rupestres★★★**, datées du IVᵉ s. av. J.-C., comptent parmi les plus impressionnantes de Lycie. Leur originalité tient dans le fait qu'elles reproduisent fidèlement les maisons en bois de l'époque. Certaines portent des épitaphes et des **reliefs** montrant des scènes guerrières et des banquets funéraires. Le **théâtre★★** romain a conservé presque tous ses gradins. Les spectateurs qui avaient des sièges réservés ont fait graver leur nom sur le mur de la galerie, qui porte également l'effigie de Tyché, déesse de la Chance et de la For-

tune. Divers **masques sculptés★** et fragments de colonnes montrent que le bâtiment de scène était richement décoré.

● **Andriake** (Çayağzı). *À 5 km au S-E de Kale.* Le **port** de l'antique Myra formait une petite cité dont il reste des vestiges : les aqueducs, le **granarium★**, l'agora dite « Plakoma », etc. Aménagé par Hadrien, ce port fut ensuite abandonné pour cause d'ensablement.

♥ Olympos★

> *À 80 km à l'E de Kale. Ouv. 8 h-19 h 30. Entrée payante.* **Carnet d'adresses** *p. 186.*

Après Finike, la route côtière s'enfonce dans le spectaculaire **parc national des Beydağları★**, un massif du Taurus occidental. Enclavé dans un vallon abrupt, le site d'Olympos vaut surtout pour son décor d'eaux dormantes, frangées de roseaux et d'arbustes. Fondée au IIIᵉ s. av. J.-C., l'enfant terrible de la Confédération lycienne s'attira les faveurs des pirates puis, à partir du Xe s., celles des Vénitiens, des Génois et des chevaliers de Rhodes, alors maîtres de la Méditerranée. C'est aussi **l'une des plus belles plages** de la côte, déroulant une écharpe de sable de 4 km de long au pied des montagnes. L'esprit des lieux est rural : ni discothèques, ni cafés branchés, ni hôtels-clubs, rien que des pensions environnées de jardins où divaguent des poules en liberté.

Les ruines d'Olympos s'éparpillent de part et d'autre de la rivière qui traverse le site. Sur la rive gauche s'égrènent des **thermes★** pavés de mosaïques fragmentaires et, au pied de l'acropole ↪, deux **sarcophages★** ornés de reliefs (celui du capitaine Eudomos porte une rarissime représentation de **navire lycien**). Du **temple** ionique ↪ ne subsistent que les encadrements sculptés d'une **porte★** débouchant sur la broussaille. Sur la rive opposée gisent une **église byzantine**, une **nécropole** et un **théâtre** romain, enfoui sous la végétation.

Chimerae★

> À 3 km au N de Çıralı. Entrée payante. Un sentier grimpe au site (30 min de marche). Cette balade peut être effectuée à la tombée de la nuit (location de torches au guichet).

D'Olympos, on peut rejoindre Çıralı en longeant la plage (pour les motorisés, voir carnet d'adresses p. 186). À Chimerae (Yanartaş) brûle la flamme éternelle, qui symbolise l'indépendance de la Lycie antique. Des anfractuosités du sol s'échappent des émanations de méthane qui s'enflamment au contact de l'air, produisant autant de brasiers. L'Antiquité considérait ce lieu comme l'antre de **la Chimère**, un monstre cracheur de feu. La légende raconte qu'elle fut terrassée par **Bellérophon** monté sur son cheval ailé, Pégase. Le monstre réintégra les entrailles de la Terre, laissant filtrer son souffle perpétuel qui alimenta le mythe.

♥ Phasélis★★

> À 32 km au N d'Olympos. Ouv. 8 h-19 h 30. Entrée payante.

De cette **cité portuaire** rhodienne, fondée en 690 av. J.-C. au pied du mont Tahtalı, il ne reste que des fragments, infiniment romantiques, qui dorment sous les pins. La nature a repris ses droits, ourlant les baies de sable fin propice à la **baignade**. Perse au VIe s., Phasélis accueillit Alexandre le Grand en libérateur en 333 av. J.-C. Rendue à Rhodes en 191 av. J.-C., elle entra dans la Confédération lycienne en 150 av. J.-C. puis fut occupée par des pirates ciliciens. La paix romaine ramena une certaine prospérité, et ses installations portuaires furent utilisées par les Byzantins jusqu'au XIIe s.

Les **ruines** se développent au pied d'un petit promontoire, qui porte l'acropole ↪. Tirant ses ressources du commerce, la cité possédait **trois ports** dont on voit parfaitement l'emplacement. Dans l'Antiquité, le **port nord** était protégé par une jetée construite entre deux récifs. Le **port sud**, plus vaste, accueillait les bateaux de grand tonnage. Il était relié au **port militaire** (au centre) par une **voie à portiques★★**, le long de laquelle s'alignent les principaux monuments. Alimentés en eau par l'**aqueduc★** romain, les **grands thermes★** formaient un complexe associant des bains et un gymnase, par endroits pavés de marbre et de mosaïques.

Adossé à l'acropole, le **théâtre★**, d'une capacité de 2 000 places, possède encore une partie de son mur de scène. Il surplombe les **petits thermes**, avec leurs hypocaustes quasi intacts. La cité comportait trois agoras : l'**agora d'Hadrien**, en partie empiétée par une basilique byzantine ; l'**agora de Domitien**, dont l'une des deux portes est gravée d'une inscription dédicatoire ; l'**agora antique**, qui jouxte la **porte d'Hadrien**, commémorant la visite de l'empereur en 129 av. J.-C.●

La plaine pamphylienne

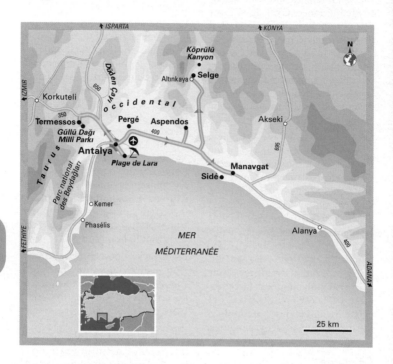

S i Antalya s'enorgueillit de plages magnifiques, elle est aussi au cœur d'une région qui regorge de **sites archéologiques**, comptant parmi les mieux préservés du pays. Ils ne sont pas très grands – rien de comparable avec Éphèse ou Aphrodisias –, mais ils se révèlent uniques par leur cadre et l'excellent état de conservation de leurs monuments. **Termessos**, **Pergé** et **Aspendos** sont des excursions aisément réalisables depuis Antalya. Quant à **Sidé**, plus éloignée, il est possible d'y trouver un hébergement puisque la cité antique s'incorpore dans une station balnéaire très fréquentée l'été. N'occultez pas l'arrière-pays et les paysages grandioses de la **chaîne du Taurus** *(encadré p. 169)*. Il suffit d'une courte incursion sur les axes routiers se dirigeant vers le plateau anatolien pour découvrir les villages montagnards des hauts plateaux.

Le « pays de tous les peuples »

Cette contrée littorale mêle des peuples d'origines diverses, les uns venant de Crète, les autres ayant fui les cités grecques du nord-ouest de l'Anatolie.

Durant les premiers siècles avant notre ère, la Pamphylie se résumait à quelques comptoirs fondés par des hommes de commerce qui, contrairement à leurs belliqueux voisins, n'avaient guère d'ambitions politiques. Les limites de leur territoire étaient d'ailleurs assez floues : principalement, la plaine d'Antalya et l'étroite bande côtière qui va vers Alanya. Si elle fut malmenée par les Lydiens, les Perses et les Séleucides, la Pamphylie devint très florissante sous la domination romaine.

À partir du VIIᵉ s., la région fut dévastée par des raids arabes, puis devint ottomane à la fin du XIVᵉ s.

♥ Antalya★★

> *À 53 km au N-E de Phasélis.* **Carnet d'adresses p. 180.**

Antalya est l'une des plus jolies villes de la côte. Il y a, bien sûr, sa baie superbe cernée de hautes montagnes, son climat ensoleillé et surtout sa vieille ville ottomane, recroquevillée autour d'un charmant port de plaisance.

Un destin tranquille

Fondée par Attale II, roi de Pergame, la ville prit de l'importance grâce à son port. Les Romains ne s'y installèrent véritablement qu'à partir de l'époque impériale. Les croisés y faisaient étape pour embarquer vers la Palestine. Quand Antalya devint seldjoukide, au début du XIIIᵉ s., son port réceptionnait les marchandises acheminées par la route caravanière d'Eğirdir. Aujourd'hui, la ville s'est considérable-

ment élargie d'est en ouest, déployant d'interminables faubourgs le long de ses deux grandes plages naturelles.

♥ La vieille ville★★

C'est en se perdant dans le dédale des venelles, bordées de maisons en encorbellement et de jardins secrets embaumant le jasmin et l'oranger, que l'on savoure le mieux l'atmosphère de la vieille ville (Kaleiçi), qui constitue avec Safranbolu *(p. 250)* le plus beau **noyau d'habitat ottoman** de Turquie.

On y pénètre par **Kale Kapısı B1** que jouxtent la **tour de l'Horloge** et le **bazar**. L'animation se concentre autour du **vieux port** (Yat Limanı) **A1-2,** enclavé dans un pan de la triple **muraille** érigée au IIIᵉ s. Là se trouve une ribambelle de restaurants et de boutiques, aménagées dans des demeures réhabilitées. L'époque seldjoukide a légué **Kara-**

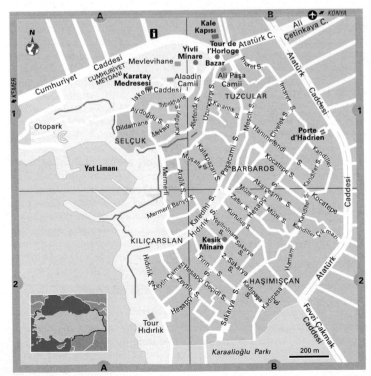

ANTALYA : LA VIEILLE VILLE

La pittoresque marina d'Antalya est enserrée dans les restes impressionnants des fortifications.

tay Medresesi★ (1250) **A1** et Yivli Minare★ (1230) **B1**, dont l'élégant fût cannelé est devenu l'emblème de la cité. Plus à l'écart, au détour de ruelles paisibles, se dresse **Kesik Minare★** (minaret tronqué) **B2** accolé aux murs d'une ancienne église byzantine, transformée en mosquée au XIVe s. Coincée dans le rempart, entre deux tours de guet, la **porte d'Hadrien★ B1** a fière allure avec sa triple voûte à caissons et son entablement sculpté. Elle fut construite en 130, pour commémorer la visite de l'empereur Hadrien.

Le Musée archéologique★★

> *À 2,5 km du centre sur la route de Kemer. Desservi par le tramway. Ouv. t.l.j. sf lun. 8 h 30-12 h et 13 h 30-17 h 30. Entrée payante.*

C'est l'un des plus riches musées du pays. Ses collections, constituées par les trouvailles faites dans la région, sont présentées chronologiquement. De la préhistoire, on retiendra surtout les **figurines de Hacılar** et les idoles découvertes à **Elmalı**, quasi identiques à celles des Cyclades. Les **salles phrygiennes★★** renferment divers bronzes, figurines et vaisselle précieuse. La **section gréco-romaine★★**, qui contient essentiellement des statues provenant des fouilles de Pergé, documente le panthéon de la Grèce antique : Zeus, Apollon, Athéna, Aphrodite, Isis, Tyché, Sérapis… La section d'**art chrétien** renferme diverses **icônes** et les présumées **reliques** de saint Nicolas. Dans la **section ethnographique★**, vous verrez des reconstitutions d'intérieurs bourgeois et de campements nomades. Il ne vous restera plus qu'à profiter des joies de la mer sur la **plage de Konyaaltı**, récemment réhabilitée, qui déroule une bande de galets de 7 km de long (*accès payant pour les parties aménagées*).

La plage de Lara

> *À 10 km au S-E du centre. Accès payant.*

Cette plage de sable fin est bien plus attractive que celle de Konyaaltı. C'est d'ailleurs à proximité que le cours tumultueux de la Düden se jette dans la Méditerranée du haut d'une falaise. Ces **chutes** (Düden Çayı) se contemplent depuis la mer (embarquement dans la marina). Des *dolmuş* desservent les **chutes supérieures** (Düden Başı), situées en amont de la rivière, à 10 km au nord-est du centre-ville.

♥ Termessos★★

> *À 34 km au N-O d'Antalya, par la route de Korkuteli. Ouv. 8h-19h. Entrée payante. Les billets se prennent à l'entrée du parc national de Güllü Dağı. Le site n'est pas desservi par les transports en commun ; les non-motorisés devront louer un taxi à Antalya (40 € aller-retour).*

À flanc de montagne, à plus de 1 000 m d'altitude, s'accrochent des ruines livrées aux excentricités naturelles. Le site, réellement spectaculaire, impressionne tant par son romantisme que par la majesté de ses montagnes pataugeant dans la pinède et les buissons touffus. Termessos a été peu fouillé et son histoire reste fragmentaire. En 333 av. J.-C., ses vaillants habitants résistèrent héroïquement à Alexandre le Grand, qui n'hésita pas à brûler toutes les cultures et oliveraies. Ayant pris le parti de Rome contre Mithridate, roi du Pont, Termessos jouit de certains privilèges à l'époque romaine. La cité fut abandonnée au Ve s.

Les monuments sont signalés par des pancartes portant des numéros *(P1, P2…)*. Depuis le parking, un sentier grimpe vers la cité en suivant le tracé de la **voie royale**. Il passe par la **porte de la ville haute** *(P9)*, longe

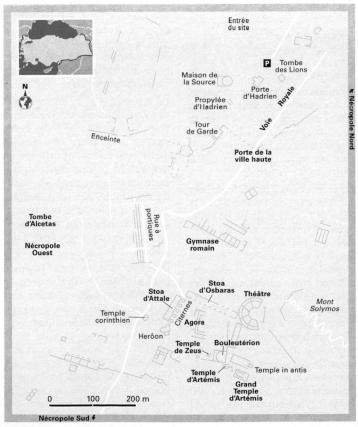

TERMESSOS

un **gymnase romain*** bien conservé, puis débouche sur l'**agora** bordée par deux portiques fragmentaires : la **stoa** ↳ **d'Attale** et la **stoa d'Osbaras**. Magnifiquement orienté vers la montagne rocailleuse, le **théâtre**** *(P15)* pouvait accueillir 4 200 spectateurs. Les sénateurs se réunissaient dans le **bouleutêrion*** ↳ *(P17)*, qui a conservé ses murs sur 10 m de hauteur. Ici se trouvait la zone sacrée de la cité, puisque s'y regroupent **quatre temples**, ceux dédiés à **Artémis** *(P18)* et à **Zeus** *(P19)* étant les moins abîmés. Chahutée par les tremblements de terre, la ♥ **nécropole sud**** ressemble à une scène de Jugement dernier, avec sa centaine de sarcophages catapultés dans tous les sens. La **nécropole ouest** contient une **tombe rupestre*** ornée d'un relief figurant **Alcétas**, un général d'Alexandre le Grand.

Pergé**

*> À 16 km à l'E d'Antalya. Ouv. 8 h-19 h.
Entrée payante.*

Ses ruines très suggestives montrent la structure d'une ville antique, conçue par le génie civil romain. La vie quotidienne des habitants se dévoile au fil des bâtiments relatifs pour la plupart au commerce, aux loisirs et aux bienfaits de l'eau.

Pergé aurait été fondée par des guerriers grecs, au lendemain de la chute de Troie (à la fin du IIe millénaire). Construite non loin des rives du Kestros (l'actuel Aksu Çayı), la ville tirait profit de cette connexion maritime pour commercer, tout en se tenant à l'abri des pirates. Comme toutes les cités pamphyliennes, elle connut son heure de gloire à l'époque romaine. Ses plus beaux monuments (le théâtre et le stade) ont été construits durant la *pax romana*, ce qui explique leur emplacement hors du périmètre fortifié. À l'instar de Sidé, Pergé devint ensuite un grand centre chrétien, visité notamment par saint Paul.

Adossé contre la colline, le **théâtre**** *(en restauration)* pouvait contenir 13 000 spectateurs dans sa *cavea* ↳ légèrement outrepassée. Le mur de scène, richement décoré, porte des frises illustrant le mythe de Dionysos.

Le **stade*** est le mieux conservé d'Asie Mineure, après celui d'Aphrodisias. Ses gradins, d'une capacité de 15 000 spectateurs, s'appuient contre des galeries voûtées, dissimulant 70 pièces qui servaient d'entrepôts ou de boutiques. Des inscriptions indiquent la nature du commerce qui y était pratiqué.

Au IVe s. apr. J.-C., l'extension de la cité motiva le remaniement de ses **remparts** hellénistiques, jalonnés de tours de guet. On entre dans la ville par la **porte romaine**, qui débouche sur une esplanade bordée par un **nymphée** ↳. L'inscription mentionne qu'il était dédié à Septime Sévère et à Artémis Pergaïa, la divinité tutélaire de la cité, dont le somptueux temple – probablement érigé sur l'acropole – n'a pas encore été localisé.

Un **propylée** ↳ *(à g.)* donnait accès aux grands **thermes****, étonnamment conservés avec leurs salles pavées de marbre et creusées de bassins. Sous les portiques de l'**agora*** *(à dr.)* apparaissent par endroits des fragments du pavement en mosaïque. Les boutiques qui l'enserraient sont encore bien visibles, de même que la tholos ↳, vraisemblablement consacrée à des pratiques cultuelles.

Datée du IIIe s. av. J.-C., la **porte hellénistique**** est flanquée de deux tours qui gardent l'entrée d'un parvis en forme de fer à cheval. Cette construction marquait l'entrée principale de la ville mais, après la réfection du rempart, elle n'eut plus qu'une fonction décorative. Barrée par l'arc de triomphe de Plancia Magna, elle ouvre sur la **voie à portiques**** qui traverse la ville basse jusqu'au pied de l'acropole. Dans le schéma grec (acro-

Le théâtre romain d'Aspendos est l'un des mieux conservés du monde antique.

pole-ville basse, découpée en damier), Rome avait introduit le principe du *cardo* ↝ et du *decumanus* ↝, ces deux voies principales se coupant à angle droit. Sur toute sa longueur, le *cardo* a conservé ses colonnades de marbre, derrière lesquelles s'alignaient des boutiques. En bout de parcours, il bute contre un **nymphée** ↝ **monumental****, dont la niche centrale logeait la statue du dieu Kestros (le fleuve de Pergé). Un bassin recueillait les eaux d'une source, qui s'écoulaient dans la rigole axiale du *cardo*, procurant un peu de fraîcheur aux promeneurs. L'**arc de triomphe de Démétrios** souligne le croisement avec le *decumanus*, dont le bras ouest se dirige vers une **palestre** ↝ et des **bains**.

Aspendos***

> *À 36 km à l'E de Pergé. Ouv. 8 h-19 h. Entrée du théâtre payante.*

Son théâtre quasiment intact justifie à lui seul la visite d'Aspendos, déjà florissante au temps des Perses (VIe-Ve s.) grâce à sa situation sur les berges de l'Eurymédon (aujourd'hui Köprüçay), qui lui procurait un débouché sur la mer. Toutes les ruines datent de l'époque romaine, pendant laquelle la ville parvint au faîte de sa gloire.

Le **théâtre***** est un exemple parfait d'enceinte romaine, avec son hémicycle légèrement outrepassé qui fusionne avec le **mur de scène**. Ce dernier fait toujours forte impression. Il n'y manque que les statues et les deux étages de colonnes formant jadis une élégante façade à tabernacles, revêtue de marbre. Le fronton triangulaire central s'orne d'un relief à l'effigie de Dionysos, protecteur des théâtres. 15 000 personnes pouvaient prendre place sur les gradins, couronnés d'une belle galerie voûtée servant de promenoir. Une fois au sommet, vous remarquerez que la hauteur du mur de scène équivaut à celle du promenoir afin de parfaire l'acoustique, ici exceptionnelle. Pour protéger les spectateurs du soleil, il suffisait de tirer un *velum* (grande toile arrimée à des pieux de fixage) entre les deux murs. Une inscription gravée à l'en-

À la découverte du Taurus

© Gil Giulio / Hémisphères Images

Le canyon de Köprülü, parcouru par la tumultueuse rivière Köprü, s'étire sur 14 km et atteint en certains endroits une profondeur de 400 m.

Si vous disposez de temps et que l'aventure vous tente, partez à la découverte des somptueux paysages montagneux du Taurus. La plupart des agences de voyages locales organisent des **excursions en Jeep** d'une ou de plusieurs journées au départ d'Antalya ou de Sidé. **Une excursion d'une journée** vous conduira dans la gorge de **Köprülü Kanyon**, à 50 km au nord d'Aspendos, où les sports d'eaux vives peuvent se pratiquer sur un parcours aménagé. En poussant jusqu'à Altınkaya, vous pourrez admirer les ruines de **Selgé**, la grande rivale de Termessos. Ses vestiges comportent un stade, deux petits temples et le théâtre romain, taillé à même la roche. ●

trée nous a livré le nom de son architecte, **Zénon**, qui travailla sous le règne de Marc Aurèle (IIe s.). Des autres vestiges de la cité, seul l'**aqueduc★★** (IIe s. apr. J.-C.), appuyé contre le flanc nord de l'acropole, mérite le coup d'œil. D'une longueur de 850 m, il transportait l'eau des collines acheminée depuis la source par des canalisations en pierre, le débit étant régulé par les deux **châteaux d'eau** placés aux extrémités de l'ouvrage.

Sidé★

> *À 36 km à l'E d'Aspendos. Parking payant, en face du théâtre. La presqu'île est interdite d'accès aux véhicules.* **Carnet d'adresses** *p. 187.*

Le village d'antan s'éparpillait harmonieusement au milieu d'un champ de ruines, sur une presqu'île encadrée par deux plages. Malheureusement, Sidé a sacrifié l'atout cœur pour jouer la carte, plus rentable, de la manne touristique. Le charme unique du site est aujourd'hui bien entamé, mais il reste le théâtre romain et la mer... Les marins grecs ont fait la fortune de Sidé, la plus puissante des cités de Pamphylie. Tombée aux mains des pirates, au Iᵉʳ s. av. J.-C., elle devint un important marché aux esclaves. La domination romaine lui apporta la prospérité, au IIᵉ s. apr. J.-C. Devenue le siège épiscopal de la Pamphylie au Vᵉ s., elle succomba devant les raids arabes dévastant la plaine entre les VIIIᵉ et Xᵉ s. La cité ne se réveilla qu'au début du XXᵉ s. lorsque des paysans turcs, venus de Crète, colonisèrent la péninsule.

La **porte de la ville**, très ruinée, perce les remparts élevés au IIᵉ s. av. J.-C. La route actuelle suit le tracé de la **voie antique***, qui débouche devant le port. Entièrement bordée de portiques, dissimulant des **boutiques** dont on voit encore l'emplacement, elle s'engouffre, au niveau du théâtre, sous une grande **arche** coincée entre la gracieuse façade à tabernacles de la **fontaine de Vespasien*** et un autre **nymphée*** ↪ comprenant trois bassins. Le **musée*** *(ouv. 8h-12h et 13h30-19h; entrée payante)* occupe un bain byzantin du Vᵉ s. Outre le fonctionnement des thermes, vous y verrez des sculptures trouvées sur le site, notamment le **groupe des trois Grâces***.

La vie économique de la cité palpitait dans l'**agora**, vaste place qui porte les vestiges des **latrines publiques** *(à l'angle S-O)* et d'un petit temple circulaire dédié à Tyché. Le marché aux esclaves se tenait probablement dans l'**agora**

d'État *(accès par le sentier qui longe les remparts)*, bordée par un élégant bâtiment qui devait servir de **bibliothèque***; sa belle façade à tabernacles comporte des niches où logeaient des statues.

Le **théâtre romain*** *(ouv. 8h-19h; entrée payante)*, remarquablement conservé, pouvait accueillir 15 000 spectateurs. Bâti sur un terrain plat, l'hémicycle s'appuie sur de puissantes substructions dissimulant tout un réseau de galeries internes, qui desservent les gradins. Le mur de scène s'orne d'une frise mythologique relative à Dionysos.

Diverses ruines de bains et de constructions byzantines s'éparpillent dans la **presqu'île** (flânez-y de bon matin, quand les boutiques de Liman Cad. sont encore fermées). Sur la pointe du cap, à proximité de l'ancien port, **deux temples corinthiens*** ↪, dédiés à Apollon et à Athéna, contemplent le crépuscule des dieux. Un café occupe désormais la **cella** ↪ semi-circulaire du **temple de Men**, une divinité lunaire d'origine phrygienne.

Manavgat

> *À 12 km à l'E de Sidé.*

Havre de fraîcheur, les **chutes de Manavgat*** *(à 4 km au N de la ville)* sont spectaculaires, même si elles ne sont pas très hautes. Il est possible de parcourir la rivière en bateau. L'arrière-pays de Manavgat, terre de pâturages, est particulièrement beau. En prenant la route d'Akseki, vous pourrez aisément excursionner dans les premiers contreforts du Taurus *(encadré ci-contre)*. ●

La Cilicie

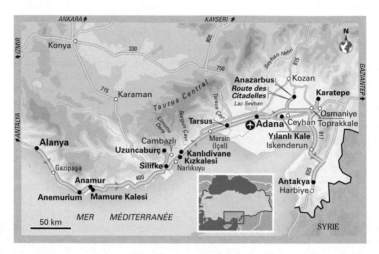

À la Pamphylie succède la Cilicie, le chemin de ronde des croisés. L'attrait architectural réside dans l'abondance de **forteresses**, témoignage du temps où les **croisés** disputaient les places fortes de la Cilicie aux **Arméniens**, aux **Byzantins** et aux **Seldjoukides**. Des sites antiques intéressants, quoique moins connus, jalonnent le parcours jusqu'à la frontière syrienne. Au-delà de Silifke débute la grande plaine alluviale de Çukurova, vouée au commerce et à l'agriculture ; la route devient plus monotone. On aborde Mersin, Adana et Iskenderun, qui montrent le visage d'une Turquie moins sophistiquée, plus vivante, reflet d'une réalité économique entreprenante.

Alanya★

> *À 62 km à l'E de Sidé.* **Carnet d'adresses** p. 178.

La puissante citadelle des sultans seldjoukides a connu un fantastique engouement : elle s'est étendue d'est en ouest, un nombre croissant d'hôtels s'égrenant désormais le long de ses deux plages de sable fin. Au sommet de l'abrupt promontoire rocheux, la forteresse se complaît dans son passé nostalgique, et l'on s'y promène avec toujours autant de plaisir. C'est en 1221 que le sultan seldjoukide Keykubat Ier installa sa résidence hivernale à Alanya. Tête de pont de la route caravanière reliant la ville à Beyşehir, son port commerçait activement avec les Levantins ↳, les Égyptiens et les Génois.

Au bout de la marina se dresse **Kızıl Kule★** (la tour Rouge ; *ouv. 9 h- 19 h 30 ; entrée payante*), belle construction octogonale réalisée par un architecte d'Alep. Haute de 33 m, elle commandait l'accès du port médiéval. L'intérieur abrite un musée ethnographique. De la terrasse supérieure, vous jouirez d'un beau panorama sur la vieille ville et l'**arsenal seldjoukide** (1227), creusé dans la falaise. Pour y accéder, empruntez le bateau ou le sentier derrière la tour. Tout le promontoire rocheux est ceinturé par les remparts de la **citadelle seldjoukide★★**, qui comporte trois enceintes jalonnées de 146 tours. Prenez le taxi pour gagner, à 3 km du centre, la **forteresse supérieure** (Iç Kale ; *ouv. 8 h-19 h ; entrée payante*), dissimulant dans ses murs les ruines d'une basilique byzantine et d'une citerne. Rien que le panorama sur la péninsule, entre mer et montagnes, justifie la visite. La ♥ **forteresse médiane** invite le promeneur dans la Turquie d'autrefois. Ce bucolique hameau, corseté de remparts, renferme la mosquée Süleymaniye et de jolies maisons ottomanes. Au niveau du fortin d'Ehmedek, un chemin vous permet de redescendre à pied jusqu'au bazar. Coincée entre l'office du tourisme et la **plage de Cléopâtre**, la **grotte de Damlataş** *(ouv. 10 h-20 h ; entrée payante)* et ses célèbres concrétions (stalactites et stalagmites) suintent l'humidité. Cette atmosphère moite, d'une température constante de 22-23 °C, aurait des vertus curatives contre l'asthme.

Anamur*

> À 130 km au S-E d'Alanya. **Carnet d'adresses** p. 179.

Station balnéaire en plein essor, Anamur est très prisée des estivants turcs. Autant loger près de la plage, dans le quartier d'Iskele *(à 3 km du centre)*. Édifié sur le rivage, ♥ **Mamure Kalesi*** *(à 7 km par la route de Silifke ; ouv. 8 h-20 h ; entrée payante)* est un joyau de l'architecture médiévale. D'origine arménienne, la forteresse actuelle date, en majeure partie, des reconstructions entreprises par les émirs de Karaman au XIIIe s., puis par les Ottomans. Ses murs quasi intacts dissimulent deux cours, dont l'une renferme une petite mosquée. Pour admirer la place forte sous tous ses angles, ne manquez pas d'arpenter le **chemin de ronde**, aménagé au sommet des remparts crénelés.

© Rolf Richardson/Hoa-Qui

La forteresse d'Anamur.

♥ Anemurium**

> *À 12 km au S-O d'Anamur. Prendre la direction d'Alanya sur 8 km puis bifurquer à g. Le site est signalé par une pancarte. Ouv. 7 h 30-20 h. Entrée payante.*

Fondée par les Phéniciens, cette cité antique s'élève au pied d'un petit cap, ourlé d'une belle **plage** de galets (baignade possible). Elle connut une certaine prospérité à l'époque romaine. Sur le flanc de la colline se déploie une gigantesque **nécropole****. À l'intérieur des tours funéraires, comportant une antichambre, un caveau et parfois un étage, on distingue quelques traces de fresques et de mosaïques, illustrant des faits mythologiques.

Du **théâtre**, il ne reste que la forme. L'**odéon**** ↪, partiellement pavé d'une mosaïque à motifs géométriques, est en bien meilleur état. On peut longer le tracé de l'aqueduc qui alimentait les **thermes*** (IIIe s.), vaste construction dont il subsiste de belles salles voûtées et un pavement en mosaïque fragmentaire.

Près du rivage s'égrènent diverses **églises byzantines** au sol richement dallé de marbre.

Silifke
et ses environs**

> *À 150 km à l'E d'Anamur. Carnet d'adresses p. 188.*

Dominée par une **forteresse médiévale** construite par les croisés, Silifke mérite une halte pour son atmosphère conviviale et son riche **arrière-pays****. Ce fut une cité florissante à l'époque séleucide (IIe s. av. J.-C.). Elle s'appelait alors Séleucie, et sa renommée ne cessa de croître pendant les époques romaine et byzantine. De ce riche passé ne subsistent guère qu'une vaste citerne byzantine (**Tekirambarı**) aux pieds de la forteresse, et un temple romain fragmentaire (*sur Inönü Bul.*).

Dans les premiers temps du christianisme, l'**église de Sainte-Thècle*** (*à 6 km au S-O du centre-ville*) attira une foule considérable de pèlerins. La **grotte** où la sainte aurait terminé ses jours se trouve sous une basilique en ruine, édifiée au Ve s.

♥ Uzuncaburç**

> *À 30 km au N de Silifke. Ouv. 8 h-18 h. Entrée payante.*

L'excursion vers les ruines de l'ancienne Olba (« la ville heureuse ») des Séleucides, devenue Diocaesarea sous les Romains, emprunte une belle route montagneuse, qui passe à proximité des **tombeaux**** en forme de temple romain de **Demircili**. Sans avoir l'importance de Pergé ou de Sidé, le site est très romantique…

Juste après le **théâtre** débute une **voie à portiques** (le *cardo* ↪), bordée d'une colonnade corinthienne ↪ fragmentaire. Elle passe sous la **porte de Parade*** (IIe s.), sorte d'arc de triomphe porté par une double rangée de six colonnes (trois sont toujours en place), et, aux deux tiers de sa longueur, elle croise le *decumanus* ↪ dont le bras nord aboutit devant la **porte romaine*** à trois arches, intégrée aux remparts. Le **temple de Zeus Olbien****, qui a conservé son péristyle ↪, est l'un des plus vieux temples corinthiens ↪ que l'on connaisse (IIIe s. av. J.-C.). À l'extrémité du *cardo*, le **temple de Tyché***, dédié à la déesse de la Fortune et de la Chance, dresse cinq colonnes de granit, coiffées de chapiteaux corinthiens. Voyez aussi la haute **tour** (22 m), datée de l'époque hellénistique, qui commandait jadis le point culminant du rempart.

Dans l'Antiquité, Uzuncaburç était reliée à Kızkalesi et à Silifke par des voies pavées. Voilà pourquoi le ♥ **plateau**** environnant est jonché de **villes mortes**, regroupant de magnifiques édifices en pierre, d'époques romaine et byzantine. Le dépeuplement de ces collines, couvertes d'un maigre maquis, a probablement pour cause les invasions arabes du VIIIe s. et la disparition des anciens circuits commerciaux.

À **Cambazlı** (à l'E d'Uzuncaburç, par la route d'Ura) se dresse une superbe **basilique★★** byzantine, dont l'appareil en granit emploie des chapiteaux corinthiens ↪. La route en direction de Pazlı (au S) mène à **Mezgit Kale★★**, où vous verrez un temple funéraire (IIIe s.), sculpté d'un gigantesque phallus. Diverses constructions (maisons, basiliques, citernes et un étonnant tétrapylon) parsèment **Karakabaklı★** et **Işıkkale★** (à 6 km au N de Karadedeli, située sur la grande route entre Silifke et Susanoğlu).

Le plateau recèle également des **curiosités naturelles** du côté de Narlıkuyu (à 17 km à l'E de Silifke). Au fond du gouffre du Paradis (**Cennet★**; ouv. 8 h-18 h; entrée payante) se dresse une émouvante **église** paléochrétienne, dédiée à la Vierge. Juste à côté s'ouvre le gouffre de l'Enfer (**Cehennem**), l'antre supposé du monstrueux Typhon, le géniteur du chien Cerbère et de la Chimère.

Kızkalesi★

> À 30 km à l'E de Silifke. **Carnet d'adresses p. 185.**

Un véritable cliché de carte postale : deux châteaux se font face, l'un sur la plage, l'autre à 200 m au large. Celui de **Korigos★** (côté plage; ouv. 8 h-19 h; entrée payante), édifice arménien du XIIe s., se visite aisément; celui de ♥ **Kızkalesi**, le château de la Jeune-Fille, s'atteint en barque ou à la nage. D'après la légende, il aurait été construit sur cet îlot par un souverain arménien qui voulait soustraire sa fille au sort maléfique prédisant qu'elle mourrait d'une morsure de serpent; précaution inutile, puisque l'on offrit à la belle une corbeille de fruits dans laquelle se cachait le reptile…

♥ Kanlıdivane★

> À 11 km au N-E de Kızkalesi. Ouv. 8 h-17 h 30. Entrée payante.

De beaux monuments en pierre s'éparpillent autour d'un impressionnant **gouffre** creusé par endroits de tombes rupestres. Les ruines d'époque byzantine se résument à **quatre basiliques** (deux d'entre elles ont conservé l'élévation de leurs murs sur 10 m de hauteur) et un **tombeau★** en forme de temple antique. En quittant le site, poussez vers le village de Çanakçı pendant 1 km. Au fond d'un vallon se dissimule une **nécropole rupestre★★**, comportant neuf reliefs sculptés à fleur de roche.

Tarsus (Tarse)

> À 30 km à l'E de Kızkalesi.

On a peine à imaginer que Tarse fut l'un des grands centres intellectuels du monde antique. Cette cité moderne a pourtant accueilli les plus grands maîtres de la pensée stoïcienne, a vu naître saint Paul et fut l'un des premiers évêchés d'Asie Mineure. Les principales curiosités se regroupent dans un petit périmètre du centre-ville. Accolée aux murs d'un ancien bain romain, la **Kilise Camii★** occupe les beaux murs voûtés d'une église arménienne, transformée en mosquée au XVe s. Bâtie au XVIe s. sur l'emplacement de l'ancienne cathédrale Saint-Paul, l'**Ulu Cami** (la Grande Mosquée) réinterprète le plan hypostyle ↪ syrien, avec une salle de prière rectangulaire, orientée dans la largeur. L'époque romaine a légué la **porte de Cléopâtre**, qui se dresse à l'extrémité est du grand boulevard. Le centre culturel (à g. dans Uygur Cad.) incorpore un petit **musée** (ouv. t.l.j. sf lun. 8 h-17 h; entrée payante), qui contient des verreries minoennes, des sculptures de diverses époques, etc. Ne manquez pas le **pont de Justinien**, à la sortie de la ville en direction d'Adana.

croisades

Les forteresses chrétiennes

© Photothèque Hachette

Au XIe s., les Arméniens, peuple de bâtisseurs et de commerçants, fuirent les invasions seldjoukides et fondèrent le royaume de la Petite Arménie en Cilicie (enluminure du Livre des merveilles du monde, *de Marco Polo, vers 1410).*

L'époque des croisades a jalonné la **route de la Terre sainte** de forteresses franques. Au début du XIIe s., **quatre États latins** issus de la première croisade se forment aux confins de la Méditerranée orientale : la principauté d'Antioche, le comté d'Édesse, le comté de Tripoli et le royaume de Jérusalem. Pour tenir les points stratégiques et contrôler les voies de passage, les Francs édifièrent leurs premières places fortes **le long de la côte**, de façon à établir une communication maritime permanente avec l'Occident. Par la suite, ils investirent les **contreforts montagneux**, ceignant les éminences d'épaisses enceintes soigneusement appareillées, d'où ils communiquaient avec le littoral par signaux optiques. On a longtemps pensé que l'architecture militaire franque s'était épanouie au contact du monde arabo-byzantin. Les forteresses byzantines, conçues pour abriter des garnisons importantes, perpétuaient des principes défensifs vieux d'un millénaire. Or, les Francs, qui ne maintenaient dans leurs bastions qu'un nombre réduit de soldats, s'inspirèrent, en fait, de l'architecture arménienne. ●

Adana

> *À 40 km à l'E de Tarse.* **Carnet d'adresses** *p. 177.*

Cette métropole grandie trop vite déborde d'une activité tout orientale. C'est aujourd'hui la quatrième ville du pays et la capitale économique de la Cilicie, dont la croissance repose principalement sur les industries textiles et la culture du coton. Si vous flânez dans les rues, les délicieux effluves s'échappant des *kepapçı* sauront vous rappeler que la spécialité culinaire locale est l'*Adana kebap*, une variété de grillade très épicée. Au nord de la ville, le **lac artificiel de Seyhan** attire les promeneurs nocturnes en quête d'un peu de fraîcheur. Adana est tellement embouteillée qu'il vaut mieux l'explorer à pied. Le **quartier commerçant** (intéressantes boutiques de confection) palpite autour d'Inönü Cad.

Le ♥ **Musée ethnographique*** *(Özler Cad.; ouv. t.l.j. sf lun. 8 h 30-12 h 30 et 14 h 30-17 h; entrée payante)* occupe les murs d'une église édifiée par les croisés. Les 16 arches du **Taş Köprü** *(pont d'Hadrien, à l'extrémité S-E d'İnönü Cad.)*, construit au IIe s. de notre ère par les Romains, enjambent la rivière Seyhan. Un peu plus bas se dresse l'**Ulu Cami** (XVIe s.), une élégante construction de style syrien.

La route des citadelles**

> *Circuit en boucle de 240 km, au départ d'Adana.*

En terre cilicienne, les Arméniens édifièrent de nombreux bastions qui, par leur puissance, figurent au nombre des plus beaux châteaux conservés en Orient. Leur originalité tient aussi bien à la variété des **voûtes** (ogive, coupole ou berceau) qu'à leurs **qualités défensives**: systématisation des meurtrières, tours arrondies, emploi d'un appareil de pierre à bossage.

Yılanlı Kale**

> *À 41 km à l'E d'Adana, par la route de Ceyhan.*

Cet imposant château fort se dresse sur une crête calcaire, dominant le fleuve Ceyhan. Il s'agit d'une fondation princière arménienne, attribuée à Léon Ier (XIIe s.). Sa muraille bien conservée est renforcée par des tours semi-circulaires sur le flanc le plus vulnérable. Un puissant rempart transversal sépare la première enceinte des quartiers résidentiels, où se trouve une petite chapelle.

Anazarbus**

> *À 38 km au N de Yılanlı Kale.*

La forteresse (Anavarza) domine une ville basse, jonchée de débris romains à peine fouillés. Sa longue muraille épouse avec sûreté le bord escarpé de la falaise. On ne peut accéder que dans la première enceinte, où se dresse l'église funéraire des barons arméniens. Le **donjon*** qui garde l'entrée de la deuxième enceinte dissimule d'admirables voûtes.

Karatepe**

> *À 49 km à l'E d'Anazarbus. Ouv. 8 h-18 h. Entrée payante.*

Une belle pinède, accolée à un lac artificiel, sert d'écrin naturel à un palais néo-hittite daté du VIIIe s. av. J.-C. Les épais murs en basalte sont percés par **deux portes****, flanquées de lions, qui donnent accès dans le vestibule autour duquel s'ordonnent les pièces d'habitation. La décoration consistait en orthostates dressés devant les murs. Ces **bas-reliefs****, sculptés d'amusantes scènes décrivant la vie de la cour, sont conservés *in situ*.

Antakya*

> *À 196 km au S-E d'Adana. Carnet d'adresses p. 179.*

Ce n'est déjà plus tout à fait la Turquie. L'influence syrienne est perceptible dans la cuisine comme dans l'architecture, et la langue arabe est parlée par la moitié de la population. Antakya n'a quasiment plus rien à voir avec la grande **Antioche** d'il y a 2 000 ans. C'est vers l'an 300 av. J.-C. qu'Antioche fut fondée par Séleucos, l'un des quatre généraux qui se partagèrent l'empire d'Alexandre le Grand.

Au cœur de la puissance séleucide, elle devint l'un des grands pôles commerciaux du monde oriental. Réputée pour son **luxe effréné** et ses **plaisirs**, elle comptait 500 000 habitants lorsqu'elle devint romaine, au Ier s. av. J.-C.

Siège d'un patriarcat orthodoxe, elle accueillit Barnabé, Paul et Pierre, qui y fondèrent l'une des premières communautés chrétiennes. Anéantie par un violent séisme au VIe s., elle fut ensuite continuellement disputée entre les Francs, les Byzantins, les Arméniens et les Mamelouks.

L'Oronte (Asi Nehri) scinde la ville en deux : sur la rive ouest, la ville administrative et résidentielle ; sur la rive est, le bazar et les quartiers anciens. Dominée par la masse imposante de sa citadelle, la **vieille ville★** regroupe quelques mosquées de style syrien et les églises des diverses confessions. Son ♥ **bazar** est un lacis de ruelles colorées, fonctionnant par sectorisation : tissus, quincaillerie, fruits et légumes, épiceries fines où s'empile en tas le fameux savon de Harbiye, parfumé à l'huile de laurier. Le ♥ **musée Hatay★★★** *(sur Cumhuriyet Alanı ; ouv. t.l.j. sf lun. 8 h-12 h et 13 h 30-17 h ; entrée payante)* abrite l'une des plus belles collections au monde de **mosaïques romaines**, découvertes dans des villas d'Antioche, de Séleucie de Piérie, de Daphné (Har-biye) et d'Alexandrette (Iskende-run). Ce sont de véritables tapis pétrifiés, avec leurs riches bordures à motifs géométriques ou floraux, et leurs coloris chatoyants qui ravissent le regard. Les plus beaux panneaux illustrent des thèmes mythologiques : les **Quatre Saisons★★★**, **Narcisse et Écho★★**, **Dionysos et Ariane★★**, **Thalassa et le pêcheur nu★★**, etc.

La **grotte de Saint-Pierre★** *(à 3 km au S ; ouv. t.l.j. sf lun. 8 h 30-12 h et 13 h 30-16 h 30 ; entrée payante ; les billets se prennent au musée Hatay)* accueillit la toute première église chrétienne d'Antioche. Saint Pierre comme saint Paul seraient venus y prêcher. Les croisés fermèrent ultérieurement la grotte par une belle façade en pierre. Un office religieux y est encore célébré le 29 juin. ●

Carnet d'adresses

La plage d'Ölüdeniz.

Sachez qu'en été, le climat est particulièrement moite sur la bande littorale entre Fethiye et Antakya. L'infrastructure hôtelière est bien développée entre Marmaris et Alanya. À partir de la catégorie ▲▲▲, les hôtels acceptent les cartes de paiement mais imposent le plus souvent la formule demi-pension. Les buffets servis à l'hôtel sont copieux mais souvent médiocres, alors que la cuisine est un des grands plaisirs de la région. Vous vous déplacerez à moindres frais d'une ville à l'autre en empruntant le réseau des autocars. La voiture s'avère utile pour rayonner dans l'arrière-pays ou atteindre les sites antiques excentrés.

Carte de l'ancienne Carie p. 150.
Carte de la côte lycienne p. 154.
Carte de la plaine pamphylienne p. 162.
Carte de la Cilicie p. 170.

Adana

> *Visite p. 174. Indicatif téléphonique* ☎ *(0 322)*

ℹ️ Atatürk Cad. 11 ☎ 363.12.87.

Se déplacer

● **Gare routière**. Turhan Cemal Berikler Bul., à 5 km à l'O du centre-ville ☎ 428.20.47. Les meilleures compagnies locales sont **Metro**, **Lüks Adana** et **Seç**.

● **Turkish Airlines**, Prof. Dr. Nusret Fişek Cad. 22 ☎ 457.02.22. Vols quotidiens vers Istanbul et Ankara. Une navette (départ devant l'agence) dessert l'aéroport, qui se trouve à 4 km à l'O du centre-ville.

Hôtels

▲▲▲▲ **Inci**, Kuruköprü Meydanı, Kurtuluş Cad. ☎ 435.82.34, fax 435.83.68. Situation centrale pratique. *89 ch.* exiguës mais de bon confort.

▲▲▲ **Akdeniz**, Inönü Cad. 22 ☎/fax 363.15.10. Une excellente adresse. *30 ch.* délicieusement romantiques.

Restaurants

Beaucoup de petites gargotes bon marché sur Inönü Cad. (notamment **Üç Kardeşler**) et Atatürk Cad.

♦♦ **Asmaltı**, Büyük Saat Kulesi Yanı. Toute la gamme des *kebap* et des *meze*.

♦♦ **Öz Onbaşı**, Baraj Yolu 45, Durak 65. Très fréquenté en soirée. Beau buffet de *meze* et grand choix de brochettes dont d'excellents *Adana kebap*.

♦♦ **Tombik**, Cemalpaşa Mah., 6 Sok 11/A, Seyhan. Cadre très agréable pour déguster d'excellents *Adana kebap*.

Alanya

> *Visite p. 170. Indicatif téléphonique* ☎ *(0 242)*

❶ Damlataş Cad. 1 ☎ 513.12.40.

Se déplacer

● **Gare des dolmuş.** Elle est coincée entre Atatürk Cad. et Tevfikiye Cad., au N-O du port ; minibus pour Manavgat, Regülatör Gölü, etc. Ceux qui vont à la citadelle partent de l'arrêt qui jouxte un hammam, à l'extrémité est de Damlataş Cad. ; un départ toutes les heures.

● **Gare routière.** Sur A. Dizdaroğlu Cad., à 3 km à l'O du centre-ville.

Adresses utiles

● **Poste et banques.** Sur Atatürk Cad.

● **Tours en bateau.** Balades autour de la presqu'île : départ du port ; prix fixes.

Hôtels

Ils pullulent le long des deux plages qui s'étendent à l'ouest et à l'est du promontoire.

---

budget

Hébergement

En haute saison, pour une chambre double (petit déjeuner inclus) :

▲▲▲▲▲ plus de 120 €

▲▲▲▲ de 80 à 120 €

▲▲▲ de 40 à 80 €

▲▲ de 20 à 40 €

▲ de 10 à 20 €

Restaurants

Pour un repas (plat avec une boisson non alcoolisée, salade, thé ou café) :

♦♦♦♦ plus de 30 €

♦♦♦ de 15 à 30 €

♦♦ de 7 à 15 €

♦ moins de 7 € ●

▲▲▲▲ **Bedesten ♥**, Iç Kale ☎ 512.12.34, fax 513.79.34. Dans l'enceinte de la forteresse, ancien caravansérail qui dispose de *30 ch.* plaisantes, agencées autour d'une cour intérieure. Piscine et terrasse panoramique.

▲▲▲▲ **Blue Sky**, Azakoğlu Sahil Sitesi, Karasaz Mevkii ☎ 514.12.29, fax 514.12.31. À l'est du promontoire, un peu en retrait de la route côtière. *102 ch.* lumineuses, avec de grands balcons. Belle piscine. Le prix inclut la demi-pension.

▲▲▲ **Gardenia**, Güzelyalı Cad. 38 ☎ 513.41.30, fax 513.72.11. À l'O du promontoire. Très bonne adresse dans sa catégorie. Bien agencé, avec un jardinet tropical et une piscine. *119 ch.* confortables à souhait, et d'un prix vraiment abordable.

▲▲▲ **Green Garden**, Göl Mah., 4 Sok. 9 ☎ 514.14.59, fax 514.03.22. À l'est du promontoire. Il s'agit d'un appart-hôtel, conçu tout spécialement pour le séjour balnéaire. Grand jardin où se disséminent installations sportives, restaurants, supermarché, 2 piscines, etc. Accès piéton à la plage. *174 appart.* tout confort (2 à 3 pièces, avec coin cuisine et s.d.b.; le ménage est assuré par le personnel d'entretien). Prix particulièrement attractifs pour les familles.

▲▲▲ **Kaptan**, Iskele Cad. 70 ☎ 513. 49.00, fax 513.20.00. Situation centrale. *48 ch.* avec vue sur le port. Un des meilleurs rapports qualité/prix.

Restaurants

Les petites *lokanta* du bazar servent d'excellentes grillades bon marché.

◆◆◆ **Maldan** ♥, Kale Yolu. Restaurant de poissons avec vue imprenable sur la citadelle. Idéal pour le dîner.

◆◆ **Dimçayı**, Regülatör Gölü, Dündar Yıldız. À 12 km au N-E d'Alanya. Pour un repas les pieds dans l'eau, au bord d'un lac dominé par les majestueuses montagnes du Taurus.

◆◆ **Ottoman House**, Damlataş Cad. 31. *Meze* et grillades variés; musique *live* en soirée. Si c'est plein, rabattez-vous sur **Odeon** (Damlataş Cad. 32), au cadre tout aussi agréable.

Anamur

> *Visite p. 171. Indicatif téléphonique* ☎ *(0 324)*

❶ Otogar Binası 2 ☎ 814.35.29.

Il est plus agréable de séjourner à Iskele, le long de la plage. Vous pouvez vous restaurer à l'une de ces élégantes terrasses qui bordent le front de mer, ou dans les petites *lokanta* du centre-ville (desservi par les *dolmuş*).

Se déplacer

● **Gare routière**. À l'entrée ouest de la ville. Des *dolmuş* desservent Anemurium et Mamure Kalesi; départ de la grande place.

Hôtels

▲▲▲▲ **Vivanco**, Bozyazı ☎ 851.42.00, fax 851.22.91. À 13 km à l'E d'Anamur, en bordure de la grande route. *66 ch.* qui pourraient être un peu

mieux entretenues pour honorer sa catégorie. Piscine et plage à proximité.

▲▲ **Anemonia**, Iskele Mah., Inönü Cad. ☎ 814.40.00, fax 814.40.02. Environnement calme. *36 ch.* claires, toutes avec douches et vue panoramique sur la mer. Prix raisonnables.

▲▲ **Seyza** ♥, Bozyazı ☎ 851.20.51. À 13 km à l'E d'Anamur. Accès fléché mais difficile à trouver. Ravissant petit hôtel, qui bénéficie de la proximité d'une plage et d'un environnement sauvage. L'atmosphère d'une maison turque: salons orientaux, petits plats maison et *16 ch.* charmantes, d'une propreté impeccable. Sans conteste le meilleur rapport qualité/prix du coin.

▲▲ **Şimşek**, Iskele Mah. 11 ☎ 814. 39.78, fax 816.46.84. Cadre simple, mais correct. *21 ch.*, toutes avec climatiseur et s.d.b. Pas cher du tout.

Antakya

> *Visite p. 175. Indicatif téléphonique* ☎ *(0 326)*

❶ Atatürk Bul., Vali Ürgen Alanı 47 ☎ 216.06.10.

Se déplacer

● **Dolmuş**. Ils desservent régulièrement les cascades de Harbiye (le site de l'antique Daphné, à 9 km au S), où pullulent de pittoresques gargotes, dont les tables enjambent la rivière.

● **Gare routière**. Istiklal Cad., à environ 600 m au N-E de Cumhuriyet Alanı.

Adresses utiles

● **Banques**. Sur Atatürk Cad.

● **Poste**. Sur Cumhuriyet Alanı.

Hôtels

▲▲▲▲ **Antik Beyazıt**, Hükümet Cad. 4 ☎ 214.59.31, fax 214.59.33. Un hôtel de charme installé dans un *konak* de la vieille ville. *27 ch.* tout confort.

▲▲▲▲ **Savon**, Kurtuluş Cad. 192
☎ 214.63.55, fax 214.63.56. Cet établissement luxueux occupe les
murs d'une ancienne savonnerie.
43 ch. de grand confort, meublées
dans un style contemporain.

▲▲ **Gökçen**, Yavuz Sultan Selim Cad.
105, Sok. 3 ☎ 225.22.11, fax 225.
31.98. Excellent rapport qualité/prix.
30 ch. avec air conditionné.

Restaurants

Les saveurs arabes imprègnent les
meze: *humus* (purée de pois chiches),
cevizli biber-Muhammara (noix au
piment), *bakla ezmesi* (purée de
fèves), etc. Les **fromages** régionaux
sont aussi variés que savoureux. Ils
entrent dans la composition d'une
douceur locale: le *peynirli künefe*, que
vous pouvez déguster dans l'une des
multiples pâtisseries regroupées face
à Cumhuriyet Alanı, de l'autre côté
du pont.

♦♦ **Antakya Evi** ♥, Silahlı Kuvvetler
Cad. 3. À l'étage. Les tables sont
disséminées dans les diverses pièces
d'une maison ancienne. Spécialités
locales, dont des *meze* à la syrienne
et le *künefe*.

♦ **Sultan Sofrası**, Istiklal Cad. 20/A.
Cuisine locale copieuse et bon marché. Toujours bondé.

Antalya

> *Visite p. 163. Plan p. 163. Indicatif
téléphonique ☎ (0 242)*

❶ Cumhuriyet Cad. 2, Özel Idare Iş
Hanı Altı **A1** ☎ 241.17.47.

Se déplacer

● **Autocars**. Liaisons avec toutes les
grandes villes. La **gare routière** se
trouve à 4 km au N-O de la ville.
Elle est desservie par un bus municipal, qui s'arrête à Kale Kapısı, près
de la tour de l'Horloge.

● **Compagnie aérienne**. Turkish
Airlines, Cumhuriyet Cad. 91, Özal
Idare Işhane Altı **A1** ☎ 444.08.49.
Vols quotidiens pour Istanbul et

Ankara. L'**aéroport** se trouve à
10 km à l'E du centre-ville. Il est
desservi par une navette **Havaş**
(départ devant l'agence de la THY).

● **Dolmuş**. Pour gagner la plage de
Lara ou l'un des sites antiques de la
plaine pamphylienne (Pergé,
Aspendos et Sidé), rendez-vous au
terminal des minibus de Doğu
Garajı **hors pl. par B1**, qui se
trouve au croisement d'Altınkaya
Cad. et d'Ali Fuat Cebesoy Cad.

● **Tramway**. Il relie Konyaaltı à
Lara, en contournant Kaleiçi par
Cumhuriyet Cad. et Atatürk Cad.

Adresses utiles

● **Agences de voyages**.
Yachting: Akay, Cumhuriyet Cad.
54 **A1** ☎ 243.17.00. **Trekking**:
Todosk, Cumhuriyet Cad. **A1**
☎ 244.08.83; Trek Travel, Şirinyalı
Mah., Ismet Gökçer Cad. 347/7
☎ 323.88.37.

● **Banques**. Iş Bankası, Cumhu-
riyet Cad. **A1**. Emlak Bankası, Ali
Çetinkaya Cad. **B1**. Imar Bankası,
Ali Çetinkaya Cad. **B1**. Nombreux
distributeurs automatiques sur
Atatürk Cad. **B2**.

● **Location de voitures**. Avis, Fevzi
Çakmak Cad. 67/B **B2** ☎ 248.17.
72. **Budget**, Fevzi Çakmak Cad.
27/C **B2** ☎ 243.30.36.

● **Poste**. À l'angle de Cumhuriyet
Cad. et d'Anafartalar Cad. **A1**.

Hôtels

Sans hésitation, élisez domicile à
Kaleiçi (la vieille ville) dans l'une
de ces innombrables pensions ottomanes dont certaines sont de vrais
petits bijoux *(voir ci-dessous; rés.
conseillée)*.

▲▲▲▲ **Marina** ♥, Mermerli Sok. 15
A2 ☎ 247.54.90, fax 241.17.65.
Une pension luxueuse, à la décoration recherchée. Piscine « à la
romaine » dans un patio fleuri. Prix
justifiés. *41 ch.* avenantes.

▲▲▲ **Argos**, Atatürk Ortaokulu
Karşısı **B1** ☎ 247.20.12, fax 241.

75.57. Restaurant-bar dans la cour intérieure. Prix abordables pour le standing. *15 ch.*

▲▲▲ **Ninova** ♥, Hamitefendi Sok., Barbaros Mah. 9 **B1** ☎ 248.61.14, fax 248.96.84. Une mention pour le patio fleuri. Rapport qualité/prix exemplaire et accueil chaleureux par le patron, qui parle français. *19 ch.* très agréables. Repas sur demande.

▲▲▲ **Tütav Türk Evleri** ♥, Mermerli Sok. 2 **A1** ☎ 248.65.91, fax 241. 94.19. Trois maisons adossées aux remparts, et reliées entre elles par un agréable jardin. Bar-terrasse avec un panorama exceptionnel sur la baie. *20 ch. et 1 suite* meublées à l'ancienne, dans un goût raffiné.

▲▲▲ **Tuvana** ♥, Tuzcular Mah., Karanlık Sok. 18 **B1** ☎ 247.60.15, fax 241.19.81. Agréable jardinet intérieur avec piscine, petits salons décorés d'antiquités. *35 ch.* stylées, disséminées dans trois maisons.

▲▲▲ **Villa Perla**, Barbaros Mah., Hesapçı Sok. 26 **B1** ☎ 248.97.93, fax 241.29.17. Le parfum nostalgique de l'époque ottomane dans une superbe demeure en bois. Petit déjeuner servi sous les mandariniers du jardin. Restaurant réputé. *11 ch.* à l'ancienne, bien trop chères pour le confort offert.

▲▲ **Pera Palace**, Kılıçarslan Mah., Tabakhane Geçidi 7 **B2** ☎ 244.82.77, fax 243.90.28. Joli patio avec piscine. *20 ch.* impeccables, d'un bon rapport qualité/prix.

▲▲ **Sibel**, Fırın Sok. **B2** ☎ 241.13.16, fax 241.36.56. Ici, on bichonne les clients. Petit-déjeuner servi dans un agréable patio. *6 ch.* d'une propreté suisse, avec air conditionné. Tenu par une Française, Mᵐᵉ Sylvie Gürkaynak.

▲ **Ani**, Tabakhane Sok. 26 **B2** ☎ 247. 00.56. Dans une maison joliment restaurée par la propriétaire-architecte, *12 ch.* simples mais spacieuses. Petit-déjeuner très copieux servi dans le jardin. Accueil chaleureux et petits prix.

Restaurants

Ceux qui bordent la marina sont agréables, mais hors de prix.

♦♦♦ **Hasanağa**, Mesçit Sok. 15, Kaleiçi **B1**. Cadre à l'ancienne pour déguster de bons *meze*, des *kebap* ou du poisson. Quelques plats méditerranéens. Animation musicale en soirée. Également, un bar à vins.

♦♦♦ **Yedi Mehmet**, Konyaaltı **hors pl. par A1**. Chic mais abordable, du fait de sa situation excentrée. *Meze* et poisson de première fraîcheur. Idéal pour le dîner.

♦♦ **Balık Evi**, Yeni Halk Pazarı **B1**. Un cadre aussi animé que pittoresque pour déguster du poisson à prix raisonnables.

♦♦ **Gizli Bahçe**, Hasan Dizdar Bey Sok. 1 **A1**. Plats méditerranéens servis dans une belle demeure nantie d'un jardin. Terrasse panoramique très agréable.

♦♦ **Sırrı** ♥, Uzun Çarşı Sok. 25, Kaleiçi **B1**. Dans une jolie maison ottomane. Excellente cuisine, grillades ou poisson au choix.

♦ **Salman**, Eşiklar Cad. **B1**. Glaces et pâtisseries divines.

Dalyan

> *Visite p. 152. Indicatif téléphonique*
☎ *(0 252)*

❶ Belediye Binası ☎ 284.42.35.

Se déplacer

• **Dolmuş**. La station se trouve à côté de la poste. Les dolmuş desservent la plage d'Iztuzu *(à 11 km au S-E de Dalyan)* entre 10 h et 18 h 30, et la gare routière d'Ortaca, où s'arrêtent les autocars interurbains.

Hôtels

▲▲▲▲ **Dalyan ♥**, Maraş Mah., Yalı Sok. ☎ 284.22.39, fax 284.22.40. Magnifiquement situé en bordure de rivière, face à la falaise creusée de tombes lyciennes. Piscine dans un cadre éblouissant. *20 ch.* décorées sobrement.

▲▲ **Adem's Pansiyon ♥**, Maraş Mah. ☎ 284.20.43, fax 284.21.43. *10 ch.* impeccables, toutes avec climatisation. Ambiance familiale et accueil vraiment chaleureux. Le petit déjeuner se prend sur la terrasse, qui donne sur la rivière.

▲▲ **Kilim**, Kaunus Sok. 7 ☎ 284. 22.53, fax 284.34.64. Niché dans un très joli jardin, nanti d'une piscine. *16 ch.* agréables à des prix franchement abordables pour le cadre.

▲▲ **Konak Melsa**, Köyceğiz Cad. 79 ☎ 284.51.04, fax 284.39.13. Dans un bâtiment de style traditionnel, *24 ch.* très mignonnes. Celles qui sont équipées d'un climatiseur sont un peu plus chères. Piscine dans un attrayant jardin.

Restaurants

Divers bons restaurants de poissons le long de la rivière.

♦♦♦ **Caretta**, Maraş Mah. On dîne sur une terrasse, face aux tombes rupestres illuminées. Succulentes casseroles de poisson et de crevettes.

Fethiye

> *Visite p. 155. Indicatif téléphonique*
☎ *(0 252)*

❶ Iskele Meydanı 1 ☎ 612.19.75.

Se déplacer

• **Dolmuş**. Des minibus desservent **Içmeler** et **Ölüdeniz** toutes les 5 min entre 6 h 30 et minuit (toutes les 30 min la nuit). Ils partent d'une gare située au croisement de Çarşı Cad. et de Safran Okkan Bul., au S-E de la marina.

• **Gare routière**. Ölüdeniz Cad., à 1 km à l'E de la marina, sur la route de Marmaris.

Adresses utiles

• **Agences de voyages**. **Club européen de plongée**, Atatürk Cad. 12/1 ☎ 614.97.71. Dirigé par des moniteurs anglais. **Guide Tours**, Belcekiz Mah., Montebella Motel yanı ☎ 617.05.50. Plongée, parapente. **Ocean**, Fevzi Çakmak Cad., à côté de l'hôtel Dedeoğlu ☎ 612. 48.08. Arrange des croisières bleues. **Sea Side**, Akdeniz Cad. 17/2 ☎ 614.45.84. Safaris en Jeep ou en camion dans les environs.

Hôtels

Pour un séjour balnéaire, mieux vaut loger à Çalış.

▲▲▲ **Daffodil ♥**, Fevzi Çakmak Cad. 115 ☎ 614.95.95, fax 612.22.23. Architecture inspirée du style ottoman. *28 ch.* adorables, avec des bow-windows en bois. Petite piscine et terrasse fleurie, donnant sur la baie. Un havre de paix dans un cadre idyllique, avec en prime un accueil vraiment chaleureux. La meilleure adresse de Fethiye.

▲▲▲ **Malhun**, Çalış Plajı, Yalı Sok. 2 ☎ 622.12.53, fax 622.11.26. À 5 km de Fethiye. *90 ch.* modernes, avec tout le confort. Belle piscine et prix en demi-pension abordable. Personnel serviable.

Balades en bateau depuis Dalyan

© Gil Giulio/Hémisphères Images

En été, navettes en bateau-*dolmuş* vers la **plage d'Iztuzu**. Également, circuit d'une journée en bateau vers le site de **Caunus**, la **plage d'Iztuzu** et le **lac de Köyceğiz** avec arrêt aux bains de boue de Sultaniye; départ du port à 10 h 30 et retour à 18 h. Il est également possible de louer une embarcation privée auprès de la coopérative. Les prix des divers circuits sont affichés sur un panneau, près du quai. •

▲▲ **Villa Lebis** ♥, Barbaros Bul., Çalış ☎/fax 613.15.27. À 5 km de Fethiye. La super-adresse ! Dans une jolie maison, *6 appart.* avec ch. à coucher, séjour et s.d.b. Jardinet avec piscine. Tout est neuf, de bon goût et à des prix défiant toute concurrence. Excursions en minibus sur demande.

> Près d'Ölüdeniz

▲▲▲▲ **Değirmen** ♥, Uzunyurt Köyü (Faralya) ☎ 642.12.45, fax 642.11.79. À 8 km au S d'Ölüdeniz. Cadre extraordinaire, à flanc de montagne. *2 ch. et 6 suites* magnifiquement aménagées dans un ancien moulin. Jardin, piscine. Superbes balades aux alentours (vallée des Papillons, Sidyma).

▲▲▲ **Les Jardins de Levissi** ♥, Kuyubağı Mevkii, Kaya Köyü ☎ 618.01.88, fax 618.02.40. À 6 km de Fethiye. Un sympathique couple franco-turc reçoit ses hôtes avec courtoisie dans une coquette villa au pied du village fantôme de Kaya. Confitures faites maison, superbe jardin et environnement calme. Le rêve ! *4 ch.*

▲▲▲ **Ocakköy** ♥, Ovacık, ☎ 616.61.57, fax 616.61.58. Petite merveille nichée dans les collines, à 7 km de Fethiye. *14 ch. et 30 maisonnettes* en pierre, décorées à l'ancienne. Piscine.

Restaurants

Dans le bazar, deux restaurants à petits prix, **Meğri** (Çarşı Cad. 13/A) et **Birlik** (Atatürk Cad., Adliye Karşısı), jouissent d'une bonne réputation.

♦♦♦ **Marina** ♥, Iskele Meydanı. Le meilleur restaurant de la promenade. Casserole de poisson exquise.

♦♦ **Mustafa Sultan**, Iskele Meydanı. Un autre bon restaurant de poissons.

Kalkan

> *Visite p. 157. Indicatif téléphonique*
☎ *(0 242)*

Hôtels

▲▲▲ **Balıkçı Hanı ♥** Atatürk Cad. 7
☎ 844.30.75, fax 844.36.41. Dans
une ancienne demeure, *6 ch.* ex-
quises, joliment arrangées. Calme,
car à l'écart du village, près d'une
minuscule plage de galets.

▲▲ **Old Trading House**, Yalıboyu
Mah. 3, Sok. 5 ☎ 844.12.62, fax
844.36.65. *4 ch.* stylées, avec climatisation, mais coincées entre le restaurant et le bar. Cadre agréable,
mais particulièrement bruyant en
été.

▲▲ **Türk Evi ♥** ☎ 844.31.29, fax
844.34.92. Dans une ancienne
maison de pêcheur, *9 ch.* stylées et
chaleureuses avec bains privés.
Beau jardin fleuri.

Restaurants

♦♦ **Belgin's Kitchen**, Yalıboyu Mah.
1. Un restaurant à la turque, pour
déguster *manti*, *börek*, grillades ou
poissons de la saison. Également,
une terrasse.

♦♦ **Üç Kardeşler Alabalık**, Islamlar
Köyü. À 10 km de Kalkan, dans les
hauteurs. Bonne cuisine qui jouit
de la faveur locale. Les truites proviennent du vivier.

♦♦ **Zeki's**, Yalıboyu Mah. Cuisine
inventive, mariant les saveurs
turques et occidentales. Excellents
desserts.

Kaş

> *Visite p. 158. Indicatif téléphonique*
☎ *(0 242)*

❶ Cumhuriyet Meydanı 5 (sur le
port) ☎ 836.12.38.

Se déplacer

● **Gare routière**. Elle se trouve sur
Atatürk Bul., à 600 m au N-O du
centre-ville. Toutes les 30 min, entre

9 h et 18 h 30 (de mi-avr. à mi-oct.),
un *dolmuş* part pour Kalkan, Patara
et Xanthos.

Adresses utiles

● **Agences de voyages**. Ali Baba
& Debi Tours, Hastane Cad.
☎ 836.13.54. Location de voitures,
croisières bleues et excursions dans
les sites antiques (Xanthos, Kekova,
Saklikent, etc.). **Kahramanlar**,
Iskele Sok. ☎ 836.10.62. Spécialiste
des « voyages bleus ». **Latebreaks**,
Cumhuriyet Meydanı ☎ 836.17.25.
Excursions à Kekova et dans l'île
grecque de Meis.

Hôtels

▲▲▲▲ **Aquapark**, Çukurbağ Sok.
☎ 836.19.02, fax 836.19.92. Sur la
pointe de la presqu'île, à 5 km du
centre-ville. Vaut pour le cadre
naturel, entre mer et rocher. Belle
piscine. *116 ch. et 24 appart.* tout
confort. Possibilités d'excursions en
bateau vers l'île de Kekova.

▲▲▲ **Arpia**, Çukurbağ Yarım Adası
☎ 836.26.42, fax 836.31.63. À 6 km
de Kaş, sur la péninsule. Dans une
coquette bâtisse étagée à flanc de
colline, *24 ch.* dans l'esprit méditerranéen. Piscine et plage privée,
aménagée dans les rochers.

▲▲ **Hamarat ♥**, Çukurbağ Yarım
Adası 7 ☎ 836.15.47, fax 836.20.88.
Sur la presqu'île. Adorable bâtisse
blanche, dans un fouillis de fleurs et
d'arbustes. *8 ch.* lumineuses. S.d.b.
impeccables. Repas sur demande.
Plage en contrebas. Pas cher du tout.

▲▲ **Kekova**, Milli Güvenlik Cad. 2
☎ 836.19.50, fax 836.19.52. Situé
près de la gare routière. Dans un
immeuble aéré, nanti d'une terrasse
qui offre un magnifique panorama
sur la baie. *24 ch.* correctes, toutes
avec air conditionné.

▲▲ **Sardunya**, Hastane Cad.
☎ 836.30.80, fax 836.30.82. Une
bâtisse blanche, sur la route qui
mène vers la presqu'île. *16 ch.*
simples mais propres, avec air conditionné. Plage privée en contrebas.

> À Kekova

▲▲ **Mehtap Pansiyon**, Kale Köyü
☎ 874.21.46, fax 874.22.61. *10 ch.*
basiques, mais quel cadre ! On dîne
sur une terrasse panoramique, qui
contemple toute la baie.

▲▲ **Nesrin's Bademli Ev**, Kale Köyü
☎ 874.21.70, fax 874.20.93. Il n'y a
que *3 ch.* dans cette adorable
demeure en pierre. Si vous aimez le
calme et l'authenticité de la vie vil-
lageoise, n'hésitez pas !

Restaurants

♦♦♦ **Blue House**, Ilk Okul Sok. 9.
Superbe panorama sur le port et
bons petits plats.

♦♦ **Bahçe**, Uzunçarşı Sok. 31.
Grillades diverses.

♦♦ **Oba Ev Yemekleri**, Çukurbağlı
Cad. 28. Cuisine familiale à prix
doux.

Kızkalesi

> *Visite p. 173. Indicatif téléphonique*
☎ *(0 324)*

Hôtels

Pas génial et beaucoup trop cher au
regard des prestations offertes. Évitez
d'y passer la nuit en haute saison.

▲▲▲ **Eylül** ☎ 523.24.16, fax 523.
23.95. *80 ch.* avec air conditionné.
Cadre un peu tristounet, mais correct. Piscine.

▲▲ **Hantur**, Çağlayan Çay Bahçesi
Bitişiği ☎ 523.23.67. À proximité de
la plage. Propre et prix abordables.

Marmaris

> *Visite p. 150. Indicatif téléphonique*
☎ *(0 252)*

❶ Iskele Meydanı 2, sur le port
☎ 412.10.35.

Se déplacer

● **Compagnie aérienne**. Turkish
Airlines, Atatürk Cad. 50/B ☎ 412.
37.51. Une **navette** dessert l'aéro-

port, qui se trouve à **Dalaman**
(85 km à l'E).

● **Croisières bleues**. Inshore Travel (Rota Yacht) ☎ 417.58.52, fax
417.58.49.

● **Gare des dolmuş**. En retrait
d'Ulusal Egemenlik Bul., dans la
70 Sok. Départ toutes les heures
pour la presqu'île de Datça (service
jusqu'à 21 h) ; à 8 h, à 12 h et à 17 h
pour la presqu'île de Bozburun.

● **Gare routière**. À l'entrée N-E de
Marmaris ☎ 412.55.43. La plupart
des compagnies ont un point de
vente sur Ulusal Egemenlik Bul.

● **Liaisons maritimes**. Avec
Rhodes : de mi-mai à mi-oct., liaison hebdomadaire en ferry (3 h de
traversée) ou quotidienne en
hydroglisseur (14 min). Départ le
matin à 9 h et retour en fin d'après-
midi. Rens. dans les agences de
voyages. Avec **Bodrum** : entre mai
et sept., liaisons quotidiennes entre
Bodrum et Datça (Körmen Limanı) ;
départs à 9 h et à 17 h ; durée : 2 h.
Rés. **Feribot Işletmeciliği** à Datça
☎ 712.21.43.

Hôtels

La plupart des hôtels s'étendent le
long d'Atatürk Cad. et de Kenan
Evren Bul., à l'ouest du centre-ville.

▲▲▲ **Alpina**, Mehmet Akif Ersoy
Cad., Armutalan ☎ 417.13.82, fax
417.14.46. *60 appart.* d'une capacité
de 4 personnes. Cadre moderne,
plutôt coquet. Piscine.

▲▲▲ **Halıcı 1** ♥, Çam Sok. 1
☎ 412.16.83, fax 412.92.00. *172 ch.*
très mignonnes, d'un excellent rapport qualité/prix. Réception chaleureuse, ornementée d'une quantité
de kilims. Piscine dans un bien joli
jardin. Si vous préférez la formule
en appartement, contactez **Halıcı
Apart**, Boynuzbükü Mev., Armutalan ☎ 417.34.20, fax 417.32.85.

▲▲▲ **Sesin**, Dergah Civarı, 209 Sok.
28 ☎ 412.53.55, fax 412.20.83.
100 ch. fonctionnelles dans une rue
assez calme. Piscine.

> À Akyaka

▲▲▲ **Erdem**, Akyaka Beldesi ☎ 243.58.49, fax 243.43.26. Jolie maison dans un jardinet nanti d'une piscine. *10 ch. et 4 appart.* agréables à des prix avantageux.

▲▲▲ **Orkide**, à l'entrée d'Akyaka ☎ 243.56.25. *10 appart.* dans une bien jolie demeure à l'ottomane.

▲▲ **Fatih Pansiyon**, Akyaka Beldesi ☎ 243.57.86. Uniquement ouvert en saison (mai à oct.). *4 appart.* (salon, cuisine, s.d.b., ch. à coucher) à prix très bas.

> Presqu'île de Bozburun

▲▲▲▲ **Sabrinas House**, Bozburun, Adatepe ☎ 456.20.45, fax 456.24.70. Au bord de l'eau, dans un attrayant jardin. Il faut marcher 15 min ou prendre le bateau pour atteindre cette avenante demeure, alliant calme et volupté. *20 ch.* charmantes.

▲▲▲ **Yeşil Ev**, Söğüt Köyü ☎/fax 496.52.80. Spécial villégiature, à 6 km de Bozburun : *3 cottages* en pierre enfouis sous les bougainvilliers. Pour profiter agréablement du séjour, il vaut mieux être motorisé. Demi-pension possible.

▲▲ **Beyaz Güvercin**, Selimiye Köyü ☎ 446.42.74, fax 446.42.78. Motel idéalement situé dans un agréable jardin. *20 ch.* simples. Abordable.

> Presqu'île de Datça

Diverses petites pensions à Palamutbükü (**Badem** ☎ 725.51.83 ; **Bük** ☎ 725.51.36) et à Hayıtbükü (**Ogün** ☎ 728.00.33 ; **Gabaklar**, la meilleure pension ☎ 728.01.58, fax 728.01.71).

▲▲▲ **Perili Köşk**, Güllük Mev., Emecik Köyü ☎ 723.33.30, fax 723.37.68. *47 ch.* tout confort. Belle plage à proximité.

▲▲ **Dede Pansiyon**, Eski Datça ☎/fax 712.39.51. Le charme de la Méditerranée se savoure dans un délicieux jardin, agrémenté d'une piscine. Quant aux chambres, il s'agit de *6 mini-appart.* dans une belle maison en pierre restaurée.

Restaurants

Ceux qui bordent la marina sont agréables, mais onéreux.

♦♦ **Liman**, Ismet Paşa Cad. Dans le bazar. *Köfte, şiş kebap* et *döner kebap* copieux.

♦♦ **Seyir**, Atatürk Cad., Sabancı Okulu Yanı. Les plats turcs habituels servis en terrasse.

> À Akyaka

Les meilleurs restaurants se trouvent à l'entrée d'Akyaka, le long de la rivière Azmak : **Cennet**, **Gel Dostum**, **Halının Yeri** et surtout **Azmakbaşı**. Spécialité : la truite grillée.

Olympos

> *Visite p. 160. Indicatif téléphonique* ☎ *(0 242)*

Les établissements les plus confortables se trouvent dans le village de Çıralı. Du côté d'Olympos, l'esprit est plus baba-cool. Attention ! En venant de la grande route, il y a deux bifurcations : l'une va vers le site d'Olympos, la seconde vers le site de Chimaera en passant par le village de Çıralı. Si vous n'êtes pas motorisé, vous pouvez y accéder en *dolmuş* (en moyenne un toutes les 2 h !). Pensez à prendre suffisamment de liquidités, car il n'y a pas de distributeur dans le village.

Hôtels

▲▲▲▲ **Olympos Lodge ♥**, Çıralı Köyü ☎ 825.71.71, fax 825.71.73. L'adresse élégante d'Olympos. *12 bungalows* confortables s'éparpillent sous les citronniers. Il y a même des paons en liberté, qui se promènent dans le jardin. Demi-pension obligatoire. Cher, mais le cadre le vaut bien.

▲▲▲ **Daphne Tatil Evi**, Yazır Olympos ☎ 892.11.33. Maison d'hôte, dans un plaisant jardin. *7 ch.* et un appartement. Cuisine maison.

▲▲▲ **My Land**, Çıralı Köyü ☎ 825. 70.44 et 825.71.83. Dans un joli jardin, *13 bungalows* bien conçus, avec s.d.b. et air conditionné. Réduction de 50 % pour les enfants âgés de 7 à 12 ans. Plage en face. Demi-pension possible.

▲▲▲ **Odile**, Çıralı Köyü ☎ 825. 71.63, fax 825.71.64. Près de la plage. *36 ch.* de bon confort, agencées autour d'une piscine.

▲ **Lemon**, Yazır Olympos ☎ 892. 14.05 et 892.12.55. Pour se sentir l'âme d'un Robinson Crusoé. *14 bungalows* avec s.d.b. privée, disséminés parmi les citronniers. Confort rudimentaire, mais c'est propre. Cuisine familiale et repas sur demande.

Restaurants

Divers restaurants et snacks dans le village de Çıralı. Avis aux randonneurs : près de Chimaera débute un sentier pédestre qui rejoint **Ulupınar** au plus court.

♦♦ **Ulupınar** ♥, 11 km de Çıralı (par la route). Un véritable bol d'air à 15 km au N d'Olympos *(accès fléché; prendre la grande route en direction d'Antalya pendant 10 km, puis bifurquer à dr.)*. Arrosé par des cascades et des torrents, ce village compte une dizaine de restaurants installés sur l'eau. *Meze*, poissons ou grillades, au choix. L'inoubliable **Değirmen** ♥ est installé dans un ancien moulin. **Park** ♥ et **Havuz Başı** sont également un bon choix.

Patara

> *Visite p. 157. Indicatif téléphonique* ☎ *(0 242)*

La plage se trouve à 2 km du village de Gelemiş, où sont regroupés les hôtels et les restaurants.

Hôtels

▲▲▲ **Patara View-Point**, Gelemiş Köyü ☎ 843.51.84, fax 843.50.22. *27 ch.* confortables avec douche, ventilateur et balcon. Petite piscine.

▲▲ **Sisyphos**, Gelemiş Köyü ☎ 843.50.43, fax 843.51.56. Maison dans le style du pays. *16 ch.* simples mais impeccables avec s.d.b. Charmant jardin et piscine.

Sidé

> *Visite p. 168. Indicatif téléphonique* ☎ *(0 242)*

❶ à l'entrée du village, avant le grand parking ☎ 753.12.65.

Se déplacer

● **Dolmuş**. Départ pour Manavgat toutes les 5 min, entre 7 h et 20 h, devant le théâtre.

● **Gare routière**. À la sortie S-O de Manavgat. Les autocars desservent les sites de Pergé et d'Aspendos.

Adresses utiles

● **Agences de voyages**. Excursions dans le Taurus (Köprülü Kanyon, Selgé, etc.). **Air Tour**, Sidé Yolu ☎ 753.24.14. **Camel**, Fatih Cad. 124 ☎ 753.21.10. **Şelale Tour**, Liman Cad. ☎ 753.10.66.

Hôtels

▲▲▲ **Can Garden**, Liman Cad. 4 ☎ 753.32.40, fax 753.32.45. À l'entrée de la presqu'île. *150 bungalows* disséminés dans un grand parc qui communique avec la plage. Demi-pension obligatoire (buffet copieux).

▲▲▲ **Hanımeli**, Turgutreis Sok. ☎ 753.17.89, fax 753.13.05. Pension de charme, agrémentée d'un beau jardin. *12 ch.*

▲▲▲ **Odeon House**, Mercan Sok. 20 ☎ 753.17.13. Chambres spacieuses, architecture originale et joli jardinet. Idéalement placé, à deux pas du temple d'Apollon. *7 ch.*

Restaurants

♦♦♦ **The End**, Yat Limanı Yanı. Un bon restaurant de poissons.

♦ **Şelale Lokantası**. Vue imprenable sur les cascades de Manavgat. Cuisine copieuse.

Silifke

> *Visite p. 172. Indicatif téléphonique*
☎ *(0 324)*

❶ Veli Gürten Bozbey Cad. 6
☎ 714.11.51.

Se déplacer

• **Station des dolmuş**, Celal Bayan Cad. Toutes les 90 min, entre 9 h et 19 h 30, un *dolmuş* s'en va vers Uzuncaburç. Fréquence moindre le week-end.

Hôtels

Les hôtels les plus confortables se trouvent à Susanoğlu, à environ 15 km à l'E de Silifke.

▲▲▲▲ **Altınorfoz**, Susanoğlu ☎ 722.42.11, fax 722.42.15. En bordure de mer, juste à la sortie de la station. *110 ch.* aussi spacieuses qu'agréables. Piscine et plage privée. Demi-pension uniquement, mais les buffets sont excellents.

▲▲ **Göksü**, Gazi Mah., Atatürk Bul. 20 ☎ 712.10.21, fax 712.10.24. Le meilleur hôtel de la ville. 25 *ch.* de bon confort.

Restaurants

♦♦ **Babaoğlu**, Atik Mah., à proximité de l'*otogar*. Plats classiques servis dans une salle confortable.

♦♦ **Kale**, Silifke Kalesi. Un restaurant panoramique installé dans la forteresse. Idéal pour le dîner.

♦ **Ali Ustanın Yeri**, Atatürk Cad. Excellents *kebap*. •

L'Anatolie centrale

L'histoire du peuple turc en Asie Mineure commence sur ce plateau ocre, raviné de fissures et de massifs volcaniques.

lle a une beauté sévère, cette steppe monotone entrecoupée à mi-parcours par la nappe laiteuse du lac Salé (Tuz Gölü). « L'Anatolie est une alchimie d'atmosphères, écrivait Yaşar Kemal. C'est ici que se complètent et se conjuguent les paysages, les civilisations passées, les vestiges, les traditions, les mœurs. » Lorsque les premières **tribus de nomades turcs** arrivèrent au XIᵉ s., elles découvrirent une terre ondulée de collines brunes, couverte de graminées, qui leur rappelait leurs lointaines steppes d'Asie centrale et elles s'y sédentarisèrent : nul ne sait exactement si elles fuyaient des assaillants ou si une vague de sécheresse persistante les obligea à trouver de nouvelles pâtures pour leurs troupeaux. Les croyances chamanistes de ces tribus, converties à l'islam au contact des Perses et des Arabes, persistent dans des réminiscences de la vie au grand air ; la vénération des sources, les fêtes qui célèbrent les saisons en Anatolie rurale et certains aspects cultuels des alevis en sont l'héritage. Qu'ils se nomment seldjoukides, danişmendides ou ottomans, ces clans turcs sous la houlette de leur chef morcelèrent

L'ANATOLIE CENTRALE

d'abord l'Anatolie en principautés rivales (les **beylicats**), jusqu'à ce qu'une tribu de farouches guerriers, les **Ottomans**, étende son hégémonie sur tout le territoire par la prise de Constantinople au XVᵉ s.

Habitée dès le début du quaternaire, l'Anatolie a forgé sa personnalité dans le métissage culturel. Couloir des grandes invasions entre l'Orient et l'Occident, elle connut la vague déferlante des peuples hittite, phrygien, galate, perse, grec, romain, mongol et turc. Saviez-vous que Jules César prononça son fameux « *Veni, vidi, vici* » sur un champ de bataille

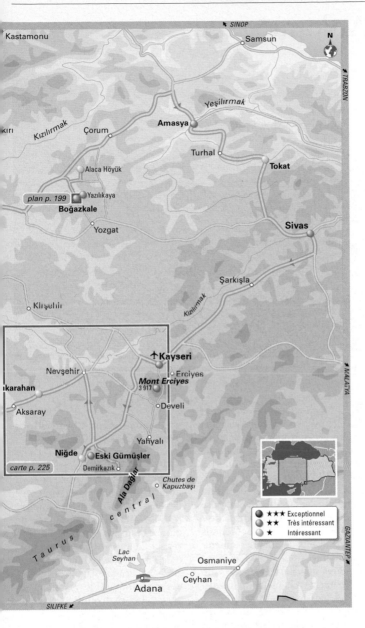

près de Tokat ? Les conquêtes ottomanes ouvrirent les portes de l'Anatolie aux populations balkaniques, bosniaque, circassienne, géorgienne qui rejoignirent Grecs, Arméniens et Assyriens. Au fil du temps, ces minorités se « turquisèrent » mais les traces d'appartenance ethnique et la mentalité de clan s'observent toujours dans la Turquie contemporaine. Ces considérations historiques et ethnologiques expliquent pourquoi Atatürk choisit une ville du plateau anatolien, terre de rencontre et d'acculturation, comme capitale de la jeune République. ●

Ankara★

Ankara vue de la citadelle : la vieille ville au premier plan, la ville moderne au loin.

Un petit tour au musée des Civilisations anatoliennes et puis s'en vont : les visiteurs ne font généralement que passer à Ankara. Il est vrai que cette capitale bureaucratique qui regroupe les ambassades et les grandes institutions du pays ressemble de prime abord à un mirage occidental posé dans la steppe. Pourtant, cette métropole, parsemée de boulevards arborés, raconte la Turquie contemporaine mieux que ne le fait Istanbul. Sous des apparences de ville neuve, Ankara a la mémoire longue. Les vestiges montrent qu'elle fut occupée dès l'Antiquité. En la proclamant capitale de la République turque en 1923, Atatürk répondit à des raisons stratégiques autant que symboliques. Il a gagné son pari. À force de volonté, la ville, symbiose des racines anatoliennes et du progressisme, s'est forgé l'identité d'une véritable capitale.

> *À 459 km au S-E d'Istanbul.* **Carnet d'adresses** *p. 220.* **Plan** *p. 194.*

La vieille ville

● **Le musée des Civilisations anatoliennes★★★ C1**. *Ouv. t.l.j., sf lun. en hiver, 8 h 30-18 h 45. Entrée payante.* Aménagé dans un *bedesten* ↝ et un caravansérail du XVᵉ s., il montre un panorama exceptionnel des civilisations qui se sont implantées en Anatolie en l'espace de quinze mille ans ! Les objets découverts à Çatal Höyük *(à 60 km au S-E de Konya)* et à Hacılar *(à 100 km au S-O d'Isparta)* datent des périodes **néolithique** (VIIᵉ-Vᵉ millénaires av. J.-C.) et **chalcolithique** (âge du cuivre, Vᵉ-IIIᵉ millénaires av. J.-C.) : peintures murales décrivant des scènes de chasse, statuettes de la déesse mère consacrées au culte de la fécondité, bijoux et objets de maquillage (miroir en obsidienne). Les superbes œuvres datées de l'**âge du bronze ancien** (IIIᵉ-IIᵉ millénaires av. J.-C.) proviennent des chambres funéraires d'Alaca Höyük *(p. 200)*. L'**idole★★** en or et argent symbolise la déesse mère. Les statuettes de taureaux et de cerfs, en bronze incrusté d'argent ou en électrum, incarnent le dieu de l'Orage et son épouse, la déesse du Soleil. Les curieux **disques solaires** en bronze sont les symboles de l'univers qui reposait, selon les anciennes croyances, sur les cornes d'un taureau ; chaque fois que celui-ci secouait la tête, la terre se mettait à trembler. Ces emblèmes rituels étaient fixés au bout de hampes que l'on promenait lors des processions religieuses. L'art des marchands **assyriens** (1950-1750 av. J.-C.) s'inspire des courants artistiques de la Mésopotamie ancienne ; les objets (sceaux, vases zoomorphes, cruches à bec verseur en terre cuite et archives rédigées en cunéiforme) proviennent des fouilles de Kültepe (*p. 207*).

Pendant la période **hittite** (1750-1200 av. J.-C.), l'ancienne capitale Hattuşa (*Boğazkale, p. 296*) a produit de magnifiques rhytons ↪ zoomorphes, en forme de taureau. Le **hall de la sculpture hittite** (*dans la grande allée centrale*) abrite les orthostates (panneaux sculptés, dressés devant les bâtiments) découverts à Alaca Höyük, Karkemish et Aslantepe. Ceux qui ornaient la porte des Sphinx d'Alaca Höyük décrivent des scènes de sacrifice auxquelles prenaient part les souverains, des animaux et des acrobates. Les reliefs provenant de Karkemish (*à 74 km au S-E de Gaziantep*), capitale d'un puissant royaume **néo-hittite** (Xe-VIIIe s. av. J.-C.), décrivent des scènes de la vie royale et des libations où apparaissent des animaux fantastiques et des créatures hybrides.

Le grand tumulus de Gordion (*à 95 km à l'O d'Ankara*), capitale de la **Phrygie** (1200-700 av. J.-C.), dissimulait une chambre funéraire royale, reconstituée dans le musée. Les Phrygiens travaillaient à merveille le bois comme le métal : en témoignent un trépied marqueté et quelques chaudrons ouvragés. Il ont également laissé une belle poterie (notamment des rhytons zoomorphes), peinte de motifs géométriques. Les **Ourartéens** (1000-600 av. J.-C.) avaient constitué un puissant État autour du lac de Van. Ils excellaient dans le travail du bronze et de l'ivoire, illustré ici par des plaques votives, des chaudrons ornés de têtes de taureau et diverses statuettes.

La visite chronologique s'achève au **sous-sol**, qui montre les périodes **lydienne** (685-547 av. J.-C.) et **hellénistique** (bijoux en or et en argent, figurines et monnaies), ainsi que le produit des fouilles effectuées dans la région d'Ankara.

● **La citadelle* C1**. Dans les deux enceintes de la forteresse byzantine se dissimule le quartier le plus pittoresque d'Ankara. On y pénètre par **Hisar Kapısı**, qui garde l'entrée de la citadelle inférieure renfermant un noyau d'habitations ottomanes. La **porte**** de l'enceinte supérieure donne accès à un véritable village anatolien, peuplé d'enfants jouant au football et de femmes en şalvar (le pantalon bouffant traditionnel) s'adonnant à leurs occupations domestiques De **Şark Kulesi** (tour orientale) ou d'**Ak Kale** (le fort Blanc, au N), vous jouirez d'un **panorama** imprenable sur Ankara.

● **Arslanhane Camii** C1**. Joyau de l'architecture en bois, cette mosquée seldjoukide fut construite au XIIIe s. par l'émir Şeref ad-Dîn, dont le mausolée est voisin. La salle de prière comporte un **minbar** ↪ en noyer sculpté et un **mihrab**** ↪ en stuc garni d'une mosaïque de faïences bleues. Tout autour de la mosquée s'étend le quartier du **bazar** où est vendue la laine Angora (nom d'Ankara sous les Romains) au poil fin et soyeux.

● **Les ruines romaines C1**. Au IIIe s. av. J.-C., les Galates, une population d'origine gauloise, s'emparèrent d'Ankara, alors appelée Ankyra, et en

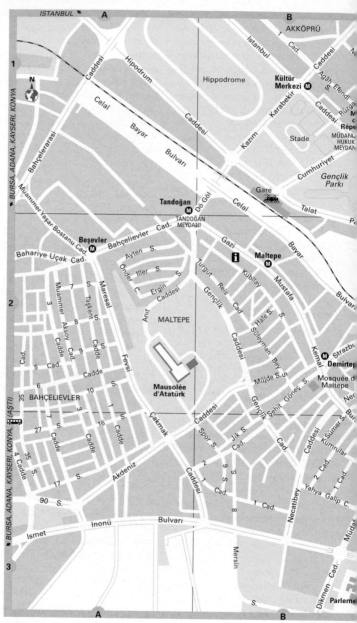

ANKARA

firent la capitale de la Galatie. Au
IIᵉ s. av. J.-C., ils s'allièrent avec les
Romains, mais l'empereur Auguste
annexa finalement la ville en
25 av. J.-C. Saint Paul y fonda en 51
une des plus anciennes communautés chrétiennes, à qui il destina son

Épître aux Galates. Le **temple d'Auguste**★ *(ouv. t.l.j. sf lun. 8 h 30-
17 h 30; entrée payante)* fut édifié sur
le site de l'ancienne acropole. Les
murs du pronaos ↪ portent le testament d'Auguste, rédigé en grec et en
latin, qui relate les événements mar-

quants de son règne et les consignes relatives à ses funérailles. L'enceinte du temple abrite aussi le tombeau de **Hacı Bayram Veli**, fondateur de l'ordre religieux des derviches Bayramiye, et la petite mosquée dédiée à ce saint. En contrebas du temple, les

bains romains★ *(ouv. t.l.j. sf lun. 8 h 30-17 h 30; entrée payante)* furent construits au IIIe s. sous le règne de Caracalla. Ils comportent, outre le système de canalisations souterraines, les salles habituelles plus ou moins bien conservées : l'apodyterium ↳, le frigidarium ↳, le tepidarium ↳ et le caldarium ↳. Trônant au milieu de la place Hükümet, la **colonne de Julien**, haute de 15 m, fut érigée en l'an 362 pour commémorer la venue de l'empereur Julien dans la ville. Au pied de la citadelle, le **théâtre antique** est en cours de dégagement.

● **Le Musée ethnographique* C2**. *Ouv. t.l.j. sf lun. 8 h 30-12 h 30 et 13 h 30-17 h 30. Entrée payante.* Un survol complet des traditions artisanales de la Turquie. Les riches collections se composent de reconstitutions de la vie quotidienne (salle de circoncision, cellule d'un derviche tourneur, salon ottoman) et d'objets classés par thèmes : costumes, broderies, tapis, céramiques seldjoukides et ottomanes, manuscrits calligraphiés, instruments de musique et objets en bois sculpté.

● **Le musée des Beaux-Arts C2**. *Ouv. t.l.j. sf lun. 9 h-17 h. Entrée payante.* L'un des rares musées de Turquie consacrés à l'art pictural contemporain. Les collections regroupent les œuvres des meilleurs artistes turcs des XIXe et XXe s.

La ville républicaine

Ankara promue capitale se développa autour de la place d'Ulus. Par la suite, elle s'étendit dans la cuvette et le centre se déplaça à Kızılay. Aujourd'hui, les quartiers chics et les institutions administratives se regroupent à **Kavaklıdere** et **Çankaya**. Même s'il n'y a rien de spécial à voir, flânez à **Kızılay** qui aligne boutiques clinquantes et cafés branchés. Vous y rencontrerez le visage de la Turquie moderne, jeune et occidentalisé.

● **Le musée de la Libération C1**. *Ouv. t.l.j. sf lun. 9 h-17 h. Entrée payante.* Divers écrits et photos retracent les épisodes de la **guerre d'Indépendance** que mena Atatürk

pour libérer le pays de la tutelle étrangère. C'est dans cette bâtisse, siège du premier parlement turc, que fut signée la déclaration de la République. Des personnages en cire figurent les présidents qui se sont succédé au pouvoir. Vous pouvez compléter vos connaissances d'histoire contemporaine par la visite du **musée de la République C1** *(mêmes horaires)*, siège du second parlement turc. Des photographies et des documents retracent les premiers jours de la République.

● **Le mausolée d'Atatürk AB2**. *Ouv. t.l.j. 9 h-12 h 30 et 13 h 30-17 h. Entrée libre.* On ne quitte pas Ankara sans visiter le mausolée d'Atatürk. Le gigantisme du monument, commencé en 1944 et achevé en 1953, montre que la mémoire du père de la Turquie moderne fait l'objet d'une vénération indéfectible. Une allée triomphale gardée par 24 lions hittites débouche sur une vaste esplanade bordée de **musées** qui renferment divers objets personnels d'Atatürk. Elle aboutit au parvis du mausolée, dont l'aspect évoque un temple antique. La conception architecturale de cet ensemble, amalgamant les styles hittite, gréco-romain, seldjoukide et le courant républicain, marqué par le culte outrancier de la personnalité, symbolise l'œuvre d'Atatürk, qui rassembla les débris de l'Empire ottoman dans des frontières autoritaires et leur insuffla les germes du nationalisme. L'anniversaire de sa mort (le 10 novembre) donne chaque année lieu à une commémoration en grande pompe.

● **La maison d'Atatürk**. *Atatürk Bul.* **hors pl. par C3**. *Ouv. dim. et fêtes 13 h 30-17 h. Entrée payante.* Elle se niche dans les superbes jardins du palais présidentiel. Atatürk y résida pendant la guerre de Libération. L'intérieur du chalet a été laissé en l'état. Dans le salon, le bureau, la bibliothèque, la chambre à coucher sont exposés des photos et des effets personnels. ●

Boğazkale** et ses environs

Avec leur sytème de fermeture actionnable uniquement de l'intérieur de l'enceinte, les portes du rempart sud (ici, la porte Royale) pouvaient se transformer en bastions indépendants.

Dans un majestueux paysage lunaire qui, à lui seul, frappe déjà l'imagination, dorment les vestiges de l'ancienne capitale hittite de **Hattuşa**, fondée au XVIIᵉ s. av. J.-C. Le système défensif de la ville, composé de forteresses perchées sur des pitons rocheux et d'une couronne de remparts longue de 9 km, atteste d'un art de bâtir hors pair. Réduites à leurs fondations, les ruines consistent en ouvrages plus éloquents que spectaculaires. Chaque année, les fouilles dégagent de nouvelles trouvailles.

> À 206 km à l'E d'Ankara. Ouv. t.l.j. 8 h-19 h. Entrée payante. Le tour de Hattuşa totalise 5 km. Si vous ne disposez pas de véhicule privé, arrangez la balade avec un taxi, qui pourra également vous conduire sur les sites de Yazılıkaya et d'Alaca Höyük. **Carnet d'adresses** p. 221. **Plan** p. 199.

Le grand temple*

Büyük Mabed. Œuvre titanesque du XIVᵉ s. av. J.-C., ce sanctuaire était dédié à la déesse du Soleil et au dieu de l'Orage. Édifié sur une terrasse en moellons, il était également le pôle économique et le centre administratif de la cité. Son enceinte abritait tout un complexe de boutiques, entrepôts, dépôts d'archives et bureaux nécessaires à son fonctionnement. L'un de ces ensembles, la **maison aux ateliers**, employait 208 personnes. Le **temple** proprement dit (un bâtiment doté d'une cour centrale, précédant l'adyton ↴) se dissimulait dans une couronne de magasins. Sur leur emplacement, on peut encore voir les amphores d'époque, à demi enterrées, où l'on stockait les marchandises. Devant le propylée ↴, remarquez un **bassin***

civilisation

Le secret des Hittites

Au II⁰ millénaire av. J.-C., ce peuple indo-européen fonda un État qui devint rapidement l'une des grandes puissances du Proche-Orient. Au XIV⁰ s. av. J.-C, l'Empire hittite annexa la Mésopotamie. Pendant la période appelée le Nouvel Empire (1450-1180), elle était l'égale de l'Égypte, avec qui elle signa le fameux traité de Qadesh (1269). Son anéantissement brutal vers 1200 av. J.-C. fit que cette civilisation, dotée d'une écriture propre, resta inconnue jusqu'au début du XX⁰ s. Les rapports que l'Empire hittite entretenait avec les peuples assujettis rejaillissent dans l'art et dans les traditions religieuses, qui mélangent les apports indo-européens, les influences hourrites (peuple de l'Orient ancien, établi dans le Mitanni) et les traditions autochtones d'Anatolie. ●

en basalte orné de deux lions à cinq pattes, une astuce imaginée par le sculpteur pour créer un effet de perspective.

Les remparts**

Les murailles épousent le contour accidenté du relief en incorporant la moindre éminence. Quand elles rencontrent un ravin infranchissable, elles le comblent au moyen d'un pont fortifié (une structure de ce type fut aménagée au nord d'Ambarlıkaya). Constitué par deux lignes de fortification, le **rempart sud**★★ nécessita d'importants travaux de terrassement. Son mur supérieur s'appuyait contre une levée artificielle (75 m de haut), doublée en contrebas d'un avant-mur jalonné de tours. On voit encore le parement en gros blocs de pierre et un fragment du glacis dallé qui recouvrait le remblai.

Trois portes perçaient l'étroite enceinte ménagée entre les deux murs. La mieux conservée, la **porte des Lions**★ (Aslanlı Kapı), est gardée par deux lions en pierre, censés éloigner le mauvais sort. Sous la **porte des Sphinx**, une incroyable **poterne**★ voûtée (**Yerkapı**, porte de la Terre) passe sous les murailles et débouche dans la campagne. En temps de siège, ce couloir souterrain permettait aux soldats hittites

de sortir de la ville par surprise pour prendre leurs assaillants à revers. La porte des Sphinx, à laquelle on accède par un escalier taillé dans le remblai, dévoile un beau panorama sur le site. Elle était flanquée de deux sphinx, aujourd'hui exposés aux musées archéologiques d'Istanbul et de Berlin. La **porte Royale** (Kral Kapı), conçue comme une placette fortifiée, est ornée d'un moulage représentant un dieu guerrier (*relief original au musée des Civilisations anatoliennes d'Ankara*).

Le quartier des temples

Il regroupe une trentaine de constructions érigées sous Thudaliya IV, et forme un vaste complexe figurant vraisemblablement un panthéon hiérarchisé. Au pied du piton couronné par la **forteresse de Nişantepe**, le rocher de **Nişantaş** porte une longue inscription en hiéroglyphes hittites, relative au roi Suppiluliuma II. À proximité de **Güney Kalesi** (le château du Sud), les archéologues ont mis au jour la **chambre des hiéroglyphes**★★, aux murs sculptés de reliefs (l'un figure un prêtre, l'autre le roi Suppiluliuma II) et d'inscriptions. Cette galerie souterraine était probablement vouée au culte des divinités chthoniennes.

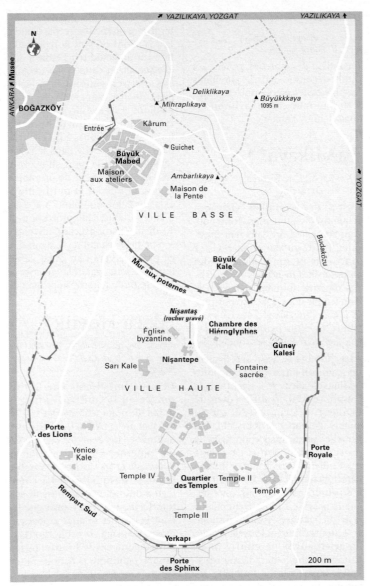

YAZILIKAYA, YOZGAT · YAZILIKAYA ↑

N

ANKARA / Musée

BOĞAZKÖY

▲ Deliklikaya
▲ Mihraplıkaya
▲ Büyükkkaya
1095 m

Kârum

Entrée

Büyük Mabed

Guichet

Maison aux ateliers

Ambarlıkaya ▲
Maison de la Pente

VILLE BASSE

YOZGAT

Mur aux poternes

Büyük Kale

Budaközü

Nişantaş (rocher gravé)

Église byzantine

Chambre des Hiéroglyphes

Nişantepe

Güney Kalesi

Sarı Kale

Fontaine sacrée

VILLE HAUTE

Porte des Lions

Yenice Kale

Porte Royale

Temple IV

Quartier des Temples

Temple II

Temple V

Rempart Sud

Temple III

Yerkapı

Porte des Sphinx

200 m

BOĞAZKALE

Büyük Kale

Composée de trois enceintes, cette forteresse abritait la résidence royale. Ses remparts ont été remaniés à l'époque phrygienne. Dans les bâtiments servant de dépôt d'archives furent découvertes près de 5 000 tablettes gravées en hiéroglyphes hittites ou en cunéiforme, parmi lesquelles le célèbre **traité de Qadesh**, premier traité de paix de l'histoire de l'humanité, conclu vers 1270 av. J.-C. entre Hattusili III et Ramsès II. Il fait l'orgueil du Musée archéologique d'Istanbul. Les tablettes, déchiffrées en 1915, révélèrent une mine d'informations sur les us et coutumes du peuple hittite, demeuré jusqu'alors bien mystérieux.

Le musée

> *Dans le village de Boğazköy. Ouv. 8 h-17 h 30. Entrée payante.*

Il contient des tablettes, poteries et outils découverts sur le site, mais les plus belles pièces ont été transférées au musée des Civilisations anatoliennes d'Ankara.

Yazılıkaya★★

> *À 3 km à l'E de Boğazkale. Ouv. t.l.j. 8 h-19 h. Entrée payante.*

C'est ici que les Hittites célébraient l'équinoxe de printemps, correspondant au Nouvel An dans leur calendrier. Édifié au XIIIᵉ s. av. J.-C., ce sanctuaire fut aménagé dans des anfractuosités rocheuses. Deux galeries rupestres formaient l'adyton ↪ d'un temple dont la partie construite (une cour centrale précédée d'un vestibule et d'un propylée ↪) est aujourd'hui réduite à ses fondations.

● **La chambre A**. Ses reliefs figurent un panthéon hiérarchisé. Deux **processions** de dieux se dirigent vers le couple central, Teshub (dieu de l'Orage) et Hepatu (déesse du Soleil), entourés de leurs enfants. Un relief ajouté après coup figure le roi Thudaliya IV déifié. Le groupe des **12 dieux** (paroi gauche) incarne l'éternel renouveau. La tradition indo-européenne voulait, en effet, que le passage à la nouvelle année s'effectue en une période transitoire de 12 jours clôturant le cycle écoulé. En célébrant la pérennité de la nature comme le paradigme régissant le cycle de la vie humaine, les Hittites affirmaient des croyances fortement imprégnées par la notion de l'immortalité.

● **La chambre B**. Aménagée plus tardivement (peut-être par Thudaliya IV, dont on voit la représentation sur un grand relief isolé à dr.), elle servait au culte royal. Ce culte des ancêtres, entérinant la légitimité du roi, s'accompagnait de libations et de sacrifices. Un second relief figure un buste humain, formé par des lions, qui s'enracine dans un glaive fiché dans le sol. Il semblerait que la mort ait été l'objet d'un culte entouré de rites spécifiques. Offrandes et purifications aidaient l'âme du défunt à accéder à l'immortalité. Une procession de **12 dieux** (paroi gauche), identique à celle de la chambre A, symbolise ce passage vers l'au-delà, censé durer 12 jours par analogie avec le cycle festif du renouveau printanier.

Alaca Höyük★

> *À 35 km au N-E de Boğazkale. Ouv. t.l.j. 8 h-12 h et 13 h 30-17 h. Entrée payante.*

De cette importante cité hittite, fondée au IVᵉ millénaire par la population autochtone des Hattis, subsistent la très belle **porte des Sphinx★★** érigée au XIVᵉ s. av. J.-C., une **poterne★** identique à celle de Boğazkale et les vestiges de **tombes royales**, desquelles les archéologues ont exhumé quantité de statues (cerfs, taureaux) ainsi que les fameux disques solaires exposés au musée d'Ankara. Les collections du **musée** couvrent le bronze ancien (armes, figurines), la période hittite (vases, bronzes divers) et l'occupation phrygienne (céramiques et terres cuites). Au sous-sol, intéressante section ethnographique. ●

Les villes caravanières

À Amasya, les traditionnelles demeures à encorbellement s'alignent le long du Yeşilırmak, au pied d'un piton rocheux creusé de tombes.

© Gil Giulio/Hémisphères Images

À l'époque seldjoukide, l'Anatolie était une plaque tournante du commerce international. Les marchandises (ivoire, fourrures, épices, tissus précieux... mais aussi esclaves) en provenance de Chine, Asie centrale, Sibérie, Inde et Indochine transitaient par ses ports. Elles étaient acheminées par des caravanes, qui sillonnaient la route de la Soie.

> *Voir la carte p. 190.*

♥ Amasya★★

> *À 203 km au N-E de Boğazkale et 127 km au S de Samsun.* **Carnet d'adresses** *p. 219.*

Dominée par les ruines de sa citadelle millénaire, Amasya se blottit au fond d'une gorge encaissée, traversée par les eaux du Yeşilırmak. Cette bourgade paisible a tout pour elle: un décor naturel grandiose, le charme de ses anciennes demeures ottomanes et quelques monuments illustrant le premier art musulman.

De spectaculaires **tombes rupestres**, creusées dans le piton rocheux, rappellent que la ville fut la **capitale du puissant royaume du Pont** entre le IIIe s. et le Ier s. av. J.-C. À l'époque ottomane, la tradition voulut que les princes héritiers y résident, le temps de s'initier aux choses de l'État. Aujourd'hui, la belle oubliée vit en recluse dans ce coin perdu de l'Anatolie, mais l'atmosphère qui s'en dégage n'en est que plus authentique.

La rive droite★

> *Les monuments se dressent de part et d'autre d'un long boulevard (Atatürk Cad.), qui se raccorde avec Mustafa Kemal Bul. au-delà de la place Hükümet. Il suffit de remonter cet axe d'ouest en est.*

Édifiée par les Seldjoukides, **Gök Medrese★** (1267) servait à la fois de mosquée et d'école coranique. La structure incorpore un *türbe* ↝ octogonal, dans lequel on distingue encore quelques traces de la décoration en faïence bleue. Le fondateur,

Seyfettin Torumtay, repose dans un *türbe* voisin, construit en 1278. Le **Musée municipal★** *(ouv. t.l.j. sf lun. 8h30-12h et 13h30-17h; entrée payante)* contient les trésors archéologiques de la région, notamment les magnifiques portes en bois de Gök Medrese. Diverses sculptures et stèles funéraires sont exposées dans le jardin, qui renferme aussi le **mausolée de Sultan Mesut**.

L'art ottoman a produit la ♥ **Sultan Beyazıt Camii★★** (1486), fondée sur le plan en T renversé. La disposition de la **salle de prière**, deux cubes coiffés de coupoles se suivant dans l'axe, dégage une impression d'élévation et de clarté. Nichée dans un jardin clos de murs, la mosquée fait partie d'un complexe comprenant une bibliothèque, un *imaret* ↳ et une *médersa* ↳. Le *bedesten* ↳ ottoman fait face aux ruines du **Taş Hanı**, un ancien caravansérail occupé aujourd'hui par des ferblantiers. En le contournant, vous parviendrez devant le minaret torsadé de la **Burmalı Minare Camii★**, une mosquée seldjoukide édifiée en 1241. Un riche portail à stalactites découpe les murs de **Bimarhane Medresesi** (1309), cet ancien hôpital pour aliénés construit par les Mongols ilkhanides. Régie par le plan en T renversé du premier art ottoman, la **Beyazıt Paşa Camii★** (1419) s'ouvre par un porche alternant des assises en marbre rouge et blanc. De l'autre côté de la rivière, **Büyük Ağa Medresesi** (1488) affecte un plan octogonal inaccoutumé pour une école coranique.

♥ La rive gauche★★

Avant de vous enfoncer dans la zone résidentielle ottomane, prenez le temps de contempler cette « petite Venise » depuis la rive opposée. La municipalité a rénové la plus belle de ces maisons en bois, ♥ **Hazeranlar Konağı★**, devenue un musée ethnographique *(ouv. t.l.j. sf lun. 9h-12h et 13h30-17h30; entrée payante)*. Ses pièces meublées à l'orientale reconstituent un intérieur bourgeois du XIXᵉ s. Un sentier bien indiqué conduit aux **tombes rupestres** d'époque hellénistique excavées dans le rocher. Vous parviendrez d'abord sur l'ancien emplacement du palais des rois du Pont, **Kızlar Sarayı**, aujourd'hui occupé par un salon de thé panoramique. Il suffira alors d'une brève grimpée pour atteindre les tombeaux des rois du Pont. La **forteresse supérieure★**, construite dans l'Antiquité puis remaniée par les Romains, les Byzantins, les Seldjoukides et les Ottomans, dévoile un fantastique **panorama** sur la ville. *Pour y accéder, prenez la direction de Samsun, en voiture ou en taxi, et engagez-vous à g. sur la route escarpée qui indique Kale.*

♥ Tokat★

> *À 117 km au S-E d'Amasya.* **Carnet d'adresses** *p. 224.*

À l'écart des routes touristiques, Tokat somnole au fond d'une vallée encaissée dominée par les ruines de sa **citadelle**. Les heures d'un riche passé revivent au détour des ruelles, qui livrent pêle-mêle leurs maisons traditionnelles en bois et les nombreux édifices laissés par les sultans seldjoukides puis ottomans.

Jadis active et prospère, la ville éblouit le voyageur **Evliya Çelebi**, qui écrivit au XVIIᵉ s. dans sa *Chronique* : « La ville paraît petite, mais elle se déploie dans un relief vallonné, couvert de vignobles et traversé par huit rivières. Aux collines s'accrochent des palais de trois ou quatre étages et des maisons de maître lumineuses, avec leurs rideaux de fenêtres orientés vers l'est et le nord. Ce sont de superbes maisons en pierre, qui s'étagent les unes derrière les autres en épousant le relief escarpé. » Les palais ont disparu, mais les coteaux au nord de la rivière Yeşilırmak portent toujours leurs célèbres **pavillons de campagne** chaulés aux toits de tuiles rouges. Les curiosités se dressent de part et d'autre du boulevard Gazi Osman Paşa, l'artère principale. Démarrez la visite depuis Cumhuriyet Alanı, la place centrale bordée de monuments ottomans ; avec ses coupoles et ses alvéoles percées de mille yeux vitrés, le hammam **Ali Paşa** (1572) est un merveilleux endroit pour tenter le bain turc.

Gök Medrese*

> *Gazi Osman Paşa Bul., en direction d'Amasya. Ouv. t.l.j. sf lun. 8 h 30-17 h. Entrée payante.*

Construite en 1277 par les Seldjoukides, cette **école coranique** reconvertie en **musée archéologique** s'ouvre par un **portail** à stalactites alternant des assises de marbre blanc sculpté et de marbre rose. Les corps du bâtiment s'organisent autour d'une cour centrale fermée au sud par un **iwan** ↪ en partie habillé de faïences émaillées bleues. Les anciennes cellules abritent des œuvres hittites, phrygiennes, hellénistiques, seldjoukides et ottomanes découvertes dans la région (manuscrits, reliques chrétiennes, objets en terre cuite, poignards ottomans) et une section ethnographique (costumes traditionnels, kilims, bijoux). De l'ancienne loge des derviches tourneurs, **Sümbül Baba Zaviyesi** *(plus bas dans la même rue)*, il ne reste que le **portail*** à stalactites encastré dans une maison. Les frises sculptées de feuilles d'acanthe sont d'ultimes avatars du style gréco-romain.

♥ Les han*

Retournez à Cumhuriyet Alanı et engagez-vous à dr. dans la **Sulu Sok.** qui monte vers le *bedesten* ↪ et les anciens *han* ↪. Située au croisement des routes caravanières, Tokat connut une intense activité commerçante à l'époque seldjoukide, puis sous les Ottomans, qui firent de la ville un grand centre artisanal spécialisé dans le travail du **cuivre** et la fabrication des *yazma* (sorte d'in-

diennes imprimées à la main). L'importance commerciale de Tokat s'évaluait au nombre d'entrepôts : 14 au XVIIe s., selon l'écrivain Evliya Çelebi. Sur le porche de **Paşa Hanı**, l'ogive est sculptée de tigres enchaînés à un cyprès, une thématique propre à la miniature ottomane. Un déballage de grenier encombre les **brocantes** qui investissent la rue : serrures et portes en bois d'époque ottomane, malles peintes que les futures mariées utilisaient jadis pour serrer leur dot, etc.

Au pied de la citadelle s'étagent un **quartier de maisons traditionnelles** en bois et **Yazmacılar Hanı**, qui abrite une **manufacture** de *yazma (pour la visite, adressez-vous à la boutique en face)*. L'intérieur offre un spectacle digne du XIXe s. Des centaines de *yazma* mis à sécher s'accrochent aux étendoirs. Dans l'atelier, les ouvriers impriment manuellement le tissu à l'aide de **tampons en bois** gravés de motifs (technique du noir et blanc qui requiert une certaine habileté) ou lui font subir les différents passages de couleur selon un procédé proche de la sérigraphie.

♥ Latifoğlu Konağı**

> *Sur Gazi Osman Paşa Bul. en direction de Sivas. Ouv. t.l.j. sf lun. 8 h 30-17 h. Entrée payante.*

Cette demeure reconvertie en **musée** est l'un des plus beaux spécimens d'habitat ottoman de Turquie. À l'étage, le bois sculpté est roi dans la **Paşa Odası** (chambre du pacha), dont vous admirerez les placards encastrés et le plafond soutenu par des piliers torsadés, de style baroque.

Les quartiers ottomans

Dans **Bey Sokağı** *(de l'autre côté de la rivière, derrière la tour de l'Horloge)*, une enfilade de **maisons blanches à encorbellement** monte à l'assaut de la colline. Ces demeures, plus cossues que celles du quartier des *han*, appartenaient à des notables et à de riches marchands.

Sivas★★

> *À 103 km au S-E de Tokat.* **Carnet d'adresses** *p. 224.*

Sivas annonce une Anatolie aux mœurs plus sévères. En flânant dans les rues, le voyageur aura bien souvent l'intime conviction d'avoir franchi la frontière imperceptible séparant la Turquie de l'Ouest et celle de l'Est. Dans cette cité où cohabitent **alevis** et **sunnites** règne une atmosphère conservatrice nourrie par les clivages latents qui divisent les deux communautés. La ville sera pourtant une étape clé pour les amateurs d'architecture islamique. Important carrefour caravanier entre l'Anatolie, la Perse et Bagdad, Sivas devint dès le XIe s. la capitale d'un puissant **émirat danişmendide** (dynastie turcomane), avant de passer aux mains des **Seldjoukides** vers 1150, puis des **Mongols** au XIIIe s. Tous ces princes la comblèrent de monuments qui s'élèvent, pour la plupart, dans **Selçuk Parkı** en plein centre-ville.

Çifte Minareli Medrese★★

> *Ouv. t.l.j. 8 h-20 h. Entrée libre.*

Bien qu'en partie écroulée, l'école coranique achevée en 1272 est le monument le plus spectaculaire de Sivas. Voyez donc le **portail** flanqué de deux minarets ! Il est découpé d'une classique voûte à stalactites triangulaire, mais son décor sculpté révèle des fantaisies qui caractérisent l'art seldjoukide dans sa période dite baroque (sous domination mongole). Le grand **portail rectangulaire**, l'une des plus belles formes de l'architecture musulmane, dérive de l'art persan.

♥ Şifaiye Medresesi★

> *Ouv. t.l.j. 8 h-20 h. Entrée libre.*

Fondée en 1217 par le sultan Izzeddin Keykavus, cette ancienne faculté de médecine reconvertie en école coranique fait face à Çifte Minareli Medrese. Il suffit de comparer leurs portails à stalactites pour mesurer les variations accomplies par l'art seldjoukide en une cinquantaine d'années. Les entrelacs qui sculptent le **porche** forment par endroits des motifs stylisés représentant des aigles à deux têtes et des oiseaux. De part et d'autre de l'ogive, vous remarquerez un lion et un taureau sculptés en relief. Les cellules ordonnées autour de la cour centrale abritent aujourd'hui des **boutiques d'artisanat** (tapis, bijoux, objets en bois, cuivres) et un agréable salon de thé. Le fondateur repose dans le *türbe* ↪, aménagé derrière l'iwan ↪. Il se signale par sa façade, ornementée de motifs géométriques en faïences bleues. Ne manquez pas de jeter un œil au **portail★** de **Bürüciye Medresesi** *(juste à côté)*, qui abrite le musée des sculptures.

Ulu Cami

> *Dans Cemal Gürsel Cad., au S-E de Selçuk Parkı. Ouv. 8 h-18 h.*

La Grande Mosquée (1196) reproduit l'archétype syrien : un rectangle orienté dans la largeur, que précède une cour bordée d'un portique. Dans la **salle de prière**, 50 colonnes délimitent onze nefs perpendiculaires au mur de la *qibla* ↪. Le minaret en brique décoré d'un bandeau d'inscriptions coufiques date du XIIIe s.

Gök Medrese★★

> *Au S de l'Ulu Cami, par la Cumhuriyet Cad. Ouv. 8 h-17 h. Entrée libre.*

Cette école coranique (1271) reproduit le même dispositif que la *medrese* de Çifte Minare, mais avec des lignes plus élégantes. Une **niche à stalactites** dessine un triangle allongé dans le portail rectangulaire, ciselé comme de la dentelle. Les **deux minarets** en brique sertis de faïences émaillées bleues reposent sur des piliers carrés que les architectes ont sculptés de **motifs géométriques et végétaux** : l'arbre de Vie, l'étoile de David et

Chez les Ottomans, chaque ruelle de bazar et chaque han se spécialisaient dans un type de denrée ou d'artisanat précis. La sectorisation reste visible dans les bazars turcs, notamment dans le Vezir Hanı à Kayseri, dont les boutiques et les ateliers vivent du négoce de la laine et des tapis.

© Astrid Lorber

l'aigle à deux têtes. La cour centrale décline le plan persan à quatre iwans ↪. Pour une **vue** plongeante, grimpez au sommet du minaret *(rens. auprès du gardien).*

Kayseri★★

> *À 193 km au S-O de Sivas et 110 km à l'E de Nevşehir.* **Carnet d'adresses** *p. 222.*

Parsemée d'édifices moyenâgeux en basalte noir, l'ancienne **Césarée** a encore fière allure malgré l'urbanisation récente. Celle que l'on surnomme la **cité des Mausolées** se souvient qu'elle occupait naguère une position stratégique sur les routes caravanières. Les autobus ont remplacé les chameaux, mais Kayseri demeure un important carrefour entre l'ouest et l'est de la Turquie. L'histoire de la cité, conquise en 1084 par les premières tribus turques venues d'Asie centrale, remonte à l'Antiquité. **Basile le Grand**, père du monachisme cappadocien, y fonda un archevêché au IVe s. Entre 1243 et 1335, Kayseri passa sous la domination mongole, puis devint capitale de divers émirats avant d'être rattachée à l'Empire ottoman en 1515. Fière d'une identité turque millénaire, Kayseri affiche des penchants conservateurs qui coexistent tant bien que mal avec les aspirations d'une jeunesse plus encline au libéralisme. À la nuit tombée, le centre-ville se vide et toute l'animation se concentre sur **Sivas Cad.**, la rue branchée qui aligne cafés et pâtisseries.

Le centre historique

Les monuments gravitent autour de **Cumhuriyet Meydanı**, la place centrale, jouxtant l'**Atatürk Parkı** à l'ouest et la citadelle au sud-est. L'essentiel de la visite s'effectue à pied.

● **Sahabiye Medresesi★.** *Dans le coin N-E d'Atatürk Parkı.* Construite en 1267, cette ancienne école coranique possède un **porche** sculpté avec voûte à stalactites. La cour intérieure abrite aujourd'hui le **marché des bouquinistes**.

● **Le quartier du bazar★.** *Au S d'Atatürk Parkı.* Il y règne une atmo-

caravansérails

Des relais fonctionnels

Les **Seldjoukides** s'attachèrent à développer les voies du négoce international, qu'ils sécurisèrent avec le réseau des caravansérails. Tous les 25-40 km (l'équivalent d'une journée de marche pour la caravane), ils jalonnèrent les pistes caravanières de **relais** qui offraient aux voyageurs une gamme complète de services : hôtellerie, écuries, vétérinaire, fourrage, hammam, médecin, mosquée et bibliothèque. Le tenancier allait même jusqu'à proposer un **chameau** ou un **cheval** de rechange aux marchands qui avaient perdu une monture en cours de route. La sécurité des voyageurs et la protection de leurs marchandises incombaient aux **gardiens**, qui fermaient le portail au soleil couchant pour le rouvrir au petit matin s'il n'y avait eu aucun vol à déplorer durant la nuit. En temps de guerre, l'enceinte fortifiée du caravansérail pouvait se transformer en **fortin** et accueillir une garnison. •

sphère orientale d'autant plus plaisante que les quelque **500 boutiques** s'adressent principalement aux Turcs. Des épiceries s'échappe l'odeur caractéristique du *pastırma*, spécialité locale faite de filet de bœuf séché et enrobé d'une pâte au piment doux et à l'ail. Plusieurs bâtiments, très bien restaurés, datent de l'époque ottomane. Partez à la recherche du *bedesten* ↪ (1497), vénérable édifice coiffé de trois coupoles. Les marchands de soieries d'antan ont depuis longtemps cédé la place aux boutiques de tapis (les **tapis en soie** sont une spécialité de Kayseri).

Quant au **Vezir Hanı**, monumental caravansérail en basalte noir, il est aujourd'hui dévolu au commerce de la laine et des tapis. Allez-y le matin, quand la cour est jonchée du produit de la tonte et que les négociations entre détaillants et paysans battent leur plein. Fondée en 1142 par les Danişmendides, la **Grande Mosquée** (Ulu Cami) possède un minaret en brique décoré d'inscriptions coufiques en faïence émaillée. Sa salle de prière renferme un **minbar*** ↪ en bois ouvragé. Les allées du **bazar couvert** (Kapalı Çarşı) communiquent avec la **citadelle***, un bel exemple d'architec-

ture militaire seldjoukide qu'il faut revoir la nuit, quand la sombre enceinte crénelée est illuminée.

● **Hunat Hatun Külliyesi****. *Sur le flanc E de la citadelle.* Outre une mosquée de type hypostyle ↪, nantie d'un **portail** finement ciselé, ce magnifique complexe seldjoukide comprend un hammam et une **médersa** ↪ dotée d'une cour centrale à deux iwans ↪. Une petite porte sur la droite donne accès au **tombeau de Hunat Hatun**, épouse du sultan Keykubat Ier.

● **Gürgüpoğlu Konağı****. *Dans une ruelle au S de la Hunat Hatun Camii. Ouv. 9 h-12 h et 13 h-17 h. Entrée payante.* Pour savoir comment vivait une riche famille à l'époque ottomane, faites un tour au Musée ethnographique installé dans cette magnifique **demeure de maître**, sise dans un jardin fleuri. Des scènes de la vie quotidienne ont été reconstituées dans les pièces d'habitation, réparties en **deux quartiers**, l'un dévolu à la vie familiale *(haremlik)* et l'autre réservé à la vie sociale *(selamlık)*.

● **Döner Kümbet****. *Dans Talas Cad., à 1 km au S-E de la Hunat Hatun Camii.* Le plus beau **mausolée seldjoukide** (1276) de Kayseri est un édifice à deux niveaux, qui évoque le tambour ↪ à coupole des églises arméno-géorgiennes. Les 12 panneaux des arcades aveugles sont remplis de motifs floraux enchevêtrés, et de reliefs endommagés figurant des palmettes et des personnages. Une corniche de stalactites souligne la transition avec le toit conique et le socle qui abrite la crypte funéraire.

● **Le Musée archéologique★**. *Près du mausolée. Ouv. t.l.j. sf lun. 8h-12h et 13h-17h. Entrée payante.* Ses collections (statues, poteries, etc.) proviennent des fouilles effectuées à **Kültepe**, sur le site de l'antique Kanesh, localisée à 22 km au nordest de Kayseri. Les **tablettes** gravées en caractères cunéiformes dévoilèrent aux historiens une mine d'informations sur les relations commerciales entre Hittites et Assyriens.

♥ Sultanhanı★★

> *À 45 km au N-E de Kayseri. Ouv. t.l.j. sf lun. 9h-17h. Entrée payante.*

Ce caravansérail (1236) fait partie des plus belles réalisations seldjoukides. Il est doté d'une salle d'hiver à cinq nefs couvertes de voûtes en berceau brisé. Un édicule carré, faisant office de mosquée, trône dans la cour bordée par des arcades latérales, sobrement décorées d'une frise de stalactites.

♥ Erciyes Dağı★★

> *À 26 km au S-E de Kayseri.*

Nul besoin d'être alpiniste pour approcher la silhouette pyramidale du **mont Erciyes** (3 917 m), cet ancien volcan qui domine les hauteurs de Kayseri. Une route asphaltée grimpe jusqu'au village d'Erciyes, une station de ski très cotée en Turquie. En été, vous pourrez approcher les **campements** des bergers seminomades, qui migrent sur le plateau avec leurs troupeaux. La montagne peut être contournée à l'est par la route qui rejoint, *via* Yahyalı, les **chutes de Kapuzbaşı★★**, à 125 km au sud de Develi (*encadré ci-dessus*).

---

nature

Les chutes de Kapuzbaşı

Dans cette zone montagneuse classée **parc national**, on dénombre pas moins de **sept cascades** de 30 à 70 m de hauteur. Particularité géographique, c'est dans ces reliefs que coule l'**une des plus longues rivières souterraines** du monde, gorgée par les neiges des **Ala Dağlar**. L'eau froide jaillit de la roche avec une force considérable, ce qui modifie sensiblement le climat et la végétation alentour. Voilà comment ce coin minéral de haute montagne a pu se transfigurer en une luxuriante **oasis de fraîcheur**. Les eaux tumultueuses serpentent ensuite dans une vallée encaissée aux pans tapissés de forêts, puis se jettent dans le cours d'eau Seyhan retenu en aval par le barrage d'Adana. ●

Niğde★

> *À 134 km au S-O de Kayseri, 82 km au S de Nevşehir, 205 km au N-O d'Adana.* **Carnet d'adresses p. 223.**

Aux portes de la Cappadoce, cette tranquille bourgade agricole, blottie au pied de sa forteresse, a des atouts à faire valoir : des environs exceptionnels et quelques monuments ocre légués par l'époque seldjoukide. Dommage que les mosquées ne soient ouvertes qu'aux heures de la prière. Un **marché** animé se tient le jeudi près de la tour de l'Horloge.

La vieille ville

Le noyau monumental se concentre dans le périmètre de la **citadelle** (*kale*), fondée au XIIe s. puis remaniée par les Ottomans. Il subsiste le donjon et quelques pans de muraille. Le tertre du château porte aussi la **tour de l'Horloge** et l'**Alaeddin Camii**** (1224), une mosquée de type basilical, dont le haut **portail** à voussure de stalactites n'est pas perpendiculaire à l'axe de la *qibla* ↪. Éclairée par un « puits de lumière », la salle de prière est délimitée en trois nefs par huit piliers supportant la retombée de magnifiques voûtes en berceau.

Au pied du monticule, vous découvrirez le *bedesten* ↪ voûté en berceau, et la ♥ **Sungur Bey Camii**** (1335), superbe construction mongole en pierres de taille. Deux **porches** sculptés gardent l'entrée d'une salle de prière hypostyle ↪, qui renferme un **mihrab** ↪ finement ciselé. Construite en 1409 par les sultans karamanides, l'**Ak Medrese** *(à une centaine de mètres à l'O)* s'ouvre par un longiligne **portail*** à stalactites qui donne accès dans une cour à iwan ↪, bordée par deux étages de cellules.

Au nord-ouest de la citadelle s'élève un ensemble funéraire composé de **trois** *türbe* ↪ octogonaux. Le plus beau de ces mausolées, **Hüdavent Hatun Türbesi**** (1312), ressemble à une yourte d'apparat avec son porche sculpté et ses avancées d'angle à *muqarna* ↪ ; les sculptures figurées portent la marque des maîtres d'œuvre arméniens.

Le monastère d'Eski Gümüşler**

> *À 14 km au N-E de Niğde. Ouv. 8 h-18 h. Entrée payante.*

Structuré autour d'une cour interne, il renferme une **église byzantine** excavée dans le rocher et décorée de **fresques** exécutées entre les Xe et XIIe s. Elles comptent parmi les mieux conservées de la région. L'abside ↪ porte une **Déisis** ↪ de belle facture (registre supérieur), les portraits des apôtres (registre médian) et une **Vierge orante** entourée des Pères de l'Église (registre inférieur). Dans une niche du mur gauche, la **Vierge à l'Enfant****, reproduction de l'icône qui aurait été peinte par saint Luc l'Évangéliste, émeut par son expression de tendresse, qui rappelle les émouvants portraits du Fayoum (Égypte) au IIe s. À l'étage, une salle qui servait probablement de bibliothèque s'orne de curieuses peintures illustrant les **fables d'Ésope**. Diverses pièces domestiques (dortoirs, salles de réunion, réfectoire et cuisine) ceinturent la cour. Un tunnel dessert l'**abri souterrain** *(visite sur demande)* dont les salles, ventilées par une cheminée d'aération, servaient de cellier et même de hammam.

Uzun Yol

Sur le sol turc, l'une des plus importantes pistes caravanières reliait Samsun à Antalya, *via* Kayseri et Eğirdir, l'autre la frontière persane à la mer Égée, *via* Erzurum et Konya. Cette piste transanatolienne, appelée Uzun Yol, suit le parcours de l'antique route des Rois, que les Perses achéménides avaient tracée entre Suse et Sardes.

● **Ağzıkarahan*.** *À 14 km au N-E d'Aksaray. Ouv. 8 h-18 h. Entrée payante.* Ce caravansérail (1242) est une belle construction en pierres de taille, sobrement décorée. Les sculpteurs ont essentiellement soigné les deux porches donnant accès à la cour et à la salle d'hiver.

● **Sultanhanı**.** *À 45 km à l'O d'Aksaray. Ouv. 8 h-17 h. Entrée payante.* Bâti en 1229 par le sultan Alaeddin Keykubat Ier, ce caravansérail a bénéficié d'une minutieuse restauration. Son mur d'enceinte, jalonné de tours rondes et octogonales, est percé d'un magnifique portail à stalactites. Au milieu de la cour se dresse la petite **mosquée** portée par quatre piliers. Un second portail ouvragé conduit dans la salle d'hiver, aux cinq nefs voûtées en berceau. ●

Konya★★★

Lorsque Atatürk ordonna la dissolution des ordres soufis, le tekke de Mevlâna fut reconverti en musée.

© Philippe Body/hoaQui

Au cœur de la steppe anatolienne, la cité des **derviches tourneurs** a dédié à son saint un mausolée qui pointe son dôme turquoise vers le ciel. Véritable musée en plein air de l'**art seldjoukide**, Konya la pieuse s'est métamorphosée en métropole de son siècle. Exode rural oblige, les banlieues-dortoirs ont poussé comme des champignons et une ligne de tramway ceinture désormais **Alaeddin Tepesi**, centre historique de la cité. Pourtant, plus que dans n'importe quelle grande ville de l'Ouest, les habitants ont conservé un mode de vie oriental et des penchants conservateurs. Mieux vaut s'habiller en conséquence, notamment pour la visite des lieux saints.

> *À 242 km à l'O de Niğde, 142 km au S-O d'Aksaray, 250 km au S d'Ankara.*
> **Carnet d'adresses** *p. 222.* **Plan** *p. 210.*

UN BERCEAU
DE LA CIVILISATION TURQUE

Successivement occupée par les Hittites, les Phrygiens, les Perses, Alexandre le Grand, les Romains et les Byzantins, Konya fut conquise au XIᵉ s. par les Seldjoukides, qui en firent la capitale du **sultanat de Roum**. Pendant le règne d'**Alaeddin Keykubat Iᵉʳ** (1221-1237), le rayonnement intellectuel de la ville attira les **poètes** et les **savants**.

Sous la domination ottomane, Konya déclina. Les fortifications de la ville et du palais sultanial, tombées en ruines, furent rasées au XIXᵉ s. Atatürk, qui considérait Konya comme une mère patrie de la culture turque, envisagea de lui rendre son titre de capitale, mais son choix se porta finalement sur Ankara.

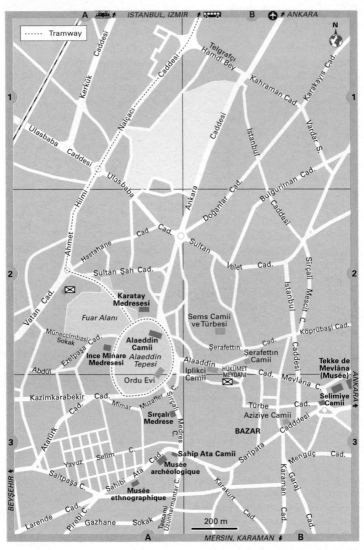

KONYA

Alaeddin Camii★

> **A2** *Ouv. 9h30-17h30.*

Couronnant la butte d'Alaeddin Tepesi, cette mosquée seldjoukide achevée en 1221-1222 porte l'empreinte arabe. Son majestueux **portail nord★★** est marqueté en plaques de marbre blanc et noir, reproduisant le motif à nœuds syrien. Restructurée à maintes reprises, la **salle de prière** hypostyle ↪ contient une forêt de **colonnes antiques** couronnées de chapiteaux ↪ romains et byzantins. Le **minbar★** ↪ en bois ciselé date de 1155. Dans la cour se dresse le *türbe* ↪ pyramidal servant de sépulture dynastique aux sultans seldjoukides. Des **terrasses de cafés** parsèment la butte, ombragée d'arbres et de jardins. L'atmosphère y est particulièrement agréable en soirée.

♥ Ince Minare Medresesi★★

> **A2** *Ouv. t.l.j. sf lun. 9 h-12 h et 13 h 30-17 h 30. Entrée payante.*

Cette école coranique (1265) héberge le **musée de la Sculpture sur bois et sur pierre**. Elle s'ouvre par un **portail★★★** en pierre sculptée, d'une plastique presque baroque. La composition marie des bandeaux épigraphiques entrelacés avec des motifs floraux et des bordures à entrelacs géométriques, en jouant des contrastes entre les volumes saillants, généralement lisses, et les parties planes, richement ouvragées. Du minaret cannelé ne subsiste que le premier niveau, serti d'**émail bleu**. La disposition interne reproduit le plan de la médersa ↪ à cour fermée, avec sa coupole posée sur des triangles turcs. On voit encore quelques traces de la décoration en faïence turquoise. Les sculptures exposées proviennent du palais de Konya, notamment les reliefs représentant des **aigles à deux têtes**, des **anges ailés** et des **animaux** (lion, éléphant, antilope, etc.). Dans la section des objets en bois, les **volets** et les **portes** gravés d'arabesques et de versets coraniques appartenaient à des mosquées de la région.

♥ Karatay Medresesi★★

> **A2** *Ouv. t.l.j. sf lun. 9 h-12 h et 13 h 30-17 h 30. Entrée payante.*

Cette ancienne école coranique (1251) convertie en **musée de la Céramique** s'ouvre par un élégant **portail★★** en marbre polychrome, pratiquement une réplique de celui de l'Alaeddin Camii si ce n'est le tympan, remplacé par un motif de stalactites. L'intérieur obéit au plan de la médersa ↪ à cour fermée, avec son grand iwan ↪ qui ferme l'atrium ↪, couvert d'une coupole à oculus. Une mosaïque de faïence à motifs floraux habille l'intégralité de la coupole, reliée à la base carrée par des **triangles turcs**. Le génie décoratif éclate dans les détails : le tambour ↪ de la coupole est minutieusement incrusté de versets du Coran en **caractères coufiques fleuris**, alors que les quatre triangles portent les noms stylisés des quatre califes qui succédèrent à Mahomet. Le **bassin** d'eau, avec son système de drainage coudé, émettait un doux murmure qui apaisait les étudiants plongés dans la lecture du Coran. Les pièces adjacentes renferment d'admirables **carreaux de faïence lustrée★** en forme d'étoile, dont les motifs animaliers et figurés sont une transposition de la miniature persane. Ils ornaient, en effet, les murs de Kubat Abad, le **palais d'été des sultans** érigé sur les rives du lac de Beyşehir dans la plus pure tradition persane.

Sirçalı Medrese★

> **A3** *Ouv. t.l.j. sf sam. et dim. 8 h-12 h et 13 h 30-17 h 30. Entrée libre.*

Construite en 1242, cette école coranique abrite les collections du **musée des Monuments funéraires**. Un **portail** richement sculpté de motifs géométriques et végétaux donne accès dans une cour à deux iwans. Le grand **iwan** ↪ possède encore une suggestive décoration en faïence bleue. À dr. de la porte d'entrée, une volée de marches conduit au *türbe* ↪ du fondateur.

La mosquée de Sahip-Ata et les musées★

> **A3** *Tous situés dans un mouchoir de poche sur Sahip-Ata Cad.*

La **mosquée de Sahip-Ata** (1283) n'a conservé que son **portail★**, incorporant un minaret et deux sarcophages romains remployés en **fontaines**. Les niches et les *sebil* ↪ portent des inscriptions évoquant le caractère sacré de l'eau. Au palier voisin, les collections du **Musée archéologique★** *(ouv. t.l.j. sf lun. 9 h-12 h et 13 h 30-17 h 30 ; entrée payante)* se composent de terres cuites, de céramiques, de statues appartenant aux civilisations préhistorique, hittite, assyrienne et phrygienne. La section gréco-romaine contient des sols en mosaïque et quelques magnifiques **sarcophages pamphyliens** en marbre blanc. La pièce maîtresse est un **sarcophage**★★ du IIIe s. dont les reliefs, quasiment de la ronde-bosse, illustrent les **12 travaux d'Hercule**. Diverses stèles romaines encombrent le jardin. Le **Musée ethnographique** (*mêmes horaires*) rassemble des objets de la vie quotidienne (vêtements, tissus, bijoux et corans).

Le bazar

B3 En gagnant le *tekke* de Mevlâna, haut lieu du mysticisme soufi, traversez le bazar, un dédale de ruelles populeuses qui alignent, par secteurs, bijoux en or, étoffes chatoyantes, cuivres rutilants et épices odorantes. Il se déploie derrière la poste centrale.

Le *tekke* de Mevlâna★★

> **B2-3** *Ouv. 9h-18h (lun. 10h-18h). Entrée payante.*

Son célèbre dôme cannelé, habillé d'émail turquoise, est le point de mire de la cité. Le *tekke* ↪ fut trans-

formé en **musée d'Art islamique** en 1927, quand Atatürk ordonna la dissolution des ordres soufis. Il faut se déchausser pour pénétrer dans le **bâtiment central**, qui renferme les divers cénotaphes des disciples et des membres de la famille du saint. Sur chacune de ces tombes trône la coiffe des derviches, enveloppée dans un turban vert. Dans la grande **vasque** en bronze et argent (*Nisan Taşı*), les derviches conservaient les pluies d'avril, considérées comme sacrées dans la tradition turco-islamique; cette eau était ensuite offerte aux visiteurs. Le cénotaphe de Mevlâna, couvert d'un brocart brodé d'or, repose au fond d'une arcade foisonnant de couleurs. Les novices étaient sacrés derviches sur les deux marches, plaquées d'argent, qui gravissent le socle protégé par une grille d'argent. Devant ce lieu sacré, il règne une atmosphère mystique qu'entretient la foule des pèlerins murmurant des prières… le tout sur fond musical soufi. Dans l'ancien **Semâhane** (le lieu où se déroulait le

Mevlâna

Le poète mystique **Mevlâna Celaleddîn Rumi**, fondateur de l'ordre des derviches tourneurs, est né à Balkh (actuel Afghanistan du Nord) au XIIIe s. L'invasion mongole contraignit sa famille à émigrer à Konya en 1228. Initié au soufisme par son père, le jeune Mevlâna compléta ses connaissances à Damas, puis retourna à Konya, où il fit la connaissance d'un grand soufi, **Şemseddin Tabrizi**, qui devint son maître spirituel. Sa mort subite perturba Mevlâna, qui s'isola pour méditer. Il composa des recueils poétiques en vers et en prose : *Le Grand Divan*, le *Mektubat* et le *Mesnevi*, œuvre magistrale empreinte de sagesse soufie qui compte plus de 25 000 vers répartis en six volumes. Rédigés en langue persane, ses écrits usent d'anecdotes et de paraboles lyriques dont la portée dépasse les frontières religieuses. Mevlâna y prône l'amour de Dieu et une grande tolérance. « Gorgez vos cœurs d'amour, si l'amour n'existait pas, le monde pourrait se figer » (*Mesnevi*, V, 2731). Selon Mevlâna, la **poésie**, la **musique** et la **danse** participent à l'élévation vers Dieu. Il mourut à Konya le 17 décembre 1273. Son fils **Sultan Veled** créa la **fraternité des derviches** et établit la **cérémonie du semâ** (danse giratoire). À sa mort, le mevlévisme se propagea dans toute l'Anatolie. Couvents et monastères essaimèrent en Turquie, en Syrie et en Égypte. ●

Semâ, la danse giratoire

Derviches tourneurs.

Pour communier avec Dieu et atteindre son amour, la *semâ* obéit à un **rituel précis**. Le **maître** ou cheikh est l'ordonnateur de la cérémonie. Un **récitant**, le *hafiz*, déclame les versets du Coran dédiés à la Lumière. Les **danseurs**, coiffés de toques coniques en feutre rouge symbolisant la pierre tombale, portent de longues robes blanches (évocation du linceul) sur lesquelles ils revêtent d'amples manteaux noirs (la tombe). Après trois tours de piste, ils ôtent leur manteau en signe de délivrance du monde matériel et se mettent à tourbillonner au son des instruments traditionnels : la **flûte** (*ney*), un **instrument à cordes** (*rebap*), le **tambourin** (*tef*). La flûte, douée d'une âme selon Mevlâna, joue un rôle très important : « Écoute comme cette flûte se plaint, comme elle raconte la séparation » (*Mesnevi*, I, 1-13). Les danseurs lèvent alors le bras droit, paume ouverte vers le ciel, pour recevoir la grâce divine, qu'ils répandent sur terre de leur main gauche, orientée vers le sol. Ils virevoltent ainsi jusqu'à l'**extase**. ●

rituel des danses, *encadré ci-dessus*) sont exposés divers instruments de musique traditionnels, des recueils de poésie, des tapis de prière précieux et des vêtements de cérémonie. Dans la **mosquée** attenante, construite sous le règne de Soliman le Magnifique tout comme le Semâhane, vous verrez des manuscrits enluminés et des calligraphies de toute beauté. Les pèlerins se pressent avec ferveur devant le **reliquaire** renfermant un poil de la barbe du Prophète. Disposées autour de la cour, les **anciennes cellules** abritent une collection de cuivres et d'objets usuels. Certaines, peuplées de mannequins en cire, reconstituent la **vie quotidienne du couvent**. On voit notamment un derviche plongé dans la lecture du Coran. Le réfectoire a été entièrement reconstitué dans le **pavillon des cuisines**. Les postulants y accomplissaient leur noviciat pendant une période de 1 001 jours, clôturée par une retraite de 18 jours. En quittant le *tekke*, jetez un coup d'œil à la **Selimiye Camii**, une mosquée ottomane construite par Sinan au XVIᵉ s. ●

L'art seldjoukide

Au lendemain des croisades et de la victoire de Myriokepha-lon sur Manuel Ier Comnène (1176), les Seldjoukides de Roum (terme venant de Roumi, ou Romains, qui désignent les Byzantins) déploient une intense activité architecturale autour de leur capitale de Konya. Celle-ci durera environ cinquante ans, et connaîtra son apogée sous le règne du sultan Keykubat Ier (1221-1237), protecteur du célèbre Mevlâna Celaleddîn Rumi, fondateur de l'ordre des derviches tourneurs. Elle touchera en premier lieu les trois grands centres d'art seldjoukides que sont Konya, Sivas et Divriği.

Un motif très fréquent : l'aigle à deux têtes. Les animaux très stylisés, dans lesquels il faut voir des signes héraldiques ou des symboles de pouvoir et de spiritualité plutôt qu'un simple naturalisme, rappellent les origines asiatiques des Seldjoukides.

Les influences

Les Seldjoukides, peuple nomade vivant sous des tentes au moins jusqu'à la troisième croisade (1190), méprisent l'art de construire. Pour bâtir leurs mosquées ou leurs caravansérails, ils font donc appel à des architectes persans, syriens et arméniens, experts en la matière. Ainsi s'explique le syncrétisme architectural caractérisant les sanctuaires seldjoukides. Si l'Ulu Cami de Diyarbakır (1228), l'Alaeddin Camii de Konya (1220), la Hunat Hatun Camii de Kayseri (1237), ainsi que les mosquées en bois (Arslanhane Camii d'Ankara et Eşrefoğlu Camii de Beyşehir) découlent du plan hypostyle ↪ de la Grande Mosquée de Damas, le contact avec l'Arménie conduit les Seldjoukides à adopter après 1220 la forme basilicale à coupoles et vaisseaux multiples (Alaeddin Camii de Niğde et Ulu Cami de Divriği). La formule persane de la cour à iwans ↪ n'a connu qu'une brève diffusion (Ulu Cami de Malatya), mais son plan affecte néanmoins diverses medrese à cour ouverte (Çifte Minare Medrese à Erzurum, Gök Medrese à Sivas, etc.).

Les muqarna ou stalactites

À l'image des monuments qu'ils ont connus en Perse, les Seldjoukides de Roum accordent un intérêt tout particulier aux tympans des grands porches d'entrée des mosquées ou des caravansérails, qu'ils décorent de *muqarna* ↪ ou stalactites. Dessinant un triangle dans le porche d'entrée, ces jeux de saillants et de rentrants en alvéoles ou nids d'abeilles accrochent la lumière et permettent de relier sans rupture les surfaces planes et concaves. Les plus beaux de ces motifs géométriques sont ceux de la Gök Medrese (1271) à Sivas, ou des portails des deux Sultanhanı (caravansérails), près d'Aksaray et de Kayseri. Ce motif décoratif, présent également sur les chapiteaux ↪, sera repris par les Ottomans.

Les caravansérails

Ces grandes réalisations architecturales sont entourées d'une enceinte ponctuée de tours rondes ou carrées à l'image des anciens forts byzantins. La porte d'entrée qui évoque un *mihrab* ouvre sur une cour bordée de portiques, appelée caravansérail d'été, et ornée au centre d'un oratoire cubique rappelant la nécessité de la prière. En raison des rigueurs du climat anatolien, les architectes ont ajouté une salle couverte, au-delà de la cour, pour héberger les marchands en hiver. Ces caravansérails d'hiver, formés d'une grande nef et de quatre collatéraux voûtés en berceau brisé, évoquent irrésistiblement les abbayes cisterciennes.

Un bestiaire venu d'Asie

Malgré l'interdit qui frappe l'image sculptée, les Seldjoukides ne rejettent pas la représentation d'êtres vivants et admettent même la figure humaine. Outre quelques figures accroupies « à la turque », tout un bestiaire fantastique (aigles à deux têtes, dragons, lions, griffons ou éléphants) orne les portails d'entrée des caravansérails, des médersas ↪ et même des mosquées (à Divriği et Diyarbakır). ●

L'élégant portail de Karatay Medresesi (1251), à Konya, marie les éléments géométriques sculptés avec le marbre.

Uzun Yol, ancienne piste caravanière entre Konya et la Perse, est jalonnée de caravansérails en ruine. Le plus spectaculaire, celui de Sultanhanı, s'ouvre par un portail à voussure de stalactites.

♥ Les grands lacs pisidiens★★

Le lac de Beyşehir.

L'un des plus beaux coins de Turquie ! Les replis du Taurus portent de vastes lacs turquoise, d'une exquise poésie. Leurs eaux limpides dorment dans des couronnes rocailleuses, couvertes par endroits d'un épais manteau forestier. Plus rude mais aussi plus authentique, la région des lacs cultive un mode de vie champêtre rythmé par la pêche et les cueillettes des vergers.

> Voir carte p. 190.

Beyşehir★

> À 92 km à l'O de Konya. et 212 km au N-O d'Alanya. Carnet d'adresses p. 221.

Posée sur la rive sud du troisième grand lac du pays, cette paisible bourgade occupait jadis une position stratégique sur la route caravanière reliant Konya à Alanya. À l'époque seldjoukide, une muraille protégeait la ville, qui renfermait de beaux monuments. ♥ L'**Eşrefoğlu Camii★★** (1296 ; *ouverte aux heures de prière*) appartient à un type de mosquée hypostyle ↝ dont la structure en bois découle des anciens prototypes que sont les salles d'apparat dans les architectures hittite, ourartéenne et achéménide. Une forêt de colonnes en cèdre, surmontées de chapiteaux ↝ en bois sculptés de stalactites, délimite la **salle de prière** en sept nefs. Un **mihrab★** ↝ en mosaïque de faïences bleues perce le mur de la *qibla* ↝. Tout le mobilier cultuel est en bois, le **minbar** ↝ comme la **tribune**, sur laquelle prenaient place les récitants du Coran. Le fondateur repose dans le *türbe* ↝ attenant, lui aussi ornementé de faïences émaillées.

Si vous quittez la ville par la route d'Eğirdir, faites le détour vers les énigmatiques reliefs néo-hittites d'**Eflatun Pınar★** *(à 22 km au N de Beyşehir)* qui faisaient probablement partie d'un sanctuaire érigé près d'une source.

● ♥ **Le lac de Beyşehir★★.** Pour découvrir ce joyau méconnu de la Pisidie, empruntez, sur 15 km, l'axe S en direction d'Akseki, puis bifurquez à dr. vers Yeşildağ pour longer le lac sur sa **rive ouest** jusqu'à la bourgade de Şarkıkaraağaç, d'où vous rattraperez la route d'Eğirdir.

© René Mattes/Explorer

Dès la sortie de Beyşehir, la beauté du paysage se fait plus pénétrante pour devenir spectaculaire sur la rive ouest. Les berges sauvages envahies de roseaux dégagent une poésie sublime, qui esquisse en teintes d'aquarelle la beauté austère du plateau anatolien. Ce charme indéfinissable, cette impression d'immensité mélancolique, vous ne les retrouverez, en Turquie, qu'au bord du lac de Van. À mi-parcours, peu avant le village de Yenişarbademli, vous pouvez vous ménager une halte culturelle au **palais d'été de Kubat Abad**. Édifié au XIIe s. par le sultan Keykubat Ier, il se composait d'une succession de kiosques, jardins et cours à iwan ↪ dans la plus pure tradition persane. Les ruines, mal conservées, ne ressuscitent pas le décor raffiné d'antan, mais le cadre naturel fait vagabonder l'imagination. Entre Yenişarbademli et Şarkıkaraağaç, la route panoramique traverse le **parc national de Kızıldağ**, planté de cèdres centenaires. La rive ouest est superbe au printemps, quand ses berges se couvrent de tapis de fleurs.

Eğirdir★★

> À 141 km à l'O de Beyşehir. **Carnet d'adresses** p. 221.

Posée sur la pointe d'une presqu'île reliée par une digue aux îlots de Canada et de Yeşilada, la bourgade jouit d'un cadre naturel somptueux, propice au farniente. De son passé seldjoukide, elle conserve une **forteresse** fragmentaire et **deux medrese★** reliées par un porche monumental ; leurs murs hébergent désormais un bazar et une mosquée. Les contours majestueux du **lac d'Eğirdir★★** portent des **pommeraies** que leurs propriétaires gagnent en bateau. Au moment des cueillettes *(sept.-oct.)*, l'activité bat

---

héros

Nasreddin Hoca

Vous verrez souvent l'effigie d'un curieux personnage enturbanné, juché à l'envers sur son âne. Il s'appelle Nasreddin Hoca et vécut au XIIIe s. à l'époque seldjoukide. La tombe supposée de ce héros populaire (on doute qu'il ait réellement existé) se trouve à **Akşehir**, une ville de Pisidie. Les **histoires humoristiques** qu'on lui prête ont fait le tour du monde turcophone. Il y incarne un personnage pétri de sagesse populaire, qui réagit en toutes occasions avec humour et finesse. En voici quelques exemples :

Mieux vaut prendre que donner...

Un mollah tombe à l'eau. Ne sachant pas nager, il se débat en réclamant de l'aide. « Donne-nous la main ! », s'écrient les sauveteurs. Le mollah fait la sourde oreille. Nasreddin Hoca s'approche et lui crie : « Prends mon bras ! ». Le mollah lui tend immédiatement la main et Nasreddin le sort de la rivière. Aux villageois abasourdis, Hoca explique : « Vous disiez "Donne", j'ai dit "Prends", car les mollahs ont plus l'habitude de prendre que de donner. »

Histoire d'âne

Un ami d'Hoca veut lui emprunter son âne. Hoca, qui n'est pas prêteur, refuse en prétextant que l'âne n'est pas dans l'étable. Au même moment, l'âne se met à braire. « Mais enfin, Hoca ! Ton âne est là, je l'entends braire ! », s'exclame l'ami. « Et maintenant, lui réplique Hoca nullement décontenancé, qui préfères-tu croire ? L'âne ou moi ? » ●

son plein. Toutes les petites pensions de **Yeşilada** arrangent des **balades en bateau**. Il suffit néanmoins de flâner sur la grève pour qu'un pêcheur vous propose de l'accompagner pour relever les filets (carpes et écrevisses abondent). On peut se baigner sur les plages de **Yazla** *(à 1 km du centre en dir. d'Isparta)*, d'**Altınkum** *(2 km plus loin)* et de **Bedre** *(la plus agréable, à 11 km au N d'Eğirdir sur la route de Barla)*.

L'**arrière-pays** d'Eğirdir offre de nombreuses possibilités d'excursion, notamment aux **grottes de Zindan** *(à 27 km à l'E d'Eğirdir)* et dans le **parc national du lac de Kovada★** *(à 32 km au S d'Eğirdir)*. On peut camper au bord des eaux limpides, où viennent s'abreuver des cerfs, des sangliers et des chevreuils. Au sud de Kovada, sur la route d'Antalya, le **canyon de Çandır★** entaille la vallée de l'Aksu, qui fut le principal axe de communication entre la côte méditerranéenne et la Pisidie à l'époque romaine. La randonnée dans la gorge *(baignade possible)* n'est envisageable qu'en saison sèche et de préférence avec un guide.

Isparta

> *À 35 km à l'O d'Eğirdir, 181 km à l'E de Pamukkale et 132 km au N d'Antalya.* **Carnet d'adresses p. 222.**

La plus grande ville de Pisidie n'a qu'une mosquée d'époque seldjoukide, l'**Ulu Cami** (1417), et un *bedesten* ↪ (1561), construit par Sinan, à offrir à la curiosité de ses visiteurs. Les champs de roses qui fleurissent les hauteurs alimentent toute la Turquie en **huile de rose**, mais aussi les grands parfumeurs mondiaux, Français en tête. La rose d'Isparta se décline sous toutes les formes : parfum, onguents, eau de rose, confiture, et même des tapis noués au motif de la fleur. Vous pourrez vous approvisionner en cosmétiques et en eau de rose chez n'importe quel épicier. Quant aux **tapis** et **kilims**, ils sont vendus aux enchères quatre fois par semaine au **Halı Sarayı**, situé dans Mimar Sinan Cad. En flânant de bon matin dans l'ancien quartier grec, au sud-est du centre-ville, vous pourrez assister au lavage des tapis.

Une route tortueuse s'échappe des quartiers sud en longeant les champs de roses (la récolte des pétales débute fin mai) et aboutit, après 10 km, au **lac volcanique de Gölçük**, à 1 405 m d'altitude. C'est la balade dominicale préférée des locaux, qui aiment à pique-niquer sur les berges.

Sagalassos★

> *À 42 km au S d'Isparta. Entrée gratuite.*

Quand les travaux de restauration s'achèveront, cette cité gréco-romaine rivalisera avec ses consœurs les plus célèbres. Particulièrement prospère à l'ère romaine, Sagalassos s'enrichit dans le commerce des **poteries** qu'elle exportait vers la Pamphylie. Édifiées sur de vastes terrasses, ses ruines s'étagent à flanc de colline. Beaucoup de temples gisent encore à l'état de pierres et de fûts de colonne amoncelés, mais les édifices reconstitués parlent immédiatement à l'œil. Les **thermes★** comptent parmi les plus grands d'Asie Mineure. L'**agora★** inférieure, fermée au nord par un **nymphée** ↪ monumental, communique par un escalier avec le **temple d'Apollon clarien**, transformé en église au Ve s. L'**agora supérieure** et le **héroon**, ornementé d'une frise sculptée, sont en cours de restauration. La **bibliothèque★** renferme un précieux sol en mosaïque, figurant le départ d'Achille pour Troie. En contrebas, le **nymphée** ↪ **supérieur★** recueille les eaux d'une source dans une vasque en marbre, cernée de colonnes. Le **théâtre★**, très bien conservé, pouvait accueillir 9 000 personnes. ●

Carnet d'adresses

Aucun problème pour se déplacer d'une ville à l'autre avec le réseau des autocars. Seuls les hôtels d'un certain standing (3 ou 4 étoiles) acceptent vos cartes de crédit.

Amasya

> *Visite p. 201. Indicatif téléphonique* ☎ *(0 358)*

ⓘ Atatürk Cad. 43 ☎ 218.50.02.

Se déplacer

● **Gare routière**. À 2 km au N-E du centre-ville.

Hôtels

▲▲▲ **Ilk Pansiyon ♥**, Gümüşlü Mah., Hitit Sok. 1 ☎ 218.16.89, fax 218.62.77. *Konak* ↪ du XVIIIᵉ s. restauré avec brio par M. Ali Kamil Yalçın. Cet architecte, qui œuvre à la sauvegarde des demeures ottomanes d'Amasya, a la passion communicative. *6 ch.* tout en boiseries et mobilier d'époque.

▲▲▲ **Melis ♥**, Torumtay Sok. 135 ☎ 212.36.50, fax 218.20.80. Près de la Gök Medrese, *12 ch.* meublées dans l'esprit ottoman avec s.d.b. et TV. Terrasse sur le toit. Petit déjeuner servi par d'accueillants propriétaires.

▲▲ **Emin Efendi Pansiyon**, Hazetanlar Sok. 73 ☎ 212.08.52, fax 212.18.95. Dans une demeure de charme, *5 ch.* très orientales, s.d.b. sur le palier.

▲▲ **Grand Paşa**, Tevkik Hafız Çıkmazı 5 ☎ 212.41.58, fax 218.62.69. *8 ch.* à l'ancienne dans un *konak* ↪ ottoman, surplombant la rivière.

Restaurants

Si vous avez envie d'expérimenter les *mangal* (aires de pique-nique avec barbecue), faites-vous indiquer le chemin par l'office du tourisme.

♦♦ **Ali Kaya**. Sur les hauteurs. Vue panoramique et cuisine goûteuse. Musique *live* plutôt bruyante.

♦ **Bahçeli Bahar**, Yüzevler Cad. 96/3. Cuisine correcte. Salle réservée aux familles.

Ankara

> *Visite p. 192. Plan p. 194. Indicatif*
téléphonique ☎ *(0 312)*

❶ Gazi Mustafa Kemal Bul. 121, Tandoğan **B2** ☎ 231.55.72.

Se déplacer

• **Compagnies aériennes**. **Turkish Airlines**, Atatürk Bul. 154, Kavaklıdere **C3** ☎ 428.17.00. Liaisons quotidiennes avec Istanbul, Izmir, Trabzon, Dalaman et Antalya. Toutes les 30 min, entre 4 h 30 et 21 h, des navettes desservent l'**aéroport d'Esenboğa** (à 28 km au N); départ devant le terminal **Havaş**, situé sur Kazım Karabekir Bul. **B1**, à proximité de la gare ferroviaire.

• **Gare ferroviaire**. Talat Paşa Bul., Ulus **B1** ☎ 311.49.94. *Mavi tren* et *ekspres* quotidiens pour Istanbul et Izmir.

• **Location de voitures**. **Avis**, Tunus Cad. 68/2, Kavaklıdere **hors pl. par C3** ☎ 467.23.13. **Budget**, Tunus Cad. 39/A, Kavaklıdere **hors pl. par C3** ☎ 417.59.52.

• **Terminal des autocars**. AŞTI, Söğütözü **hors pl. par C3** ☎ 224.10.00. À 5 km à l'O du centre-ville. On peut y accéder en métro. Liaisons vers toutes les grandes villes turques.

Adresses utiles

• **Ambassades hors pl. par C3**. **France**, Paris Cad. 70, Çankaya ☎ 468.11.54. **Belgique**, Mahatma Gandhi Cad. 55, Gazi Osman Paşa ☎ 446.82.47. **Suisse**, Atatürk Bul. 247, Kavaklıdere ☎ 467.55.55. **Canada**, Nenehatun Cad. 75, Gazi Osman Paşa ☎ 436.12.75.

• **Poste centrale et banques**. À Kızılay, sur Atatürk Bul. **C3**.

Hôtels

▲▲▲▲ **Mega Residence**, Tahran Cad. 5, Kavaklıdere **hors pl. par C3** ☎ 468.54.00, fax 468.54.15. L'aspect d'un gros chalet suisse; abrite le restaurant Schnitzel. *29 ch.*, cadre agréable.

▲▲▲ **Angora House ♥**, Kalekapısı Sok. 16-18, Kaleiçi **C1** ☎ 309.83.80, fax 309.83.81. Dans une demeure ottomane restaurée. Un cachet fou dans les *6 ch.* meublées à l'ancienne.

▲▲▲ **Atalay**, Çankırı Cad. 20, Ulus **C1** ☎ 309.15.15, fax 309.27.57. Dans le quartier historique, *90 ch.* avec tout le confort.

▲▲▲ **Capital**, Çankırı Cad. 21, Ulus **C1** ☎ 310.45.75, fax 310.45.80. Situation convenante, à proximité des curiosités touristiques. *56 ch.* insonorisées, d'un confort correct.

▲▲ **Sembol**, Sümer Sok. 28, Kızılay **B3** ☎ 231.82.22, fax 230.46.91. Récent et agréable. TV câblée dans les *75 ch.*

Restaurants

♦♦♦ **Kalbur**, Oran Şehri Çarşı Merkezi, C Blok 23, Oran. Poissons et fruits de mer préparés avec originalité. Essayez les *börek* au poisson et les calamars frits.

♦♦♦ **Zenger Paşa Konağı**, Ankara Kalesi, Doyuran Sok. 13 **C1**. Dans une demeure ottomane restaurée – presque un musée ethnographique –, on déguste quelques spécialités ottomanes et anatoliennes.

♦♦ **Çiçek**, Çankırı Cad. 12/A **C1**. Une institution qu'affectionnent aussi bien le Tout-Ankara que les anonymes. Cuisine turque traditionnelle.

♦♦ **Uludağ**, Denizciler Cad. 54, Ulus **C1**. On y vient surtout pour déguster un *Iskender kebap* préparé à la mode de Kayseri.

♦ **Beykoz İşkembeci**, Hoşdere Cad. 212/A, Çankaya **hors pl. par C3**. Une clientèle hétéroclite vient y déguster la fameuse soupe aux tripes et les *mantı* préparés à la mode de Kayseri.

♦ **Boğaziçi** ♥, Denizciler Cad. 1/A, Ulus **C2**. Cuisine familiale copieuse.

♦ **Café And** ♥, Içkale Kapısı, Ankara Kalesi **C1**. *Ouv. 9 h-21 h*. Joliment aménagé dans le bastion qui garde l'entrée de l'enceinte supérieure de la citadelle. Panorama époustouflant sur la vieille ville. Idéal pour une pause sucrée (gâteaux, glaces, crêpes, etc.).

Shopping

Nombreuses boutiques d'artisanat sur Çıkrıkçılar Yokuşu **C1** (au pied de la citadelle), particulièrement dans Bakırcılar Çarşısı (le bazar du Cuivre). Pour les magasins de mode, voir le long d'Atatürk Bul. à Kızılay **C3**, ainsi que dans les clinquantes galeries **Karum** à Gazi Osman Paşa **hors pl. par C3**, **Atakule** à Çankaya **hors pl. par C3**, et **Armada** à Söğütözü **hors pl. par A3**.

Beyşehir

> *Visite p. 216. Indicatif téléphonique* ☎ *(0 332)*

Hôtel et restaurant

▲ **Beyaz Park**, Atatürk Cad. 1 ☎ 512.36.65. Au bord du lac, *15 ch.* correctes.

♦♦ **Göker**, Akseki Yolu Üzeri. Cadre idyllique dans un jardin fleuri donnant sur le lac. *Meze*, viandes, poissons.

Boğazkale

> *Visite p. 197. Plan p. 199. Indicatif téléphonique* ☎ *(0 364)*

Se déplacer

● **Gare routière**. Elle se trouve à Sungurlu, à 30 km à l'E de Boğazköy. Liaisons quotidiennes avec Istanbul et Ankara. Des dolmuş desservent Boğazköy et Alaca Höyük.

Hôtels

▲▲▲ **Aşıkoğlu** ☎ 452.20.04, fax 452.21.71. Complexe hôtelier qui fait aussi restaurant et camping. *33 ch.* vastes et confortables.

▲ **Hattusas Baykal**, à côté des PTT ☎ 452.20.13, fax 452.29.57. Ne pas confondre avec le motel Aşıkoğlu (*ci-dessus*), qui entretient la confusion au moyen d'une pancarte de bienvenue. La pension contient *10 ch.* agréables, toutes avec s.d.b. Jardin et restaurant.

Eğirdir

> *Visite p. 217. Indicatif téléphonique* ☎ *(0 246)*

ℹ 2 Sahil Yolu 13 ☎ 311.43.88.

Hôtels et restaurants

Les restaurants et les petites pensions abondent dans la presqu'île de Yeşilada.

▲▲▲ **Eğirdir**, Poyraz Sahil Yolu 2 ☎ 311.39.61, fax 311.39.71. À l'entrée de la ville en venant d'Isparta. *51 ch.* modernes avec balcon. Choisissez celles qui ont la vue sur le lac.

▲▲ **Atabey**, Yeşilada ☎ 311.50.06, fax 311.55.92. Établissement récent. *20 ch.* avec s.d.b., téléphone et TV. Du restaurant, vue panoramique sur le lac.

♦♦ **Derya**, Poyraz Sahil Yolu. En face de l'hôtel Eğirdir. Terrasse bon chic bon genre au bord du lac. Cuisine turque classique et poissons.

Isparta

> *Visite p. 218. Indicatif téléphonique* ☎ *(0 246)*

❶ Valilik Binası Kat 3 ☎ 223.27.98.

Se déplacer

● **Gare routière**. À 1,5 km au N du centre-ville.

Hôtels et restaurant

▲▲▲ **Büyük**, Kaymakkapı Meydanı ☎ 223.01.76, fax 232.44.22. *63 ch.* vastes. Prix abordables. Petit déjeuner inclus.

▲▲ **Artan**, Cengiz Topel Cad. 12/B ☎ 232.57.00, fax 232.74.29. Récent et confortable. *41 ch.*

♦♦ **Anko**, Mimar Sinan Cad., Halı Sarayı. Spécialités ottomanes.

Shopping

Orient Halı, Garanti Bankası Yanı 31/32. Beau choix de tapis et kilims (Anatolie et Caucase), avec une mention pour les pièces anciennes. Mehmet Akman, francophone, gère aussi un parc de location de voitures. N'hésitez pas à le contacter, il connaît la région comme sa poche.

Kayseri

> *Visite p. 205. Indicatif téléphonique* ☎ *(0 352)*

❶ Kağnı Pazarı 61 (en face de la citadelle) ☎ 222.39.03.

Adresses utiles

● **Agence de voyages**. Bremer, Ahmet Paşa Cad., Örnek Iş Merkezi ☎ 222.99.46. Organise des trekkings dans le Taurus et des excursions aux chutes de Kapuzbaşı.

● **Compagnie aérienne**. Turkish Airlines, Yıldırım Cad. 1 ☎ 222.38.58. Liaisons quotidiennes avec Istanbul et Izmir. Des navettes desservent l'aéroport, situé à 3 km au N.

● **Gare ferroviaire**. Çevre Yolu ☎ 231.13.13. Trains t.l.j. pour Ankara.

● **Gare routière**, à 2 km du centre.

● **Location de voitures**. Avis, Mustafa Kemal Paşa Bul. 7 ☎ 222.61.96.

Hôtels

▲▲▲ **Almer**, Osman Kavuncu Cad. 15 ☎ 320.79.70, fax 320.79.74. Le meilleur hôtel de la ville. *61 ch.* vastes, avec TV et air conditionné.

▲▲ **Konfor**, Atatürk Bul. 5 ☎ 320. 01.84, fax 336.51.00. Plutôt bon marché pour le cadre. *42 ch.*

Restaurants

♦♦ **Beyaz Saray**, Millet Cad. 16. Salle plutôt chic. Grillades servies avec des crudités.

♦♦ **Ibrahim Usta**, Millet Cad. 11/A. Spécialités ottomanes.

♦ **Divan**, Sivas Cad., Belediye Blokları. Pâtisserie divine pour prendre le thé entre deux mosquées.

♦ **Iskender Kebap Salonu**, Millet Cad. 5. *Iskender kebap* préparés comme à Bursa.

Konya

> *Visite p. 209. Plan p. 210. Indicatif téléphonique* ☎ *(0 332)*

❶ Mevlâna Cad. 21 **B3** ☎ 351.10.74.

Se déplacer

● **Gare routière**. À 15 km au N du centre-ville ; elle est desservie par le tramway. Les bonnes compagnies d'autocars (Kontur, Özkaymak et Metro) ont des comptoirs de vente sur Mevlâna Cad. **B3**.

Adresses utiles

● **Compagnie aérienne**. Turkish Airlines, Mevlâna Cad. 9, Kat 1/106 **B3** ☎ 351.20.00. 4 vols par semaine vers Istanbul. Au départ de l'agence, une navette dessert l'aéroport, situé à 10 km au N.

● **Poste et banques**. Sur Mevlâna Cad. **B3**.

Hôtels

▲▲▲ **Hüma**, Alaeddin Bul. 8 **B2** ☎ 350.66.18, fax 351.02.44. Au pied

trekking

♥ Le massif des Ala Dağlar★★

> À 60 km à l'E de Niğde. Prenez les directions de Kayseri, puis de Çamardı et de Demirkazık.

Formidable barrière minérale qui surgit au-dessus des plaines fertiles, **le plus haut massif du Taurus central** (3 756 m) jouit d'une luminosité exceptionnelle, qui pare la roche de teintes fluctuantes. Une randonnée de plusieurs jours fait partie des expériences inoubliables qu'il est donné de vivre en Turquie. Elle s'adresse en priorité à des marcheurs entraînés et devra se faire obligatoirement avec un guide. Nature et faune somptueuses, lacs glaciaires, rencontres avec les nomades qui vivent sous leurs tentes noires en poil de chèvre, voilà le programme d'une telle expédition. La traversée traditionnelle débute à Demirkazık et se termine, après cinq jours de marche, aux **chutes de Kapuzbaşı**, sur le versant opposé *(encadré p. 207)*. ●

d'Alaeddin Tepesi, construction moderne dans l'esprit seldjoukide. *30 ch.* avenantes (évitez celles qui donnent sur le boulevard).

▲▲▲ **Selçuk**, Alaeddin Cad. **B2** ☎ 353.25.25, fax 353.25.29. Une excellente adresse, même si la décoration des *82 ch.* manque de fantaisie. Bien situé et plutôt bon marché dans sa catégorie.

▲▲ **Ani & Şems**, Şems Cad. 10 **B2** ☎ 353.80.80, fax 353.20.00. Un établissement impeccable, avec un personnel accueillant. *59 ch.* avec s.d.b., TV câblée et air conditionné. Fait aussi agence de voyages (excursions dans la région et location de voitures).

Restaurants

Goûtez les spécialités locales, tels le *börek* au *pastırma* ou le *fırın kebap*, une tranche de mouton rôtie au four.

♦♦♦ **Çinaraltı**, à Meram **hors pl. par A3** (à 8 km de la ville; prenez un taxi ou un *dolmuş*). Cadre reposant, dans un joli jardin. Une adresse très courue le week-end.

♦♦ **Gülbahçe**, Gülbahçesi Sok. **B2-3**. Cuisine ottomane à déguster sur une terrasse panoramique ou dans l'un des multiples salons disséminés dans le bâtiment. Cadre agréable.

♦♦ **Köşk** Mevlâna Civarı, Mengüç Cad. 66 **B3**. Dans une demeure traditionnelle, propose de bonnes spécialités locales.

♦♦ **Mevlevi Sofrası**, B2-3, Şehit Nazımbey Cad. 1/A **B2-3**. Cuisine copieuse, servie sur la terrasse ou dans l'un des salons. En soirée, spectacle de danses soufies.

♦ **Şifa**, Mevlâna Cad. 30 **B3**. Une cafétéria toujours bondée.

Niğde

> *Visite p. 207. Indicatif téléphonique* ☎ *(0 388)*

❶ Belediye Sarayı, C Blok Kat 3, 1/D ☎ 232.34.01.

Agence de voyages

Dijon Travel, Belediye Sarayı Altı 11 ☎ 232.21.12, fax 232.21.13. Une adresse sérieuse pour les trekkings dans le Taurus *(encadré ci-dessus)*.

Hôtel

▲▲ **Evim**, Cumhuriyet Meydanı ☎ 232.35.36, fax 232.15.26. *48 ch.* convenables, toutes avec s.d.b.

Sivas

> *Visite p. 204. Indicatif téléphonique*
☎ *(0 346)*

❶ Valilik Binası ☎ 221.31.35.

● **Poste et banques**. Dans Atatürk
Cad.

Se déplacer

● **Compagnie aérienne**. Turkish
Airlines, Sivas Turizm Seyahat
Acentası, Istasyon Cad. 50, Yıl Sitesi
7/8 ☎ 221.11.47. 2 vols hebdomadaires vers Ankara.

● **Gare**. À 2 km au S-O du centre-
ville ☎ 221.10.91. Liaisons quotidiennes avec Ankara.

● **Terminal des autocars** (Yeni
Otogar). À 3 km au S-E du centre-
ville ☎ 226. 15.90.

Hôtels

▲▲▲ Büyük, Istasyon Cad. ☎ 225.
47.62, fax 225.23.23. Situation
idéale et prix abordables. *114 ch.*
quelconques. Des chanteurs se produisent le soir dans le restaurant,
où convergent tous les notables de
la ville.

▲▲ Köşk, Atatürk Cad. 7 ☎ 225.
17.24., fax 223.93.50. Bonnes prestations. *46 ch.*

Restaurants

♦♦ Büyük Merkez, Atatürk Cad. 13.
Quelques plats ottomans.

♦ Hacı Kasım, Atatürk Cad. 2.
Excellentes soupes et grillades
diverses. Les *pide* et les *lahmacun*
valent le détour.

Tokat

> *Visite p. 202. Indicatif téléphonique*
☎ *(0 356)*

❶ Gazi Osman Paşa Bul., Taşhan
Yanı ☎ 214.82.52.

Se déplacer

● **Gare routière**. À 2 km du centre-
ville.

Hôtels

Vous trouverez de nombreuses
lokanta autour de Cumhuriyet
Alanı, la place principale.

▲▲▲ Büyük Tokat, Demirköprü
Mev. ☎ 228.16.61, fax 228.16.60.
Bon rapport qualité/prix. Piscine et
restaurant réputé. *59 ch.*

▲▲ Burcu, Gazi Osman Paşa Bul.
☎ 212.84.94, fax 212.75.70. Parfait
dans sa catégorie.

Restaurants

♦♦ Belediye, Gazi Osman Paşa Bul.,
Taşhan Yanı. Cuisine ottomane
dans un cadre agréable.

♦ Beyaz Saray, Gazi Osman Paşa
Bul. 110. En face de la Gök Medrese.
Sans grande prétention, mais
propre. ●

La Cappadoce

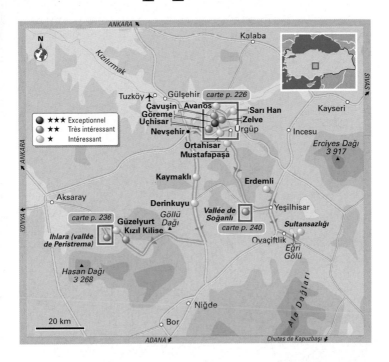

carte p. 226

carte p. 236

carte p. 240

● ★★★ Exceptionnel
● ★★ Très intéressant
● ★ Intéressant

A u cœur de la grande steppe anatolienne se déploie une terre étrange
née du feu, l'un des plus puissants
décors que la nature ait conçus.
Dans ce paysage saisissant se cache l'un des
trésors de la chrétienté d'Orient : des centaines
d'églises creusées dans le tuf et décorées de
fresques byzantines. Voilà onze millions d'années que des volcans entrèrent en éruption et
recouvrirent tout le plateau de lave et de
cendres. Le vent et l'eau achevèrent de façon-
ner ce paysage unique, le hérissant d'aiguilles,
de cheminées de fée et de cônes. Dans ce labyrinthe à la découpe tourmentée, des ruisseaux
ont tracé leur lit sinueux dans des vallons
secrets, véritables îlots de verdure qui contrastent avec l'aridité des versants. Si l'habitat a
évolué, quelques villages restent semi-troglodytiques. Car, dans ces roches friables, les
hommes ont élu domicile depuis des siècles,
creusant des habitations rupestres, des ermitages, des villes souterraines et des églises, que
les premiers chrétiens ornèrent d'émouvantes
peintures pour traduire leur foi.

© Gil Giulio / Hémisphères Images

Le triangle d'or de la Cappadoce rupestre

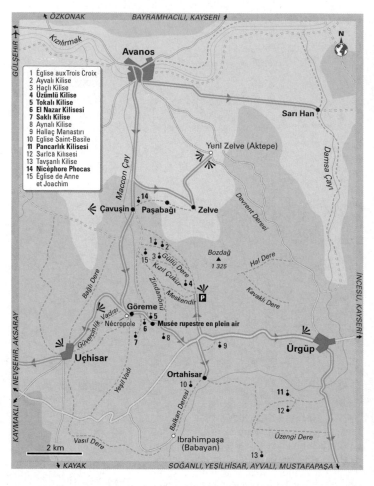

1 Église aux Trois Croix
2 Ayvalı Kilise
3 Haçlı Kilise
4 Üzümlü Kilise
5 Tokalı Kilise
6 El Nazar Kilisesi
7 Saklı Kilise
8 Aynalı Kilise
9 Hallaç Manastırı
10 Église Saint-Basile
11 Pancarlık Kilisesi
12 Sarıca Kilisesi
13 Tavşanlı Kilise
14 Nicéphore Phocas
15 Église de Anne et Joachim

ÖZKONAK
BAYRAMHACILI, KAYSERİ
GÜLŞEHİR
Kızılırmak
Avanos
Sarı Han
Yenı Zelve (Aktepe)
Maccon Çay
Damsa Çayı
Çavuşin Paşabağı Zelve
Devrent Deresi
Bozdağ 1 325
Güllü Dere
Hal Dere
Kızıl Çukur
Kavaklı Dere
Zindanönü
Meskendir
Bağlı Dere
Göreme
Vadisi
Nécropole
Musée rupestre en plein air
Güvercinlik
Uçhisar
Ürgüp
NEVŞEHİR, AKSARAY
İNCESU, KAYSERİ
Yeşil Vadi
Ortahisar
KAYMAKLI
Baklan Deresi
Üzengi Dere
Vasıl Dere
Ibrahimpaşa (Babayan)
2 km
KAYAK
SOĞANLI, YEŞİLHİSAR, AYVALI, MUSTAFAPAŞA

Un festival de roches érodées et de cheminées de fée forme entre Avanos, Ürgüp et Nevşehir les plus beaux paysages de Cappadoce. Falaises creusées d'habitations et d'églises rupestres, sol percé de galeries, pics découpés en citadelle témoignent qu'une vie troglodytique intense s'y développa. Le christianisme se répandit rapidement en Cappadoce, mais le rayonnement spirituel débuta au IIIᵉ s., quand Césarée (l'actuelle Kayseri) devint un important centre de formation théologique. Au IVᵉ s., sous l'impulsion des **Pères fondateurs du monachisme cappadocien**, ermitages et églises fleurirent dans les vallons secrets, que les paysans cultivent aujourd'hui en jardins et vergers.

Nevşehir

> À 281 km au S-E d'Ankara, à 226 km à l'E de Konya et 110 km à l'O de Kayseri. **Carnet d'adresses** p. 246.

Des habitations colorées couvrent les flancs d'une colline couronnée par les vestiges d'une **forteresse seldjoukide**. Le chef-lieu de la Cap-

randonnées

La Cappadoce des vallons bucoliques

De multiples sentiers serpentent dans les paysages enchanteurs de la Cappadoce faits de bosses rocambolesques, de cônes, de tunnels naturels et de mini-canyons cultivés en jardins. C'est une Cappadoce riante que vous découvrirez en toute quiétude, en vous attachant les services d'un guide (voir carnet d'adresses p. 247). Ceux que la randonnée pédestre ne tente pas se tourneront vers le VTT ou encore l'âne, moyen de locomotion aussi pittoresque qu'amusant. La plus belle promenade (4-5 h) consiste à explorer les vallées limitrophes de **Meskendir**, **Zindanönü**, **Güllü Dere** et **Kızıl Çukur**. Vous y verrez d'intéressantes églises rupestres : l'église aux Trois Croix, sculptées sur la voûte ; l'Ayvalı Kilise (église Saint-Jean) et la Haçlı Kilise (église à la Croix), toutes deux ornées de belles fresques. D'**Uçhisar**, un beau sentier sillonne la **vallée Blanche** (Ak Vadı ; compter 3 h) jusqu'à **Çavuşin**, à moins que vous ne préfériez vous rendre à **Göreme** par la **vallée des Pigeons** (Güvercinlik Vadısı ; compter 3 h).

Au départ d'**Ortahisar**, une randonnée de 2 h à travers le vallon de **Balkan** aboutit dans le joli village d'**Ibrahimpaşa**. Il faut mentionner encore la très belle **vallée d'Üzengi**, entre Ortahisar et Mustafapaşa, et celle, très sauvage, qui s'étire entre la **Pancarlık Kilisesi** (église Saint-Théodore, p. 233) et le village d'**Ayvalı** (compter 2 h). ●

padoce est le point de jonction des autobus qui desservent la région et, à ce titre, un lieu de passage obligé. La ville servira de gîte d'étape pour rayonner dans la région, mais Avanos ou Ürgüp bénéficient d'un environnement plus agréable. Un marché animé se tient le lundi.

Un petit détour par la route de Gülşehir (à 19 km au N-O de Nevşehir) vous permettra d'admirer l'**église Saint-Jean★★** (Karşı Kilise ; ouv. 8 h 30-17 h 30 ; entrée payante), qui vient d'être magnifiquement restaurée. Il s'agit en fait de deux églises superposées, celle du haut contenant des cycles peints relatifs à la vie publique et à la Passion du Christ.

Avanos★

> À 17 km au N-E de Nevşehir. **Carnet d'adresses** p. 244.

Les potiers font la célébrité de ce petit bourg traversé par les **eaux rouges du fleuve Kızılırmak**.

Adossé à la colline, le **vieil Avanos★** connaît une seconde jeunesse depuis que des personnalités du show-biz turc ont jeté leur dévolu sur les belles maisons en pierre, au fronton sculpté. Les caves de ces demeures étant taillées dans le sol, il y a tout lieu de penser qu'Avanos abritait jadis dans ses entrailles un vaste refuge souterrain. Ne vous étonnez pas de rencontrer tant de commerçants qui parlent notre langue, car la bourgade attire une majorité de touristes francophones.

Sarı Han★

> À 6 km à l'E d'Avanos.

Ce caravansérail seldjoukide daté du XIIIe s. possède un riche **portail★** à voussure de stalactites. En dépit d'une restauration abusive, l'ensemble ne manque pas de caractère quand, au soleil couchant, les pierres se teintent de miel et d'ambre. L'intérieur abrite désormais un restaurant.

Les cheminées de fée

© Bureau de Tourisme de Turquie (Paris)

L'origine de ces singulières formations remonte aux bouleversements géologiques dus à l'intense activité volcanique qui a caractérisé la fin de l'époque tertiaire. Toute la région fut progressivement recouverte par plusieurs couches pierreuses de nature et de dureté différentes. De l'érosion qui élimine progressivement la couche superficielle de roche dure et des pluies qui fendillent verticalement les couches de tuf tendre résultèrent les cheminées de fée. Ces cônes friables forment un bloc homogène ou, tels des frères siamois, secouent leurs têtes coiffées d'un chapeau noir au-dessus d'un tronc commun. Sous l'action du vent, leurs couvre-chefs s'arrondissent et finissent par tomber. Les cônes privés de leur protection s'émiettent alors inexorablement pour devenir ces poignées de résidu volcanique qui parsèment le plateau. ●

Çavuşin★★

> *À 6 km au S d'Avanos.*

Des habitations semi-troglodytiques abandonnées s'agrippent désespérément à la falaise effritée. Le trou béant de la paroi laisse apparaître ce qu'il reste de la **basilique Saint-Jean-Baptiste★**, un vaste sanctuaire construit au Vᵉ s. Très abîmées, ses peintures sont essentiellement dédiées à Jean le Prodrome. La fosse creusant le sol de l'abside ↪ abritait vraisemblablement des reliques de saint Jean et de Hiéron, un saint militaire local. À la sortie du village, une pancarte signale la **Çavuşin Kilisesi★★** (église de Nicéphore Phocas ; *ouv. 8h-17h ; entrée payante*), qui renferme des peintures de style archaïque (Xᵉ s.) assez bien conservées. La voûte et les murs supérieurs de la nef illustrent la vie du Christ. L'absidiole nord s'orne d'un **portrait de l'empereur byzantin Nicéphore Phocas** entouré de sa femme Théophano, de son père et de son frère. Ce souverain, issu de l'aristocratie cappadocienne et proclamé empereur en l'an 963, mena une campagne militaire contre les Arabes pour mettre fin à leurs raids dévastateurs en Anatolie. Au terme de deux années de combat, il remporta en Cilicie plusieurs victoires décisives et rentra triomphalement à Constantinople. C'est cet événement que commémorent les fresques à caractère militaire. On voit notamment les chefs de l'armée d'Asie, **Mélias et Jean Tzimiskès** (le futur empereur), chevauchant devant les 40 martyrs de Sébaste.

Zelve★★

> À 4 km à l'E de Çavuşin. Ouv. t.l.j. 8h30-18h. Entrée payante.

Rongée par l'érosion, cette étrange cité rupestre vaut davantage pour sa configuration naturelle que pour ses églises. Elle s'étend dans les failles d'un cirque, coupé en deux par une crête rocheuse. On peut passer d'un vallon à l'autre en empruntant le tunnel creusé dans le tuf (accès par des échelons en fer). Si vous êtes claustrophobe, suivez plutôt les sentiers. Les menaces d'éboulement contraignirent les habitants à déserter le bourg en 1950, mais les vallons portent encore de nombreuses traces de la vie troglodytique : des puits, des fours, un moulin et diverses pièces d'habitation.

Les églises de Zelve datent de la période préiconoclaste (avant le VIIIe s.) et sont essentiellement décorées de croix. Des peintures à valeur symbolique (un sarment couvert de grappes de raisin et un poisson) décorent l'abside ↳ de l'**Üzümlü Kilise** (église au Raisin) et de la **Balıklı Kilise** (église au Poisson), qui forment les organes d'une vaste basilique paléobyzantine.

Un kilomètre avant l'entrée du site de Zelve, quelques étals de souvenirs signalent le site de **Paşabağı** (les vignes du Pacha). Là se dressent, au beau milieu des vignes, les plus spectaculaires cheminées de fée de la Cappadoce. Le rocambolesque bloc à trois têtes abrite l'ancien **ermitage de saint Siméon Stylite**. Si vous êtes motorisé, poussez jusqu'à la **vallée de Devrent★★** (au S de Yeni Zelve), hérissée d'une fantastique forêt de cônes et de pics rosâtres.

Göreme★★★

> À 3 km au S de Çavuşin et 8 km à l'O d'Ürgüp. **Carnet d'adresses p. 245.**

Au cœur d'un invraisemblable enchevêtrement de cônes, les maisons à toit plat traditionnelles se confondent avec les rochers dans de sublimes épousailles. Trop spectaculaire pour garder l'anonymat, Göreme s'est bien métamorphosé depuis les années 1980. À l'entrée s'accumulent des boutiques de souvenirs installées dans des cônes et des bâtisses en béton, véritable offense au paysage. Dès que l'on quitte cette façade artificielle pour gagner le fond du village, le charme, heureusement, opère à nouveau. Les ruelles viennent buter contre un cirque rocheux, creusé de niches et de tombes. Dans les demeures adossées contre la roche, les habitants perpétuent un **mode de vie semi-troglodytique**.

Le Musée rupestre en plein air★★★

> À 1 km du bourg. Ouv. 8h-18h30. Entrée payante. Conservez votre ticket pour la visite de la Tokalı Kilise, à l'extérieur du musée.

Il possède les fresques les mieux conservées de Cappadoce. Habité par les moines dès le IVe s., le vallon de Göreme connut un regain de prospérité au Xe s., grâce aux bienfaisances de l'empereur byzantin Nicéphore Phocas. Au XIe s., les églises se couvrirent de merveilleuses peintures murales ; partout alentour, les moines creusèrent des habitations, des chapelles, des ermitages… autant de refuges pour offrir à Dieu leur spiritualité contemplative.

● **Basil Kilisesi** (église Saint-Basile). Dans le narthex ↳, creusé de tombes et séparé de la nef par une colonnade, subsistent quelques peintures figuratives.

● **Elmalı Kilise**★★ (église à la Pomme). C'est l'une des plus belles église du site. Des peintures aux tonalités harmonieuses décrivent la vie du Christ et quelques épisodes plus rares, tirés de l'Ancien Testament (les **Trois Hébreux dans la fournaise** et l'**Hospitalité d'Abraham** sur les murs ouest et nord). Les arcades s'ornent d'admirables **portraits** en pied des prophètes et des patriarches.

● **Barbara Kilisesi** (église Sainte-Barbe). Sa décoration picturale très simple se compose de **dessins géométriques** tracés grossièrement à la peinture rouge. Des croix, symboles de la chrétienté, voisinent avec des motifs plus étranges à valeur ésotérique évoquant des scènes de désenvoûtement (voyez le panneau qui rassemble un coq et un gros insecte). À ces motifs stylisés s'ajoutent sur les murs quelques panneaux figuratifs, à l'effigie de sainte Barbe, de saint Georges et saint Théodore terrassant le dragon, alors qu'un Christ en gloire trône dans l'abside ↳.

● **Yilanlı Kilise**★ (église au Serpent). Sa nef voûtée en berceau contient quelques fresques rudimentaires. Sur le mur droit, une peinture réunit saint Thomas, saint Basile et un curieux **saint Onuphre** dessiné avec des muscles pectoraux proéminents. Si l'on en croit la légende, ce saint qui vécut en ermite dans le désert d'Égypte serait, en fait, une pécheresse repentie que Dieu transforma en homme après sa conversion. Sur le mur gauche, on voit saint Georges et saint Théodore terrassant le dragon, ainsi qu'une représentation de sainte Hélène et de Constantin tenant la Vraie Croix.

● **Karanlık Kilise**★★★ (Église sombre). Il faut acquitter un droit d'entrée supplémentaire, mais l'église le vaut largement. Véritable Bible illustrée, elle renferme un ensemble de **peintures**★★ du XIᵉ s. entièrement restaurées. Exécutées sur fond bleu, elles racontent la vie du Christ avec la puissance de leurs riches couleurs minérales. Vous remarquerez la très belle **Trahison de Judas** et, au creux de deux coupoles, les représentations du Christ Pantocrator ↳ ; le tambour ↳ de la coupole centrale porte une rare représentation du Christ Emmanuel (visage imberbe) dans l'un des médaillons. Précédée d'un narthex, l'église surplombe un complexe monastique comportant un **réfectoire**★ et une cuisine bien conservés.

● **Çarıklı Kilise**★★ (église aux Sandales). *Accès par un escalier métallique.* Comme les autres églises du musée, elle fait partie d'un monastère. Tout porte à croire qu'il s'agit d'une fondation aristocratique, ayant peut-être abrité une relique de la Croix. Les donateurs figurent sur le **panneau dédicatoire** ornant le mur ouest de la nef : ils sont au nombre de trois, tendant leurs mains dans une attitude de prière vers un personnage nimbé, qui tient la « Précieuse Croix ». Ce personnage apparaît une seconde fois sur le mur sud, sous la forme d'un **cavalier** portant le Saint Bois. Il est surmonté d'une **Anastasis** ↳ à laquelle fait face, sur le mur nord, l'image du **Baptême**, deux événements censés ouvrir les portes de la vie éternelle. Ils complètent le message contenu dans l'abside, ornementée par une **Déisis** ↳ à laquelle les donateurs adressent une prière pour le salut de leur âme. Peinte sur le mur du jubé, une Annonciation (aujourd'hui disparue) faisait écho à la **Nativité** (mur ouest), soulignant la réalité de l'Incarnation qui a permis le rachat de l'humanité. Ainsi, ce cycle peint, daté du XIᵉ s., s'organise autour d'un schéma cohérent, qui illustre le thème de la rédemption, incarnée par la Croix victorieuse de la mort,

Au-dessus de la porte d'entrée de Çarıklı Kilise trône une Crucifixion, rappel du sacrifice salvateur. Elle fait face à l'image de la Théotokos que surplombe une Ascension.

© Bartolome Ballaguer/Age/Hoa Qui

tout en magnifiant l'acte de bienfaisance des donateurs.

● **Tokalı Kilise★★★** (église à la Boucle). *En dehors du musée, de l'autre côté de la route.* C'est toute la Bible qui revit ici avec les enchantements de l'art byzantin sur fond bleu lapis-lazuli. L'édifice, au plan complexe, se compose de **deux églises juxtaposées**. La première, voûtée en berceau, s'orne de peintures archaïques (début du xe s.) qui décrivent, en 34 scènes, l'**Enfance et la Passion du Christ**. Elle sert de vestibule à la nouvelle église, une fondation aristocratique commanditée par la famille Phocas. Beaucoup plus monumentale, celle-ci affecte un plan à nef transversale, original du fait que les absides sont précédées d'une galerie. Ses peintures exceptionnelles, exécutées à la fin du xe s., sont considérées comme le chef-d'œuvre de la « Renaissance macédonienne » (du nom de la dynastie qui régna de 856 à 1056). Elles s'inscrivent dans le registre iconographique classique: 29 tableaux consacrés à la **vie du Christ** mais exécutés avec virtuosité sur un fond bleu lapis-lazuli, les nimbes étant réalisées avec des feuilles d'or. La travée sud de la voûte, dominée par une **Pentecôte**, porte un cycle consacré au thème de l'**universalité du christianisme** et de la **Mission apostolique**, qui exalte le rôle de saint Pierre. Deux groupes d'apôtres se font face au-dessus des tribus et des langues *(versant ouest)*, des races et des peuples *(versant est)*, groupés derrière leurs deux rois. Ces représentations, évoquant la propagation de l'Évangile aux quatre points cardinaux, s'insèrent dans deux tableaux illustrant respectivement l'**Envoi des apôtres en mission** et l'**Ordination des nouveaux diacres**. Un cycle dédié à **saint Basile**, dont on voit notamment les funérailles, ornemente le mur nord de la nef. Commencé sur le mur sud, le cycle de la Passion s'achève par une **Crucifixion** déployée sur la conque de l'abside centrale, alors que l'Anastasis ↪ est reléguée en contrebas.

chrétienté

Naissance du monachisme cappadocien

L'histoire de la Cappadoce chrétienne demeure intimement liée au souvenir des **Pères** du monachisme cappadocien : **Basile, évêque de Césarée**, son frère **Grégoire, évêque de Nysse**, et leur ami commun **Grégoire, évêque de Nazianze**.

Au IVᵉ s. ils érigent ensemble les bases du monachisme grec orthodoxe. Basile, qui a visité en 356 les communautés religieuses de Syrie, de Palestine et de Basse-Égypte, préconise comme règles monastiques l'obéissance aux préceptes de l'Évangile et le **cénobitisme** (vie communautaire) de préférence à l'anachorétisme (vie en solitaire). La journée des moines basiliens est rythmée par sept prières quotidiennes et un repas frugal pris en commun. Ils consacrent le reste de leur temps à divers travaux manuels et pratiquent aussi l'hospitalité, tradition sacrée héritée de l'Antiquité.

La parole des Pères fondateurs, écho de leurs interrogations sur la foi, retentit encore de nos jours. Le nom de Grégoire de Nazianze apparaît dans plusieurs liturgies des Églises copte, arménienne et syriaque. Basile, auteur des *Grandes Règles* et des *Petites Règles*, a laissé son nom à une liturgie eucharistique : la liturgie byzantine de saint Basile, toujours utilisée, une dizaine de jours par an, dans les églises orthodoxes. ●

Dans une niche à g., remarquez une très belle **Vierge de tendresse★★**.

● **Saklı Kilise★** (Église cachée). *Près du parking, au N-O du musée de plein air. Accès fléché.* Engagez-vous dans un passage creusé dans le tuf. L'église est desservie par un escalier taillé dans le rocher. Datées du XIᵉ s., les peintures figurent, outre les scènes bibliques, des saints militaires et des saints martyrs.

● **El Nazar Kilisesi★** (église du Mauvais Œil). *En contrebas de la Saklı Kilise. Entrée payante.* Au creux du vallon, vous apercevrez un cône isolé. Consolidé par de récents travaux de restauration, ce piton abrite une église qui date du Xᵉ s. Ses peintures, d'assez belle facture, relatent divers épisodes de la vie du Christ, complétés par les portraits en pied ou en médaillon de divers saints, prophètes et évêques. La coupole centrale porte une représentation stylisée de l'**Ascension**, tandis que la **Théotokos** ↪ trône dans l'abside.

♥ Uçhisar★★

> *À 5 km au S-O de Göreme et 10 km à l'E de Nevşehir.* **Carnet d'adresses p. 246.**

De loin, on voit une gigantesque fourmilière émerger du plateau. Les habitations du vieux village se blottissent au pied d'un **pic solitaire** qui, avant les Byzantins, avait déjà séduit les Hittites par son potentiel défensif naturel.

La main de l'homme a percé ce grand bloc en tuf de mille yeux en guise de fenêtres. Il pouvait, en cas de siège, abriter le village tout entier. Une galerie souterraine aboutissait hors du village, permettant ainsi de s'approvisionner en eau ou de s'enfuir le cas échéant. Du sommet de la citadelle, un **panorama** inouï offre au regard tout le triangle d'or cappadocien : à perte de vue, ce ne sont que magmas ravinés par les rivières, forêts de cheminées de fée et épanchements hallucinants de tuf qui se sculptent en un féerique paysage meringué.

Ne quittez pas Uçhisar sans flâner dans les ruelles, qui recèlent des **maisons grecques** des XVIIIᵉ et XIXᵉ s. En partie troglodytiques, elles s'ouvrent par de belles façades de pierre, aux linteaux sculptés.

Ortahisar★

> À 6 km au S-E de Göreme. **Carnet d'adresses** p. 246.

Le village cappadocien type ! Une **tour rocheuse** perforée comme du gruyère veille sur une agglutination d'habitations à toit plat. Du sommet de cette forteresse naturelle (*accès par une succession d'échelles métalliques et d'escaliers ; ouv. 8 h au coucher du soleil ; entrée payante*), le panorama embrasse toute la vallée de Göreme. Les vieux quartiers ne manquent pas de charme, avec leurs vénérables portails en bois et leurs façades blanchies à la chaux. Pratiquement toutes les maisons de ce bourg agricole possèdent des caves taillées dans le tuf et reliées entre elles par un réseau de tunnels. Les villageois les utilisent comme celliers pour entreposer les récoltes saisonnières.

Ürgüp

> À 6 km à l'E d'Ortahisar et 21 km à l'E de Nevşehir. **Carnet d'adresses** p. 247.

Ce gros bourg viticole a depuis longtemps perdu sa physionomie initiale. Très touristique, il se situe à distance idéale de toutes les curiosités. Il faudra quitter le centre-ville pour découvrir, à flanc de falaise, le **vieux quartier troglodytique★** de Kaya Kapı. Dans l'une des sept coopératives alentour, on peut déguster le **vin d'Ürgüp** qui faisait déjà la fortune de la région à l'ère byzantine. Ceux qui veulent faire l'emplette d'épices, de poteries ou de menus objets en bois ne manqueront pas le **marché** qui se tient le samedi, en contrebas de la gare routière.

Sur la route de Yeşilhisar, à 4,5 km au S-O d'Ürgüp, vous pourrez visiter **Saint-Théodore★★** (Pancarlık Kilisesi), une église rupestre de belles dimensions qui recèle des peintures du XIᵉ s. bien conservées.

♥ Mustafapaşa★

> À 5 km au S d'Ürgüp. **Carnet d'adresses** p. 246.

Ce village a tout pour plaire, ne serait-ce que par sa **médersa** ↪ du XIVᵉ s. qui s'ouvre par un portail à stalactites et ses **églises rupestres** (Haghios Vasilios★, Haghios Stefanos et Haghios Nikola) disséminées dans les vallons environnants. Nommé anciennement Sinasos, le bourg fut déserté par ses habitants en 1924, lors de l'échange des populations entre la Grèce et la Turquie. Pourtant, la cohabitation se passait bien entre les communautés : même le pope chantait l'Évangile indifféremment en turc ou en grec pendant les offices. De retour dans leur mère patrie, les habitants déchirés fondèrent un nouveau village baptisé Néa-Sinasos. À Mustafapaşa, ils ont laissé de superbes **demeures en pierre** aux linteaux délicatement sculptés. L'une d'elles, anciennement la pension Old Greek House, a même servi de cadre au tournage de la série télévisée *Esmalı Konak*, dont le succès public fut tel qu'il se solda par un flot croissant de touristes turcs dans le village. ●

La Cappadoce souterraine

Selime, village semi-troglodytique de la vallée d'Ihlara.

Un peu à l'écart des lieux les plus touristiques, de nombreux vestiges témoignent de l'originalité de la vie rurale en Cappadoce. Traversée par les routes caravanières, la région fut également foulée par quantité d'envahisseurs. Ses canyons secrets et son sol creusé comme un gruyère fournirent aux habitants autant de caches pour disparaître momentanément de la surface.

Les villes souterraines de **Derinkuyu** et de **Kaymaklı** sont les plus célèbres, mais il en existe d'autres. Quant à la vallée d'**Ihlara**, il faut s'approcher au bord d'un précipice pour découvrir, sous ses pieds, une insoupçonnable trouée verte.

> *Voir la **carte de la Cappadoce** p. 225.*

Kaymaklı★

> *À 20 km au S de Nevşehir. Ouv. 8h-17h (18h30 en été).*

Les entrailles de cette bourgade anodine dissimulent un abri souterrain, creusé dans le tuf tendre d'un monticule. Des flèches indiquent le chemin à suivre dans un dédale de salles se superposant sur dix étages (huit seulement sont ouverts au public). Moins profonde que ses consœurs, la ville résulte d'un bel ouvrage. Desservies par d'étroits corridors, les pièces (étables, églises, cuisines, celliers, entrepôts, etc.) s'espacent autour d'une imposante cheminée de ventilation. Ici et là, vous verrez des jarres servant à stocker vin et eau, et ces meules en pierre qui bloquaient l'accès des tunnels.

Derinkuyu★

> *À 10 km au S de Kaymaklı. Ouv. 8h-17h (18h30 en été).*

Encore plus vaste, cette cité souterraine occupe une surface de 4 km² et pouvait abriter jusqu'à 10 000 personnes. On pense qu'un tunnel la reliait jadis à Kaymaklı. Elle totalise 11 niveaux, 8 d'entre eux étant accessibles au public.

Les niveaux supérieurs centralisent les pièces d'habitation et tout ce qui relève de l'intendance : école, magasins, entrepôts, étables… Le septième niveau est occupé par une vaste église qui communique avec une salle de réunion ornementée par trois piliers.

Quant au **système de ventilation**, il comporte 52 cheminées d'aération s'enfonçant jusqu'à 80 m de profondeur !

♥ Ihlara (vallée de Peristrema) ★★

> *À 50 km à l'O de Derinkuyu, en direction d'Aksaray.*

Au cœur d'un plateau ingrat, les eaux tumultueuses du Melendiz Suyu ont creusé une longue saignée verte. Entre le IVᵉ et le XIVᵉ s., les moines élurent domicile dans cette vallée criblée de trous.

La beauté du site vaut à lui seul le déplacement, bien que les monastères rupestres renferment d'atypiques fresques de style orientalisant. Arpenter cette vallée fait partie des moments forts du voyage en terre cappadocienne. Si votre temps est compté, visitez les **églises du groupe d'Ihlara** (Xᵉ s.), accessibles depuis le guichet central.

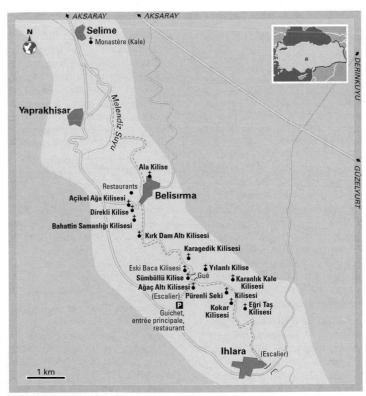

LA VALLÉE D'IHLARA

habitat

Les villes souterraines

La friabilité de la roche n'enlève rien à la prouesse accomplie par les hommes qui taillèrent ces taupinières exclusivement à l'aide **de pioches et de ciseaux**. Ils creusèrent d'abord de profondes **cheminées de ventilation**, entre lesquelles s'intercalèrent progressivement les étages d'habitation, reliés par des tunnels. Les gravats étaient évacués par les cheminées d'aération au moyen de poulies. Chaque étage était conçu comme un compartiment hermétique. En cas de siège, les habitants bloquaient les divers accès de l'abri en faisant pivoter de **lourdes meules en pierre**, qui s'actionnaient uniquement de l'intérieur. Au premier étage, des **trous à ciel ouvert** de 10 cm de diamètre permettaient de garder le contact avec l'extérieur. L'abri comportait un nombre restreint de **cuisines**, car une fumée trop épaisse aurait attiré l'attention de l'ennemi. Les niveaux inférieurs renfermaient les **puits d'eau** et des **galeries secrètes** pour s'évader de la ville. À ce jour, on dénombre **37 villes souterraines en Cappadoce** ; Kaymaklı et Derinkuyu sont les plus vastes mais d'autres, moins touristiques, méritent la visite : **Mazıköy** (à 8 km à l'E de Kaymaklı), **Özkonak** (à 12 km au N d'Avanos) ou **Tatlarin** (à 29 km à l'E de Nevşehir), qui recèle également des églises rupestres ornées de fresques. •

Le groupe d'Ihlara★★

> *Parking et restaurant à l'entrée du site. Ouv. 8 h 30-17 h 30. Entrée payante. Un escalier vertigineux descend dans le canyon. Autre guichet et point de contrôle près du parking de Belisırma (conservez votre ticket si vous effectuez la visite complète de la vallée). Emportez une torche voire un pique-nique (restaurants à Belisırma et près du guichet central).*

Le groupe d'Ihlara comprend une dizaine d'églises, disséminées de part et d'autre de la rivière. Il arrive que des éboulements obstruent leur entrée. En partant du grand escalier, longez la rivière en aval vers le bourg d'Ihlara, puis revenez sur vos pas pour achever la visite de la rive droite. Pour atteindre les églises situées sur la rive gauche, franchissez le gué qui enjambe la rivière.

● **Pürenli Seki Kilisesi★** (église à la Terrasse). Dans une chapelle contiguë au narthex ↪, du côté gauche, les fresques les mieux conservées illustrent des épisodes de la vie du Christ, de l'Annonciation à la Mise au tombeau.

● **Kokar Kilise★** (église Odorante). Ses peintures décrivent les épisodes importants de l'Évangile avec originalité, notamment l'Adoration des Mages et l'Arrestation du Christ. La voûte de la nef s'orne d'une **grande croix** qui contient la main de Dieu levant trois doigts, symbole de la Trinité. Les scènes de l'Ascension et de la Pentecôte voisinent avec la Mission des apôtres, chacun d'eux tenant un évangile sur lequel sont mentionnés son nom et la terre d'évangélisation qui lui a été affectée selon les écrits apocryphes. On les retrouve, encadrant une Déisis ↪, dans le panneau faisant face à l'abside ↪, qui les consacre dans leur rôle de médiateurs à l'heure du Jugement dernier.

● **Ağaç Altı Kilisesi★★** (église sous l'Arbre). Ses fresques de couleurs rouge, vert, marron et orange sur fond bleu ou brun témoignent d'une influence orientale. La **Dormition de la Vierge**, en deux tableaux, est atypique, tout comme la scène peu commune figurant saint **Daniel** entouré de deux lions (*sur le tympan ouest*). Une belle **Ascension** de style syriaco-copte décore la coupole.

● **Sümbüllü Kilise*** (église aux Jacinthes). Son programme iconographique, dicté par les canons byzantins, montre des compositions correspondant à quatre événements religieux (Annonciation, Présentation au Temple, Crucifixion et Dormition). Un Christ Pantocrator ↪ orne la coupole, l'abside étant occupée par une Vierge à l'Enfant. *Traversez la rivière par le gué.*

● **Yilanlı Kilise**** (église au Serpent). *En raison de l'obscurité, une torche sera utile pour admirer des peintures particulièrement intéressantes.* Le vestibule s'orne d'un cycle consacré à **Marie l'Égyptienne** : la communion donnée par Zosime, puis l'inhumation avec l'aide d'un lion. Une **Fuite en Égypte** complète ce programme, qui met en exergue les liens unissant la Cappadoce avec les régions orientales, principalement l'Égypte. La partie occidentale du sanctuaire porte un **Jugement dernier**, réparti dans des tableaux superposés : au sommet trône le Christ en gloire flanqué, sur les versants, des 24 Vieillards de l'Apocalypse, particulièrement vénérés en Égypte. Les 40 martyrs de Sébaste, très populaires en Orient, occupent le registre médian. Au registre inférieur, des scènes imagées, telles la Pesée des âmes et le Châtiment, évoquent les affres de l'Enfer : on voit des damnés dévorés par un reptile à trois têtes, et quatre pécheresses nues, mordues par des serpents à l'endroit où elles ont fauté. Les peintures du bras sud comportent une étonnante **Dormition** ainsi que les portraits de **sainte Hélène** et **Constantin**.

● **Eğri Taş Kilisesi*** (église à la Pierre penchée). En partie effondrée, elle est difficile d'accès. Ses peintures, quoique très effacées, comportent des scènes rares, tels le **Reniement de Pierre** et l'**Agonie dans le jardin de Gethsémani** (paroi nord). L'**Adoration des Mages**, illustrant le polymorphisme de Dieu à travers une triple vision, est probablement tirée d'un apocryphe syriaque.

---

pratique

Randonnée dans le canyon d'Ihlara

Parcourir la vallée de bout en bout prend la journée, avec un départ tôt le matin pour ne pas risquer de se retrouver coincé en rase campagne, faute de transports locaux. Si la visite ne pose aucun problème en été (chaussures de marche indispensables !), sachez qu'au printemps et vers la fin de l'automne la rivière sort de son lit, rendant dangereuse la traversée d'une rive à l'autre. Le circuit complet démarre à **Selime**, village semi-troglodytique bâti au pied d'une falaise qui abrite un vaste ensemble monastique. Au cœur d'une végétation luxuriante, un sentier longe les eaux du Melendiz Suyu jusqu'au village d'**Ihlara**, une quinzaine de kilomètres plus loin. La randonnée dure 5 à 7 h, visite des églises comprise. Plutôt que de zigzaguer, remontez la rivière sur la rive droite jusqu'à l'Ağaç Altı Kilisesi, puis traversez le gué pour visiter la rive gauche, avant de revenir sur la rive droite pour achever le circuit. La randonnée peut également débuter à **Yaprakhisar**, un bourg situé à l'entrée de la vallée, ou à **Belisırma**, un hameau niché au fond du canyon à proximité d'un groupe d'églises rupestres. *(Des dolmuş et des taxis stationnent à Belisırma et sur le grand parking.)* ●

Le groupe de Belisırma

> *Traversez le gué pour regagner le grand escalier. Si vous le désirez, vous pouvez poursuivre votre promenade en amont (env. 2 h) pour visiter les églises du groupe de Belisırma.*

La **Kırk Dam Altı Kilisesi*** (église Saint-Georges) renferme des peintures datées du XIIIe s. Une fresque dédicatoire montre les donateurs, Basile et Thamar, encadrant saint Georges armé d'une lance. Les voûtes portent une Dormition de la Vierge, une Ascension, et une admirable **Transfiguration** qui met en scène Élie, Moïse et trois apôtres aux pieds du Christ. La présence d'un portrait figurant le sultan Masut II exprime la gratitude des moines envers les Seldjoukides, alors maîtres de l'Anatolie, qui firent preuve de tolérance religieuse.

La **Bahattin Samanlığı Kilisesi*** (église du Grenier) contient un cycle complet de la vie du Christ, avec deux scènes rares : la Visite des femmes au tombeau et l'Apparition du Christ ressuscité devant Marie et Marie-Madeleine. L'abside s'orne d'un Christ trônant, au pied duquel figurent les portraits en médaillon de Paul et de Pierre.

Vous verrez ensuite la **Direkli Kilise** (église aux Piliers), l'**Açikel Ağa Kilisesi*** (église de l'Ağa généreux), et l'**Ala Kilise**, toutes ornées de peintures dégradées, illustrant des épisodes de la Bible.

♥ Güzelyurt*

> *À 13 km à l'E d'Ihlara.* **Carnet d'adresses** *p. 246.*

Ce village encore préservé offre un condensé de toutes les curiosités de la Cappadoce. Sous terre se dissimulent trois villes que de jeunes villageois se proposeront de vous montrer. Les maisons semi-troglodytiques, aux beaux frontons sculptés, rappellent qu'une communauté grecque vécut ici jusqu'en 1924.

L'ancienne **église Saint-Grégoire-de-Nazianze** (Cami Kilisesi), bâtie au IVe s. et restaurée à maintes reprises par les Grecs, passe pour avoir servi de maquette à la basilique Sainte-Sophie de Constantinople. Elle contient un riche mobilier liturgique en bois, offert par un tsar russe. Taillée dans la falaise, l'**église Saint-Anargios** comporte au creux de sa coupole un décor peint du XIXe s.

En contrebas du village, une vallée encaissée creusée d'une cinquantaine d'églises rupestres sera le prétexte d'une agréable balade jusqu'au village de **Sivrihisar** *(à 4,5 km)* et à l'**église Rouge**** (Kızıl Kilise), datée du VIIe s., qui se dresse solitaire devant les monts Melendiz. Sa coupole octogonale montre les influences de l'art arménien sur l'architecture construite de la Cappadoce byzantine. •

Les vallées secrètes

La vallée de Soğanli, l'un des plus beaux sites de la Cappadoce.

É chouées au bout de routes qui ne mènent nulle part, en marge des lieux les plus fréquentés, les vallées de Soğanlı et d'Erdemli n'attirent pas les foules, mais faut-il s'en plaindre ? Amateurs d'art byzantin, vous voilà gâtés ! Des églises rupestres ornées de fresques qui comptent parmi les plus belles de la Cappadoce vous attendent au cœur de paysages bucoliques. Si vous ne deviez louer un véhicule qu'une seule journée, cette promenade fournit le prétexte rêvé.

> Voir la **carte de la Cappadoce** p. 225.

♥ Soğanlı★★

> À 42 km au S d'Ürgüp et 64 km au S-O de Kayseri. Guichet à l'entrée du village. Ouv. 8 h 30-17 h 30. Vous pourrez déjeuner agréablement dans le jardin du restaurant Cappadocia.

Cette vallée excentrée fait sans conteste partie des plus beaux sites de la Cappadoce. Sur les quelque 150 églises rupestres que compte la vallée, les plus intéressantes renferment des fresques moins bien conservées que celles de Göreme mais d'une facture plus fine. Signalées par des pancartes jaunes, elles se divisent en deux groupes : celles de la vallée basse et celles de la vallée haute, plus belles, qui s'éparpillent autour du village.

Aşağı Soğanlı (la vallée basse)

Les églises de ce groupe bordent la route qui mène au village. Jetez un coup d'œil dans la **Tokalı Kilise** (église à la Boucle, *accès difficile*) décorée de croix sculptées. Les cônes aux mille yeux cerclés de blanc abritent toujours des pigeonniers. Les paysans fument la terre avec les fientes, c'est pourquoi ils ont poli les ouvertures à la chaux pour obliger les oiseaux – qui ne peuvent plus se poser à l'extérieur – à pénétrer dans le nichoir.

LA VALLÉE DE SOĞANLI

Yukari Soğanlı (la vallée haute)

Les villageois affirment qu'il existait autrefois un tunnel souterrain reliant Soğanlı à Derinkuyu. L'hypothèse est séduisante, d'autant plus que la vallée recèle un habitat rupestre fort perfectionné et que des églises obstruées par les éboulements dorment dans l'oubli.

● **Karabaş Kilisesi**✶✶ (église à la Tête noire). Une inscription dédicatoire permet de dater les fresques du XIᵉ s. Celles de l'église principale, bien que noircies par la fumée, sont d'une rare intensité. On remarque le soin extrême apporté par l'artiste à l'expressivité des visages et aux drapés. Les divers panneaux de la nef illustrent la vie du Christ. La conque de l'abside porte une Déisis ↪ surmontée d'une superbe **Communion des apôtres**, dont l'emplacement est inhabituel. Vous remarquerez aussi les **portraits des donateurs** : dans une niche du mur sud, le dignitaire byzantin Michel Sképidis, coiffé d'un turban et revêtu d'un riche manteau ; dans une niche du mur nord, le moine Niphon prosterné aux pieds de l'archange Michel, et, dans la niche suivante, la moniale Catherine.

● **Yilanlı Kilise** (église au Serpent). Elle s'intègre dans un monastère rupestre, dont on voit diverses pièces d'habitation (cuisine, cellier, etc). Le décor pictural noirci comporte un vaste **Jugement dernier** et une représentation de **saint Georges** foulant un reptile monstrueux.

● **Kubbeli Kilise**✶ (église à la Coupole). Une coupole de style arménien, taillée à même la roche, coiffe un cône rocambolesque qui dissimule deux sanctuaires superposés. Une église à trois nefs occupe le niveau inférieur, alors que le niveau supérieur contient deux chapelles précédées d'un narthex ↪. Quelques mètres plus loin, la **Saklı Kilise** (Église cachée) porte bien son nom puisqu'elle ne se dévoile qu'au tout dernier moment.

● **Geyikli Kilise** (église au Cerf). Elle comportait une Vision de saint Eustathe quasi détruite. Ne manquez pas le **réfectoire**✶✶ exceptionnellement conservé du monastère attenant. Le fauteuil du père supérieur, véritable trône sculpté dans le tuf, préside une longue table communautaire. Les multiples cavités qui percent le mur logeaient les chandelles.

● **Tahtalı Kilise**✶✶ (église Sainte-Barbe). Ses peintures mettent l'accent sur le thème de la résurrection, du fait de la présence d'une tombe à l'intérieur du sanctuaire. Le décor de la nef a été volontairement limité aux épisodes relatant l'Enfance du Christ (de l'Annonciation à la Nativité) auxquels s'ajoutent, pour exprimer la croyance en une vie éternelle, une Anastasis ↪ et les portraits des **Sept Dormants d'Éphèse**, peints sur l'arc doubleau. On retrouve Adam et Ève dans l'abside, agenouillés aux pieds du Christ trônant.

Les termes signalés par le symbole ↪ sont expliqués dans le glossaire p. 308.

Erdemli★

> *À 20 km env. de Soğanlı, sur la route de Kayseri ; bifurquez à g., 5 km après avoir dépassé Yeşilhisar. Une pancarte blanche à peine visible indique le village.*

Mis à part le cadre réellement enchanteur, cette vallée confidentielle intéressera plus particulièrement les passionnés d'art byzantin. De part et d'autre de la gorge s'éparpillent une vingtaine de monastères et d'églises, dont certaines sont ornées de fresques. Sans l'assistance d'un gamin du village, il vous sera difficile de les localiser, faute de signalétique. Munissez-vous d'une torche et de bonnes chaussures de marche car les sentiers d'accès sont raides par endroits.

En longeant le ruisseau sur sa rive droite, vous découvrirez d'abord le monastère de **Karanlık**★★ taillé dans la falaise. La superficie de l'édifice lui a valu le surnom de *saray* (château) auprès des habitants de la vallée. Deux niveaux de pièces ornementées d'un beau décor sculpté s'étagent derrière une façade de 58 m de long. Au niveau supérieur se trouvent une église et une chapelle. À l'ère byzantine, la vie agricole du village s'organisait autour du monastère qui détenait tous les celliers à vin, les meules à farine et les fours à pain. Le **village rupestre** se dresse sur la rive opposée. Sept églises méritent la visite. Elles possèdent des peintures murales remarquables bien que noircies, d'une qualité de trait comparable à celles de Soğanlı. La **Kilise Camii**★, **Saint-Eustathe**, **Saint-Nicolas**★ et les **Saints-Apôtres**★ s'ornent de fresques exécutées entre les XIᵉ et XIIIᵉ s., figurant toute une **galerie de moines, d'évêques et de saints**. Ce programme iconographique, rarement peint à l'époque, s'inscrit dans le contexte historique. Au moment où la Cappadoce tombe sous la coupe des Seldjoukides, la foi se focalise autour des fondateurs du monachisme oriental. Les fidèles se réfugient dans des pratiques dévotionnelles plus individuelles, principalement la prière, où ils puisent le réconfort et la force spirituelle inspirée par leurs Pères. Dans l'**Ayı Kilisesi**, on voit les deux donateurs adresser leurs suppliques à la Déisis. L'**église à une nef** contient une rarissime Déisis ↪ composite, intercalant des chérubins entre le Christ et ses deux intercesseurs (la Vierge et saint Jean-Baptiste). L'importance du culte marial ne fléchit pas. Dans l'**église des Quarante Martyrs de Sébaste**, l'effigie de la Théotokos ↪ ornemente la prothésis ↪ (l'endroit où sont préparées les saintes espèces), soulignant par là que le salut de l'humanité a été rendu possible grâce à l'Incarnation.

♥ Sultansazlığı★

> *À 17 km env. au S-E de Yeşilhisar, sur la route de Niğde.*

Trois lacs frangés de roseaux forment une vaste zone marécageuse, aujourd'hui classée **réserve naturelle**. Ce paradis des oiseaux recense quelque 250 espèces : hérons, canards, flamants roses, oies sauvages, etc. Mieux vaut programmer la visite aux aurores, à l'heure où les oiseaux cherchent leur nourriture. Dans le village d'**Ovaçiftlik**, une tour d'observation, jouxtant un petit musée d'histoire naturelle, offre un panorama sur le lac Eğri. Pour découvrir la vie aquatique intense et profiter au mieux de cette nature inviolée, offrez-vous une balade en bateau *(s'adresser aux petites pensions dans le village d'Ovaçiftlik)*. Si vous n'êtes pas motorisé, les agences de voyages locales peuvent vous organiser l'excursion. ●

Mosaïques et fresques byzantines

La mosaïque ne sert pas seulement à instruire les fidèles. Elle capte et transforme l'essence immatérielle de la lumière, que les théologiens byzantins considéraient comme une manifestation divine. Aux dernières heures de l'Empire, on lui préféra le plus souvent la fresque, moins onéreuse, qui couvrait à l'origine l'intérieur des édifices plus modestes, comme ceux de Cappadoce.

L'empereur contre les moines

En 726, Léon III l'Isaurien fait détruire l'image du Christ située au-dessus de la porte du palais impérial. C'est le début de l'iconoclasme. Partout, les images sont détruites et remplacées par de simples croix, tandis que l'on massacre leurs partisans, les « iconodoules ». La lutte ne s'achève qu'en 843, lorsque l'impératrice Théodora convoque un concile qui réintroduit définitivement l'orthodoxie.

Plusieurs causes d'ordre religieux, politique et même économique sont à l'origine de cette crise. La dévotion excessive autour des images, qui s'apparentait à de l'idolâtrie, fut la principale raison invoquée. L'influence de l'islam, alors en pleine progression, favorisa aussi une observation stricte du décalogue au sein des populations en contact direct avec les musulmans. En dictant leur loi, les empereurs reprenaient enfin l'ascendant sur l'Église. Ils renflouaient les caisses de l'État byzantin en s'emparant des revenus et des terres des moines, favorables dans leur majorité aux images…

Après les fureurs iconoclastes, le programme iconographique fixe des règles : le Christ Pantocrator ↪ entouré d'anges ou de prophètes apparaît en buste dans le creux de la coupole centrale. Les fresques orientalisantes de la vallée d'Ihlara montrent, en revanche, des influences coptes et syriaques.

© Gil Giulio/Hémisphères Images

Un canon dicté par les théologiens

Afin d'éviter toute nouvelle déviance, les théologiens fixent un programme iconographique qui sera appliqué partout, par la suite, jusqu'à la chute du monde byzantin. La Vierge est représentée dans la conque de l'abside ➜ avec, en second registre, la scène de la Communion des apôtres. Les voûtes et les parties supérieures des murs sont consacrées aux cycles des grandes fêtes, aux miracles, aux scènes tirées du Nouveau Testament ou aux portraits des évêques et des saints.

Un art qui s'humanise

Les exemples les plus anciens (Xe s.) conservés à Sainte-Sophie ou dans les églises de Cappadoce participent d'une même esthétique imprégnée de l'esprit de l'Antiquité, d'où l'appellation de « Renaissance macédonienne » pour qualifier cette époque. Les personnages sont figés et distants, comme à l'écart du monde. Ils donnent l'impression de planer dans l'espace et, dans l'art de la mosaïque, se découpent nettement sur un fond d'or.

Le XIVe s. exacerbe la tendance du siècle précédent. Les artistes de Saint-Sauveur-in-Chora (1315-1321) à Istanbul cherchent ainsi à toucher le fidèle en décrivant des scènes pathétiques de l'Histoire sainte avec un souci nouveau de perspective. Les draperies s'envolent, les figures élancées décollent du sol ou ne s'y rattachent plus que par la pointe des pieds. ●

Les mosaïques de Saint-Sauveur-in-Chora se caractérisent par une extraordinaire fraîcheur de coloris et l'emploi de demi-tons – des gris perle, des mauves, des roses tendres – qui leur donnent un aspect tout à fait chatoyant.

Carnet d'adresses

Vous trouverez facilement, en Cappadoce, un logement adapté à votre budget. Uçhisar, Ürgüp, Göreme et Avanos sont les points de chute les plus pratiques pour visiter la région. Les distances entre les centres d'intérêt ne dépassent pas 30 km. Si vous ne disposez pas d'une voiture (agences de location dans tous les centres touristiques), utilisez les bus, les *dolmuş* ou les taxis qui desservent les bourgades du triangle d'or cappadocien et les villes souterraines. Pour vous rendre à Ihlara ou à Soğanlı, il faudra recourir à la location ponctuelle ou opter pour un circuit concocté par les agences locales.

Avanos

> *Visite p. 227.*

❶ Après le pont, sur la dr. ☎ 511.43.60.

Se déplacer

● **Gare routière**. Sur la rive gauche du Kızılırmak, à la sortie de la ville, en direction de Göreme. **Bus municipaux** : toutes les 2 h, entre 7 h et 19 h, un bus dessert Ürgüp *via* Zelve, Çavuşin, Göreme et Ortahisar. Une autre ligne dessert Çavuşin, Göreme, Uçhisar et Nevşehir toutes les heures.

● **Les dolmuş** stationnent à côté de la poste, sur la place principale.

Adresses utiles

● **Banques**. Nombreux distributeurs automatiques sur la place centrale.

● **Poste**. Sur Atatürk Cad.

Hôtels

▲▲▲ **Büyük Otel**, Kappadokya Cad. 24 ☎ 511.35.77, fax 511.48.63. À l'entrée du village, un établissement confortable disposant d'un bon restaurant, avec piscine et tennis. *64 ch.*

▲▲ **Duru** ☎ 511.40.05, fax 511.24.02. Situé sur une colline, vue splendide sur le bourg. *16 ch.*

Indicatif téléphonique unique pour toute la Cappadoce (excepté Güzelyurt) ☎ (0 384)

confortables dans un bâtiment moderne. Restaurant. *F. en hiver.*

▲▲ **Kirkit Pansiyon ♥**, Orta Mah. ☎ 511.31.48, fax 511.21.35. L'adresse la plus conviviale d'Avanos, avec *17 ch.* mignonnes, réparties dans quatre maisons grecques aménagées avec goût par la famille Diler. On dîne dans une cour bordée de petits salons orientaux. Quand les musiciens viennent jouer, on danse et on chante une bonne partie de la nuit. Plats du terroir copieusement servis.

▲▲ **Sofa ♥**, Orta Mah. ☎ 511.51.86, fax 511.44.89. *30 ch.*, certaines avec terrasse, disséminées dans une enfilade de maisons anciennes. Si la vie troglodytique vous tente, demandez l'une des chambres excavées dans la roche.

Restaurants

♦♦ **Bizim Ev ♥**, à côté de l'hôtel Sofa. Dans une belle maison ancienne, des salles bien décorées se répartissent sur trois étages et une terrasse. Excellente table.

♦ **Dayının Yeri**, Atatürk Cad. 23. Réputé dans la région pour ses excellents *kebap*.

♦ **Sofra**, Hükümet Konağı Karşısı, à proximité de la place principale. Nourriture correcte.

♦ **Tafana Pide**, Atatürk Cad. 31. Des grillades et des *pide* goûteux. Essayez le *testi kebap*.

Shopping

Aux Amateurs, Atatürk Cad. 16. Ibrahim Seğmen réalise de fort belles poteries anatoliennes, dans la lignée des terres cuites hittites.

Chez Efe, Atatürk Cad., Seller Sok. 2. Cendriers, cruches, vases, et des céramiques de Kütahya.

Kirkit Halı, Atatürk Cad. 6. Yasın Diler, très sympathique et parfaitement francophone, vous montrera la riche collection de tapis, kilims et *suzanı* rassemblée en vingt-cinq années. Les prix étant affichés, pas de marchandage possible mais vous pouvez demander un geste.

Göreme

> *Visite p. 229.*

🛈 Dans l'*otogar* (gare routière) ☎ 271.25.58.

Agences de voyages

Toutes proposent des excursions à travers la Cappadoce et au Nemrut Dağı ainsi que des locations de voitures, vélos ou motos. **Matiana**, Orta Mah., Okul Sok., 6 ☎ 271.29.02, fax 271.29.03. **Neşe**, Avanos Yolu Üzeri 54 ☎ 271.25.25, fax 271.15.24. **Rose Tours**, Müze Cad. Eski Afet Evleri ☎ 271.20.59. **Turtle Tours**, Kayseri Cad. 10 ☎ 271.21.69.

Hôtels

À Göreme se trouve la plus forte concentration de petites pensions de la Cappadoce. Le bureau de tourisme, à la gare routière, vous aidera à dénicher la pension de vos rêves, selon votre budget.

▲▲▲▲ **Ataman** ☎ 271.23.10, fax 271.23.13. Hôtel de charme, réputé pour sa table, la qualité de l'accueil et la vue magnifique sur Göreme. *33 ch.* décorées avec goût. Piscine, tennis et hammam. Très cher.

▲▲▲ **Göreme House** ☎ 271.26.68, fax 271.26.69. Dans le style anatolien traditionnel. *12 ch.* bien décorées et fonctionnelles.

▲▲▲ **Kelebek**, Aydınlı Mah. 22 ☎ 271.25.31, fax 271.27.63. *9 ch. et 10 suites.* Les plus belles chambres, meublées dans le style traditionnel, se trouvent dans une superbe maison en pierre. L'autre section, style petite pension, est plus abordable.

▲▲▲ **The Ottoman House**, Orta Mah. 36 ☎ 271.26.16, fax 271.23.51. *35 ch.* confortables dans un établissement décoré avec goût. Belle collection de tissus anciens. Bar, restaurant avec terrasse. Excellente adresse, la meilleure dans sa catégorie.

Restaurants

♦♦♦ **Restaurant de l'hôtel Ataman**. Bonne table de spécialités turques.

♦♦ **Restaurant de l'hôtel Ottoman House**. Excellente cuisine turque, servie dans la salle à manger ou sur la terrasse. Dîner uniquement.

♦♦ **Sofra**, Adnan Menderes Cad. 1. Cadre confortable pour déguster les saveurs d'une bonne cuisine turque.

Comme les potiers d'antan

Les **potiers d'Avanos** manient le tour de façon artisanale. Sur les rives du fleuve Rouge, ils recueillent le limon enrichi de minerai de fer, puis l'entreposent dans des **caves** pour le faire sécher avant de le raffiner afin d'en tirer la matière première qui leur servira à monter leurs productions. Vous les verrez à l'œuvre devant leur tour à pédale, flanqué d'un caractéristique pot en terre cuite. Les poteries sont ensuite polies puis décorées à la main de **motifs géométriques ou végétaux**. Viennent ensuite les phases de cuisson et de vernissage. Quelques artisans se sont spécialisés dans la copie d'anciens, notamment les poteries qui font la gloire du musée des Civilisations anatoliennes d'Ankara. Dans les ateliers réputés, par exemple chez **Galip**, il est même possible d'effectuer des stages. ●

Güzelyurt

> *Visite p. 238. Indicatif téléphonique (0382)*

▲▲▲ **Karballa** ♥, Çarşı Içi ☎ 451. 21.03, fax 451.21.07. Dans un ancien monastère grec du XIXᵉ s., adresse exceptionnelle pour le cadre et pour l'accueil chaleureux d'Ahmet et Tovi Diler. *20 ch.* avec beaucoup de caractère. Quant au restaurant, on vous laisse la surprise ! Prix imbattables en demi-pension. Piscine, promenades à cheval.

Mustafapaşa

> *Visite p. 233.*

Hôtels

▲▲▲▲ **Lâmia Pansiyon** ♥ ☎ 353. 54.13. Vieille demeure restaurée, qui abrite un beau patio fleuri. S.d.b. dans les *5 ch.*

▲▲▲ **Sinasos**, Ürgüp Yolu ☎ 353. 50.09, fax 353.54.35. Ancienne maison grecque aux magnifiques plafonds de bois peint. *60 ch.* dans une annexe moderne. Restaurant.

▲▲ **Pacha** ♥ ☎ 353.53.31. *12 ch.* dans une ancienne demeure grecque. Bonne table et excellent accueil. Randonnées sur mesure.

Nevşehir

> *Visite p. 226.*

❶ Atatürk Bul., Hastane Yanı ☎ 212.95.73.

Se déplacer

● **Aéroport**. À Tuzköy, à 30 km par la route de Gülşehir. Deux vols hebdomadaires vers Istanbul.

● **Gare routière**. À 1,5 km du centre-ville, sur la route de Gülşehir. Départs fréquents pour Ankara, Istanbul, Adana, etc. **Bus municipaux** : Nevşehir-Derinkuyu (arrêts à Kaymaklı et à Mazıköy) : un bus toutes les 30 min entre 7 h et 19 h.

Hôtel et restaurants

▲▲ **Viva Orsan**, Yeni Kayseri Cad. 15 ☎ 213.21.15, fax 213.42.23. *95 ch.* tout confort. Petite piscine.

♦♦ **Park**, Atatürk Bul. Le rendez-vous nocturne des habitants. *Meze*, grillades, le tout pour une addition correcte.

♦ **Aspava**, Atatürk Bul. 100. Des plats simples tels les *kebap*.

Ortahisar

> *Visite p. 233.*

❶ Au pied de la forteresse.

● **Restaurant**. ♦ **Hisar**, à proximité de la grande place. On y sert des grillades et des *pide* cuits au feu de bois.

Uçhisar

> *Visite p. 232.*

Hôtels

▲▲▲▲ **Kaya Oteli Club Med** ☎ 219.20.07, fax 219.23.63. Un cadre superbe, au flanc de la vallée des Pigeons. Piscine payante pour les non-résidents. *62 ch.*

---

budget

Hébergement

En haute saison, pour une chambre double (petit déjeuner inclus) :

▲▲▲▲▲ plus de 120 €

▲▲▲▲ de 80 à 120 €

▲▲▲ de 40 à 80 €

▲▲ de 20 à 40 €

▲ de 10 à 20 €

Restaurants

Pour un repas (plat avec une boisson non alcoolisée, salade, thé ou café) :

♦♦♦♦ plus de 30 €

♦♦♦ de 15 à 30 €

♦♦ de 7 à 15 €

♦ moins de 7 € ●

▲▲▲ **Tekelli** ♥ ☎ 219.29.29. *3 ch.* L'endroit a du charme à revendre et surtout, quelle vue !

▲▲ **Anatolia Pansiyon** ☎ 219.23.39, fax 219.30.78. Au cœur du village. Pas de vue mais *13 ch.* ventilées, propres, avec s.d.b. Petit jardin. Accueil chaleureux.

▲▲ **Buket** ♥ ☎ 219.24.90, fax 219.30.47. Les chambres les plus confortables sont en fait de véritables suites, avec cuisine à disposition. Situation exceptionnelle, multiples terrasses et restaurant troglodytique font de cette adresse l'une des meilleures d'Uçhisar.

▲▲ **Kaya Pansiyon** ☎ 219.24.41, fax 219.26.55. Belle situation, *13 ch.* dans une maison troglodytique. Excellent accueil et bonne table. Terrasse. *F. en hiver.*

Restaurants

♦♦♦ **Restaurant du Kaya Oteli Club Med** ♥. Buffets pantagruéliques et dîners à thème. Rés. indispensable.

♦ **Efes**, dans la rue qui descend vers Göreme. Des spécialités locales dans un cadre sympathique.

Randonnées équestres

Des randonnées organisées sur mesure par Mehmet Kırfaz et Yann Victor à des tarifs intéressants. Rens. et rés. à Alparslan ☎ 219.29.44.

Ürgüp

> *Visite p. 233.*

❶ À côté du musée ☎ 341.40.59.

Se déplacer

● **Gare routière**, sur la place centrale. **Bus municipaux : Ürgüp-Avanos :** un bus toutes les 2 h entre 8 h et 18 h (9 h à 17 h dans le sens inverse ; arrêts à Ortahisar, Göreme, Çavuşin et Zelve). **Ürgüp-Nevşehir :** un bus toutes les 20 min entre 7 h et 19 h (le dim., toutes les heures ; arrêts à Ortahisar et Uçhisar). **Ürgüp-Mustafapaşa :** un bus

La Cappadoce sportive

Correspondante locale de l'UCPA, l'**agence Kirkit Voyages** (Atatürk Cad. 50, Avanos ☎ 511.32.59, fax 511. 21.35) est spécialisée dans la découverte sportive : randonnées à pied, à cheval ou à VTT, d'une à plusieurs journées dans les vallons cappadociens ; rafting, promenades en raquettes l'hiver. Elle organise aussi les excursions vers les vallées d'Ihlara et de Soğanlı et la réserve de Sultansazlığı.

Mentionnons enfin les excellents circuits dans les montagnes du Taurus et vers les lacs pisidiens. Avec **Kapadokya Balloons** (Göreme ☎ 271. 24.42, fax 271.25.86), vous survolerez en montgolfière les reliefs ahurissants de la Cappadoce. Une aventure inoubliable qui coûte la coquette somme de 230 US$ par personne (140 US$ pour le vol court). ●

toutes les heures entre 8 h 15 et 18 h 15 (7 h 45 à 17 h 45 dans le sens inverse).

Adresses utiles

● **Agences de voyages**. **Alan Turizm**, à côté de l'hôtel Surban ☎ 341.46.67/341.43.25. Agence francophone très dynamique. Excursions classiques et location de voitures. **Argeus**, Istiklal Cad. 13 ☎ 341.46.88. Toutes les activités de découverte sportive : randonnées, VTT, promenades à cheval, etc. **Magic Valley Cappadocia**, Terminal Yanı 7 ☎ 341. 21.45, fax 341.37.30. Randonnées et excursions diverses. **Ürgüp Tur** ☎ 341.88.11. Location de voitures.

● **Banques**, sur Kayseri Cad. et autour de la place centrale.

● **Poste**, Avanos Cad., près de l'❶.

Hôtels

▲▲▲▲ **Elkep Evi ♥**, Eski Turban Oteli Arkası 26 ☎ 341.60.00, fax 341.80.89. Hôtel semi-troglodytique qui ne manque pas d'allure. Vastes chambres à l'ancienne, dotées d'une terrasse privative. *14 ch.*

▲▲▲▲ **Esbelli Evi ♥**, Esbelli Sok. 8 ☎ 341.33.95, fax 341.88.48. Ravissante demeure semi-troglodytique, décorée avec goût. *8 ch.* Rés. conseillée.

▲▲▲▲ **Gamirasu**, Ayvalı Köyü ☎ 354.58.25, fax 341.74.87 À 11 km d'Ürgüp. Belle bâtisse construite avec des matériaux traditionnels. Les résidents bénéficient d'un environnement exceptionnel : un village rupestre, encore préservé du tourisme de masse. *18 ch.*

▲▲▲▲ **Kayadam ♥**, Esbelli Sok. 6 ☎ 341.66.23, fax 341.59.82. Demeure semi-troglodytique joliment arrangée, avec ses multiples terrasses et son jardinet. *6 ch.* coquettes et une maison avec cuisine équipée, d'une capacité de 6-8 personnes. Le petit plus, c'est l'accueil que vous réservent Mᵐᵉ Kismet Çiner et son fils Attila, un géologue parfaitement francophone.

▲▲▲▲ **Kemerli Ev ♥** ☎ 341.54.45, fax 341.54.46 Dans une magnifique demeure du vieux quartier. La cour intérieure, tout en arcades, fait songer à un cloître. *8 ch.* stylées, ornées d'antiquités.

▲▲▲▲ **Ürgüp Evi ♥**, Esbelli Mah. ☎ 341.60.90, fax 341.62.69. Un ensemble de vieilles demeures, en partie excavées dans la falaise. *14 ch.* stylées, aux murs criblés de niches et d'ornementations sculptées.

▲▲ **Elvan**, Istiklal Cad. ☎ 341.41.91, fax 341.34.55. *25 ch.* dans un cadre agréable et convivial. Prix exemplaires.

▲▲ **Surban**, Yunak Mah. ☎ 341.46.03, fax 341.32.23. *36 ch.* voûtées, tout confort. Restaurant troglodytique. Excellent accueil.

▲▲ **Yıldız**, Kayseri Cad. 17 ☎ 341.46.10, fax 341.46.11. Prestations satisfaisantes à prix abordables.

Restaurants

♦♦♦ **Şömine**, Cumhuriyet Meydanı. Grillades et *meze*.

♦♦ **Cappadocia**, derrière le marché Dumlupinar Cad. Bonne cuisine locale à des prix doux.

♦♦ **Han Çırağan**, Cumhuriyet Meydanı. Bonne cuisine, servie dans la salle voûtée d'un bâtiment ancien. ●

---

villégiature

Les Maisons de Cappadoce

Le Konak, Le Jardin, Le Pont, Les Chèvres, La Paille... ce sont les noms de quelques belles maisons grecques nichées dans le vieux village d'Uçhisar. Elles ont été restaurées avec soin par un architecte français, **Jacques Avizou**. Séduit par ces enfilades de pièces semi-troglodytiques et les volumes tout en arc voûté, cet esthète s'est contenté, après les grandes réparations, de mettre la pierre en valeur. Un mobilier d'une grande sobriété habite les pièces, réchauffées par des kilims chatoyants, des jarres en terre cuite et une collection d'objets anciens. Plutôt d'esprit *new age* que véritablement traditionnelle, la décoration est une réussite. Chaque maison est entourée d'un jardin et d'un potager privatifs. Location pour 4 jours ou à la semaine. Rens. et rés. : **Semiramis**, Belediye Meydanı 24, BP 28 Uçhisar Nevşehir ☎ 219.28.13, fax 219.27.82, < www.cappadoce.com >. ●

La mer Noire

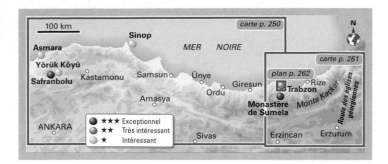

100 km

Sinop

Asmara

Yörük Köyü

Safranbolu

Kastamonu

Samsun

Ünye

Ordu

Giresun

Amasya

ANKARA

MER NOIRE

carte p. 250

carte p. 261

plan p. 262

Rize

Trabzon

Monastère de Sumela

Monts Kaçkar

Route des églises géorgiennes

Erzincan

Erzurum

Sivas

● ★★★ Exceptionnel
● ★★ Très intéressant
● ★ Intéressant

N

D'Amasra à la frontière géorgienne, la route côtière traverse un luxuriant jardin d'Éden, si vert et si touffu qu'il semble être le fruit de quelque fantaisie divine. Soumis à de fortes précipitations, le littoral devient riant au premier rayon de soleil, dès que la mer d'humeur capricieuse daigne enfin revêtir sa robe d'un bleu limpide. Sur la mince bande côtière ceinte de versants abrupts, plantations de tabac, noisetiers et champs de thé se succèdent à l'infini. Dans l'arrière-pays, les montagnes escarpées, entaillées de vallées profondes, ménagent un festival de torrents, de cascades et de forêts épaisses. Séparé du plateau anatolien par la chaîne Pontique, le littoral de la mer Noire se révèle différent du reste de la Turquie. N'y cherchez pas de monuments exceptionnels. Outre les édifices chrétiens de Trabzon et des vallées géorgiennes, l'attrait de la mer Noire tient surtout au charme désuet de ses **villages de pêcheurs**, à ses forteresses haut perchées, à ses maisons en bois nichées dans les vergers et à ses longues **plages désertes** qui s'étirent au pied de falaises crayeuses. L'impression de différence s'accentue dans l'arrière-pays, royaume des **alpages**, des chalets et des maisons « câblées » : une Turquie sylvestre qu'on n'attendait pas ! Aux portes de la Géorgie, la présence de minorités ethniques témoigne qu'ici aussi les peuples se sont rencontrés. Pour réellement jouir de la beauté impressionnante du paysage, il ne faudra pas hésiter à quitter le littoral pour s'enfoncer dans les terres.

© Gil Giuffo/Hemisphères Images

Verdoyante mer Noire

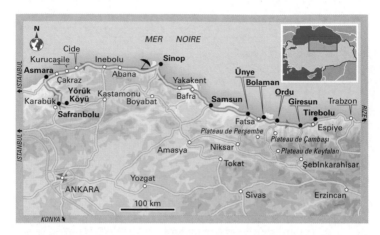

D'Amasra à Tirebolu, la route côtière, réellement spectaculaire, traverse les **cités portuaires** les plus pittoresques de la mer Noire. Elle quitte parfois le rivage pour s'enfoncer dans les alpages et puis, au détour d'un virage, voici que s'offre sous vos pieds le spectacle grandiose de la mer qui vient fouetter les falaises escarpées. Il est préférable de consacrer à ce trajet un minimum de 5 jours, ce qui vous laissera le temps de flâner dans les villes et d'explorer les hauts plateaux de l'arrière-pays.

♥ Safranbolu★★★

> À 220 km au N d'Ankara et 395 km à l'E d'Istanbul. *Carnet d'adresses p. 274.*

S'il fallait établir un classement des villes de charme en Turquie, Safranbolu caracolerait en tête. Véritable joyau de l'urbanisme ottoman, elle possède un ensemble, exceptionnellement conservé, de maisons en bois et pisé. Plus qu'une simple ville-musée, Safranbolu introduit le visiteur dans l'art de vivre oriental des XVIIIe et XIXe s., quand l'habitat s'harmonisait avec le cadre naturel. Les architectes ottomans édifièrent la ville en tenant compte des perspectives du relief et des lignes de l'horizon. Ainsi, du fond de la cuvette où s'est posée la vieille ville, on ne voyait que le ciel émerger des falaises. Malgré l'inscription du site par l'Unesco, en 1994, au **Patrimoine mondial de l'humanité**, cette vision unique pâtit de la construction d'immeubles alentour. Le caractère champêtre du site ajoute à son charme, bien que les feux de la notoriété aient une fâcheuse tendance à vider les maisons de leurs occupants primitifs pour loger le flux croissant des visiteurs.

UNE CITÉ COMMERÇANTE

Au XVIIe s., la piste caravanière reliant le plateau anatolien avec Sinop transitait par Safranbolu, qui devint rapidement un carrefour commercial et artisanal florissant. Les riches négociants construisirent de magnifiques demeures familiales dans les trois quartiers de la ville, étagés à des altitudes diverses. La **vieille ville**, communément appelée Çarşı, se déploie au pied des collines dans une vallée protégée du vent.

À l'époque ottomane, ce noyau urbain concentrait les activités commerçantes. Les ruelles y sont étroites et les habitations rapprochées.

En gravissant la colline, on traverse la ville neuve de **Kiranköy**, autrefois appelée Misaki Milli. Il s'agit de l'ancien quartier grec déserté par ses occupants en 1923 lors de l'échange des populations. De leur passage subsistent l'église Stephanos Hagios transformée en mosquée et une centaine de maisons en pierre, identifiables à leurs porches gravés d'inscriptions. Plus haut se déploie le quartier de **Bağlar**, l'ancienne zone de résidence estivale, riche en demeures historiques. Pour jouir d'un **panorama** global sur la ville, ne manquez pas de monter au cimetière (Mezarlık) ou au sommet de la colline de Küpçü.

♥ Le vieux Safranbolu (Çarşı)★★★

La vieille ville s'épanouit dans l'élargissement d'une gorge formée par le lit des rivières Akçasu et Gümüş qui s'échappent, en amont, de deux vallées encaissées. Au gré de la flânerie, on découvre ici une mosquée flanquée d'un minaret en bois et un hammam désaffecté, là d'anciennes ♥ **fontaines murales** où le passant s'arrête encore pour se désaltérer. La séduction tient aussi à tous ces petits gestes du quotidien qui font vivre ce décor d'une autre époque. Arpentez le bazar et les ruelles à différentes heures de la journée, la luminosité et le spectacle ne seront jamais les mêmes.

● **Hıdırlık Tepesi**. Pour comprendre la topographie de la vieille ville, gravissez la **colline** de Hıdırlık ceinte d'une muraille crénelée. Le panorama met en évidence la fonctionnalité et l'exceptionnel équilibre, tant humain qu'architectural, qui régissent les constructions. Les bazars, marchés et bâtiments publics occupent le centre. Les maisons s'étagent tout autour en épousant le relief et les courbes naturelles des rues. Les tanneries et manufactures pouvant engendrer des nuisances étaient installées à la lisière de la ville.

● **Kaymakamlar Konağı★**. *Dans la ruelle qui redescend vers le caravansérail. Ouv. 8 h 30-12 h et 13 h-17 h.* Comme tous les intérieurs traditionnels de Safranbolu, cette maison ottomane transformée en **musée** comporte le *selamlık* où l'on

Les maisons en bois et pisé du vieux Safranbolu.

© Astrid Lorber

L'habitat ottoman

Au XIXᵉ s., les écrivains voyageurs s'enthousiasmèrent devant les maisons en encorbellement, cet habitat traditionnel en bois tombé aujourd'hui en désuétude. Ingénieux et chaleureux, il était conçu pour un mode de vie alaturka qui adapte des principes hérités du nomadisme, le compartimentage en sections hivernales et estivales étant le plus significatif. Mais poussons la porte…

Un bastion familial

Une porte d'entrée à deux battants s'encastre dans les hauts murs du rez-de-chaussée, généralement dépourvu d'ouvertures. Selon la tradition islamique, la vie familiale doit se dérouler dans l'intimité du foyer, c'est pourquoi de jalouses palissades dissimulent également le jardin aux regards importuns.

Un habitat adapté aux saisons

Le climat a une incidence directe sur le plan des maisons. Les façades, qui conjuguent les matériaux locaux, bois, pisé ou pierre, sont généralement chaulées et les fenêtres agrémentées de persiennes en bois. Les étages contiennent 10 à 12 pièces réparties en deux sections : le *haremlik* (section familiale) au premier étage, et le *selamlik* (les pièces réservées aux hommes) à l'étage supérieur. Le maître de maison recevait ses invités dans la plus belle pièce du *selamlik (baş odası)*. En Anatolie centrale, soumise à des températures saisonnières contrastées, les maisons contiennent des pièces habitées uniquement l'hiver ou l'été, selon leur orientation. Dans les plus vastes demeures, le salon d'été s'agrémentait d'un bassin intérieur, pratiquement une mini-piscine, qui rafraîchissait l'atmosphère pendant les grandes chaleurs. Ce bassin pouvait aussi occuper un bâtiment annexe *(selamlık köşkü)*, situé dans le jardin.

Les maisons du vieux Safranbolu épousent la courbe de la rue, mais leurs étages supérieurs soutenus par des saillies en bois ne s'élèvent pas symétriquement au-dessus du rez-de-chaussée. Cette solution architecturale typique pour pallier la déclivité du terrain caractérise l'habitat turc traditionnel.

Façade ornée de stucs de la Mektepçiler Evi à Safranbolu.

© Astrid Lorber

© Gi Giulio/Hémisphères Images

La yourte pour modèle

Le rez-de-chaussée *(hayat)* comporte uniquement des pièces utilitaires telles que l'écurie, la citerne, le cellier, etc. Les deux étages d'habitation présentent une structure identique. Les chambres, généralement au nombre de quatre, s'articulent aux coins du sofa, vaste pièce centrale qui fait office de corridor. Les chambres périphériques sont conçues comme une unité indépendante, et peuvent aussi bien servir de salon que de salle à manger ou de chambre à coucher. Comme dans la yourte ancestrale, l'ameublement est quasi inexistant : des banquettes courent le long des murs et quelques tapis jonchent le plancher. Pendant la journée, la literie était rangée dans des placards encastrés, seul élément véritablement décoratif avec l'âtre en plâtre et les niches des boiseries qui logeaient les lampes à pétrole et les objets usuels. Les plafonds en bois sont plus ou moins ouvragés selon l'importance de la pièce.

L'unité centrale : le sofa

Conçu initialement comme un espace de circulation, le sofa devint au fil du temps la véritable salle de séjour de la maison. Les architectes lui accordèrent donc une attention particulière, en l'adaptant aux besoins quotidiens. Dans les régions bénéficiant d'un climat doux, les maisons sont généralement dotées d'un sofa véranda, autour duquel les chambres se juxtaposent en L ou en U. Le sofa intérieur, cruciforme ou traversant, et le sofa central, dépourvu de fenêtres, protègent plus efficacement les habitants de la froidure hivernale. ●

Dans les *konak* (maisons de maître), la *başodası* bénéficiait d'une décoration élaborée : peintures naïves, plafonds ouvragés, boiseries marquetées. Abondamment percée de fenêtres et de lucarnes ajourées, la pièce jouit d'une luminosité attestant sa fonction d'espace social, tourné vers le monde extérieur.

© Astrid Lorber

recevait les invités et le *haremlik*, section dévolue à la vie familiale. Richement ornementées de plafonds en bois et d'étagères encastrées, les pièces s'organisent autour d'un sofa traversant. Au rez-de-chaussée sont exposés des objets de la vie quotidienne et des outils agricoles anciens.

● **Cinci Hanı***. Achevé en 1645, ce monumental **caravansérail** en pierres de taille blanches témoigne de la prospérité économique de Safranbolu à l'époque ottomane. Quand les travaux de restauration s'achèveront, il hébergera à nouveau les voyageurs. Autour du caravansérail s'étend le **quartier des bazars** avec ses boutiques en bois et ses *kahvehane* typiques. La grande place contiguë accueille un **marché** aux fruits et légumes, le samedi matin.

● **Cinci Hamamı***. Ce beau **hammam** du xviiᵉ s. donne sur Çarşı Meydanı, la place centrale du vieux Safranbolu. Toujours en service, il comprend deux sections jumelles, l'une masculine, l'autre féminine, avec entrée indépendante dans deux rues différentes. Pour admirer le décor intérieur en marbre, tentez donc l'expérience du bain turc !

● **Yemeniciler Arastası***. Restaurée en 1990, cette place rectangulaire surnommée Arasna abrite 48 boutiques d'artisanat. Autrefois siège de la **corporation des cordonniers**, le bazar produisait les *yemeni*, des babouches en cuir souple réputées dans toute la Turquie. Dans le kiosque central, le ♥ **Boncuk Café** occupe les lieux de l'ancien café de la corporation. C'est l'endroit idéal pour s'attabler face aux échoppes en bois, ces fameuses *dolap* (boutiques à auvent) que contenaient jadis tous les bazars ottomans.

● **Les bazars***. En quittant l'Arasna, un lacis de ruelles commerçantes sous la treille mène au ♥ **Demirciler Çarşısı***, le bazar de la Métallurgie, organisé, lui aussi, autour de l'ancien café de la corporation (Lonca Kahvesi). Les artisans travaillent le fer sur le pas de leurs ateliers, véritables cavernes d'Ali Baba qui regorgent de serrures, clous, chaînes et outillage divers. Un passage en escalier aboutit à l'**Izzet Mehmet Paşa Camii**, une élégante mosquée ottomane construite en 1796 par le grand vizir de Selim III.

Vous déboucherez ensuite sur **Manifaturacılar Sok.**, la rue des maréchaux-ferrants. Au niveau de la Musalla Camii, ne manquez pas de jeter un coup d'œil sur la belle façade de **Mektepçiler Evi***, ornée de moulages en plâtre. Récemment restauré, **Kileciler Konağı*** (*ouv. 9 h-18 h ; entrée payante*) mérite la visite pour la richesse de son décor en bois.

En contournant Tuzcu Hanı, un ancien entrepôt en partie occupé par des échoppes spécialisées dans le harnachement et les selles en bois, vous rencontrerez successivement les emplacements du marché au bétail (Hayvan Pazarı) et de l'ancien marché au grain (Eski Zahire Pazarı), qui jouxte le minuscule **bazar du Cuivre** (Bakırcılar Çarşısı).

En suivant la rivière en aval, une ♥ **promenade** vous mènera de l'**ancienne tannerie** (Eski Deri Fabrikası) jusqu'au **moulin** (Su Değirmeni).

● **Le quartier de Gümüş***. Le palais du Gouverneur, **Hükümet Konağı**, à l'état de ruine incendiée, occupe le site de l'ancienne citadelle, d'où vous bénéficierez d'un panorama sur les quartiers de Çarşı et Misaki Milli (Kiranköy). Au pied du promontoire, suivez la Kalealtı Sok. qui aboutit au **quartier de Gümüş**, riche en maisons ottomanes. La plus singulière, **Karaosmanlar Evi***, se dresse à l'intersection de deux ruelles. En revenant vers Çarşı, faites un détour par **Asmazlar Havuzlu Konağı***, un petit bijou restauré par le Touring Club puis transformé en pension de charme. Le ♥ **salon*** contient un vaste bassin d'époque, l'un des rares spécimens à subsister encore à Safranbolu. Offrez-vous un thé et laissez-vous bercer par le murmure de l'eau qui s'écoule doucement des robinets en cuivre. Il faudra beaucoup de courage pour s'extirper d'un tel cadre…

● **Le quartier d'Akçasu★★**. Cette zone résidentielle, qui s'étend en amont de la rivière Akçasu, à l'endroit où le canyon se resserre, est parsemée de **gués** en arc voûté, de **fontaines** sculptées d'inscriptions ottomanes et de **jardins** secrets. Bâtie sur une arche qui enjambe la rivière, la pittoresque **Kaçak-Lütfiye Camii** ressemble davantage à une maison qu'à une mosquée. Dotée d'une toiture en bois, elle s'intègre parfaitement dans un environnement plus sauvage.

Bağlar★

À l'époque ottomane, presque tous les habitants de Safranbolu possédaient deux maisons. En hiver, ils résidaient à Çarşı et, à l'approche de l'été, ils émigraient sur les coteaux de Bağlar, mieux exposés au vent. Environnées de vignes et de jardins, les demeures historiques sont globalement plus vastes que celles de la vieille ville. Le quartier s'est fait happer par le XXIe s. et manque d'homogénéité.

Les *konak* ↳ les plus représentatifs (Paçacılar Evi, Yolluoğlu Evi et Hacı Memişler Evi) se disséminent le long de Kavaklar Sok. et de Kurtuluş Cad.; passé le lycée ottoman (Kız Meslek Lisesi, achevé en 1917), remontez la Değirmenbaşı Sok. jusqu'aux ruines du moulin. S'y succèdent les belles façades des Gökçüoğlu Evi, Asmazlar Evi, Emir Hocazade Ahmet Efendi Evi et Raşitler Evi.

● **Les demeures privées**. Que de merveilles dissimulées derrière les façades des habitations privées ! Moyennant une obole, les plus belles entrouvrent parfois leurs portes mais, comme les visites ne sont pas organisées à grande échelle, il faudra passer par des intermédiaires qui arrangeront un rendez-vous avec le propriétaire. Par exemple, demandez au tenancier de la pension Asmazlar Havuzlu Konağı la permission de visiter **Ismail Asmaz Evi**; la *baş odası* du *selamlık* contient un vaste bassin, aménagé à l'étage. À Bağlar, essayez de voir le *konak* ↳ ♥ **Emir Hocazade Ahmet Efendi** (le gérant du Şehzade Sofrası pourra éventuellement vous aider). Des boiseries ouvragées lambrissent le **salon★★**, qui possède un merveilleux plafond peint et une cheminée à hotte cylindrique en bois. Un avant-goût des Mille et Une Nuits !

Aux environs :
♥ Yörük Köyü★

> À 14 km à l'E de Safranbolu, par la route de Kastamonu.

Bien moins fréquenté que Safranbolu, ce village mérite le détour pour son atmosphère plus authentique. On y dénombre 124 maisons ottomanes, plus monumentales dans l'ensemble que celles de Safranbolu. C'est en mettant la main à la pâte que les villageois bâtirent leur incroyable fortune. Ici, on devenait boulanger de père en fils. Au XVIIIe s., les natifs du village exilés à Istanbul y détenaient même le monopole de la fabrication du pain. Ils transféraient leurs gains à Yörük Köyü, qui devint le village le plus riche de la région. Les demeures les plus spectaculaires ouvrent volontiers leurs portes au visiteur, moyennant une petite rétribution.

Le deuxième étage de l'imposante ♥ **Sipahioğlu Evi★★** est devenu un petit musée ethnographique. Divers souvenirs familiaux peuplent les pièces ornementées de peintures murales naïves. Dans la *baş odası* (salon), vous remarquerez une grosse boule argentée, suspendue au plafond, où se mire l'intégralité de la pièce.

La belle ♥ **Kaymakçıoğlu Evi**★★ tombe malheureusement en décrépitude. Aux étages, vous retrouverez le plan classique des maisons ottomanes hivernales : quatre chambres ordonnées autour d'un sofa central aux magnifiques plafonds en bois. Au centre du village, la **Merkez Camii** renferme des peintures en trompe-l'œil et un plafond en bois similaire à ceux des habitations. Demandez que l'on vous guide jusqu'à l'ancienne **écurie** *(samanlık)* fermée par une curieuse serrure en bois, puis faites-vous montrer le vieux **lavoir** collectif *(çamaşırhanesi)*, qui ressemble à s'y méprendre à l'étuve d'un hammam.

Amasra★

> *À 90 km au N de Safranbolu.* **Carnet d'adresses** *p. 272.*

Cette jolie marine, considérée comme la **perle du littoral**, occupe une péninsule reliée par un **pont romain** à un îlot corseté d'une puissante muraille. Bâtie sur le promontoire, la **citadelle byzantine**, remaniée au XIVe s. par les Génois, défendait l'accès des deux ports naturels (Küçük Liman et Büyük Liman), aménagés de part et d'autre du cordon rocheux. Ses remparts gravés d'armoiries génoises dissimulent un lacis de ruelles bordées d'anciennes maisons de pêcheurs et de boutiques regorgeant de bibelots en bois sculpté, grande spécialité de la ville. Les nouveaux quartiers résidentiels s'étirent autour d'une longue plage, dans le prolongement du parc municipal où se dresse le **Musée archéologique** *(ouv. t.l.j. sf lun. 9h-17h30 ; entrée payante).*

Après Amasra, la route traverse quelques modestes stations balnéaires : **Çakraz**, **Cide**, la pittoresque marine ♥ d'**Inebolu** et **Abana**. Ne manquez pas de vous arrêter dans les célèbres chantiers navals de **Kurucaşile** pour voir à l'œuvre les maîtres charpentiers qui construisent les traditionnels caïques en bois.

Sinop★

> *À 325 km à l'E d'Amasra.* **Carnet d'adresses** *p. 276.*

Ce n'était pas pour la rendre pittoresque que les peuplades antiques puis les Turcs fortifièrent la presqu'île de Sinop. Ils y sont pourtant parvenus ! Bâtie sur un **isthme étroit**, la cité doit son cachet à son emplacement exceptionnel, mais aussi à cette atmosphère nonchalante qui règne dans les rues. Sur Atatürk Meydanı, à proximité du port, il fait bon siroter un thé à l'une des terrasses de cafés puis, tout simplement, s'attarder à regarder les passants. Quelques **plages** de sable fin et un superbe arrière-pays valent à la station les faveurs des estivants turcs.

Colonisée par les Milésiens au VIIe s. av. J.-C., la presqu'île devint entre 281 et 63 av. J.-C. l'une des résidences favorites des rois du Pont. Annexé par les Seldjoukides au XIIIe s., le port gagna en importance. Les

Inebolu possède son lot de vieilles maisons en bois.

La presqu'île d'Amasra.

Ottomans s'en emparèrent en 1458 mais, pour des raisons stratégiques, ils préférèrent développer Samsun. En 1853, les Russes risquèrent une attaque surprise dans la rade, qui se solda par la destruction de la flotte ottomane. Pour empêcher la mainmise russe sur la mer Noire et les détroits, la coalition franco-britannique riposta en déclenchant la campagne de Crimée.

Facilement attaquable par la mer, l'isthme fut ceint dès l'Antiquité d'un épais **rempart★** que renforcèrent les rois du Pont, les Seldjoukides et les Ottomans. Il en subsiste d'éloquentes portions côté mer, notamment sur la rive nord. Jalonnée de tours de garde, la muraille était percée de six portes, dont deux sont intactes. Près du port, une haute tour domine la courtine, qui se terminait à l'ouest par un puissant bastion d'époque seldjoukide, reconverti en prison. En longeant la muraille par Iskele Cad., on pénètre dans l'univers coloré des bateaux de pêche et des restaurants de poissons.

Ne manquez pas de vous attabler au Tarihi Yalı Kahvesi, une maison de thé installée dans une demeure ottomane en bois.

La mosquée seldjoukide, **Alaeddin Camii** *(dans Sakarya Cad.)*, fut élevée en 1214 par Muinüddin Süleyman Pervane, le puissant grand vizir du sultan Alaeddin Keykubat Ier, qui arracha la ville aux Byzantins. Le mihrab ↪ en marbre date d'une époque ultérieure. Jouxtant la mosquée, l'**Alâiye Medresesi**, une ancienne école coranique du XIIIe s., est l'œuvre du même commanditaire.

Le **Musée archéologique★** *(derrière la préfecture ; ouv. 10 h-17 h ; entrée payante)* renferme des icônes néobyzantines du XIXe s. et divers objets (bronzes, sculptures, amphores, fragments de céramique) appartenant aux civilisations qui se sont succédé à Sinop depuis l'Antiquité. Dans le jardin du musée, les vestiges d'une colonnade hellénistique (IIe s. av. J.-C.) rappellent que sur cet emplacement s'élevait jadis un **temple** consacré à Sérapis.

Séquence plages

Payantes, publiques ou sauvages, les plages de sable fin abondent. De part et d'autre de l'isthme s'étendent les plages municipales de **Yuvam** et **Mobil** à l'est, et **Kumkapı** à l'ouest. Sur la pointe de la presqu'île, côté est, la petite plage payante de **Karakum** s'intègre dans un complexe touristique. Il faut quitter l'isthme par une jolie route secondaire pour atteindre la longue plage d'**Akliman**, située à 3 km au nord-ouest du centre-ville. Au-delà de la baie d'Akliman, cernée par une forêt de résineux qui enclave la majestueuse calanque de Hamsilos, le littoral retrouve son caractère sauvage. Dans les environs de Sinop, à 62 km à l'ouest, le petit port d'Ayancık dispose, outre ses jolies maisons en bois, de l'attrayante plage de **Çamurca** située au pied de la corniche. •

Au sud de Sinop, une route panoramique s'enfonce dans les montagnes jusqu'à Boyabat et sa formidable **forteresse médiévale**, qui campe au sommet d'un éperon rocheux. Correspondant à l'antique royaume de la Paphlagonie, la région abonde en **tombes rupestres**; la plus monumentale, **Direklikaya★** (Vᵉ s. av. J.-C.), s'admire dans le village de Salar Köyü (à l'O de Boyabat).

Samsun

> À 168 km à l'E de Sinop et à 127 km au N d'Amasya. **Carnet d'adresses** p. 275.

Le plus grand port de la mer Noire est une ville industrielle plutôt laide, qui peut servir de gîte pour la nuit. Fondée au VIIᵉ s. av. J.-C. par une colonie grecque, l'antique Amisos tomba, au XIIᵉ s., aux mains des Seldjoukides, qui autorisèrent les Génois à y implanter un comptoir commercial. Attaqués par les Ottomans en 1425, les Génois ripostèrent en incendiant la ville. D'un riche passé parti en fumée rien ne subsiste, sinon les collections du **Musée archéologique** (ouv. t.l.j. sf lun. 8 h-12 h et 13 h 30-17 h 30; entrée payante), qui jouxte l'office du tourisme et le **musée Atatürk** (mêmes horaires). C'est en effet à Samsun que le père de la Turquie

moderne débarqua, le 19 mai 1919, pour engager la lutte d'indépendance. Plus convivial, le centre-ville se prête au lèche-vitrines : boutiques de prêt-à-porter et pâtisseries se succèdent dans le périmètre circonscrit aux rues Istiklal et Gazi, à environ 200 m en amont de la grande place centrale, Cumhuriyet Meydanı.

Ünye

> À 93 km à l'E de Samsun. **Carnet d'adresses** p. 277.

Cette station balnéaire assoupie ne jure que par l'été. Les terrasses et les restaurants qui bordent l'élégante **promenade** du front de mer s'animent avec l'arrivée des vacanciers turcs alléchés par les plages de sable fin. En vous enfonçant dans les terres par la route de Niksar, vous atteindrez à 7 km environ les ruines d'un château byzantin, **Ünye Kalesi**, véritable nid d'aigle au sommet d'un éperon rocheux. Une tombe rupestre d'époque hellénistique creuse les flancs de la falaise.

Entre Ünye et Ordu, la route traverse le petit port de **Bolaman★**, blotti autour d'un curieux manoir ottoman en bois, bâti en encorbellement sur les fragments d'une forteresse génoise. Sur la pointe du promontoire de Yason Burnu (*à 21 km au N*), les ruines byzantines de l'**église de Jason** se dressent, solitaires, à l'emplacement d'un ancien lieu de culte païen consacré à ce héros grec (*encadré ci-dessous*).

Ordu

> *À 77 km à l'E d'Ünye.* **Carnet d'adresses** *p. 273.*

La **capitale de la noisette** court le long de l'étroite bande littorale pour s'épancher soudainement dans une plaine côtière, ceinturée par les hauts sommets de la chaîne Pontique. La ville moderne dissimule un lacis de ruelles bordées de maisons ottomanes. Un *konak* ↪ en pierre de style baroque, Paşaoğlu Konağı, abrite le joli ♥ **Musée ethnographique*** (*ouv. t.l.j. sf lun. 8h-17h; accès fléché; entrée payante*). Ses pièces meublées d'objets anciens relatent la vie quotidienne d'une riche famille au XIXe s. Pour jouir d'un panorama à couper le souffle, gagnez dans les hauteurs la **colline de Boztepe**. Dans l'odeur tiède des noisetiers, c'est la vie locale qui prend au cœur. Dissimulés dans un fouillis de branches, des groupes de femmes chargées de hottes en osier récoltent les noi-

settes, qu'elles devront ensuite trier et faire sécher. À l'orée d'une nature exceptionnelle, Ordu est le point de chute idéal pour partir explorer les ♥ **hauts plateaux de Keyfalan**, **Çambaşı** et **Perşembe**.

Giresun

> *À 52 km à l'E d'Ordu.* **Carnet d'adresses** *p. 273.*

Aujourd'hui comme hier, la cité portuaire doit sa renommée aux cerises qui enchantèrent les Romains à un point tel qu'ils importèrent les arbres fruitiers à Rome et leur attribuèrent l'ancien nom de la ville, **Cerasos**.

Pour humer l'atmosphère de Giresun, montez à la **forteresse médiévale** perchée au sommet de la colline. Le week-end, les promeneurs aiment pique-niquer dans le parc panoramique qui ceinture les ruines. Étagées au pied de la forteresse, les demeures du vieux quartier de **Zeytinlik** restituent le visage du Giresun ottoman. Sur le front de mer, une église grecque désaffectée abrite les collections du **Musée municipal**, constituées d'objets exhumés dans les sites archéologiques de la région. L'**île de Giresun** n'est autre que l'ancienne Arétlias

---

Jason et la Toison d'or

Les épopées grecques font souvent référence à Jason, qui se lança dans un long et périlleux **périple maritime**. Afin de récupérer son royaume ravi par Pélias, Jason dut partir à la conquête de la Toison d'or, laine merveilleuse d'un bélier ailé que possédait le roi de Colchide (actuelle Géorgie). Selon la légende, Jason et une cinquantaine de valeureux guerriers, les **Argonautes**, s'embarquèrent à bord de l'*Argo*. Ils quittèrent la Thessalie, franchirent les détroits et arrivèrent en mer Noire. Après maintes péripéties, ils accostèrent finalement en Colchide, où Jason, avec l'aide de **Médée**, magicienne et fille du roi, s'empara de la Toison. Bien que l'itinéraire de cette quête ait varié au fil des siècles, ce mythe trouverait son origine dans une expédition accomplie au XIIIe s. av. J.-C. par des marins grecs qui virent les Colchidiens recueillir l'**or de leurs rivières** à l'aide de la toison des moutons. ●

Les Amazones

Ont-elles bien existé, ces farouches guerrières qui se brûlaient le sein droit pour mieux tirer à l'arc ? Selon les légendes de la Grèce antique, elles vivaient sur les bords de la mer Noire, montaient à cheval et combattaient à l'arc. Leur société se fondait sur le **matriarcat**. Des documents hittites mentionnent la lutte qui les opposa aux Achéens, fait historique qui nous est parvenu aussi sous la forme d'**épopées littéraires**. D'après la légende, l'**île de Giresun** (Giresun Adası) servit de base militaire aux Amazones, qui y érigèrent un temple consacré à Mars. En longeant les côtes de la mer Noire pour gagner la Colchide, le non moins mythique **Jason** y fit, avec ses Argonautes, une escale épique. ●

vénérée par la mythologie antique. Sur l'emplacement d'un sanctuaire païen se dresse un monastère grec ruiné, qui jouit toujours d'une certaine ferveur. Le 20 mai, l'usage veut que la foule des pèlerins s'y rende en bateau pour déposer des offrandes. Vous pouvez vous enfoncer dans les terres jusqu'à Şebinkarahisar* *(à 110 km au S de Giresun)*, dominée par les ruines de l'une des plus spectaculaires forteresses médiévales de Turquie.

Entre Giresun et Trabzon, la nature devient majuscule. À Espiye surgit **Andoz Kalesi**, un château médiéval superbe d'isolement dans un luxuriant enchevêtrement de collines dominées par les hauts massifs pontiques. Quelques kilomètres plus loin, dans le pittoresque port de ♥ **Tirebolu***, la **forteresse byzantine de Saint-Jean** occupe un promontoire rocheux que les flots viennent caresser dans un ultime sursaut. ●

Trabzon et sa région

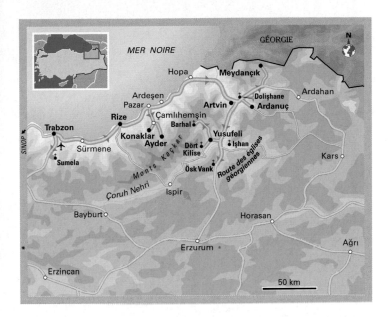

MER NOIRE

GÉORGIE

Hopa · Meydançık · Ardahan · Dolişhane · Artvin · Ardanuç · Ardeşen · Pazar · Çamlıhemşin · Rize · Barhal · Yusufeli · Konaklar · Ayder · İşhan · Kars · Dört Kilise · Trabzon · Sürmene · Sumela · Monts Kaçkar · Ösk Vank · Route des églises géorgiennes · SINOP · Çoruh Nehri · Ispir · Bayburt · Horasan · Erzurum · Ağrı · Erzincan

50 km

'est à Trabzon que s'éteignit la dynastie byzantine. Refrain de l'Histoire, c'est encore à Trabzon que l'ex-URSS déverse aujourd'hui les souvenirs d'un empire disloqué. À l'image de son bazar animé, le plus important port du nord-est de l'Anatolie n'a jamais démenti ses racines marchandes ni ce **goût du négoce** qui contribua de tous temps à sa prospérité.

Autour de Trabzon, le **monastère de Sumela**, le **haut plateau d'Ayder** et les **églises géorgiennes** invitent à explorer un arrière-pays particulièrement grandiose.

La route du littoral vers Hopa traverse une série de bourgades en pleine expansion depuis que la levée du rideau de fer a mis fin à leur isolement. En partie occupée par les **Lazes**, une minorité ethnique venue du Caucase, la région est aussi le **grenier à thé** de la Turquie.

Trabzon★★

> À 130 km à l'E de Giresun. **Carnet d'adresses** p. 276.

Sans avoir l'éclat des plus belles cités turques, l'ancienne Trébizonde est une ville agréable que vous parcourrez avec plaisir quand vous aurez dépassé les faubourgs tentaculaires. De son tumultueux passé Trabzon conserve les nombreux monuments érigés aux ères byzantine et ottomane. Le joyau est sans conteste l'**église Sainte-Sophie** mais, à l'intérieur des terres, l'extraordinaire monastère de Sumela rappelle l'irrésistible vocation de cette région pour la vie contemplative.

TOUS LES CHEMINS PASSENT PAR TRABZON…

Fondée par des colons grecs au VIIe s. av. J.-C., la ville passa successivement sous la domination perse, romaine puis byzantine. Grâce à ses installations portuaires aux confins

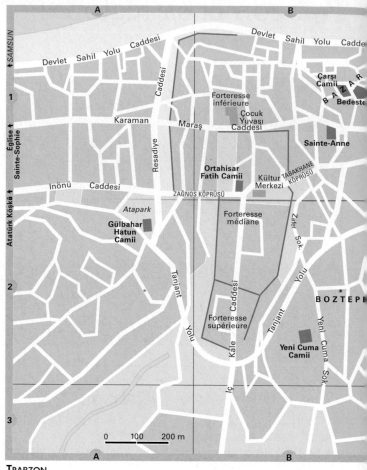

TRABZON

de la Perse et du Caucase, Trébizonde monta en puissance.

Pendant les premières années du christianisme, celle qu'on surnommait « la petite Constantinople » se couvrit d'églises et de monastères.

Entre le XIIIᵉ s. et le XVᵉ s., Trébizonde, sous l'impulsion des **Comnène**, vécut son âge d'or. En 1204 en effet, les barons latins s'emparèrent de Constantinople, forçant une partie de la famille impériale à s'exiler à Trébizonde. Les Comnène, fins diplomates, sauvegardèrent tant bien que mal leur indépendance en nouant de subtiles alliances avec leurs anciens ennemis seldjoukides et mongols, puis avec les Génois qui contrôlaient le commerce sur la mer Noire.

Devenue le dernier bastion byzantin après la chute de Constantinople en 1453, Trébizonde tomba à son tour aux mains des Ottomans en 1461. Le port de Trabzon continua de se développer malgré un passage à vide après la proclamation de la République turque.

Aujourd'hui, les nouveaux débouchés avec les anciennes républiques soviétiques la rendent à vocation originelle de carrefour cosmopolite.

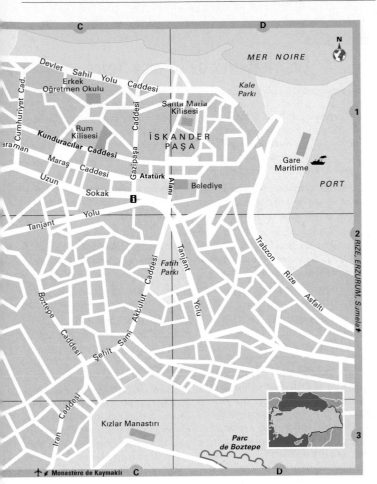

La vieille ville★

Il faut l'arpenter à pied, quitte à emprunter un taxi en fin de parcours. L'itinéraire démarre d'**Atatürk Alanı C1**, la grande place centrale occupée par d'agréables terrasses de cafés, puis rejoint la citadelle en traversant le bazar par un lacis de ruelles commerçantes.

● **Le quartier du bazar B1**. Il se déploie au nord-ouest d'Atatürk Alanı. Engagez-vous dans Kunduracılar Cad., une voie piétonne bordée de bijouteries et de boutiques de confection, qui débouche sur la plus grande mosquée de Trabzon, la **Çarşı Camii**, achevée en 1839. Le quartier pentu alentour recèle de vieux entrepôts ottomans, tel le **Vakifhan** (ou Taşhan) daté de 1531. Son austère façade en pierres de taille dissimule une cour centrale aujourd'hui occupée par des ateliers. Dans le même périmètre, le *bedesten* ↪ serait une construction génoise remaniée par les Ottomans. Construite par les Byzantins au IXe s., l'église **Sainte-Anne** (Küçük Ayvasıl Kilisesi, *f. à la visite*) est un édifice basilical à trois nefs. Son porche d'entrée porte un **relief** figurant un ange allongé aux pieds d'un soldat.

Les visiteurs de la mer Noire

L'éclatement de l'ex-URSS en 1991 et l'ouverture des frontières ont confronté certains ports de la mer Noire à un phénomène nouveau. Débarquée par bus ou bateau, principalement de la Géorgie et des républiques avoisinantes, la première vague de « touristes » venait en Turquie pour y réaliser des affaires juteuses. Ceux-ci improvisaient des marchés, achetaient des stocks considérables de prêt-à-porter de qualité médiocre puis s'en retournaient les vendre chez eux.

Dans leur sillage sont apparues les « Natacha », des poupées Barbie court vêtues qui vendent leurs charmes dans les *gazino* et de nombreux hôtels bon marché de Trabzon, Rize, Hopa et Artvin.

La deuxième vague voit le timide retour des vacanciers russes qui réinvestissent les lieux qu'ils avaient délaissés au début du XXᵉ s. Les agences de voyages, les restaurants et les boutiques se sont mis au diapason. ●

● **La citadelle★ B2**. Bâtie dans l'une de ces étroites vallées qui entaillent les collines de Trabzon, l'impressionnante citadelle comporte trois enceintes : la forteresse supérieure, la forteresse médiane et la forteresse inférieure, ou ville basse, qui descend jusqu'au rivage. La **forteresse supérieure**, centre de la vie publique à l'époque byzantine, jouait un rôle défensif. Les Byzantins la dotèrent de remparts, mais de nombreuses restaurations au fil des siècles achevèrent de lui donner sa forme actuelle. La pittoresque **forteresse médiane** (Ortahisar) renferme un insolite hameau verdoyant et quelques belles demeures ottomanes en bois.

À hauteur du pont de Tabakhane, franchissant le ravin oriental, se dresse l'ancienne **église byzantine de la Vierge à la Tête d'or**, reconvertie en mosquée (Ortahisar Fatih Camii). Son plan basilical originel fut modifié au XIIIᵉ s. par l'adjonction d'une coupole.

Quittez la citadelle par le pont Zağanos qui franchit le ravin occidental. Sur la place Atapark, la **mosquée ottomane** (XVIᵉ s.) fut élevée par le sultan Selim Iᵉʳ pour honorer la mémoire de sa mère, Ayşe Gülbahar Hatun, qui repose dans l'élégant mausolée octogonal.

Boztepe

Du **parc de Boztepe**, situé au sommet de la colline à environ 3 km du centre-ville, vous jouirez d'un remarquable panorama sur Trabzon. Dans l'Antiquité, les lieux abritaient deux temples romains dédiés à Mithra et à Apollon.

● **L'église Saint-Eugène** (Yeni Cuma Camii) **B2** fut construite au XIIIᵉ s. sous le règne des Comnène, puis transformée en mosquée lors de la prise de Trébizonde par les Ottomans. Remaniée à diverses reprises, elle est conçue selon un plan basilical à trois nefs, modifié par l'adjonction d'une coupole. Au IIIᵉ s., le moine Eugène et ses disciples évangélisèrent la ville, mais, pour avoir défié le pouvoir romain en brisant la statue de Mithra qui trônait dans un temple sur la colline de Boztepe, ils furent mis à mort. L'empereur Alexis Comnène Iᵉʳ intronisa Eugène comme le saint patron de la ville.

● **Le monastère de Kaymaklı★**. *À 5 km au S-E du centre-ville, sur la* *route d'Erzurum* **hors pl. par D2** Ce monastère arménien (1424) forme aujourd'hui les dépendances d'une ferme. L'église principale, reconvertie en grange, s'ornemente de belles **fresques** du XVIIe s. La seconde église tient lieu d'étable.

♥ L'église Sainte-Sophie**

> **Hors pl. par A1** *À 3 km à l'O du centre-ville, sur la route de Samsun. Ouv. t.l.j. sf mar. 9 h-17 h. Entrée payante.*

Niché dans un jardin surplombant le rivage, ce petit bijou d'art byzantin, devenu **musée**, est resté miraculeusement intact. Fondée au début du XIIIe s., la basilique à trois nefs originelle fut transformée, à l'instar des autres sanctuaires byzantins de Trabzon, en église en croix grecque inscrite surmontée d'une coupole. Le campanile fut ajouté en 1427. Le fronton du porche sud porte une **frise sculptée** relatant l'histoire d'Adam et Ève.

Des **fresques**** d'une facture très fine couvrent la voûte des porches et l'intégralité des murs internes. Exécutées dans la deuxième moitié du XIIIe s., elles constituent un inestimable témoignage de la peinture byzantine à l'époque des Paléologue. Dans le narthex ↪, la nef et les absides ↪, quelque 55 scènes bibliques décrivent les épisodes marquants de la vie du Christ. Un **Christ Pantocrator** ↪ décore la calotte de la coupole, alors que la conque de l'abside centrale porte une **Vierge à l'Enfant**, entourée des archanges Michel et Gabriel. Les peintures du porche ouest illustrent le **Jugement dernier**.

Il est conseillé d'apporter une paire de jumelles qui facilitera l'observation des peintures haut placées.

Atatürk Köşkü

> **Hors pl. par A1** *À 8 km au S-O du centre-ville, sur la colline de Soğuksu. Ouv. 9 h-17 h. Entrée payante.*

Nichée dans un jardin fleuri, cette luxueuse villa Art nouveau appartenait à une famille de notables grecs. Après la proclamation de la République, elle fut offerte à Atatürk, qui y résida à trois reprises. La municipalité la racheta en 1964 pour la transformer en **musée**. Dans les pièces sont exposés divers objets et photographies ayant appartenu au père de la Turquie moderne.

---

architecture

La Renaissance macédonienne

Les églises byzantines bâties aux XIe et XIIe s., période dite de la Renaissance macédonienne, affectent généralement le plan à croix grecque surmonté d'une coupole centrale qui répond aux nécessités liturgiques. L'abside centrale servait à la célébration de l'office, celle de gauche (prothésis ↪) à la préparation des espèces et celle de droite (diaconicon ↪) de sacristie. L'iconostase ↪, cloison revêtue d'icônes, dissimule aux fidèles les zones sacrées de l'édifice. La décoration extérieure s'enrichit d'alternances de lits de brique, de cordons en dents de scie, de reliefs incrustés qui restent dépourvus de sculptures figuratives, proscrites par le décalogue.

En raison de la présence ottomane en Anatolie, l'architecture de la période Paléologue n'évolue guère que dans le détail, la coupole centrale se distinguant à peine des petites coupoles qui couvrent maintenant systématiquement les bas-côtés des édifices. On restaure et on agrandit des édifices anciens en adjoignant des exonarthex ↪, des chapelles latérales voûtées ou des parecclésions ↪. •

Le monastère de Sumela★★★

> *À 46 km au S de Trabzon par la route d'Erzurum. Ouv. 9 h-18 h. Parking et entrée payants.*

Du fond d'une étroite vallée parcourue par un torrent, le monastère nimbé de brume offre une vision extraordinaire. En partie rupestre, il est construit sur une plate-forme rocheuse à 1 628 m d'altitude. En lévitation entre terre et ciel, il semble littéralement se fondre dans la paroi. Les voies du Seigneur étant impénétrables, aucun accès ne se laisse deviner dans la forêt touffue qui tapisse les pieds de la falaise vertigineuse. Il faut s'engager dans un chemin raide qui zigzague à travers les arbres pour aboutir, 30 à 45 min plus tard, devant les bâtiments. Effectuez la visite tôt le matin pour bénéficier du meilleur éclairage. De bonnes chaussures de marche et un lainage sont indispensables. Près du parking et le long de la vallée, vous trouverez des aires de pique-nique et quelques restaurants servant de la truite (*ala balık*), pêchée dans le torrent.

Au IVᵉ s., sous le règne de Théodose Iᵉʳ, deux moines athéniens, **Barnabé** et **Sophrone**, fondèrent en ces lieux un monastère dédié à la Vierge Marie. À l'instar des édifices rupestres cappadociens, le monastère originel occupait la vaste grotte fermée par un mur. Les cuisines et les bâtiments conventuels en dur datent d'une reconstruction au XIVᵉ s. sous le règne d'Alexis III. Le grand bâtiment qui épouse le bord de la corniche, si impressionnant vu d'en bas, contenait les 72 cellules des moines. Un ensemble de **fresques**★ exécutées pour la plupart au XVIIIᵉ s. égaye les murs externes de l'église et les parois de la grotte. Celles de l'extérieur, malheureusement noircies, illustrent dans un ordre hiérarchique rigoureux des scènes de l'Ancien et du Nouveau Testament, notamment la **Vie de Jésus**.

À l'intérieur de la grotte, la fresque la plus intéressante représente une **Vierge Marie en majesté** qui semble vous suivre du regard. Abandonné en 1923, le monastère de Sumela et ses fresques devinrent la cible des vandales. Un vaste chantier de restauration est en cours pour redresser certains bâtiments écroulés et nettoyer les peintures.

Rize

> *À 76 km à l'E de Trabzon.* **Carnet d'adresses** *p. 273.*

Lovée dans le moutonnement des plantations, cette cité portuaire n'usurpe pas son titre de **capitale du thé**. Du haut de la terrasse de **l'institut de recherche sur le thé** (*çay araştırma enstitüsü*), vous profiterez du cadre naturel exceptionnel. La culture du thé, grande boisson nationale, n'a débuté en Turquie qu'en 1940. La récolte a lieu en mai, en juillet et en septembre. Cotées en sept catégories, les feuilles sont séchées, tamisées puis empaquetées dans les usines de traitement. L'une des marques de thé turc les plus connues s'appelle d'ailleurs Rize.

Les plis des monts Kaçkar hébergeant des communautés ethniques d'horizons divers, il n'est pas rare de croiser un grand blond aux yeux bleus ou une femme au regard bridé. Il subsiste encore sur les collines de petites **communautés grecques** converties à l'islam pour éviter l'expulsion qu'ordonnait le traité de Lausanne de 1923. Basés à Tonya, dans les villages autour de Köprübaşı et à Of, ces habitants ont turquisé leur patronyme, mais continuent à parler entre eux un dialecte grec.

Au début du XXᵉ s., certains avaient jugé préférable de vivre leur foi chrétienne dans les zones abruptes de l'arrière-pays, qui recèle çà et là des églises abandonnées ; on en dénombre 27 pour la seule **vallée de Korom** (*à 130 km au S de Trabzon*).

population

Mosaïque ethnique

Les **Lazes** *(p. 14)* vivent le long du littoral, à l'est de Rize. Ils parlent un dialecte apparenté au géorgien qui trahit leurs origines caucasiennes, probablement la mythique Colchide, côte de l'actuelle Géorgie. Les Lazes étaient originellement de confession chrétienne, comme leurs proches cousins, avant d'adopter l'islam vers le XVIIe s. Ces farouches **guerriers**, parmi lesquels l'armée ottomane recrutait l'élite de ses troupes, se sont aujourd'hui reconvertis dans la pêche et la marine marchande. Leur proverbial sens de l'humour véhicule dans tout le pays des blagues « lazes » d'un goût parfois douteux. Les femmes lazes ceignent leurs jupes d'un pagne à rayures *(doyalık)* et se voilent avec un ample foulard *(keşan)* dont la couleur varie d'une ville à l'autre (rouge et noir à Sürmene, bleu et orange à Rize, brun et noir à Tonya, etc.).

Les **Hemşin**, dont l'origine prête encore à débat, habitent les vallées noyées de brume qui s'égrènent sur les flancs nord des Kaçkar. On les dit bons vivants, libéraux et excentriques. Doués en pâtisserie, ils détiennent le monopole de la profession dans les grandes métropoles turques. ●

© Gil Giuliol/Hémisphères Images

Les femmes hemşin portent, sous leur jupe, des chaussettes en laine bigarrées et ceignent leur tête du poşi (une écharpe orange ou jaune nouée en turban sur un foulard noir).

Les maisons « câblées »

Habiter des versants aussi abrupts exige une bonne dose de pugnacité et… d'imagination. Construites sur **pilotis**, les demeures traditionnelles emploient les matériaux locaux – **pierre**, **bois et pisé** – et bénéficient de la présence voisine d'une **rivière** ou d'une **source**. Les habitants favorisés par le sort y accèdent par un sentier escarpé, un gué en pierre d'époque byzantine ou encore une passerelle suspendue enjambant la rivière. *Home sweet home!* Songez que certains doivent grimper à pied sur plusieurs kilomètres pour atteindre leur domicile, perché à des hauteurs vertigineuses ou coupé du monde par une épaisse forêt. Et que dire de ces habitations malencontreusement placées sur la rive inaccessible d'un torrent tumultueux ? L'ingéniosité locale a heureusement résolu le problème. Les habitants se servent d'une **cabine suspendue à un câble** et actionnable par une corde pour gagner l'autre rive à la force des bras. ●

À 30 km environ de la frontière géorgienne, **Hopa**, peuplée de Lazes et de Hemşin *(encadré p. 267)*, abrite également une discrète communauté **arménienne**. À ce propos, Kaçkar est la transcription turque d'un mot arménien signifiant « croix » !

Ayder

Entre les villes de Pazar et d'Ardeşen, vous pouvez faire une incursion dans le **massif des Kaçkar** et rejoindre les sources chaudes du haut plateau de ♥ d'**Ayder**★, base de départ pour les trekkings en haute montagne. Une splendide route sillonne une vallée riante aux flancs tapissés de théiers. **Chalets, maisons « câblées »** *(encadré ci-dessus)* et **ponts en dos d'âne** se succèdent jusqu'à **Çamlıhemşin**, un bourg commerçant où viennent s'approvisionner les montagnards et les bergers.

À 2 km au sud-ouest, se déploie la zone résidentielle de **Konaklar**★, regroupant une douzaine de demeures traditionnelles datant du XIXe s. Certaines sont richement meublées *(visite possible)*.

En prenant la direction d'Ayder, on pénètre dans un univers sauvage. La vallée se rétrécit subitement et la route se fraye un passage entre des gorges vertigineuses arrosées de cascades. Dans ces reliefs mystérieux à la beauté inquiétante, on ne serait pas surpris de déboucher devant l'entrée des Enfers, gardée par le chien Cerbère. Les épopées antiques à la gloire d'Hercule situent d'ailleurs ce lieu mythique en mer Noire, précisément à Ereğli, au sud-ouest de Zonguldak.

La route des églises géorgiennes

Au Moyen Âge, les provinces d'Artvin et d'Ardahan appartenaient au royaume de la **Géorgie**, christianisée depuis le IVe s. mais constituée en fiefs rivaux. L'unification vint au IXe s., lorsque l'Arménie et la Géorgie passèrent sous la souveraineté des **Bagratides**, une dynastie d'origine arménienne, basée dans la vallée du Çoruh, qui conserva le pouvoir jusqu'en 1014. Sous leur houlette, l'architecture géorgienne connut une phase d'innovation mêlant les influences byzantine et iranienne.

Au XVIᵉ s., les Ottomans s'emparèrent de la forteresse d'Ardanuç, mais la région continua à être gouvernée par des seigneurs géorgiens, convertis à l'islam, jusqu'en 1878.

Artvin

> À 159 km au N-E de Rize. **Carnet d'adresses** p. 272.

L'arrière-pays de Hopa vaut le détour pour ses splendides paysages sylvestres et ses forteresses en ruines haut perchées. Une **route★★** sinueuse rejoint **Artvin**, gardée par un spectaculaire défilé rocheux. Dans cette bourgade-rue épousant le dénivelé de la montagne, tout respire la respectabilité : grosses fermes, épiceries où se pressent les ménagères, *kahvehane* où l'on joue passionnément au *tavla*. Les nuits d'Artvin ont une tout autre réputation, moins avouable celle-ci, car liée aux activités de la prostitution russe.

Les environs se prêtent à d'agréables excursions. Daté du Xᵉ s., le **monastère de Dolişhane★** *(à 20 km à l'E d'Artvin)* jouit d'un cadre époustouflant, dominant la vallée de Merya. À **Ardanuç★** *(à 28 km au S-E d'Artvin)*, ancienne capitale des Bagratides, une imposante forteresse médiévale (813) garde l'entrée d'une gorge escarpée. À la sortie du défilé, une seconde forteresse (Ferhat Kalesi) complétait le dispositif défensif. En poussant vers la frontière géorgienne, vous atteindrez le village de **Meydancık** *(à 72 km au N-E d'Artvin)*, qui formait jadis avec les 25 autres villages de la vallée d'Imerhevi un domaine féodal indépendant. On y trouve les plus beaux chalets en bois de la région. Autre particularité : les habitants parlent géorgien.

Yusufeli

> À 76 km au S-O d'Artvin.

Cette sympathique bourgade montagnarde est une excellente base pour explorer les anciennes **églises géorgiennes** (Xᵉ et XIᵉ s.) de la vallée. Si vous aimez les sensations fortes, sachez qu'il est possible de pratiquer le rafting sur le cours tumultueux du **Çoruh Nehri**.

● **Barhal★★**. *À 31 km au N-O de Yusufeli.* Construite au Xᵉ s, l'église affecte un plan basilical à trois nefs. Bien conservée, elle vaut surtout pour ses murs extérieurs, sobrement sculptés.

● **Dört Kilise★★**. *À 13 km au S-O de Yusufeli.* Fondée au Xᵉ s., cette basilique à trois nefs, quelque peu délabrée, comporte des peintures fragmentaires dans l'abside, notamment un portrait de David III Magistros.

● **Işhan★★**. *À 32 km au S-E de Yusufeli.* Nichée dans une oasis de montagne, cette magnifique église abrite d'admirables peintures à fond de lazurite, exécutées pendant le règne de David III (961-1001). La calotte de la coupole s'orne d'une croix triomphale, portée par les quatre archanges, au registre inférieur, on distingue les quatre chars aux chevaux ailés de la huitième vision de Zacharie.

● **Öşk Vank★★**. *À 53 km au S de Yusufeli.* Construite en 973, l'église est considérée comme l'un des fleurons de l'architecture géorgienne à son apogée. L'intérieur combine le plan basilical et le plan en croix grecque inscrite surmontée d'une coupole. Les murs portent quelques fresques délabrées et de superbes reliefs sculptés. ●

Hauts plateaux : l'appel de la nature

Aux toutes premières chaleurs estivales, des familles de bergers chargent leurs mulets de victuailles et migrent avec leurs troupeaux vers les hauts plateaux (yayla) au cœur de la montagne. Plus qu'une simple notion de pâturage, la transhumance saisonnière s'apparente à un mode de vie nostalgique : elle est l'héritage d'une tradition séculaire qui rappelle que les Turcs étaient, à l'origine, des populations nomades.

Un habitat millénaire

Là-haut sur la montagne où abondent l'herbe grasse et les torrents, les *yayla* sont la maison d'été des derniers semi-nomades de Turquie. Ils vivent en famille dans des tentes noires, en poil de chèvre, tendues sur un muret de pierre ou une structure faite de branches sommairement tressées, qu'ils recouvrent en altitude de sacs en plastique pour se protéger du vent. À l'intérieur de la tente, rien ne traîne : les effets usuels sont serrés dans de décoratifs sacs tissés et les matelas ne sont déroulés que la nuit. Héritage des steppes d'Asie centrale, ces îlots d'habitation que l'on rencontre surtout dans la chaîne du Taurus évoquent instantanément la yourte traditionnelle.

Vivre dans un campement

Les *yayla* s'animent dès le coucher du soleil quand la famille se retrouve autour du feu après une journée de labeur. Puis la nuit s'installe, synonyme de tous les dangers : le berger de garde, emmitouflé dans une ample houppelande en feutre, veille avec ses chiens jusqu'à l'aube, car le troupeau n'est jamais à l'abri des voleurs ou des prédateurs. Toutes ces pâtures dépendent d'un village, que les bergers réintègrent avec leurs troupeaux à l'approche de l'hiver.

Le campement se compose de plusieurs tentes qui abritent les membres d'une même famille. Celle-ci assure sa subsistance par la traite et la tonte du troupeau. Une autre source de revenus provient des kilims que tissent les femmes à leurs moments perdus, car elles s'occupent de toutes les tâches quotidiennes du campement. Ce sont elles qui filent la laine, barattent le beurre, confectionnent le fromage et cuisent les galettes de pain. Lorsque les hommes ne surveillent pas le troupeau, ils vont chasser dans les montagnes giboyeuses.

© Carole Fournet

© Gil Giuliet/Hémisphères Images

Les plateaux de la mer Noire

Dans les montagnes de la mer Noire, les plateaux de moyenne altitude abritent des hameaux estivaux, constitués de quelques chalets vides d'occupants pendant neuf mois de l'année. La migration débute en juin. Des familles entières, incluant enfants et grands-parents, s'entassent à bord de camions avec armes et bagages pour gagner les *yayla*. Chez les Hemşin, cette pérégrination se fait communément à pied. La vie montagnarde s'anime, rythmée par les combats que se livrent les taureaux pour asseoir leur souveraineté au sein du troupeau.

Que la fête commence !

Si l'attrait d'occupations plus lucratives fait peu à peu tomber en désuétude un mode de vie en harmonie avec la nature, aller au plateau reste une tradition bien enracinée chez les populations de la mer Noire, qui profitent de leur repos dominical pour s'y promener. Pas étonnant donc que ces *yayla* servent de cadre à des réjouissances annuelles qui rassemblent des villageois vêtus pour l'occasion de leurs costumes traditionnels. La fête de la Saint-Georges (le 6 mai) donne le coup d'envoi de la saison des manifestations. Jusqu'au 15 août, chaque plateau fait la fête à tour de rôle. On y danse traditionnellement le *horon*, ponctué de coups de feu tirés en l'air. Dans les alentours d'Ordu, le plateau de Perşembe (1 350 m), parcouru par les méandres d'un torrent capricieux, est l'un des plus spectaculaires. S'y tient en juillet un festival de danses folkloriques. Sur les plateaux de Keyfalan (2 000 m) et de Çambaşı (1 250 m), on se croirait presque dans les Alpes. Dotés d'une infrastructure hôtelière modeste, ils intéresseront les randonneurs. Un paysage tout aussi majestueux caractérise les plateaux de Giresun – Bektaş (2 000 m) et Kümbet (1 640 m) –, où des festivités ont lieu le troisième week-end de juillet. ●

Les *yayla* de la mer Noire, devenus des villages montagnards pourvus de toutes les commodités modernes, offrent aux amateurs de grands espaces autant de terrains idylliques pour découvrir la faune et la flore. Rapaces, loups, renards, écureuils, et même ours, y abondent.

Carnet d'adresses

Excepté à Trabzon, Safranbolu, Rize et Samsun, l'infrastructure hôtelière est pauvre en établissements de catégorie supérieure. Dans les stations balnéaires, mieux vaut réserver en été. Les cartes de crédit ne sont acceptées qu'à partir de la catégorie ▲▲▲.

La meilleure période pour visiter la région va de juin à mi-oct. Il pleut souvent, mais les températures restent clémentes toute l'année, sauf en altitude où il fait plus frais. Le temps se couvre régulièrement vers le milieu de l'après-midi. Prenez garde au brouillard qui tombe rapidement en zone montagneuse.

Les liaisons d'autocars sont fréquentes sur les tronçons Trabzon-Sinop et Trabzon-Hopa, aléatoires entre Amasra et Sinop. Le réseau des minibus, très développé sur le littoral, relie les bourgades voisines et occasionnellement les terres. Seule la voiture permet réellement d'explorer la région à sa guise.

budget

Hébergement
En haute saison, pour une chambre double (petit déjeuner inclus):

▲▲▲▲▲ plus de 120 €

▲▲▲▲ de 80 à 120 €

▲▲▲ de 40 à 80 €

▲▲ de 20 à 40 €

▲ de 10 à 20 €

Restaurants
Pour un repas (plat avec une boisson non alcoolisée, salade, thé ou café):

♦♦♦♦ plus de 30 €

♦♦♦ de 15 à 30 €

♦♦ de 7 à 15 €

♦ moins de 7 € ●

Amasra

> *Visite p. 256. Indicatif téléphonique* ☎ *(0 378)*

Hôtels

▲▲ **Timur**, Çekiciler Cad. 57 ☎ 315. 25.89, fax 315.32.90. Le plus confortable de la ville. *18 ch.* avec s.d.b. impeccables. Bon rapport qualité/prix.

▲ **Belvü Palas**, Küçük Liman Cad. 20 ☎ 315.12.37. Imposante maison donnant sur le port. Vastes chambres d'un confort spartiate à petits prix. Sanitaires et douches impeccables sur le palier.

Restaurants

♦♦ **Canlı Balık**, Küçük Liman Cad. 8. Cadre agréable dans une salle aux grandes baies vitrées donnant sur la mer. *Meze* copieux et poissons du jour.

♦♦ **Çeşmi Cihan**, Büyük Liman Cad. A/26. Un autre restaurant de poissons recommandable.

Artvin

> *Visite p. 269. Indicatif téléphonique* ☎ *(0 466)*

❶ Çok Katlı Otopark Binası ☎ 212. 30.71.

Hôtels

▲▲ **Karahan**, İnönü Cad. 16 ☎ 212. 18.00, fax 212.24.20. Assez cher pour le confort proposé mais c'est ce qu'il y a de mieux ici. S.d.b. dans les *48 ch.* Restaurant réputé.

> À Yusufeli

▲▲ **Karahan**, Barhal Köyü ☎ 826. 20.71. *6 ch.* d'une simplicité charmante, réparties dans deux chalets. Grande véranda où l'on peut dormir à la dure.

Giresun

> *Visite p. 259. Indicatif téléphonique*
☎ *(0 454)*

ℹ Gazi Cad. 72 ☎ 212.31.90. .

Se déplacer

Lignes maritimes turques, Giresun Liman Işletmesi, Atatürk Bul., Algül Apt 542/3 ☎ 212.23.82.

Hôtels

▲▲ **Çarıkçı**, Osmanağa Cad. 6 ☎ 216.10.26, fax 216.45.78. Installé dans une demeure du XIXᵉ s. *20 ch.* insonorisées très agréables, toutes avec s.d.b.

▲▲ **Giresun**, Atatürk Bul. 103 ☎ 216.30.17, fax 216.60.38. En front de mer, *42 ch.*, les plus attrayantes de la ville, mais bruyantes. Restaurant panoramique au dernier étage.

> À Bektaş

▲▲ **Karagöl**, Bektaş Yaylası, à 64 km au S-O ☎ 314.10.69. Belle situation dans la montagne verdoyante, sur l'un des hauts plateaux. Facilement accessible en voiture. *36 ch.*

Restaurants

♦♦ **Çerkez**, en face de Giresun Adası. Excellent poisson et *meze* locaux.

♦♦ **Yalı**, Atatürk Bul., Göre Mevkii. Sur le front de mer, à l'entrée ouest de Giresun. Différentes sortes de *meze* et du bon poisson à des prix abordables.

Ordu

> *Visite p. 259. Indicatif téléphonique*
☎ *(0 452)*

ℹ Belediye Binası altı ☎ 223.16.08.

Hôtels et restaurant

▲▲▲ **Belde**, Kiraz Limanı ☎ 214. 39.87, fax 214.93.98. À l'extérieur de la ville, vers Samsun. Piscine, plage privée. *56 ch.* spacieuses tout confort avec balcon. Possibilité de gagner le haut plateau de Çambaşı et d'y passer la nuit dans un refuge en bois (rens. à la réception).

▲▲▲ **Karlıbel Ikizevler**, Sıtkıcan Cad. 54 ☎ 225.00.81, fax 223. 24.83. Dans deux demeures ottomanes entièrement restaurées. *16 ch.* douillettes. Bon restaurant, le Sarı Konak, qui sert des spécialités locales.

♦♦ **Ayışığı**, Atatürk Bul. Une institution, servant de bonnes spécialités locales.

Rize

> *Visite p. 266. Indicatif téléphonique*
☎ *(0 464)*

ℹ Valilik Binası, Kat 5 ☎ 213.04.06.

Hôtels et restaurant

▲▲▲▲ **Dedeman**, Alipaşa Köyü Mevkii ☎ 223.53.44, fax 223.53.48. L'un des rares établissements haut de gamme de la région. *82 ch.* Les plus attrayantes donnent sur la mer. Piscine couverte, plage privée.

▲▲▲ **Asnur**, Cumhuriyet Cad. 165 ☎ 214.17.51, fax 214.03.97. Prestations de bon confort. *72 ch.* au goût du jour.

▲▲ **Keleş**, Sahil Mev., Palandöken Cad. 2 ☎ 217.46.12, fax 217.18.95. *28 ch.* avec douche et téléphone. Prix abordables.

♦♦ **Lale**, au centre-ville. Spécialités locales, notamment le chili *(etli kurufasulye)*.

> À Ayder

Les meilleures pensions : **Kuşpuni** (☎ 657.20.52), **Serender** (☎ 657. 22.01) et **Ahşap** (☎ 657.21.62).

> À Çamlıhemşin

▲▲ **Sisi Pansiyon**, Şenyuva, P.K. 1 ☎ 653.30.43. À 7 km de Çamlıhemşin. Bungalows confortables dans un cadre verdoyant. Formule intéressante en demi-pension. Trekkings dans les monts Kaçkar organisés sur demande.

Yayla en fête

Voici les plus importantes réjouissances annuelles qui se déroulent sur les hauts plateaux *(voir aussi p. 270)* :

Kadırga yaylası *(à 50 km au S de Tonya)* : la plus célèbre manifestation de la région a lieu le troisième week-end de juillet.

Hıdırnebi yaylası *(à 10 km au S-O d'Akçaabat)* : le 15 juillet.

Ayder yaylası : fête des Plateaux en août.

Kafkasör yaylası *(à 8 km au S-O d'Artvin)* : le troisième week-end de juin. Ses combats de taureaux attirent jusqu'à 50 000 personnes.

Bilbilan yaylası *(à 35 km au S d'Ardanuç)* : un important marché au bétail s'y tient en juillet-août. ●

Randonnées

Les prestataires locaux vous fournissent guide et matériel pour effectuer un trekking en toute tranquillité dans les monts Kaçkar.

Adnan Pirikoğlu, hôtel Pirikoğlu, Ayder ☎ 657.20.21.

Mehmet Demirci, Türkü Turizm, Çamlıhemşin ☎ 651.72.30.

Safranbolu

> *Visite p. 250. Indicatif téléphonique* ☎ *(0 370)*

❶ Arasta Çarşısı 5 ☎ 712.38.63.

Se déplacer

● **Autobus**. Des navettes régulières, stationnées à Kiranköy (la ville neuve), desservent la **gare routière** qui se trouve à Karabük (à 8 km au S-O de Safranbolu). La compagnie **Ulusoy** (☎ 712.45.67) affrète des bus quotidiens pour Izmir, Ankara et Istanbul ; mieux vaut réserver la veille.

● **Dolmuş**. Navettes fréquentes entre Çarşı Meydanı (vieux Safranbolu) et Köyiçi, à Bağlar.

Adresse utile

● **Agence de voyages**. Safranbolu Turizm, Yemeniciler Arastası 33, Çarşı ☎ 712.66.30. Outre les prestations habituelles, cette agence peut vous aider à trouver un hébergement chez l'habitant.

Hôtels

Réservez 15 jours à l'avance, surtout si vous prévoyez de venir le week-end. Pour connaître les possibilités de logement chez l'habitant, contactez **Ev Pansiyonculuğu Geliştirme Merkezi**, Yemeniciler Arastası 2 ☎ 712.72.36.

▲▲▲▲ **Asmazlar Havuzlu Konağı ♥**, Çelik Gülersoy Cad., Çarşı ☎ 712. 66.92, fax 712.38.24. Demeure ottomane raffinée. *23 ch.* avec boiseries magnifiques, dessus-de-lit au crochet, kilims et coin-salon oriental. Le petit déjeuner se prend dans le grand salon, autour du bassin.

▲▲▲▲ **Paşa Konağı ♥**, Kalealtı Sok. ☎ 712.81.53, fax 712.10.73. *10 ch.* de caractère dans l'une des plus belles demeures du vieux Safranbolu. Les propriétaires dirigent aussi **Gökçüoğlu Konağı**, dans le quartier de Bağlar, qui contient *8 ch.* magnifiquement arrangées.

▲▲▲ **Hatice Hanım**, Naip Yarla Sok. 4 ☎ 712.87.45, fax 712.60.63. Au centre du vieux Safranbolu, dans une vénérable demeure ottomane. *17 ch.* organisées autour d'un sofa central. Cadre typique, accueil chaleureux.

▲▲▲ **Kadıoğlu Şehzade Konağı**, Mescid Sok. 24, Çarşı ☎ 725.27.62, fax 712.56.57. Un ensemble de six *konak* ↪ disséminés dans la vieille

nature

Trekker dans les monts Kaçkar

Dotés d'une faune et d'une flore particulièrement riches, les monts Kaçkar forment la partie nord de la chaîne Pontique. Le principal sommet flirte avec les 4 000 m et possède deux glaciers magnifiques. La randonnée classique dans les Kaçkar débute à Ayder pour se terminer 4 à 7 jours plus tard à Yusufeli, sur le versant opposé. Dans l'univers minéral des hauts sommets encapuchonnés de neige se déploient des petits lacs glaciaires et d'immenses champs de fleurs. Sur les hauts plateaux, vous croiserez certainement des semi-nomades qui, comme dans le Taurus, viennent camper l'été avec leurs troupeaux. Ce trekking, à effectuer impérativement avec un guide, se pratique de préférence en juillet-août. •

ville. *52 ch.* d'une simplicité charmante. Confort à l'ottomane.

▲▲▲ **Selvili Köşk**, Mescid Sok. 23, Çarşı ☎ 712.86.46, fax 712.22.94. Dans une rue presque entièrement bordée de pensions de charme. Décor à l'ottomane et jardin fort agréable. *7 ch.*

▲▲▲ **Tahsin Bey Konağı ♥**, Hükümet Sok. 50, Çarşı ☎ 712.60.62, fax 712.55.96. Calme et volupté dans une confortable demeure ottomane. Les *7 ch.* s'ordonnent autour d'un sofa arrangé en salon oriental. Univers intimiste tout en bois : parquets, âtre, plafonds et placards encastrés dissimulant les s.d.b. *9 ch.* supplémentaires dans l'annexe **Fikriye Hanım Konağı**.

Restaurants

Le quartier du bazar regorge de petites gargotes sympathiques.

♦♦ **Havuzlu Köşk Et**, Dibekönü Cad. 36, Bağlarbaşı. Dans une demeure ancienne. Jardin-terrasse et salon oriental avec bassin à l'étage.

♦♦ **Kadıoğlu Şehzade Sofrası**, Arasta Sok. 8, Çarşı. Spécialité : le *kuyu kebap*, servi dans trois salles ottomanes ou sous la tonnelle aménagée dans la cour.

♦♦ **Kefci Konak**, Hermanlar Yolu Trafo Karşısı 49, Bağlar ☎ 725.13.66. Style pension de famille,

avec un excellent restaurant dans le jardin. Les non-résidents peuvent y déjeuner. *9 ch.* impeccables à prix compétitif.

♦ **Boncuk**, Arasta Çarşısı. Café conçu dans le style oriental pour une pause boisson ou snack. Goûtez aux *peynirli gözleme*, une sorte de crêpe garnie de fromage.

♦ **Yörük Sofrası**, à Yörük Köyü. Sympathique café-terrasse ouvert le w.-e. On y sert des *gözleme* et d'excellents baklavas faits maison.

Samsun

> *Visite p. 258. Indicatif téléphonique* ☎ *(0 362)*

❶ Atatürk Bul., Cumhuriyet Meydanı ☎ 431.12.28.

Se déplacer

● **Gare routière**. Elle se trouve à 2 km au S-E du centre-ville. Les compagnies ont des billetteries aux abords de Cumhuriyet Meydanı. Des dolmuş font régulièrement la navette entre Atatürk Bul. et l'*otogar*.

● **Liaison aérienne**. Turkish Airlines, Kazımpaşa Cad. 11/A ☎ 431.34.55. 1 vol par jour vers Istanbul et 2 vols par semaine vers Ankara.

● **Liaisons maritimes**. Lignes maritimes turques, Türer Alemderzade, Rihtim ☎ 445.10.05.

Hôtels

▲▲▲▲ **Büyük Samsun**, Atatürk Bul. 629 ☎ 432.49.99, fax 431.07.40. Entièrement rénové. Piscine, tennis et restaurant, l'une des meilleures tables de Samsun, compensent l'environnement industrialisé. *114 ch.* spacieuses.

▲▲▲ **Yafeya**, Cumhuriyet Meydanı 4 ☎ 435.11.31, fax 435.11.35. Sur la place centrale, bâtisse moderne avec *96 ch.* à prix corrects.

Restaurants

♦♦ **Roti**, Istiklal Cad. 64. Spécialités ottomanes et grillades dans un cadre impeccable.

♦ **Elit**, Istiklal Cad. 77. Une excellente boulangerie-pâtisserie : viennoiseries, gâteaux et profiteroles au chocolat de première fraîcheur.

♦ **Kristal**, Gazı Cad. Un fast-food version locale : *döner kebap*, soupe et salades. Préférez la salle à l'étage, plus confortable.

♦ **Paradise**, Istiklal Cad. 82/6. Un salon de thé populaire auprès de la jeunesse locale.

Sinop

> *Visite p. 256. Indicatif téléphonique* ☎ *(0 368)*

❶ Valilik Binası, Kat 4 ☎ 261.52.07.

Se déplacer

● **Liaisons aériennes**. Turkish Airlines. 1 vol par jour vers Ankara et 2 vols par semaine vers Istanbul.

● **Liaisons maritimes**. Lignes maritimes turques, Sakarya Cad. 37/2 ☎ 261.41.22.

● **Terminal des autobus**. À l'entrée de la presqu'île. Des *dolmuş* effectuent des navettes avec le centre-ville et la plage de Karakum.

Hôtels et restaurant

▲▲ **Diyojen**, Korucuk Köyü DSI Yanı ☎ 261.88.22, fax 260.14.25. Le plus confortable de la ville. *32 ch.* meu-blées simplement. Piscine. Locations d'appartements à prix compétitifs.

♦♦ **Saray**, Iskele Cad. L'un des bons restaurants de poissons que compte cette ruelle. Cadre attrayant, en plein sur le front de mer.

Trabzon

> *Visite p. 261. Plan p. 262. Indicatif téléphonique* ☎ *(0 462)*

❶ Ali Naki Efendi Sok. 1/A, Iskender Paşa Mah. **C1** ☎ 326.47.60.

Se déplacer

● **Gare routière**. À 4 km du centre, sur la route de Rize **hors pl. par D2**. Au départ d'Atatürk Alanı **C1**, des *dolmuş* effectuent régulièrement la navette avec le terminal.

● **Liaisons aériennes**. L'aéroport, à 6 km du centre par la route de Rize, est desservi par une navette qui stationne devant l'agence Turkish Airlines. **Turkish Airlines**, Atatürk Alanı, Meydan Parkı Karşısı 37/A **C1** ☎ 321.34.46. 2 ou 3 vols quotidiens vers Istanbul et Ankara.

● **Liaisons maritimes**. Le ferry quitte Trabzon pour Istanbul le mer. en soirée. **Turkish Maritime Lines**, Atatürk Alanı, Meydan Parkı Karşısı **C1** ☎ 321.70.96.

Adresses utiles

● **Agence de voyages**. Afacan Tur, Iskele Cad. 40/C **D1** ☎ 321.58.04. Excursions en minibus à Sumela (départ t.l.j. à 10 h) et vers les hauts plateaux d'Ayder et d'Uzungöl.

● **Banques**. Dans Kahramanmaraş Cad. et sur Atatürk Alanı **C1**.

● **Hammams**. Ils sont réputés pour la qualité de leur service. **Paşa Hamamı**, Paşahamam Sok., dans le quartier du bazar **B1**. Uniquement pour les hommes. **Sekiz Direkli Hamamı**, Pazarkapı 8 **B1**. Le jeudi est réservé aux femmes.

transports

Stop croisière

Entre juin et septembre, un ferry des Lignes maritimes turques embarque pour Trabzon (40 h de voyage). Il quitte Istanbul le lundi dans l'après-midi. Le mardi, il fait une courte escale à **Sinop** et à **Samsun**, puis poursuit sa route vers **Giresun**, où il accoste le mercredi matin, avant de rejoindre **Trabzon** dans le courant de la matinée. Le ferry effectue sa rotation le jour même, avec escale à Giresun dans la soirée, brefs arrêts le jeudi dans les ports de Samsun et Sinop et arrivée à Istanbul le vendredi, dans le courant de l'après-midi. Question pratique, **cinq classes** de cabines s'offrent à votre choix. Il est aussi possible de dormir sur le pont, un brin romantique mais inconfortable à souhait. Malheureusement, le ferry longe les côtes de trop loin pour que l'on puisse jouir véritablement du paysage et les escales dans les ports n'autorisent qu'un temps de visite bref, voire inexistant. Il est nécessaire de réserver sa cabine longtemps à l'avance, surtout pour la classe supérieure (p. 283). ●

● **Location de voitures**. Avis, Gazi Paşa Cad. 20/B **C1** ☎ 322.37.40. Hertz, Iskele Cad. **D1** ☎ 322.32.34.

● **Poste**. Dans Kahramanmaraş Cad. **B1**.

Hôtels

▲▲▲▲ Usta, Telgrafhane Sok. 1 **D1** ☎ 326.57.00, fax 322.37.93. Le meilleur établissement de la ville est à deux pas d'Atatürk Alanı. *76 ch.* avec air conditionné, minibar et TV. Parking privé.

▲▲▲ Aksular, Uzunkum Mev. 465 **hors pl. par A1** ☎ 230.11.30, fax 229.47.59. Situé près de Sainte-Sophie, sur le front de mer, dans un quartier où il fait bon flâner le soir. *70 ch.* propres et bien agencées.

▲▲ Horon, Sıramağazalar Cad. 125 **C1** ☎ 326.64.55, fax 321.66.28. Une bonne adresse. Entièrement rénové. *44 ch.* coquettes avec s.d.b., TV et téléphone.

Restaurants

Vous trouverez une quantité de gargotes sur Atatürk Alanı **C1**, notamment **Meydan Kebap Salonu**, qui sert de l'alcool.

♦♦ **Faroz**, Uzunkum Mev. **hors pl. par A1**. Sur le front de mer entre l'hôtel Aksular et le musée de Sainte-Sophie. Grande salle agréable. Terrasse prise d'assaut en été. Poisson et *köfte* à un prix modéré. Environné de sympathiques terrasses de cafés.

♦♦ **Gelik**, Uzun Sok. 84/B **C1**. Surtout des grillades et quelques spécialités ottomanes.

♦♦ **Nil**, Maraş Cad. 1 **C1**. Cuisine goûteuse.

Ünye

> *Visite p. 258. Indicatif téléphonique* ☎ *(0 452)*

❶ Hükümet Konağı ☎ 323.49.52.

Hôtel et restaurant

▲▲ **Kumsal**, Samsun Asfaltı Üstü ☎ 323.16.02, fax 323.44.90. À 5 km du centre-ville, en bord de mer. La situation est agréable mais il est conseillé de réserver. *36 ch.* correctes, avec balcons côté mer.

♦♦ **Park**, sur le front de mer. Restaurant de poissons réputé. ●

pratique

© Sylvain Grandadam

Organiser son voyage

© Bureau de Tourisme de Turquie (Paris)

S'informer

Informations touristiques

● **En France.**
Bureau de Tourisme et d'Information de Turquie, 102, av. des Champs-Élysées, 75008 Paris ☎ 01.45.62.78.68, fax 01.45.63.81.05, < www.infoturquie.com >.
La Maison de la Turquie, 77, rue La Fayette, 75009 Paris ☎ 01.42.80.61.18, fax 01.42.80.61.12.

● **En Belgique.**
Contactez le consulat ☎ (02) 513.82.30.

● **En Suisse.** Talstrasse 82, 8001 Zurich ☎ (01) 221.08.10, < turkeiinfo@bluemail.ch >.

Page précédente : toutes les odeurs enivrantes de l'Orient se mêlent sur les étals du bazar Égyptien d'Istanbul.

La Turquie en ligne

● **Informations générales.**
< www.ambafrance-tr. org > : site de l'ambassade de France en Turquie : actualités, relations franco-turques, adresses d'associations.

● **Culture.** < www. ataturquie.asso.fr > : site d'une association franco-turque. Histoire, art, recherches, origines de la culture turque et influence sur l'Occident.
< www.kultur.gov.tr > : site du ministère turc de la Culture. Archéologie, société, histoire, publications.

● **Tourisme.** < www. infoturquie.com > : site de l'office du tourisme en France. Guide des principales régions (en français).
< www.cappadoce.com > (p. 248) : pour louer une maison en Cappadoce.

Librairies à Paris

● **Librairies spécialisées.**
Librairie Özgül, 15, rue de l'Échiquier, 75010 ☎ 01.42.46.56.01.
Librairie orientaliste Samuelian, 51, rue Monsieur-le-Prince, 75006 ☎ 01.43.26.88.65.
Librairie orientaliste Paul Geuthner, 12, rue Vavin, 75006 ☎ 01.46.34.71.30, < www.geuthner.com >.
L'Harmattan, 16, rue des Écoles, 75005 ☎ 01.40.46.79.10.
La Procure, 3, rue de Mézières, 75006 ☎ 01.45.48.20.25, < www. laprocure.com >.
L'Asiathèque, 11, cité Véron, 75018 ☎ 01.42.62.04.00.

● **Librairies de voyage.**
L'Astrolabe, 46, rue de Provence, 75009 ☎ 01.42.85.42.95. **IGN**, 107, rue de la Boétie,

75008 ☎ 0.820.207.374,
< www.ign.fr >. **Itinéraires,**
60, rue Saint-Honoré,
75001 ☎ 01.42.36.12.63,
< www.itineraires.com >.
Ulysse, 26, rue Saint-
Louis-en-l'Île, 75004
☎ 01.43.25.17.35,
< www.ulysse.fr >.

Quand partir ?

Le **printemps** et l'**automne**
sont les meilleurs moments
pour **visiter les sites
historiques** et naturels
de la Turquie tant
en raison du climat doux
et ensoleillé que de
la fréquentation touristique
beaucoup moins forte
qu'en été.
De mai à **fin octobre,**
la période est idéale pour
les **séjours balnéaires,**
en particulier sur les côtes
méditerranéenne
et égéenne.
Cela dit, il existe des
variantes en fonction
de la région visitée.

**En Anatolie
et Cappadoce.**
Si le printemps est
la meilleure saison, mieux
vaut attendre **avril-mai,**
lorsque les dernières
plaques de neige ont
disparu et que les mornes

collines brunes de
la steppe anatolienne
se tapissent de champs de
fleurs jaunes et violettes.
En **juillet-août**
l'atmosphère devient
irrespirable dans la
métropole polluée
d'Ankara. En revanche,
cette saison est agréable
pour découvrir la
Cappadoce, les villes
de l'Anatolie centrale
et randonner dans les
montagnes du Taurus.
En faisant de la sieste
une pieuse habitude,
vous éviterez les pics de
chaleur de la mi-journée.
L'**automne** est
capricieux avec des chutes
brutales de température
en Anatolie centrale.
Il peut neiger dès octobre.
L'**hiver** n'est pas la saison
idéale pour visiter
l'Anatolie centrale,
soumise à des
températures rigoureuses.
Mais pour qui se sent prêt
à affronter le froid,
la Cappadoce vaut
vraiment le détour avec
ses cheminées de fée,
encapuchonnées de neige.

Les côtes. Au **printemps,**
les côtes égéenne
et méditerranéenne
se réchauffent
progressivement rendant

possible la baignade.
La campagne verdoyante
est magnifique,
notamment l'Égée
avec ses cités en marbre
étincelantes.
C'est aussi la saison idéale
pour flâner dans Istanbul
car en **été** cette ville
est irrespirable.
En **juillet-août** découvrez
plutôt la mer Noire
et le littoral égéen
très agréable, alors
qu'une chaleur moite
affecte le littoral
méditerranéen
entre Fethiye et Antakya.
Les grandes stations
(Kuşadası, Bodrum,
Marmaris, Antalya, Sidé
et Alanya) sont noires
de monde. L'hébergement
peut poser problème
du côté d'Anamur
et de Kozkalesi, envahies
par les vacanciers turcs.
Durant l'**automne** :
pluies abondantes
sur la mer Noire.
En **novembre,** fréquentes
ondées sur la côte
égéenne et à Istanbul.
L'**hiver** vous trouverez
un peu de douceur
sur les littoraux égéen
et méditerranéen.
N'espérez pas vous
baigner ! À Istanbul, il peut
neiger sans crier gare.

---

culture

● **Centre culturel d'Anatolie.** 77, rue La Fayette, 75009 Paris ☎ 01.42.80.04.74,
< cca-anatolie@wanadoo.fr >. Ouv. lun.-ven. 10 h-18 h 30, sam. 9 h 30-16 h 30. Expo-
sitions, conférences, cours de turc.

● **Musées. Grand Louvre,** pl. du Carrousel, 75001 Paris ☎ 01.40.20.51.51,
< www.louvre.fr >. Ouv. t.l.j. sf mar. 9 h-18 h 30 (21 h 30 lun.-mer.). Entrée payante sf le
premier dim. du mois. Riche département consacré aux arts de l'Islam, collections
d'art byzantin et peintures orientalistes. **Musée national du Moyen Âge,** 6, pl.
Paul-Painlevé, 75005 Paris ☎ 01.53.73.78.00. Ouv. t.l.j. sf mar. 9 h 15-17 h 45. Entrée
payante. Tissus et magnifiques ivoires byzantins. **Institut du monde arabe,** 1, rue
des Fossés-Saint-Bernard, 75005 Paris ☎ 01.40.51.38.38, ouv. t.l.j. sf lun. 10 h-18 h.
Entrée payante. Tapis et divers objets d'art. **Musée de la Renaissance,** château
d'Écouen, 95440 Écouen ☎ 01.34.38.38.50. Ouv. t.l.j. sf mar. 9 h 30-12 h 30 et 14 h-
17 h 15. Entrée payante. Céramiques d'Iznik du XVIe s. **Musée national de la Céramique,** pl. de la Manufacture, 92310 Sèvres ☎ 01.41.14.04.20. Ouv. t.l.j. sf mar. 10 h-
17 h. Entrée payante. Céramiques byzantines et ottomanes. ●

climat

Températures moyennes de l'air et de l'eau (en °C)

Mois	J	F	M	A	M	J	J	A	S	O	N	D
AIR												
Istanbul	5	6	7	12	16	21	23	23	20	16	12	8
Izmir	9	10	12	16	20	24	27	27	23	19	15	11
Antalya	11	11	13	16	20	25	28	28	25	21	16	13
Trabzon	8	7	8	11	16	20	23	23	20	17	14	10
Ankara	0	1	6	10	15	20	22	23	19	14	8	3
MER												
Antalya	17	15	16	17	20	23	26	27	27	24	21	19
Trabzon	9	8	9	10	14	21	24	24	22	19	16	12
Izmir	15	13	14	15	17	20	23	23	22	19	17	14

Voyages individuels

En avion

● **Depuis la France**.
Nombreuses liaisons régulières au départ de Paris et de province vers Istanbul, Ankara, Antalya, Dalaman, Bodrum et Izmir. Comptez 3 h 25 de vol entre Paris et Istanbul sans escale, 6 à 8 h pour les autres destinations qui demandent la plupart du temps un changement d'avion. Il peut être judicieux d'opter pour un *open-jaw* (par exemple un aller Istanbul et un retour Antalya) proposé au même prix que si l'on part et revient du même endroit.
À partir de 280 € l'A/R Paris/Istanbul ou Izmir (415 € en été) et 355 € pour Antalya, Bodrum ou Dalaman (405 € en été).

Air France
☎ 0.820.820.820,
< www.airfrance.fr >.
2 vols/j. entre Paris et Istanbul au départ de l'aérogare de Roissy 2, terminal B.

Lufthansa
☎ 0.826.10.33.34,
< www.lufthansa.fr >.
Au départ de Paris, Lyon, Nice, Marseille, Toulouse, Mulhouse, Strasbourg, Bordeaux et Lille desserte quotidienne d'Ankara, Izmir et Istanbul via Francfort.

Turkish Airlines (THY)
☎ 01.56.69.33.50,
< www.thy.com >.
Agences à Lyon, Strasbourg et Nice.
2 vols/j. au départ de Paris (Orly-Sud) pour Istanbul ; 2 à 4 vols/sem au départ de Strasbourg, Nice ou Lyon vers Istanbul. À Istanbul correspondances rapides pour Izmir, Ankara, Antalya, Bodrum, Dalaman.

● **Depuis la Belgique**.
Turkish Airlines
☎ (02) 512.67.81. 1 vol/j. Bruxelles-Istanbul avec correspondances pour Antalya, Bodrum, Izmir, etc.

● **Depuis la Suisse**.
Turkish Airlines,
à Genève :
☎ (022) 738.77.96 ; à Zurich ☎ (01) 225.23.23. 1 vol/j. au départ de Zurich et de Genève vers Istanbul avec correspondances pour Antalya, Bodrum, Izmir, etc.

En bateau

Arriver en Turquie par la mer est un spectacle magique à ne pas manquer.

● **Ferry**.
Nombreuses liaisons en été. **Brindisi/Cesme** (à 80 km d'Izmir) est la ligne la plus classique (34 h de navigation). Également liaisons **Venise/Izmir** (72 h de navigation). L'aller-retour Brindisi/Cesme coûte selon la saison de 300 à 360 € le transport de la voiture + 225 à 360 € la cabine de 4 personnes + 30 €/pers. de frais d'embarquement.
Euro-Mer
☎ 04.67.65.67.30,
< www.euromer.net >.
Pacha Tours/Bey Tour
☎ 01.40.22.04.20,
< www.beytour.com >.

● **Croisières**.
Des agences de voyages spécialisées, comme **la Boutique des Croisières** (30, rue de Paradis 75010 Paris ☎ 0.800.03.42.72, < www.boutique-croisieres.com >), vous orienteront parmi les multiples itinéraires des croisiéristes.

En train

Le tarif (à partir de 300 € sous certaines conditions l'aller-retour) est moins avantageux que celui d'un vol charter et le trajet dure une trentaine d'heures Si le cœur vous en dit… Un train au départ de **Paris-Gare de l'Est** rejoint chaque jour **Istanbul** avec des correspondances à Munich et Budapest. Il part aux environ de 22 h de Paris et arrive à Istanbul le surlendemain vers 8 h 30. Une fois à Istanbul, il faut traverser le Bosphore pour gagner la gare des trains desservant la partie asiatique du pays. **SNCF** ☎ 0.892.35.35.35, < www.voyages-sncf.com >.

En voiture

● **Par l'Allemagne**. C'est la meilleure solution pour ceux qui habitent dans l'est de la France. Cet itinéraire de 3 100 km au départ de la Belgique et du nord de la France rejoint Strasbourg puis l'Allemagne du Sud, l'Autriche, la Hongrie, la Roumanie et la Bulgarie. Pas de **visas de transit** nécessaires, mais un passeport valide encore 6 mois.

● **Par l'Italie et la Grèce**. Ce trajet inclut une liaison maritime Italie-Grèce. Il est un peu plus court et moins harassant que le précédent mais revient plus cher. De Milan, vous vous rendrez à **Venise** d'où des ferries partent pour Igoumenitsa ou Corfou en Grèce. Autres traversées au départ d'**Ancône** (1 400 km de Paris ; 24 h de traversée), **Bari** et **Brindisi** (2 000 km de Paris ; 8 à 12 h de traversée). Depuis **Igoumenitsa** (à 1 100 km d'Istanbul), vous traverserez la Grèce du Nord où vous pourrez visiter les monastères des Météores en Thessalie et les églises de Thessalonique, magnifiques introductions à l'**art byzantin**.

Séjours à forfait

La plupart des voyagistes proposent une gamme de formules allant du voyage entièrement organisé à des formules individuelles permettant de voyager en toute liberté et à son propre rythme. La formule reine est le **séjour balnéaire** sur les côtes égéenne ou méditerranéenne équipées d'une

impressionnante gamme d'hôtels « les pieds dans l'eau ». Les **circuits accompagnés** standards couvrent souvent de trop grandes distances et sont de véritables marathons culturels. Ils impliquent des levers quotidiens aux aurores et survolent les lieux phares. Ils peuvent se conclure par un séjour balnéaire. Les offres de **croisières en goélettes** le long des côtes égéennes se multiplient. On en trouve chez tous les opérateurs. À titre indicatif, comptez en été 700 € pour un séjour balnéaire d'une semaine dans un club 3 étoiles en demi-pension au départ de Paris en charter, et 580 € pour un circuit accompagné d'une semaine. Hors saison ces prix sont de 20 à 30 % moins chers. *Sauf mention d'une adresse, les offres des voyagistes ci-dessous sont en vente dans les agences de voyages.*

Spécialistes de la Turquie

Marmara
☎ 0.892.160.180, < www.marmara.com >. Vols charters, circuits guidés bien rodés, séjours balnéaires en hôtels clubs. Croisières en caïques.

---

charters

Les voyagistes affrètent des vols spéciaux auprès de compagnies charters comme **Onur Air** < www.onurair.com.tr >, **Pegasus Airlines** < www. pgtair.com > et **Aigle Azur** < www.aigleazur.net >. D'avril à octobre, vols directs au départ de Paris, Lyon, Nantes, Toulouse, Marseille, Lille, Mulhouse, Metz/Nancy et Nantes pour Istanbul, Izmir, Antalya et Bodrum au moins une fois par semaine. Ces compagnies sont vendues par les voyagistes *(p. 284)* ou sur internet (plus économique). Les prix seront d'autant plus attrayants que vous vous y prendrez tôt. À partir de 200 € A/R pour Istanbul (320 € en haute saison), 280 € pour Antalya, Bodrum ou Kusadasi (390 € en haute saison). **Bey Tours** ☎ 01.40.22.04.20 (tarifs très compétitifs pour les vols secs). **Easy Voyages** ☎ 0.899.700.207, < www.easyvols.com >. **Nouvelles Frontières** ☎ 0.825.000.747, < www.nouvelles-frontieres.fr >. **Bourse des voyages** ☎ 0.892.888.949, < www. bourse-des-voyages.com >. Mais aussi < www.opodo.fr >, < www.lastminute. com >, < www.degriftour.fr >, < www.travelprice.com >. ●

Pacha Tours
☎ 01.40.06.88.88,
< www.pachatours.fr >.
Large gamme de formules.
Voyages à la carte
(avion + hôtel + location
de voiture). Circuits
accompagnés en Anatolie,
séjours balnéaires
et croisières en goélettes.

Turquie n° 1
☎ 01.47.70.08.08.
Rés. d'hôtels à Istanbul
et dans la plupart des
stations balnéaire. Circuits
et croisières à la carte.

Séjours en club

Club Med
☎ 0.810.810.810,
< www.clubmed.fr >.
Quatre villages proches
d'Izmir, Bodrum et Antalya.
Un circuit aventure.

Fram ☎ 01.42.86.55.55,
< www.fram.fr >. Club à
Çeşme. Séjours balnéaires,
circuits organisés,
autotours individuels.

Jet tours
☎ 01.56.77.14.00,
< www.jettours.com >.
Deux Eldorados : à
Kuşadası et à Antalya.

Look Voyages
☎ 0.892.890.101,
< www.look.fr >. Un club à
Bodrum. Séjours balnéaires.
Circuit organisés, autotours.
Croisières en caïques.

Nouvelles Frontières
☎ 0.825.000.825,
< www.nouvelles-
frontieres.fr >. Club à
Antalya, séjours
balnéaires, randonnées
(Cappadoce, Taurus et
côte lycienne), circuits
organisés (Anatolie
centrale), croisières en
caïques, autotours…

Séjours sportifs

Allibert ☎ 0.825.090.190,
< www.allibert-voyages.
com >. Trekking,
expéditions, très belle
gamme de circuits de
randonnée.

Explorator 16, rue de
la Banque, 75002 Paris
☎ 01.53.45.85.85,
< www.explo.com >.
Randonnées pédestres
en Cappadoce, croisières
en caïques le long de
la côte méditerranéenne.

Terres d'aventure
☎ 0.825.847.800,
< www.terdav.com >.
Grand choix de
randonnées pédestres
en Lycie et Cappadoce,
croisières en caïques.
Randonnées familiales.

UCPA ☎ 0.825.820.830,
< www.ucpa.com >. Palette
d'expéditions sportives
pour découvrir la côte
lycienne, le Taurus et
la Cappadoce (trekkings,
circuits à cheval, rafting…).

Trek Travel, Aydede
Caddesi 24, 80090
Taksim, Istanbul ☎ (212)
256.55.56. Trekkings
sur mesure dans le Taurus
ou les Kaçkar.

Voyages culturels

Clio 34, rue du Hameau,
75015 Paris
☎ 01.53.68.82.82,
< www. clio.fr >.
Grand choix de circuits
couvrant l'ensemble du
pays. Conférenciers de
haute volée.

La Procure-Terre Entière,
10, rue de Mézières, 75006
Paris ☎ 01.44.39.03.03,
< www.laprocureterre
entiere.com >. Voyages
à thème, notamment
sur la côte égéenne.

Terra Diva, 29, rue des
Boulangers, 75005 Paris
☎ 01.44.07.10.12,
< www.orients.com >.
Circuit consacré aux sites
archéologiques majeurs
de la Turquie de l'ouest.
Circuits originaux en
Cilicie, en Cappadoce,
en Anatolie et dans l'est du
pays. Croisières en caïques.
Voyages sur mesure.

▍ Monnaie

La Turquie n'exerce
aucune limitation d'entrée
des devises étrangères.
L'unité monétaire est la
livre turque (türk lirası, TL).
En juillet 2004, il existait
des coupures de 250 000
à 20 000 000 TL ainsi que
des pièces de 50 000 à
250 000 TL.
Le **taux de change** était
de 1 € = 1 832 066 TL ;
1 FS = 1 196 312 TL ; 1 $
Canadien = 1 099 978 TL.

**Conservez vos
bordereaux de change**
qui peuvent vous être
demandés pour justifier
que vos souvenirs ont
bien été acquis avec
de l'argent légalement
changé. L'euro se change
partout (p. 287), et peut
même être utilisé pour
payer certains hôtels.

Cartes de paiement

Les cartes VISA et
Eurocard/MasterCard
sont acceptées par
la plupart des commerces
à vocation touristique.
Les grandes villes
et stations touristiques

---

attention

En janvier 2005, la
Turquie mettra en cir-
culation une **nou-
velle livre**, débar-
rassée de 6 zéros.
10 millions de la livre
actuelle feront 10 li-
vres, soit 5 € environ
(taux de change en
juillet 2004). On
trouvera des billets
de 1 à 100 YTL (Yeni
türk lirası, « nouvelle
livre turque »), et des
pièces de 1 à 50 Yeni
Kuruş. Les anciennes
coupures resteront
en circulation jus-
qu'à la fin 2005. ●

budget

Il augmente sensiblement, mais la Turquie reste une destination abordable. La vie est beaucoup plus chère à Istanbul, Ankara, Izmir et dans les grandes stations balnéaires de l'Égée et de la Méditerranée. Sachez aussi que **hors saison** les hôtels accordent des ristournes importantes (jusqu'à 60 %).

Une nuit d'hôtel en chambre double (petit déjeuner inclus) : entre 10-20 € pour un ▲, 20-40 € pour un ▲▲, 40-80 € pour un ▲▲▲ et 80-120 € (voire plus !) pour un ▲▲▲▲.

Un repas au restaurant (plat avec une boisson non alcoolisée, salade, thé ou café) : moins de 7 € dans un établissement ♦, 7 à 15 € dans un ♦♦, 15 à 30 € dans un ♦♦♦, plus de 30 € dans un ♦♦♦♦ (notamment ceux qui servent du poisson).

Les droits d'entrée des monuments et des musées varient d'un site à l'autre (de 1,5 à 15 €) ; ils sont prohibitifs à Istanbul (Topkapı, Sainte-Sophie et Dolmabahçe), à Göreme (Cappadoce) et à Éphèse.

Les transports : l'autocar et le train sont vraiment très bon marché. Quant aux lignes aériennes intérieures, elles sont un peu plus abordables qu'en France. La location d'une voiture *(p. 292)* s'avère plus avantageuse si elle est faite en France auprès des prestataires spécialisés. Vous opterez alors pour un forfait de type **avion + voiture**. ●

---

disposent d'un grand nombre de distributeurs automatiques de billets. Attention, les cartes **American Express** et **Diner's Club**, moins répandues, sont principalement acceptées dans les hôtels et boutiques de luxe.

Il est prudent d'emporter avec soi une certaine somme en argent liquide. Cela permet de faire face aux caprices des distributeurs qui refusent parfois, notamment les jours fériés et en soirée, de délivrer leur quota de livres turques.

● **En cas de perte ou de vol de carte**. Procurez-vous auprès de votre agence le numéro de téléphone pour faire immédiatement opposition depuis l'étranger. Si vous ne l'avez pas composez depuis la Turquie les numéros suivants :
Carte Bleue Visa
☎ 00.800.13.53.50.900, < www.visa.com >.
Eurocard/Mastercard
☎ 00.800.13.88.70.903, < www.eurocardmaster

card.tm.fr >.
American Express
☎ 00.33.1.47.77. /2.00, < www24.american express.com/France >.
Diner's Club
☎ 00.33.1.40. 23.58.31, < www.dinersclub.fr >.

Chèques de voyages

Les chèques de voyages (**Visa**, **Thomas Cook**, **American Express**…) sont **théoriquement** acceptés dans toutes les banques disposant d'un bureau de change. Dans les villes peu touristiques, ils sont d'une utilisation malaisée (longues formalités) voire aléatoire. Idem pour les postchèques, qui s'échangent dans n'importe quel bureau de poste.

Formalités

Papiers

Pour tout ressortissant de l'Union européenne et de la Suisse, la carte d'identité (ou le passeport en cours de validité) suffit pour un séjour de moins

de 3 mois (visa nécessaire pour les séjours plus longs). Aux détenteurs d'une carte d'identité, il sera remis un récépissé à conserver pour la sortie du territoire turc. Les voyageurs optant pour la voie terrestre *via* l'itinéraire hongrois devront se munir d'un passeport encore valide 6 mois.
Les Canadiens doivent s'acquitter de la somme de 45 US $ pour obtenir un visa à la frontière.

Ambassade et consulats

● **En France**.
Ambassade : 16, av. de Lamballe, 75016 Paris ☎ 01.53.92.71.11.
Consulats : 184, bd Malesherbes, 75017 Paris ☎ 01.56.33.33.33.

● **En Belgique**. 4, rue Montoyer, 1000 Bruxelles ☎ (02) 513.40.95.

● **En Suisse**. route de Pré-Bois, 1215 Genève ☎ (022) 710.93.60.

● **Au Canada**. 197, Wurtemburg Street, Ottawa, Ontario ☎ (613) 789.40.44.

Permis de conduire

Si vous faites le trajet en voiture, vérifiez que votre **contrat d'assurance** couvre la Turquie, la Hongrie, la Roumanie et la Bulgarie. Vous pourrez, en dernière limite, contracter une assurance à la frontière turque dans un guichet prévu à cet effet. Le permis de conduire national et la **carte verte d'assurance internationale** sont exigés à la frontière. Pour louer une voiture en Turquie, munissez-vous de votre permis de conduire national et d'une carte de paiement.

Permis de naviguer

Les bateaux de plaisance battant pavillon étranger sont admis librement dans les eaux et ports turcs sur présentation des documents de bord : certificat d'immatriculation et titre de propriété.

Douanes

À l'entrée, seuls les objets d'une valeur supérieure à 15 000 US dollars sont soumis à la déclaration. Il est très rare que les douanes turques inspectent le contenu des valises à l'arrivée dans l'aéroport. Le contrôle est un peu plus strict en ce qui concerne les voyageurs par la route. La possession de stupéfiants est passible de lourdes peines.

À la sortie, les bagages sont passés aux rayons X dès l'entrée dans l'aéroport. L'exportation d'antiquités (p. 40) et de contrefaçons est **strictement interdite**.

Assurance et assistance

Les prestations en cas de maladie ou d'accident pouvant nécessiter le rapatriement sont **comprises dans le montant d'un séjour organisé**. Les **voyageurs individuels** peuvent souscrire une assistance personnelle. Ces polices sont en vente dans les agences de voyages. Elles sont conseillées si vous conduisez votre propre voiture (conditions d'assistance aux véhicules).
AVA ☎ 01.53.20.44.20, fax 01.42.85.33.69, < www.ava.fr >.
Elvia ☎ 01.42.99.02.99, fax 01.42.99.02.52, < www.elvia.fr >.
Europ Assistance ☎ 01.41.85.85.85, < www.europassistance.com >. Sachez que certaines cartes bancaires internationales couvrent les risques liés au voyage, à la condition expresse de régler votre déplacement avec ladite carte. Épluchez votre contrat !

Précautions sanitaires

●●●Voir aussi Santé p. 290.

Aucune **vaccination** n'est exigée, mais il est recommandé d'être à jour de ses vaccinations contre diphtérie, tétanos, poliomyélite. Outre vos **médicaments habituels** en quantité suffisante pour votre séjour, il est conseillé d'emporter un traitement **antidiarrhéique**, car les changements de climat et de nourriture peuvent temporairement déranger le système digestif. Prévoyez également aspirine et petits pansements bien

utiles pour les ampoules. Pensez enfin à vous protéger du soleil par une crème à fort indice en été.

Pour de plus amples renseignements sur l'état sanitaire du pays, vous pouvez consulter le **Comité d'informations médicales (CIMED)** 34, rue La Pérouse, 75116 Paris ☎ 01.43 .17.70.90, < www.cimed.org >.

Faire sa valise

Vêtements

En été, prévoir des cotonnades légères, un lainage, et quelques tenues plus élégantes pour les soirées, ainsi que des chaussures confortables pour la visite des sites archéologiques. Sous ses airs occidentalisés parfois trompeurs, la Turquie est une terre musulmane, régie par un code social strict. Les femmes penseront donc leur garde-robe en fonction de l'itinéraire prévu en Turquie : discrète pour l'Anatolie centrale et la mer Noire, plus décontractée pour les littoraux égéen et méditerranéen ; munissez-vous d'un **foulard** pour la visite des mosquées. **Au printemps** comme **en automne**, emportez quelques vêtements chauds supplémentaires et un imperméable coupe-vent. **En hiver**, couvrez-vous chaudement.

Photo

À l'exception des films noir et blanc moins répandus, vous trouverez toutes sortes de pellicules sur place à un coût moindre qu'en France (bien vérifier la date d'expiration). ●

De A à Z, les clés d'un bon séjour

© Gil Giulio/ Hemisphères Images

Change

 Voir aussi Monnaie p. 284.

Le change se pratique dans les banques affichant la mention **Kambiyo**, les grands aéroports, les officines de change (**Döviz Bürosu**), les postes et les hôtels de standing. Les grandes banques turques (Garanti Bankası, İş Bankası, Yapı ve Kredi, Şeker Bankası, Ziraat, Akbank, Koç Bank, Pamukbank) sont équipées de distributeurs automatiques donnant parfois les instructions en français.

Comparez les commissions entre les banques et les officines. Il sera moins avantageux de changer votre argent dans les aéroports ou à l'hôtel. En dernier recours, certains hôtels et commerçants acceptent les paiements en euros.

Courrier

Signalés par un panonceau jaune portant le sigle PTT, les **bureaux de poste** sont ouverts du lun. au sam. de 8 h à 17-18 h (t.l.j. jusqu'à 20 h pour les postes centrales des grandes villes). Les **boîtes aux lettres** sont jaunes et celles qui reçoivent le courrier étranger portent l'inscription **Yurtdışı**. Les **timbres** (pul) sont délivrés dans les postes et quelquefois dans les grands hôtels. Si vous avez besoin de recevoir des nouvelles urgentes, utilisez les **télécopieurs** de votre hôtel ou le **réseau internet**. Le courrier en **poste restante** (postrestant) doit être adressé à la poste centrale (Merkez Postahanesi) et peut être retiré sur présentation d'une pièce d'identité.

Femmes

Un conseil pour les étrangères en visite dans le pays : si, dans la rue, un importun vous poursuit de ses assiduités, ignorez-le ! En dernier recours, demandez aux passants de vous aider à l'éloigner. Pour éviter tout désagrément, adaptez votre tenue au lieu visité (p. 286).

Fêtes et jours fériés

●●● *Pour les fêtes locales, reportez-vous aux carnets d'adresses.*
Pour les fêtes religieuses, voir aussi p. 27.

Les jours fériés

1er janvier : jour de l'An.

23 avril : fête de l'Indépendance et des Enfants, qui commémore la première réunion de l'Assemblée nationale à Ankara en 1920 Les écoliers vêtus de leur uniforme ou d'un costume régional défilent pour la circonstance.

19 mai : fête de la Jeunesse et des Sports, pour commémorer l'arrivée d'Atatürk à Samsun, d'où il partit libérer l'Anatolie.

30 août : fête de la Victoire, c'est-à-dire celle des Turcs sur les Grecs en 1922.

Le **Şeker Bayramı** et le **Kurban Bayramı** *(p. 27)* figurent au nombre des jours chômés.

Les festivals

Janvier. Combats de chameaux, à Selçuk, près d'Éphèse.

Avril. Festival international du film à Istanbul ; fête de « Mesir » à Manisa *(p. 119)* ; **fête de la Tulipe à Istanbul** (Emirgan).

Mai. Biennale des arts à Ankara ; festival de la Culture et du Tourisme d'Éphèse à Selçuk ; **festival de Yachting à Marmaris.**

Juin. Festival de l'Art et de la Culture à Istanbul ; festival de Pergame ; Championnat de lutte traditionnelle *(güreş)* à Edirne *(p. 99)* ; **fête du Vin à Ürgüp** ;

festival de Kafkasör (combats de taureaux) à Artvin ; festival du Thé à Rize.

Juillet. **Festival de Musique et de Folklore à Bursa ; festival du Tapis et de la Rose à Isparta** ; festival de Danse folklorique à Samsun ; **festival de Kadırga** (costumes traditionnels), près de Trabzon, le troisième vendredi de juillet.

Août. **Festival d'Artisanat d'Avanos**, fin août ; **fête des Plateaux à Ayder-Çamlıhemşin.**

Septembre. Foire internationale d'Izmir ; fête des Vendanges à Ürgüp ; Biennale des arts plastiques à Istanbul ; **Semaine des trésors architecturaux à Safranbolu.**

Octobre. **Festival de l'Orange d'or** (cinéma et art) et Festival international méditerranéen de la chanson à Antalya ; Bodrum's Cup (régates) à Bodrum.

Novembre. Régates de yachts à Marmaris.

Décembre. **Commémoration de Mevlâna**, fondateur de l'ordre des derviches tourneurs, à Konya *(p. 212)*.

Hébergement

Dans les régions les plus visitées, l'infrastructure hôtelière est satisfaisante : du palace 5 étoiles à la petite pension de famille, l'éventail est large. En Anatolie centrale et sur la mer Noire, les installations sont plus modestes. En basse saison, dans les catégories moyenne et supérieure, les ristournes peuvent atteindre 60 %.

Hôtels

Les hôtels contrôlés par le ministère de la Culture et du Tourisme reçoivent une classification de une à cinq étoiles, mais le nombre d'étoiles dépend plus de l'**équipement disponible** (télévision, minibar, air conditionné, piscine) que de l'état général. Et dès que l'on sort des axes très touristiques, il ne faut plus vraiment se fier à la classification : un hôtel coté ▲▲▲ à Kuşadası n'a rien à voir avec un établissement du même type à Trabzon ou Sivas. À partir de la catégorie ▲▲, le **petit déjeuner** est toujours inclus dans le prix de la chambre. Dans les hôtels de bonne catégorie, il s'agit d'un buffet très complet, alors que les pensions servent le *kahvaltı* typique, composé de thé ou café, confiture, beurre, tomates, concombres, fromage, pain et olives.

Dans les **stations balnéaires**, beaucoup d'hôtels imposent la demi-pension voire le tout compris (les repas, très médiocres, sont servis sous la forme de gargantuesques buffets). Ces établissements de bon confort sont généralement excentrés et s'alignent en ribambelle le long des plages.

Les **hôtels de charme** sont en plein essor. Ils occupent des **bâtiments historiques**

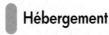

Les **hôtels** sont répertoriés dans les carnets d'adresses. Ils sont classés en 4 catégories : de ▲▲▲▲ à ▲. Pour les tarifs, voir l'encadré Budget *p. 285*.

et d'anciennes **demeures grecques** ou **ottomanes** rénovées.
Ceux de Safranbolu, Antalya et la Cappadoce contiennent même un mobilier d'époque. Ces petits bijoux disposant d'un nombre de chambres limité, il est nécessaire de réserver.

Hôtels-clubs et appartements-hôtels

Spécialement conçus pour le séjour balnéaire, ils abondent **entre Izmir et Alanya**. Il est plus rentable de réserver le séjour en **hôtels-clubs** depuis la France, auprès des voyagistes spécialisés *(p. 284)*. La formule des **appartements-hôtels** intéressera tout particulièrement les familles. Logés en appartement (2 ou 3 pièces, s.d.b. et coin cuisine), les résidents bénéficient en plus d'une infrastructure hôtelière habituelle : activités sportives, piscine, restaurant, plage, etc.

Petits hôtels ou pensions

Dans tout le pays, les petits budgets trouveront des *pansiyon* peu coûteuses mais d'un confort sommaire. Ainsi, elles ne disposent pas de restaurant, l'eau chaude n'y est pas « garantie », etc. Dans bien des cas, l'**accueil** chaleureux compensera la modicité du cadre. Avant de vous installer, inspectez la chambre (draps propres, porte fermant à clé).

Camping

Une liste diffusée par les offices du tourisme répertorie les terrains de camping homologués par le ministère de la Culture et du Tourisme. La plupart

sont situés le long des côtes méditerranéenne et égéenne, à proximité des villes et des centres touristiques. Les plus recommandables, ceux de la chaîne des **Mocamps Kervansaray**, disposent de restaurants, parfois de bungalows et même de plages privées. Sachez que les petits hôtels sont bien meilleur marché que les bons campings, souvent bondés l'été.

Heure locale

Été comme hiver, 1 heure de décalage avec la France : quand il est midi à Paris, il est 13 h à Istanbul.

Horaires

Les services officiels fonctionnent de 8 h 30 à 12 h 30 et de 13 h 30 à 17 h 30, sf sam. et dim.
Les banques ouvrent de 8 h 30 à 12 h et de 13 h 30 à 17 h, sf sam. et dim.
Les magasins ouvrent théoriquement de 8 h 30-9 h à 19 h, sf dim.
Les musées ouvrent en général t.l.j. sf le lun. de 8 h 30 à 17 h 30.
Les sites antiques ouvrent t.l.j. de 8 h à 17 h (19 h en été).

Informations touristiques

Chaque localité importante dispose d'un office du tourisme ❶ *(voir les carnets d'adresses)*. Le personnel, qui est généralement bilingue, vous fournira des prospectus régionaux, un plan de la ville ainsi que la carte routière publiée par le ministère du Tourisme.

Internet

Vous pouvez consulter ou envoyer votre courrier électronique de votre hôtel, s'il est connecté au réseau. Sinon, faites un tour dans les cybercafés qui fleurissent à tous les coins de rue dans les métropoles et les bourgades très touristiques.

Langue

De nombreux Turcs parlent une **langue étrangère** : l'allemand, l'anglais, parfois le français ou l'italien. Hors des sentiers battus, il est utile de connaître les quelques mots de base de la langue turque *(voir le lexique turc p. 306)*.

Médias

Les **journaux étrangers** sont disponibles dans les kiosques des hôtels de standing et dans les librairies des grandes villes le lendemain de leur parution. Les dépêches des agences de presse étrangères paraissent dans le *Turkish Daily News*, un quotidien en anglais. Les grands **quotidiens turcs** sont *Hürriyet, Cumhuriyet, Milliyet, Radikal, Sabah, Posta, Zaman* et *Yeni Safak*.

À la radio, **TRT-3** diffuse sur bande FM des brèves en anglais, allemand ou français toutes les 2 heures.

Outre les chaînes de télévision nationales (18), les **chaînes privées** occupent une place prépondérante dans le paysage audiovisuel turc. Les chaînes les plus regardées sont Kanal D, Show, Star, ATV, TGRT, TRT 1,

Kanal 7. Enfin, les hôtels de bonne catégorie sont reliés au réseau câblé et reçoivent les **grandes chaînes internationales**, notamment TV5, Arte et CNN.

 Pourboire

Dans les restaurants d'un certain standing, il est d'usage de gratifier le serveur ; à l'hôtel, le portier qui monte les bagages dans votre chambre ; au hammam, le personnel qui vous a assisté dans le bain. Les pourboires sont les mêmes que ceux qui sont pratiqués en France. Dans le taxi, le passager arrondit généralement la somme affichée sur le compteur au millième supérieur. D'une manière générale, récompensez ceux qui vous ont rendu service.

 Santé

Hormis d'occasionnels troubles intestinaux, vous ne courrez aucun risque majeur en Turquie. Par mesure de précaution, ne buvez jamais l'eau du robinet, ne forcez pas trop sur les crudités et méfiez-vous des viandes peu cuites. En cas d'urgence, contactez le **consulat français à Istanbul** *(p. 102)*, qui vous commu-niquera les coordonnées d'un médecin compétent et bilingue, ou encore votre assistance médicale, qui décidera, le cas échéant, d'un rapatriement sanitaire. Istanbul et Ankara disposent d'hôpitaux internationaux de bonne réputation. Pensez à vous munir d'une crème solaire à indice élevé, d'un chapeau et de lunettes de soleil.

 Sécurité

Le tourisme réapparaît à grands pas dans l'**est du pays**, où la situation s'est apaisée. L'armée reste toutefois très présente le long des frontières du sud-est. Des accrochages sporadiques entre l'armée et les rebelles kurdes peuvent avoir lieu dans les zones montagneuses reculées.

Toutes les autres **régions de Turquie** jouissent d'un calme total, si ce n'est les événements circonstanciés. Si vous êtes motorisé, évitez de voyager la nuit (marquage au sol aléatoire, nombreux usagers sans feux de signalisation). Si vous partez en croisière, ne laissez ni argent ni objets de valeur dans les cabines quand vous quittez le bateau.

 Sports et loisirs

●●● *Pour les voyagistes spécialisés dans les séjours sportifs voir p. 284.*

Les **sports nautiques** sont l'apanage des hôtels-clubs. Les passionnés de **parapente** iront à Ölüdeniz, qui jouit de conditions exceptionnelles.

Alpinisme

Les montagnes les plus fréquentées sont l'**Uludağ**, à côté de Bursa, l'**Erciyes Dağı** qui domine Kayseri, et le **Hasan Dağı** entre Aksaray et Niğde. Aucune autorisation particulière n'est requise, sauf si vous désirez faire l'ascension de l'Ağrı Dağı (mont Ararat) ou du Kaçkar. Rens. auprès de la **Fédération turque d'alpinisme**, Ulus, Ankara ☎/fax (312) 310.15.78.

Cheval, VTT, charrette et 4x4

Ces formules de découverte ne cessent de se développer. Elles sont idéales pour parcourir en douceur la **Cappadoce** et l'**arrière-pays du littoral méditerranéen**. En saison sèche, il est possible de sillonner en 4x4 une superbe piste montagneuse, qui relie Antalya à Eğirdir. Toutes ces activités peuvent s'organiser sur place auprès des agences locales.

Navigation de plaisance

La formule des « **croisières bleues** », très en vogue **entre Bodrum et Antalya**, permet de caboter à bord d'un caïque le long d'un littoral somptueux *(p. 153)*. Départs de Kuşadası, Bodrum, Marmaris, Fethiye, Kalkan, Kaş et Antalya. Rens. auprès des **agences locales** ou, avant le départ, auprès des voyagistes français *(p. 284)*.

Rafting

Des aménagements ont été effectués sur quelques cours d'eau, notamment ceux situés dans la région d'Antalya (Köprülü Kanyon et Manavgat Çayı) ou encore à Yusufeli (mer Noire) sur les eaux agitées du Çoruh Nehri. Pour tout renseignement, contactez l'office du tourisme local.

Randonnées et trekking

Parcourir la **Cappadoce** à pied, découvrir la vie des hauts plateaux *(yayla)* dans les **monts Kaçkar** (mer Noire) ou dans la **chaîne du Taurus** : la randonnée vous donnera un large aperçu

---

téléphone

● **Pour appeler la Turquie depuis la France, la Belgique et la Suisse** ☎ 00 (international) + 90 (Turquie) + indicatif régional sans le zéro + le numéro de votre correspondant. **Depuis le Canada** : composer le 011 au lieu du 00.

● **Pour appeler l'Europe depuis la Turquie** ☎ 00 + indicatif du pays (France 33, Belgique 32, Suisse 41, Canada 1) + le numéro de votre correspondant (sans le 0).

● **En Turquie, pour joindre un autre district** ☎ indicatif régional + le numéro de votre correspondant (7 chiffres). **À l'intérieur d'un même district**, le numéro de votre interlocuteur suffit. Attention ! Istanbul a deux codes, l'un pour l'Asie (216), l'autre pour l'Europe (212).

Les indicatif régionaux sont indiqués dans les informations pratiques de chaque ville. ●

---

des richesses naturelles de la Turquie.
Les trekkings de plusieurs jours nécessitent **une bonne condition physique**, du matériel adéquat et des chaussures adaptées. Certains voyagistes français organisent des périples de ce type, mais vous pouvez aussi arranger une expédition sur place avec des spécialistes locaux.

Sports nautiques

Dans les grandes stations balnéaires, vous pourrez vous adonner au ski nautique, à la planche à voile, au dériveur, etc. La **plongée sous-marine** avec bouteilles n'est autorisée que dans certains endroits et sous la conduite d'une **autorité locale**. Elle se pratique dans la région de Foça, Bodrum, Marmaris, Fethiye, Kaş, Kalkan, et dans la baie d'Antalya. Il suffit d'entrer en contact avec un club de plongée turc. Pour plus d'informations, adressez-vous aux offices du tourisme locaux.

Pour les coordonnées des **aéroports, gares et agences de location de voiture**, voir les carnets d'adresses des principales localités.

Téléphone

Vous pouvez joindre la France depuis votre hôtel (onéreux) ou à partir d'une cabine téléphonique. Les cabines fonctionnent avec des **cartes magnétiques** à 30, 60, 100 et 180 unités (en vente dans les bureaux de poste ou dans les magasins qui vendent des cigarettes). Prenez le plus gros modèle pour les communications internationales. Certaines cabines sont équipées pour le paiement avec la **carte Visa**. À condition d'en demander l'accès à votre opérateur national, vous pouvez utiliser votre **téléphone portable** sur l'ensemble du territoire turc.

Transports intérieurs

L'avion

Turkish Airlines (THY) exploite un important réseau intérieur, desservant les principales villes du pays au départ d'Istanbul et d'Ankara. Les prix sont relativement modestes. Des navettes affrétées par la THY assurent la liaison entre les aéroports et le centre-ville. **Réductions** : les compagnies accordent 10 % de réduction aux couples mariés, aux familles voyageant avec leurs enfants, aux personnes de plus de 60 ans, et aux jeunes de 12 à 24 ans.

L'autocar

C'est le moyen le plus pratique et le plus abordable pour se déplacer d'une ville à l'autre. Les liaisons sont régulières et fréquentes (jour et nuit) : dans les *otogar* des **métropoles** (Ankara, Istanbul, Izmir et Adana), il y a presque toujours une compagnie qui dessert dans l'heure votre destination. Les véhicules (non fumeurs ; l'usage du téléphone mobile y est proscrit) sont modernes et confortables (service passager, vidéo, petite restauration et, plus rarement, toilettes). Des arrêts sont prévus en cours de route pour permettre aux passagers de se restaurer. Voyager de nuit sur une longue distance fait gagner du temps, mais l'expérience s'avère exténuante. Selon la destination, il faudra parfois effectuer des changements. **Départ et achat des billets** : sans réservation, à la gare routière (*otogar* ou *garaj*). Toutes les compagnies y sont regroupées.

conduite

Le klaxon sert à trois choses : **dire bonjour** (n'oubliez pas que vous êtes en Orient !), prévenir que l'on va **dépasser** et, très important, signaler sa **présence dans un virage** à visibilité nulle. Cela dit, la plupart des conducteurs turcs font des appels de phare pour vous avertir qu'ils sont sur le point de vous dépasser. ●

Vous pouvez aussi acheter votre billet à l'avance. Les compagnies les plus réputées, **Varan**, **Pamukkale**, **Ulusoy**, **Kontur**, **Metro**, **Özkaymak** et **Kamil Koç** disposent d'un point de vente en ville. Elles acheminent généralement leurs clients vers l'*otogar* à bord d'une navette privée.

La voiture

Le réseau routier est en bon état et largement asphalté. La plupart du temps, il s'agit de routes à deux ou trois voies. Les grands axes autoroutiers relient Edirne à Antakya (le tronçon Ankara-Tarse est en cours d'achèvement), et Izmir à Denizli.

● **Où louer une voiture ?** La formule est onéreuse, bien que les tarifs soient dégressifs au-delà d'une semaine. Vous pouvez recourir à la location ponctuelle (en Cappadoce et dans la région des lacs pisidiens). Vérifiez les clauses du contrat d'assurance, qui ne couvrent pas forcément le bris de glaces ou le vol du véhicule.

● **Cartes routières**. En raison des transformations du réseau, il est difficile de trouver des cartes à jour. Les **offices du tourisme** publient annuellement une carte routière suffisante à défaut d'être détaillée. Pour l'ouest et l'est du pays, il existe deux **Euro-Cartes** au 1/800 000. Vous pourrez aussi vous procurer une carte générale de la Turquie au 1/750 000 éditée par l'**IGN** *(p. 280)*.

● **La Turquie au volant**. Le code de la route turc est similaire aux codes européens et la conduite se fait à droite. Le port de la ceinture est obligatoire. Hormis dans les grandes villes où il est nécessaire d'avoir les nerfs solides, la circulation est fluide, à l'exception du grand axe **Istanbul-Ankara** et du nœud routier **Istanbul-Yalova**. La **vitesse** maximale autorisée est de 50 km/h en ville, 90 km/h sur route, 120 km/h sur autoroute. La prudence s'impose car les **dépassements dangereux** sont monnaie courante. Méfiez-vous des poids lourds qui conduisent à vive allure et sachez que les Turcs ne font guère usage de leur clignotant. En rase campagne, attention aux troupeaux et aux tracteurs, qui obligent à de brusques freinages. Du fait d'un marquage au sol aléatoire et du nombre de véhicules (carrioles, tracteurs ou voitures) circulant sans feux de signalisation, mieux vaut éviter de conduire la nuit.

● **L'état des routes**. Conduire le long du littoral méditerranéen, le long de la mer Noire, ou sur des axes traversant les **chaînes montagneuse**, est un exercice exténuant, vu le nombre de virages, de nids-de-poule et de travaux. Évitez ces trajets la nuit. Passer d'Europe en Asie nécessite d'emprunter à Istanbul l'un des deux **ponts suspendus à péage** ou le **ferry** (arrivée à Yalova) pour rejoindre plus rapidement **Bursa** et la **côte égéenne**.

● **La signalisation** est la même qu'en France. Des pancartes brunes indiquent les **sites archéologiques** et **touristiques**.

● **L'essence** est à peine moins chère qu'en Europe. Les **stations-service** sont nombreuses et souvent ouvertes **24 h/24**. Dans tout le pays, l'automobiliste a le choix entre super *(süper)*, normal *(normal)*, diesel *(motorin)* et super sans plomb *(kurşunsuz)*, tout de même plus rare dans les villages reculés.

● **Accident et vol**. En cas d'accident, même s'il y a des blessés, ne déplacez jamais la voiture avant l'**arrivée de la police**. Faites établir un constat et exigez une copie. En cas de vol, faites établir une attestation par la police. Les visiteurs voyageant à bord de leur propre véhicule ont intérêt à se procurer un carnet d'assistance de la Fédération internationale de l'automobile (FIA) ou de l'Association internationale du tourisme (AIT), qui garantit l'**assistance du Touring et Automobile Club de Turquie** en cas de problème technique, d'accident et de rapatriement de la voiture. Cette dernière étant enregistrée sur le passeport du conducteur, il se trouve dans l'obligation de quitter le pays avec elle, ou de la faire tracter jusqu'à un bureau de douane qui délivrera la prise en charge exigée pour quitter le pays sans le véhicule.

transport

Le *dolmuş* est un taxi collectif qui dessert un itinéraire préétabli à l'intérieur d'une grande ville ou dans sa périphérie ; il ne s'arrête sur son parcours qu'à la **demande expresse d'un passager**. S'il lui reste des sièges vides, le chauffeur ne manque pas de le faire savoir en cours de route en donnant de petits coups de **klaxon**. Les **prix** sont fixes et le passager paie pour le tronçon qu'il parcourt. Il est pratique et **bon marché** mais, faute d'information sur son fonctionnement, peu de voyageurs l'utilisent. ●

● **Réparations.**
Adressez-vous à l'un des **garages** regroupés dans les zones industrielles spécifiques toujours à l'**entrée** d'une ville (**Oto Sanayı Sitesi**), ou encore à une station-service. Vous pouvez faire confiance au professionnalisme des mécaniciens mais mettez-vous d'accord sur le montant de la facture avant de faire la réparation. Pour un **pneu crevé**, arrêtez-vous chez les vendeurs-réparateurs de pneus *(lâstikçi)*. En cas d'immobilisation sur les axes, les automobilistes turcs vous proposeront leur aide. Postes de secours routier les plus proches, rens. auprès du **Touring et Automobile Club turc** : Türkiye Turing ve Otomobil Kurumu, Oto Sanayı Sitesi Yanı 4, Levent, Istanbul ☎ (0212) 282.81.40.

● **Le stop** est à déconseiller aux femmes seules, mais il fonctionne bien pour se rendre à des endroits mal desservis, notamment les **sites antiques excentrés** ; d'ailleurs, les **villageois** le pratiquent communément pour parcourir de petites distances. Si vous êtes pris en stop, sachez que le conducteur s'attend éventuellement à une **petite participation financière**.

Le taxi

Obligatoirement équipés d'un taximètre, les taxis ont un tarif pour le jour *(gündüz)* et un autre pour la nuit *(gece)*, entre minuit et 6 h. Assurez-vous que le chauffeur l'enclenche **au moment de la prise en charge** (s'il refuse sous un prétexte quelconque, descendez) et veillez à ce qu'il n'applique pas le tarif de nuit en dehors des horaires réglementaires. Pour prendre le taxi dans les grandes villes, il suffit de les héler en maraude.

Le train

Les trains turcs sont particulièrement lents et sans doute préférerez-vous l'autocar. Choisissez les *mavi tren*, les *ekspres* ou les *mototren*, plus rapides et plus confortables. Le *mavi tren* relie Istanbul à Ankara en 8 h, le *Marmara ekspres*, Istanbul à Izmir en 11 h et un autre *mavi tren*, Ankara à Izmir en 14 h 30. Ces trains disposent de wagons-restaurants, wagons-lits ou couchettes, en première et seconde classes. **Réductions :** 20 à 30 % accordés aux personnes handicapées, aux familles (couple marié voyageant avec ou sans enfants) et aux étudiants sur présentation de leur carte internationale d'étudiant.

Le bateau

Les Lignes maritimes turques **(TLM)** desservent les ports de la mer Noire, de la mer de Marmara et de l'Égée, ce qui permet de s'offrir de plaisantes mini-croisières à bas prix. **Sur la mer de Marmara.** Le car-ferry entre Istanbul et Yalova vous permettra de gagner Bursa (liaisons incessantes mais encombrées). Le car-ferry entre Bandırma et Istanbul est une bonne alternative pour ceux qui veulent rejoindre Izmir ou Istanbul au plus court (rés. impérative l'été). **Sur la mer Noire,** *voir p. 277.* **Sur la mer Égée.** Une ligne de car-ferries relie Istanbul à Izmir *(p. 145)* ; une autre ligne saisonnière, très pratique, assure une liaison quotidienne entre Bodrum et Datça *(p. 141)*. **Liaisons avec les îles grecques.** Ayvalık-Lesbos *(p. 140)* ; Kuşadası-Samos *(p. 146)* ; Çeşme-Chios *(p. 144)* ; Bodrum-Kos *(p. 141)*.

Türkiye Denizcilik İşletmeleri (Lignes maritimes turques), Rıhtım Cad., Merkez Han 4, Karaköy, Istanbul, **rens.** ☎ (0212) 244.02.07, **rés.** ☎ (0212) 249.92.22.

Urgences

Police secours ☎ 155.
Urgences ☎ 112.
Pompiers ☎ 110.
Hôpital français d'Istanbul
☎ (0212) 246.10.20.

Voltage

220 volts. ●

Les dates qui ont fait la Turquie

En Turquie

La puissance hittite

1800-1500 av. J.-C. Des conquérants d'origine indo-européenne, appelés **Hittites**, déferlent en Anatolie. Ils réunissent des petits royaumes sous leur autorité et établissent la capitale de leur empire à **Hattuşa** (l'actuelle Boğazkale, à l'est d'Ankara, *p. 197*). Leur culture absorbe celle des **Hattis**, une population autochtone qui produisait, dès le IIIe millénaire, un artisanat extrêmement raffiné. Vers 1600 av. J.-C., les Hittites contrôlent un territoire s'étendant de Malatya à la côte ionienne, puis ils s'emparent de la Syrie et saccagent la puissante Babylone. Des dissensions internes fragilisent néanmoins le pouvoir hittite et, à la suite d'intrigues de palais (vers 1500 av. J.-C.), l'**Ancien Empire** se désagrège.

1450 av. J.-C. Le redressement intervient rapidement. Le roi Suppiluliuma Ier porte alors les frontières du **Nouvel Empire hittite** jusqu'aux confins de l'Égypte, menaçant ainsi les pharaons. Le conflit entre les deux puissances éclate en 1286 av. J.-C., près de **Qadesh**, mais leurs chefs respectifs – l'Égyptien Ramsès II et le Hittite Muwatalli – se proclament vainqueurs l'un et l'autre. Les deux grands rivaux signent alors le **premier traité de paix écrit** de l'humanité.

1200 av. J.-C. Des envahisseurs venus du nord, surnommés «Peuples de la mer», forts de la supériorité que leur donnent des **armes de fer**, anéantissent l'Empire hittite. L'Anatolie se morcelle en de multiples royaumes. C'est à cette époque que les **Grecs** débarquent sur la côte égéenne. Promis à un brillant avenir, ils colonisent le pourtour de la **mer Égée** en fondant de petites **cités-États** : au nord, les Éoliens arrivés de Thessalie ; au sud, les Doriens, originaires de la Grèce du Nord ; au centre, les Ioniens venus des Cyclades. Dans le sud-est de l'Anatolie perdurent des **royautés néo-hittites**, alors qu'autour du **lac de Van** apparaît le puissant **royaume d'Ourartou**, disputant le contrôle du nord de la Syrie aux Assyriens. Grands bâtisseurs, les Ourartéens édifient des temples et des systèmes d'irrigation très perfectionnés. Ils excellent dans la métallurgie, exportant même leurs productions vers la Grèce, qu'ils initient à cet art. Tous ces royaumes seront finalement balayés par les invasions assyrienne, cimmérienne et scythe au cours du VIIe s. av. J.-C.

Dans le monde

Av. J.-C.

2500. Grandes pyramides en Égypte.

1850. Fondation de l'Empire assyrien.

1750. Fondation de la puissance babylonienne.

1500. Apogée de l'Égypte impériale.

1100. Fin de la civilisation mycénienne.

Page précédente : le décor intérieur de faïences d'Iznik a valu son surnom à la célèbre mosquée Bleue d'Istanbul, dernière réalisation ottomane d'envergure.

Le rayonnement des cités grecques

700 av. J.-C. Les **Phrygiens**, un peuple indo-européen venu des Balkans, fondent un royaume sur le plateau anatolien autour de leur capitale, **Gordion** (au sud-ouest d'Ankara). Au VIIe s. av. J.-C., ils sont conquis par les **Lydiens**, installés entre la Phrygie et les établissements grecs de la côte égéenne. Ce peuple, à qui est imputée l'invention de la monnaie, développe une civilisation brillante. Son roi le plus célèbre, **Crésus**, entretient d'excellentes relations avec ses voisins grecs, dont les établissements connaissent, du VIe au Ve s. av. J.-C., une période particulièrement florissante. Les **villes ioniennes** se dotent d'un urbanisme planifié, de temples gigantesques, et d'écoles de pensée dont la portée rayonne dans tout le bassin méditerranéen. Leur prospérité artistique et intellectuelle va de pair avec une richesse économique procurée par le commerce avec la Grèce continentale, le Proche-Orient et l'Égypte.

546 av. J.-C. Crésus, roi de la Lydie, est vaincu dans sa capitale de Sardes par **Cyrus le Grand**. L'Asie Mineure tombe ainsi sous la tutelle des **Perses achéménides**, qui confient l'administration des provinces à des satrapes↪.

499 av. J.-C. Les cités ioniennes se révoltent contre le Perse Darius Ier, mais sont finalement écrasées. C'est le début d'un conflit qui oppose, près d'un siècle durant, la Grèce à la Perse. Éphèse, Pergame et Milet s'allient avec Athènes lors des **guerres médiques** (490-479 av. J.-C.) pour infliger une défaite aux Perses, lesquels profitent de la **guerre du Péloponnèse** (431-404 av. J.-C.) et de la défaite athénienne devant Sparte pour reprendre le contrôle des cités grecques d'Asie Mineure. Au lendemain de la décadence d'Athènes, la puissance perse doit faire face, au IVe s. av. J.-C., à des révoltes internes et aux poussées séparatistes des satrapies occidentales, notamment les **Cariens** et les **Lyciens**, qui font valoir leurs particularismes régionaux par le biais de réalisations architecturales originales. Le satrape↪ de Carie, **Mausole** (377-353 av. J.-C.), dont le tombeau à **Halicarnasse** (l'actuelle Bodrum) compte parmi les Sept Merveilles du monde antique, se révèle si fin stratège qu'il parvient à faire de son État une principauté quasi indépendante.

L'époque hellénistique

334 av. J.-C. L'armée d'**Alexandre le Grand** entame une percée en Asie Mineure. Les Perses sont défaits. En sept années à peine, le Macédonien conquiert toute l'Asie Mineure puis l'Asie centrale. À la mort du jeune héros (323 av. J.-C.), ses **généraux** morcellent l'empire. L'Ionie et la Thrace échoient à **Lysimaque**, tandis que **Séleucos** s'approprie la Syrie, où il installe sa capitale, **Antioche**. Après avoir défait Lysimaque (281 av. J.-C.),

735. Fondation de Rome.

668-626. Apogée de l'Empire assyrien.

550-331. Les Perses achéménides, maîtres de l'Iran. Âge d'or des cités grecques.

334. Rome contrôle la Campanie.

En Turquie

Séleucos étend sa domination sur presque toute l'Asie Mineure, qui s'hellénise en profondeur, la langue grecque se substituant aux dialectes anatoliens.

261 av. J.-C. En Anatolie, divers **petits royaumes** s'affranchissent de la tutelle séleucide : la Cappadoce, la Paphlagonie, la Bythinie, le royaume de Pergame... Le **royaume du Pont**, dont la capitale est **Amasya**, monte en puissance jusqu'à contrôler tout le Nord-Est anatolien. En 230 av. J.-C., la tribu celte des **Galates** déferle sur le plateau et se fixe dans la région d'**Ankara**, qui sera dénommée **Galatie**. Alliée au **royaume de Pergame**, gouverné par les Attalides, **Rome** poursuit son expansion dans le bassin méditerranéen en battant les rois macédoniens à **Magnésie** (189 av. J.-C.).

133 av. J.-C. Attale III, roi de Pergame, lègue son royaume à Rome, qui l'érige en «**province d'Asie**». En 88 av. J.-C., un soulèvement conduit par **Mithridate VI**, roi du Pont, est maté par l'armée romaine, qui annexe peu à peu toutes les provinces de l'Asie Mineure.

La pax romana

31 av. J.-C. La **bataille navale d'Actium**, qui se solde par la victoire d'**Auguste** sur Marc Antoine et Cléopâtre, marque la fin de la période hellénistique. Jusqu'au IIe s. apr. J.-C., l'Asie Mineure connaît **la plus longue période de paix** de son histoire. Cette accalmie profite à l'embellissement des cités, qui se couvrent de nouveaux monuments. Pergame *(p. 112)* et Pergé *(p. 166)* prennent alors le visage de véritables métropoles, tandis qu'Éphèse *(p. 129)* devient le plus grand pôle commercial de la côte égéenne : la ville compte 250 000 habitants, un chiffre record pour l'Antiquité.

Ier s. apr. J.-C. Propagé en Anatolie par **saint Paul** et **saint Jean**, le **christianisme** commence à se répandre dans les couches défavorisées, puis dans toutes les classes de la société. Si l'on en croit la tradition, la **Vierge** aurait même vécu ses derniers jours à **Éphèse**. Dès le IIe s., les fidèles s'organisent en Églises dirigées par des évêques.

IIIe s. Les **Goths** et les **Alains** ravagent l'Anatolie, pillant même Éphèse. Pour freiner la décadence de Rome, l'**empereur Dioclétien** (284-305) institue le système de la **tétrarchie** (le pouvoir à quatre), qui donne conjointement le pouvoir à **deux empereurs**, parés du titre d'«Auguste» et flanqués de leurs futurs successeurs, les «Césars». Ce mode de gouvernement engendre de graves dissensions internes, si bien qu'il est rapidement abandonné.

330. Pour mieux décentraliser l'Empire, l'empereur **Constantin** (306-337) décide de transporter sa capitale aux portes de l'Orient. Il fait de l'antique **Byzance**, sur le

Dans le monde

264-146. Guerres puniques entre Rome et Carthage.

250 av. J.-C. à 224 apr. J.-C. Les Parthes règnent en Iran.

31 av. J.-C. L'Égypte devient romaine.

Apr. J.-C.

54-68.
Incendie de Rome et persécution des chrétiens par Néron.

224-651.
Les Sassanides sont les maîtres de l'Iran.

325. Concile de Nicée.

détroit du Bosphore, une «Nouvelle Rome» que la postérité préférera appeler **Constantinopolis** (la ville de Constantin). L'empereur, qui s'est lui-même fait baptiser, accorde la liberté de culte aux chrétiens. En 394, l'**édit de Théodose Ier** (379-395) ordonne la fermeture des temples païens. Le **christianisme** est proclamé **religion d'État**. À la mort de Théodose, ses deux fils, Arcadius et Honorius, se partagent l'Empire : il y a désormais l'Empire romain d'Orient et l'Empire romain d'Occident, tous deux promis à un destin particulier.

Byzance, héritière de l'Antiquité

476. Rome tombe aux mains des **Barbares**, qui déposent l'empereur. Constantinople demeure l'unique héritière du monde romain, dont les possessions orientales prennent alors le nom d'**Empire byzantin**. Ce tournant historique consomme la fracture entre l'Orient grec et l'Occident latin. L'Empire byzantin prolonge d'abord l'Antiquité par le biais d'une politique de prétentions universelles, puis, entre 641 et 1204, entre dans sa phase d'hellénisation et d'orientalisation. À l'héritage gréco-romain se substitue un art chrétien original, qui fixe les nouvelles règles artistiques.

527. Le règne de **Justinien** (527-565), symbolisé par la construction de la basilique **Sainte-Sophie** *(p. 72 et encadré p. 300)*, coïncide avec l'âge d'or byzantin. Justinien reconquiert le bassin occidental de la Méditerranée et publie un **code civil** qui connaîtra un grand retentissement dans l'Europe médiévale.

602. Les divers conflits religieux (nestorianisme, monophysisme) attisent les revendications autonomistes des provinces orientales, qui se manifestent lors de l'**invasion des Perses sassanides** (602-630) puis des **Arabes**, à partir de 632. Incapable de contenir la poussée arabe, **Héraclius Ier** (610-641) perd la Syrie, l'Égypte et toute l'Afrique du Nord. Une partie des bénéfices commerciaux va désormais aux Arabes, qui contrôlent la mer Rouge et les pistes caravanières du Proche-Orient. L'Empire reste néanmoins puissant grâce à la stabilité de sa monnaie et à sa situation géographique, au carrefour du négoce international. Mais il lui faut lutter contre la convoitise des peuples voisins. Entre 641 et 711, les Slaves colonisent les Balkans et l'Italie tombe aux mains des Lombards. Devant les portes de Constantinople se succèdent les Avars en 626, les Arabes en 678 puis en 717, et les Bulgares en 811.

717-843. La **crise de l'iconoclasme** secoue l'Empire. Cette doctrine, opposée au culte des images (icônes) et n'admettant que les décors abstraits ou symboliques, est soutenue par les empereurs byzantins, qui autorisent la destruction de milliers d'œuvres d'art.

Le plus ancien plan connu de Constantinople. Miniature du xve s. (BNF, Paris).

451. Concile de Chalcédoine.

493. Conquête de l'Italie par les Ostrogoths.

527-565. L'empereur Justinien chasse les Ostrogoths d'Italie.

540. Sac d'Antioche par les Sassanides.

614. Jérusalem est prise par les Sassanides.

622. Le prophète Mahomet fuit à Médine : début du calendrier musulman (l'hégire).

632. Mort de Mahomet.

634. Début de la conquête arabe, avec la prise de la Syrie et de la Palestine.

670. Invasion arabe en Afrique du Nord.

711. Les Arabes maîtres de la péninsule Ibérique.

732. Charles Martel défait les Arabes à Poitiers. Invasions normandes et règne des premiers rois capétiens en France.

architecture

La coupole, symbole du trône

L'Empire byzantin forme une communauté de langues, de mœurs et d'idées modelées par l'hellénisme, auquel s'ajoute un autre facteur d'unité : la foi chrétienne. L'empereur est un élu de la Providence, croyance qui légitime tout « usurpateur » ayant réussi à s'emparer du pouvoir. Le basileus incarne la loi vivante et son autorité s'étend à l'Église, dont il est le défenseur. Or, le christianisme est une religion exclusive, ne rendant un culte qu'à Dieu, alors que les basileus n'ont pas renoncé au culte impérial, lequel se poursuivra jusqu'à la fin de l'Empire, la religion devenant l'instrument d'un pouvoir qui fait du basileus l'intercesseur entre Dieu et les hommes. La **basilique Sainte-Sophie** incarne cette conception politico-religieuse. Le plan basilical des premières églises byzantines convenait pour réunir une assemblée, mais ne ménageait pas de place centrale. L'introduction de la grande coupole dans le plan basilical peut donc s'interpréter comme la tentative de mettre le culte impérial au centre de la liturgie, codifiée par la simple présence du basileus aux offices. L'origine du plan centré à coupole est en effet palatiale : dès le Iᵉʳ s., la grande coupole coiffe divers complexes impériaux bâtis par les Romains, ainsi que les palais des rois sassanides, édifiés au IIIᵉ s. Rien d'étonnant au fait que les Byzantins n'élevèrent plus par la suite de construction comparable à Sainte-Sophie, car elle se devait d'être unique pour mieux symboliser la mission impériale. ●

En Turquie

Appuyés par Rome, favorable au culte des images, les iconodoules (les partisans des images, principalement les moines) obtiendront finalement gain de cause.

867. L'instauration de la **dynastie macédonienne** (867-1057) porte l'Empire à son apogée. Rien ne semble pouvoir résister à **Basile II** (975-1025), qui reconquiert la Bulgarie, chasse les Arabes et redonne une stabilité territoriale à l'Empire. Les Byzantins recherchent de nouveaux débouchés commerciaux auprès des Russes. Le rattachement de l'église de Kiev au patriarcat de Constantinople aggrave la mésentente entre Byzantins et Latins, qui se solde par un grand schisme en 1054.

L'Anatolie devient turque

1071. Des tribus nomades, originaires des steppes d'Asie centrale, se mettent à déferler sur l'Anatolie. Les troupes seldjoukides conduites par Alp Arslan écrasent l'armée byzantine à **Mantzikert**, près du lac de Van. La bataille se solde par l'installation durable des Turcs en Anatolie.

1077. Les Seldjoukides fondent le **sultanat de Roum** dont **Konya** devient la capitale (*p. 209*). Ils édifient des mosquées, des écoles coraniques, et font fructifier le commerce avec l'Orient en construisant des **caravansérails** le long des voies caravanières. À cette époque, le plateau anatolien s'islamise, bien qu'il subsiste d'importants foyers chrétiens, notamment en Cappadoce. À Constantinople, la **dynastie des Comnène** (1081-1185) obtient quelques succès politiques

Dans le monde

750-945. Dynastie des Abbassides à Bagdad.

800. Charlemagne couronné empereur à Rome.

970. Les Fatimides en Égypte.

1031. Fin du califat à Cordoue.

1040. Arrivée des Turcs seldjoukides en Iran.

1054. Schisme entre Rome et Byzance.

1060. Conquête de la Sicile par les Normands.

1064. Les Turcs s'emparent de l'Arménie.

1096-1099. 1ʳᵉ croisade. Création des royaumes francs de Syrie.

au détriment des intérêts économiques de l'Empire, déjà dépossédé de ses voies de communication trans-anatoliennes par les Turcs, alors que **Venise** contrôle les routes maritimes de la Méditerranée. **L'installation des Francs en Syrie** achève de détourner le commerce de Constantinople, car les marchandises partent désormais des ports du Levant.

1204. Les «barons» de la **quatrième croisade**, alliés de Venise, se détournent de Jérusalem pour s'emparer de Constantinople et piller ses trésors. Le pouvoir byzantin, exilé à Nicée (l'actuelle Iznik), prépare activement la reconquête, et en 1261, **Michel VIII Paléologue** chasse les Latins de Constantinople. Pour récompenser les Génois de lui avoir prêté main forte, il leur accorde des privilèges commerciaux. Toutefois, l'Empire est morcelé, du fait des guerres entre Turcs, Byzantins et Latins. Au même moment, une **première invasion mongole** menace le sultan seldjoukide Keyhüsrev Ier, qui a fédéré l'Anatolie, jusqu'alors divisée en émirats rivaux, sous son autorité.

1243. Une deuxième vague d'**invasion mongole** déferle en Anatolie. Keyhüsrev II (1237-1246) est battu par les Mongols, qui placent le **sultanat de Roum sous tutelle**. Un représentant mongol gouverne aux côtés d'un sultan turc jusqu'en 1308, date à laquelle la puissance seldjoukide se désagrège, remplacée par des **beylicats** (principautés administrées par un bey).

L'émergence des Ottomans

1326. Les **Osmanlı** (le clan d'Osman) s'installent en Bythinie. Profitant de la dislocation du sultanat seldjoukide et de la faiblesse des Byzantins, leur chef **Ohran**, fils d'Osman, s'empare de **Brousse** (Bursa), promue capitale du jeune Empire ottoman. Ses successeurs franchissent le Bosphore au milieu du XIVe s. Ils conquièrent les Balkans, transfèrent leur capitale à **Andrinople** (Edirne, *p. 90*) et prennent en étau Constantinople, capitale d'un Empire byzantin aux allures de principauté.

1399. Les armées de **Tamerlan** entrent en Anatolie et écrasent les Ottomans à la **bataille d'Ankara** en 1402. Le sultan ottoman Beyazıt Ier meurt en captivité, laissant ses fils s'entre-déchirer pour s'approprier le pouvoir une fois le péril timouride écarté. **Mehmet Ier** (1413-1421) sort finalement vainqueur de ces dix années de lutte fratricide et entreprend immédiatement la reconquête des territoires perdus. Son fils **Murat II** (1421-1451) parachève son œuvre si bien qu'elle sonne le glas de la puissance byzantine.

1453. Les troupes ottomanes encerclent Constantinople. Le 29 mai, **Mehmet II le Conquérant** (1451-1481) entre en triomphateur dans la capitale qui s'ap-

1147-1149. 2e croisade.

1189-1191. 3e croisade. Prise de Saint-Jean-d'Acre par les croisés.

1202-1204. 4e croisade. Jérusalem tombe aux mains des Arabes. Gênes devient la 2e puissance commerciale du Levant après Venise.

© Photothèque Hachette

Mehmet II le Conquérant. Miniature du XVe s. (BNF, Paris).

1414. Les Ottomans défont les Perses safavides à Tchaldiran.

En Turquie

pellera désormais Istanbul. Le dernier empereur byzantin, Constantin XI Dragasès, meurt les armes à la main, après avoir espéré un hypothétique secours de l'Occident. L'Empire ottoman connaît alors un essor fulgurant et ses possessions ne cessent de s'étendre. En 1511, des révoltes fomentées par les **Kızılbaş** (des mercenaires d'obédience chiite, soutenus par la Perse safavide) secouent l'Anatolie. Elles seront matées par **Selim Ier** (1512-1520), qui s'empare de l'Azerbaïdjan, dont il occupe la capitale, Tabriz. L'Empire ottoman s'appuie sur un remarquable **système administratif**. Le grand vizir, équivalent d'un Premier ministre, dirige des gouverneurs qui font régner l'ordre jusque dans les provinces les plus reculées. Les Ottomans, sachant leur empire peuplé de musulmans, de chrétiens et de juifs, laissent toute liberté de culte à leurs sujets.

1520. Le règne de **Soliman le Magnifique** (1520-1566) fut aussi le plus glorieux de l'histoire ottomane. À l'issue de 13 campagnes militaires, Soliman donna à son empire des proportions gigantesques, qui englobent les rives de la mer Noire ainsi que les Balkans, et s'étirent de l'Algérie jusqu'au golfe Persique, égalant, à l'Italie près, les frontières byzantines du temps de Justinien. Toute sa vie durant, Soliman lutte contre deux adversaires : le shah de Perse, Tahmasp Ier (1532-1576), à l'est, et l'empereur Charles Quint (1519-1556) à l'ouest. Pourtant, le sultan ne parviendra jamais à prendre Vienne, la porte de l'Occident, qu'il assiégera sans résultat en 1529. La flotte ottomane régente la Méditerranée grâce aux **frères Barberousse** – ce surnom s'applique à deux pirates turcs, Arudj et son frère Khayr ed-Din – qui s'attaquent aux intérêts chrétiens et contrarient les velléités offensives de Charles Quint.

La décadence d'un empire

1571. Dès la fin du XVIe s., l'exploitation intensive de la route maritime orientale découverte par Vasco de Gama ouvre une première brèche dans la toute-puissance économique des Ottomans. Mais c'est surtout le **désastre de Lépante**, une date noire pour la flotte ottomane anéantie par l'Occident coalisé, qui sonne le glas d'un mythe, celui de l'invincibilité du « Grand Turc » sur les mers. Rongé par la corruption, les luttes de clans et les rébellions répétées des janissaires, le pouvoir ottoman se délite inexorablement.

1699. Les guerres laminent l'Empire. En vertu du **traité de Karlowitz**, les Ottomans doivent céder la Hongrie et la Transylvanie à l'Autriche. L'amputation se poursuit en 1736 avec la perte du Caucase, cédé aux Perses, puis celle de la Crimée, rendue aux Russes en 1783.

Dans le monde

1492. Christophe Colomb touche le continent américain.

1497-1499. Voyages de Vasco de Gama.

1515-1547. Règne de François Ier. Il signe avec Soliman un traité de commerce désigné sous le nom de « capitulations ».

1522. Les Ottomans s'emparent de Rhodes, forçant les Hospitaliers de Saint-Jean à se réfugier à Malte.

© Photothèque Hachette

Soliman le Magnifique.
Miniature du XVIe s.
(BNF, Paris).

1683. L'Autriche devient une grande puissance.

1789. Révolution française. Déclaration des droits de l'homme et du citoyen.

1797. Expédition de Bonaparte en Égypte.

1826. Mahmut II (1808-1839) dissout le **corps des janissaires** et entreprend de moderniser l'armée. La laïcisation de l'État se poursuit avec les sultans Abdülmecit Ier (1839-1861) et Abdülaziz (1861-1876), qui entreprennent un vaste programme de **réformes** *(tanzimat)*, débouchant sur la promulgation d'une Constitution et la création d'un Parlement. Néanmoins, l'Empire continue de perdre des territoires : la Grèce obtient son indépendance en 1830, l'Égypte en 1840, la Serbie, la Roumanie et la Bulgarie en 1878.

1876. Abdülhamit II (1876-1909) hérite d'un empire totalement inféodé à la finance européenne. En outre, celui qu'Anatole France surnomme ironiquement « le Grand Saigneur » met la Constitution en sommeil, puis rame à contre-courant en menant une politique panislamique répressive, contre laquelle s'insurge une force nouvelle : des libéraux, appelés Jeunes-Turcs.

1908. La révolte des **Jeunes-Turcs** éclate à Salonique. En 1909, ils déposent Abdülhamit II. Les revers militaires lors des **guerres balkaniques** (1912-1913), qui font perdre à l'Empire tous ses territoires européens à l'exception de la Thrace orientale, vont progressivement faire pencher les « libéraux » vers un **nationalisme autoritaire** qui leur fait choisir le camp allemand pendant la guerre de 1914-1918 et perpétrer le **génocide des Arméniens**, accusés de collaborer avec l'ennemi russe sur le front oriental. La défaite de la Turquie, malgré une résistance héroïque lors de la bataille des Dardanelles en 1915, entraîne l'**occupation du pays** par les Alliés, qu'entérine le **traité de Sèvres** (1920).

La Turquie devient une république

1920. La réaction turque s'organise contre l'occupant. Mustafa Kemal, surnommé Atatürk, « le père des Turcs », déclenche la **guerre d'Indépendance** (1920-1923) après le débarquement des Grecs sur les rives de l'Égée. Les succès d'Atatürk obligent les Alliés à ne plus soutenir la Grèce et à revoir les clauses « honteuses » du traité de Sèvres, qui enlevaient aux Turcs la région égéenne, l'Arménie et le Kurdistan et plaçaient le reste du pays sous la tutelle des Alliés.

1923. Le **traité de Lausanne** entérine la victoire d'Atatürk et le pays reçoit ses frontières actuelles. La République turque est proclamée le **29 octobre**. Atatürk s'affranchit du passé impérial pour se **rapprocher de l'Occident**. Ainsi s'explique la série de mesures radicales entreprises par la politique kémaliste : abolition du sultanat, lois laïques, introduction de l'alphabet latin pour remplacer les caractères arabes et fin de l'islam comme religion d'État. Le volet nationaliste se solde par un **échange de populations** entre la Grèce et la Turquie : 1 200 000 Grecs doivent quitter les rives de l'Égée pour faire place aux Turcs venus de

1829. Traité d'Andrinople. La Russie obtient l'embouchure du Danube. La souveraineté de la Grèce est reconnue.

1830. Occupation française de l'Algérie.

1853-1855. Guerre de Crimée.

1869. Inauguration du canal de Suez.

1914-1918. Première Guerre mondiale.

1917. Révolution d'octobre en Russie.

1918. Les Alliés occupent Constantinople et démembrent l'Empire ottoman, qui perd la Syrie.

1922-1923. Mussolini, chef du gouvernement italien.

Mustafa Kemal, dit Atatürk.

En Turquie

Thrace ou de Macédoine (650 000 personnes), tandis que la création d'États kurde et arménien est reportée *sine die*.

1938. Atatürk meurt à la veille de la Seconde Guerre mondiale. Son successeur, **Ismet Inönü**, se souvenant des déboires de la Turquie en 1918, signe opportunément des traités d'amitié avec l'Allemagne nazie et l'URSS de Staline. Cette attitude de louvoiement permet à la Turquie de rester en dehors du conflit jusqu'en 1945, date à laquelle le pays se range du côté des Alliés.

Des coups d'État à la démocratie

1960. Le 27 mai, un **coup d'État militaire** met fin à une période de troubles causés par la dégradation de la situation économique et la politique répressive menée par le Parti démocrate, alors au pouvoir. Une nouvelle Constitution voit le jour en 1961. L'émergence de partis de gauche et de courants d'extrême droite débouche sur des affrontements très violents, qui obligent l'armée à intervenir à nouveau en **mars 1971**.

1974. L'armée turque envahit la partie nord de l'**île de Chypre**, peuplée par des Turcs, et y proclame, en 1983, la **République turque de Chypre du Nord**, que le gouvernement d'Ankara sera seul à reconnaître.

1980. Un **nouveau coup d'État militaire** met fin à une situation de guérilla urbaine et de terrorisme, susceptible de dégénérer en guerre civile. Au grand soulagement de la population, les **militaires** rétablissent l'ordre, mais les prisons se remplissent de prisonniers politiques. En 1982, le cinéaste **Yılmaz Güney** se voit ainsi décerner la Palme d'or au festival de Cannes, alors qu'il est emprisonné. Lorsque le pouvoir est rendu aux civils libéraux, en 1983, la Turquie semble avoir retrouvé une certaine sérénité.

1984. Le fondateur du Parti de la mère patrie (ANAP ; droite libérale), **Turgut Özal**, devient Premier ministre. Il occupe ce poste jusqu'en 1989, date à laquelle il est nommé **président de la République**. Turgut Özal mène avec charisme la Turquie sur la voie de l'**économie capitaliste** en s'affranchissant du kémalisme. Sa **politique extérieure** est courageuse. Il amorce une réconciliation avec l'ennemi héréditaire, la Grèce, établit des relations avec les «frères» turcophones de l'ex-URSS, puis prend parti à contre-courant de ses concitoyens, pour l'alliance occidentale lors de la guerre du Golfe. Sa **disparition subite** en 1993 laisse un vide sur la scène politique.

1993. Une femme, **Tansu Çiller**, accède au poste de chef du gouvernement. Son rôle est plutôt emblématique. Elle doit faire face à une dévaluation record de la monnaie et à une recrudescence de la **guérilla**

Dans le monde

1938. Hitler décrète l'Anschluss en Autriche.

1939-1945. Deuxième Guerre mondiale.

1947. Indépendance de l'Inde.

1948. Création de l'État d'Israël.

1951. La Turquie et la Grèce adhèrent à l'OTAN.

1960. Création de l'OPEP.

1961. Construction du mur de Berlin.

1967. Guerre des Six-Jours ; le Golan est occupé par Israël.

1973. Premier choc pétrolier.

1976. Début de l'intervention syrienne au Liban.

1979. L'Iran devient une république islamique.

1981. Assassinat de Sadate.

1983. Attentats sanglants du Djihad islamique au Liban.

1990. Réunification de l'Allemagne.

1991. L'invasion du Koweït par l'Irak déclenche la guerre du Golfe. En Europe, signature du traité de Maastricht.

1993. Ouverture des frontières européennes. La guerre civile déchire la Yougoslavie.

kurde, qui prend la forme d'une véritable insurrection dans le Sud-Est anatolien. Diverses affaires de corruption entachent la vie politique, si bien qu'en 1994 la plupart des grandes villes tombent aux mains des conservateurs lors des municipales.

1995. Pour la première fois dans l'histoire de la République turque, les élections législatives sont remportées par un parti islamique, le **Refah Partısı**. En juin 1996, **Necmettin Erbakan**, président du Refah, devient le chef du gouvernement. L'armée, gardienne des traditions laïques, lui oppose un véritable bras de fer : en juin 1997, après une période de forte tension, les rênes du gouvernement sont finalement confiées à **Mesut Yılmaz**, chef de l'ANAP. En 1998, le Refah est interdit et Erbakan privé de ses droits civiques pendant cinq ans.

1999. Les élections législatives font émerger un **parti nationaliste** (MHP), qui forme un gouvernement avec les partis de Mesut Yılmaz et de **Bülent Ecevit**, promu Premier ministre. Le **leader kurde du PKK, Abdüllah Öçalan**, est arrêté. Il est condamné à la peine de mort, commuée en une peine de prison à perpétuité à la suite de la décision du gouvernement turc, en 2000, de surseoir à l'application de la peine capitale. **Tremblements de terre** en mer de Marmara (*encadré p. 31*).

2001. Une grave **crise financière** dans le secteur banquier est responsable d'un taux d'inflation record et cause la faillite de centaines de PME, mettant au chômage près de 2 millions de personnes.

2002. En refusant obstinément de quitter le pouvoir malgré son état de santé préoccupant, Bülent Ecevit déclenche une **crise politique**, qui se solde par la démission d'une partie de son gouvernement. Des **élections législatives anticipées** donnent le pouvoir à l'**AKP** (le Parti de la justice et du développement), à mouvance conservatrice, dont le leader, **Tayyip Erdoğan**, est frappé d'inéligibilité. Il bénéficie finalement d'une amnistie suite au changement de la Constitution votée par la nouvelle Assemblée *(p. 22)* et est nommé Premier ministre en mars 2003.

2003. L'armée laisse à l'Assemblée le soin de décider si la Turquie doit entrer en guerre contre l'Irak. Devant l'hostilité populaire, cette dernière refuse *(p. 22)*. Ces péripéties affaiblissent l'armée, accusée par les Américains de vouloir les duper, mais elles confortent Tayyip Erdoğan dans son état de grâce au moment où des réformes visant à réduire le rôle de l'armée dans la vie politique étaient en cours de discussion.

2004. Une figure emblématique du Kurdistan turc, **Leyla Zana**, coupable en 1994 d'avoir prononcé son discours d'investiture en kurde à l'Assemblée, est libérée de prison en juin 2004. 10 août : attentats à Istanbul revendiqués simultanément par un groupe kurde, et un groupe se réclamant d'Al-Qaida. ●

1994. Accords de paix israélo-palestiniens.

1995. Assassinat de Yitzhak Rabin.

1996. Réélection de Bill Clinton aux États-Unis.

1997. Sommet des Quinze à Luxembourg. Ouverture des négociations avec les pays candidats à l'Union européenne.

1999. Conflit entre Moscou et la Tchétchénie.

2000. Élection de George W. Bush aux États-Unis.

2001. Début de la 2e Intifada en Palestine. Attaques terroristes du 11 septembre aux États-Unis. Les Américains ripostent en Afghanistan et font tomber le régime des talibans.

2002. Attentat terroriste à Bali.

2003. Guerre en Irak et fin du régime de Saddam Hussein.

2004. La souveraineté est rendue aux Irakiens. La Communauté européenne compte 25 membres. Les opposants à l'entrée de la Turquie dans l'Union s'émeuvent des crimes d'honneur, qui restent impunis du fait de la tradition orientale. ●

Quelques mots de turc

Le turc appartient à la famille ouralo-altaïque, dans laquelle se rangent aussi le japonais ou le hongrois. D'un parler complexe, la langue turque est dite **agglutinante** car c'est exclusivement à l'aide de **suffixes**, correspondant à un type d'action ou de qualification, que les noms (pas les adjectifs, qui restent invariables) se déclinent, que les verbes se conjuguent et que les mots se construisent. Le turc paraît musical parce qu'il est régi par la règle de l'**harmonie vocalique**, fondée sur la distinction de deux groupes de voyelles : *a, ı, u, o* et *e, i, ö, ü*. Le mot turc est constitué de voyelles puisées dans le même groupe, excepté le vocabulaire emprunté aux langues étrangères. Les suffixes s'accolent à la racine en tenant compte de l'harmonie vocalique. Retranscrit avec des caractères latins depuis la réforme de 1928, le turc ne pose aucun problème de lecture étant donné qu'il s'écrit phonétiquement.

Salutations et mots de base

Bonjour	*günaydın (le matin), iyi günler*
Bonsoir	*iyi akşamlar*
Au revoir	*Allaha ismarladık* (celui qui part) *güle güle* (celui qui reste)
Bonne nuit	*iyi geceler*
Bienvenue	*hoş geldiniz*
à quoi on répond :	*hoş bulduk*
Comment allez-vous ?	*nasılsınız ?*
Très bien, merci	*iyiyim, teşekkür ederim*
S'il vous plaît	*lütfen* ou *affedersiniz*
Merci	*teşekkür ederim, mersi* ou *sağ ol*
Bon appétit	*afiyet olsun*
À votre santé	*şerefe*
Oui	*evet*
Non	*hayır*
Où	*nerede*
Quand	*ne zaman*
Combien	*kaç*
Je veux	*istiyorum*
Je ne comprends pas	*anlamıyorum*
Je suis français	*fransızım*

Le temps et l'espace

Hier	*dün*
Aujourd'hui	*bugün*
Demain	*yarın*
Matin	*sabah*
Après-midi	*öğleden sonra*
Soir	*akşam*
Nuit	*gece*
Jour	*gün*
Semaine	*hafta*
Mois	*ay*
Quelle heure est-il ?	*saat kaç ?*
À quelle heure ?	*saat kaçta ?*
Dimanche	*pazar*
Lundi	*pazartesi*
Mardi	*salı*
Mercredi	*çarşamba*
Jeudi	*perşembe*
Vendredi	*cuma*
Samedi	*cumartesi*

Se déplacer

Est-ce loin/près ?	*uzak mı/yakın mı ?*
Tout droit	*dosdoğru*
Ici	*burada*
À droite	*sağda*
À gauche	*solda*
Stop	*dur*
Train	*tren*
Gare ferroviaire	*istasyon*
Port	*liman*
Gare routière	*garaj*
Guichet	*gişe*
Réservation	*rezervasyon*
Billet	*bilet*
Aller et retour	*gidiş-dönüş*
À quelle heure part le… ?	
	Saat kaçta… hareket ediyor ?
Autobus	*otobüs*
Avion	*uçak*
Aéroport	*havalimanı*
Bateau	*vapur*
Voiture	*araba*
Essence	*benzin*
Le plein	*ful*
Huile	*motor yağı*
Pneu	*lastik*
Ça ne marche pas	*çalışmıyor*

Les toponymes

Mer	*deniz*
Plage	*plaj*
Lac	*göl*
Montagne	*dağ*
Avenue	*cadde*
Rue	*sokak*
Ville	*şehir*
Village	*köy*
Centre-ville	*şehir merkezi*
Grotte	*mağara*
Rivière	*dere*
Mosquée	*cami*
Église	*kilise*
Bazar	*çarşı*

prononciation

c = dj
ç = tch
ü = u
u = ou
ö = eu
e = è
ş = ch
ğ ne se prononce pas mais allonge la voyelle précédente
g = gu
ı = un son entre le i et le é. ●

À l'hôtel et au restaurant

Hôtel	*otel*
Une chambre	*bir oda*
Une chambre double	*iki kişilik oda*
Une chambre avec bains	*banyolu bir oda*
Eau chaude/froide	*sıcak/soğuk su*
Drap	*çarşaf*
Petit déjeuner	*kahvaltı*
Café	*kahve*
Thé	*çay*
Lait	*süt*
Sucre	*şeker*
Restaurant	*lokanta*
L'addition	*hesap*
Boisson alcoolisée	*içki*
Vin	*şarap*
Manger	*yemek*
Boire	*içmek*
Pain	*ekmek*
Viande	*et*
Poisson	*balık*
Sel	*tuz*

Shopping

Combien ?	*bu ne kadar ?*
C'est trop cher	*çok pahalı*
Réduction	*indirim*
Ancien	*eski*
Neuf	*yeni*
Bijou	*kuyum*
Or	*altın*
Argent	*gümüş*
Cuir	*deri*
Cuivre	*bakır*
Tapis	*halı*
Laine	*yün*
Soie	*ipek*
Coton	*pamuk*
Librairie	*kitabevi*

Et encore...

Je suis malade	*hastayım*
Médecin	*doktor*
Pharmacie	*eczane*
Dentiste	*dişçi*
Hôpital	*hastane*
Poste	*postane*
Timbre	*pul*
Enveloppe	*zarf*
Banque	*banka*
Argent	*para*
Ouvert	*açık*
Fermé	*kapalı*
C'est très joli	*çok güzel*
Aidez-moi	*yardım edin*
Va-t'en	*defol*

Les nombres

1	*bir*	2	*iki*	3	*üç*
4	*dört*	5	*beş*	6	*altı*
7	*yedi*	8	*sekiz*	9	*dokuz*
10	*on*	11	*on bir*	12	*on iki*
20	*yirmi*	30	*otuz*	40	*kırk*
50	*elli*	60	*altmış*	70	*yetmiş*
80	*seksen*	90	*doksan*	100	*yüz*
200	*iki yüz*	1000	*bin*	10 000	*on bin*

Glossaire

Abside: extrémité semi-circulaire du chœur, dans une église.

Acropole: ville haute d'une cité grecque antique, qui comporte des sanctuaires et des remparts.

Adyton: partie sacrée du temple, dont l'accès était réservé aux seuls prêtres.

Anastasis: mot grec signifiant résurrection.

Apodyterium: vestiaire des thermes.

Atrium: cour fermée par des portiques.

Basileus: titre des empereurs byzantins.

Bedesten: marché couvert autrefois réservé à la vente des marchandises précieuses.

Bouleutêrion: chez les Grecs anciens, salle de réunion du sénat.

Caldarium: salle chaude dans les thermes.

Cardo: la grande artère des villes romaines, généralement orientée nord-sud.

Cavea: l'ensemble des gradins de l'hémicycle.

Cella: salle de l'adyton où logeait la statue du dieu.

Chapiteau: élément modulaire au sommet d'une colonne.

Corinthien: ordre architectural caractérisé par l'emploi de feuilles d'acanthe dans l'ornementation des chapiteaux.

Decumanus: l'artère, orientée est-ouest, qui croisait le *cardo* à angle droit dans les villes romaines.

Déisis: représentation de la Vierge et de saint Jean-Baptiste entourant le Christ.

Diaconicon: l'absidiole droite, où sont conservés les vêtements liturgiques.

Dorique: l'un des trois ordres de l'architecture de la Grèce antique.

Exonarthex: galerie parallèle au narthex.

Frigidarium: salle froide dans les thermes.

Han: entrepôt fonctionnant par secteur d'activité.

Herôon: monument funéraire gréco-romain.

Hypostyle: pièce dont le toit est porté par une forêt de colonnes.

Iconostase: cloison ornée d'icônes qui sépare la nef de l'abside.

Imaret: restaurant populaire appartenant au complexe des mosquées ottomanes.

Insula: zone d'habitation des villes gréco-romaines, déterminée par le plan en damier.

Ionique: l'un des trois ordres de l'architecture de la Grèce antique.

Iwan: espace voûté largement ouvert sur une cour, ou sur une salle.

Konak: maison de maître à l'époque ottomane.

Külliye: fondation pieuse comportant une mosquée et ses dépendances: *imaret*, hôpital, hammam, médersa, etc. À l'époque ottomane, ces complexes créaient de nouveaux pôles urbains, en offrant divers services sociaux et du travail aux habitants.

Levantins: minorité d'origine occidentale qui résidait en Turquie à l'époque ottomane. Ce terme était quelquefois assigné aux communautés grecque, juive et arménienne.

Médersa: école coranique.

Mégaron: salle principale du palais mycénien, comprenant un porche, un vestibule et une pièce carrée.

Mihrab: niche percée dans le mur de la *qibla*, qui indique la direction de La Mecque.

Minbar: chaire en bois ou en marbre, dans la mosquée.

Muqarna: ou stalactites. Motif décoratif qui orne les tympans des grands porches d'entrée des mosquées ou des caravansérails *(voir p. 214)*.

Naïskos: petit temple.

Narthex: vestibule ou porche précédant la nef des églises byzantines.

Nymphée : fontaine monumentale consacrée aux nymphes.

Odéon : théâtre de petites dimensions.

Orchestra : espace circulaire du théâtre antique, séparant la scène des gradins.

Palestre : cour pour l'entraînement sportif, intégrée dans le gymnase.

Panaghia : «la Toute Sainte», épithète communément donnée à la Vierge.

Pantocrator : qualifie le Christ de «Maître de toutes choses».

Parecclésion : chapelle funéraire d'une église byzantine.

Pendentif : triangle sphérique entre les grands arcs qui supportent la coupole.

Péristyle : galerie à colonnes entourant une cour ou un édifice.

Proédrie : places d'honneur dans un théâtre antique.

Pronaos : vestibule d'entrée dans un temple.

Propylée : portique à colonnes qui forme une entrée monumentale.

Prothésis : l'absidiole gauche, où étaient préparées les espèces.

Psychostasie : thème iconographique de la «pesée de l'âme».

Qibla : mur orienté vers La Mecque.

Rhyton : vase à libation, en forme de tête d'animal.

Stalactites : *voir Muqarna*.

Satrape : gouverneur de province à l'époque perse achéménide.

Sebil : fontaine.

Stoa : portique, en grec.

Synthronon : bancs réservés au clergé dans l'abside d'une église.

Tambour : soubassement cylindrique d'une coupole.

Tekke : couvent de derviches.

Temenos : l'enclos du sanctuaire gréco-romain.

Tepidarium : salle tiède dans les thermes.

Théotokos : «mère de Dieu».

Tholos : bâtiment circulaire, dans l'architecture grecque.

Trompe : niche d'angle, permettant de passer du plan carré au plan circulaire d'une coupole.

Türbe : monument funéraire islamique.

Yalı : palais en bois, sur les rives d'un cours d'eau.

Zaviye : couvent ou espace de la mosquée, réservé aux derviches. ●

Livres et disques

Art et architecture

Cappadoce : mémoire de Byzance, JOLIVET-LÉVY C., « Patrimoine de la Méditerranée », CNRS éd., 1997. Le patrimoine chrétien de la Cappadoce, commenté par une spécialiste.

Demeures ottomanes de Turquie, YÉRASIMOS S., GÜLER A. et RIFAT S., Albin Michel, 1992. Dans l'intimité de l'habitat traditionnel en bois.

Les Hittites, BITTEL K., « L'Univers des formes », Gallimard, 1987. Incontournable.

Istanbul 1900, BARILLARI D. et GODOLI E., « Architecture et intérieur », Seuil, 1997. Le patrimoine Art nouveau d'Istanbul enfin redécouvert et présenté à travers des documents inédits, appuyés par une iconographie remarquable.

Culture et société

L'Art culinaire en Turquie contemporaine, GÖKALP E. H., Publisud, 1990. Les saveurs d'Orient à travers des recettes traditionnelles.

Harem, l'Orient amoureux, COCO C., éd. Mengès, 1997. Une description documentée et illustrée de la vie au harem.

Kilims d'Anatolie, COOTNER C. M., Scala, 1991. L'art du tissage à travers 110 kilims anciens.

Passion d'Orient, THIECK J.-P., Karthala, 1992. Réflexion sur la Turquie contemporaine.

Les Turcs : Orient et Occident, islam et laïcité, ouvrage collectif, « Monde hors-série n° 76 », Autrement, 1994. La dualité d'un peuple tiraillé entre deux continents.

Turquie Europe : une relation ambiguë, BASRI ELMAS H., « Points cardinaux », Syllepse, 1998. Les paradoxes de la politique turque dans le contexte européen.

La Turquie - Des tribus türük au peuple turc, BERTHELOT O., « Espaces », éd. Alain Barthélemy, 1997. Voyage aux sources de la Turquie, sur les traces des nomades.

Histoire et architecture

Constantinople, de Byzance à Istanbul, YERASIMOS S., Place des Victoires, 2000. Bien documenté et superbement illustré, ce beau livre sur Istanbul consacre également des articles à Bursa et à Edirne.

Histoire de la Turquie, MANTRAN R., « Que sais-je ? », PUF, 1993. Une bonne approche de la Turquie à travers les siècles. Du même auteur : *Histoire de l'Empire ottoman*, Fayard, 1989.

Istanbul au temps de Soliman le Magnifique, « La Vie quotidienne, civilisation et société », Hachette, 1994.

Mustafa Kemal invente la Turquie moderne, DUMONT P., « La Mémoire du siècle », Complexe, 1983. Portrait d'un homme hors du commun, qui instaura la république laïque.

Soliman : l'empire magnifique, BITTAR T., Découvertes Gallimard, 1994. Panorama de la vie politique et culturelle, de Soliman jusqu'au déclin de l'Empire ottoman.

Tout l'Or de Byzance, KAPLAN M., Découvertes Gallimard, 1991. Les fastes d'une capitale, brillamment illustrés.

Turquie, des Seldjoukides aux Ottomans, STIERLIN H., Taschen, 2002. Une présentation synthétique des courants architecturaux dans la Turquie islamique.

Récits de voyage

Flâneries ottomanes, GLAZEBROOK P., Actes Sud, 1990. Impressions croisées sur les vestiges de l'Empire ottoman.

L'Islam au péril des femmes ; une Anglaise en Turquie au XVIIIᵉ s., LADY MONTAGU M., La Découverte/Maspéro, 1981. Un récit passionnant qui passe au crible les coutumes du XVIIIᵉ s. ottoman.

Le Voyage en Orient : anthologie des voyageurs français dans le Levant au XIXᵉ s., BERCHET J.-C., « Bouquins », Robert Laffont, 1992. Un recueil des récits de voyage de Lamartine, de Théophile Gautier, de la comtesse de Gasparin, etc.

Bandes dessinées

Alix: *Le Cheval de Troie*, MARTIN J., Casterman, 1988. L'épisode se déroule dans la ville de Priène à l'époque gréco-romaine.

Corto Maltese: *La Maison dorée de Samarkand*, PRATT H., Casterman, 1986. La Turquie des années 20 en compagnie d'un héros voyageur.

Vasco: *La Byzantine* et *Les Sentinelles de la nuit*, CHAILLET G., Le Lombard, 1990. Les tribulations du jeune Siennois dans Constantinople et la Cappadoce.

Romans et poésies

Aziyadé, LOTI P., Gallimard, 1991. Du même auteur: *Fantôme d'Orient*, Pardès, 1990. Un portrait fantasmé d'Istanbul à la fin du XIXe s. *Les Désenchantées*, Presses de la Cité, 1980. *Constantinople, fin de siècle*, Complexe, 1991.

Mathnawî, la quête de l'absolu, DJALÂL AL-DÎN RÛMI, Le Rocher, 1990. Traduction d'un recueil de poésie et de philosophie soufie, écrit par le fondateur de la confrérie des derviches tourneurs.

De la part de la princesse morte, MOURAD K., LGF, 1989. La destinée d'une princesse à la cour des derniers sultans, racontée par sa fille.

Mémed le Mince et *Mémed le Faucon*, KEMAL Y., Gallimard, 1979 et 1981. Les péripéties d'un héros justicier en Turquie rurale, écrites par le plus célèbre des romanciers turcs.

La Poussière du monde, LACARRIÈRE J., Nil, 1997. Un beau texte, qui fait référence au poète Yunus Emre.

Musique

Chants du harem, Ensemble des femmes d'Istanbul, Media 7, 1994.

Les Derviches de Turquie, Musique soufie. Playa Sound, Sunset France/Auvidis.

Hepsi Senim Mi, TARKAN, Sony Music, 1990.

Ilahi et Nefes (musique soufie), KUDSI E. et NEZIH U., Auvidis, 1991.

Les Janissaires: musique martiale de l'Empire ottoman, Ensemble de l'armée de la République turque dirigé par KUDSI E., Auvidis, 1990.

La Musique des yayla, Harmonia Mundi Network, 1994.

Musiques de Turquie, Jérôme Clerc (livre et CD), Actes Sud.

Sultan's Secret Door, BURHAN Ö., Istanbul Oriental Ensemble, Harmonia Mundi Network, 1997.●

la Turquie sur grand écran

Les grands classiques

Jusqu'en 1995, les grands classiques étaient des films fortement politisés et plutôt élitistes. L'Anatolie de l'Est y servait souvent de décor et le voyage de thème récurrent.

● *Le Troupeau* (1978) de **Zeki Ökten et Yılmaz Güney** retrace ainsi le périple en train d'une famille de bergers vers Ankara la moderne. Dans l'univers confiné des wagons de seconde classe, à la croisée des destins et des rencontres furtives, défilent devant les steppes et les montagnes d'Asie Mineure toutes les richesses d'une réalité humaine venue éblouir le spectateur.

● *Yol* (en turc, *yol* signifie la route, le chemin) de Şerif Gören et Yılmaz Güney, qui reçut la **Palme d'or du Festival de Cannes** en 1982, raconte le séjour de prisonniers permissionnaires auprès de leurs familles, qu'ils ont rejointes en bus ou en train. Ces retrouvailles leur font affronter de nouveau l'aliénation sous ses formes les plus insidieuses : pression sociale, morale religieuse, tabous et interdits des traditions.

● *Le Mur* (1983), le dernier film de **Yılmaz Güney**, déchu de sa nationalité, dénonce les horreurs des prisons pour enfants en Turquie.

● *Une saison à Hakkâri* (1982) d'**Erden Kıral** met en scène un jeune intellectuel d'Istanbul devenu provisoirement l'instituteur d'un village perdu dans la montagne. Là, il regarde vivre les paysans.

● **Atıf Yılmaz**, vieux routier du cinéma turc, se sert des vieux quartiers populaires d'Istanbul pour mettre en scène des destins personnels dans *Une goutte d'amour* (1984), *Aaahh, Belinda* (1986) et *Mes rêves, mon amour et toi* (1988).

● **Ömer Kavur**, chef de file du « jeune cinéma d'auteur turc », réalise des œuvres intimistes comme *Le Visage secret* (1991). Dans *Voyage de nuit* (1988), un cinéaste élit domicile dans les ruines d'une église de la région égéenne. En pleine crise créatrice, il fera le bilan de sa vie d'artiste en écrivant un scénario, dans ce lieu hors du temps où le poids de l'histoire se fait si léger et si libérateur.

● **Zülfü Livaneli**, musicien, chanteur célèbre et compositeur des musiques de *Yol* et du *Troupeau*, est passé à la réalisation avec *Brouillard* (1989). À travers la vie d'une famille stambouliote, il aborde un sujet épineux entre tous : l'histoire récente du pays et ses coups d'État militaires.

D'après Mehmet BASUTÇU, critique cinématographique.

Le regain cinématographique

À partir de 1995, changement de décor : la société se libéralise, le cinéma occidental envahit les salles et les cinéastes turcs produisent des films grand public de qualité. Le public suit et en redemande. Ce nouveau cinéma traite, sur un ton plus accessible, des problèmes que traverse la Turquie contemporaine : les Kurdes, les intégristes, les femmes.

● *Mon enfance* de **Memduh Un** a connu un certain succès lors de sa sortie en France en 1995. Cette œuvre, une évocation poétique et touchante de la vie d'un enfant de la rue, fait irrésistiblement penser au néo-réalisme italien.

● *Le Bandit* (1997) de **Yavuz Tuğrul** est une réussite absolue : 3 millions de spectateurs turcs en une seule année. À sa sortie de prison, où il a croupi pendant trente ans, le héros gagne Istanbul pour se venger de son meilleur ami qui l'a fait inculper afin d'accaparer la femme qu'ils convoitaient tous les deux.

● *Aller vers le soleil* (1999) de Yesim Ustaoğlu évoque la question kurde.

● Dans *Kasaba* et *Nuages de mai* (1999), **Nuri Bilge Ceylan** a puisé son inspiration dans sa propre vie pour rendre hommage à la beauté de la campagne anatolienne. Récompensé par le Grand Prix du jury et le Prix d'interprétation masculine au Festival de Cannes, *Uzak* (2002) clôt ce qui constitue une trilogie autour de la destinée humaine, vue sous l'angle de la mélancolie. ●

© Astrid Lorber

Table des encadrés

Index

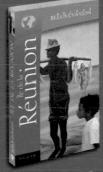

Imprimé en France par I.M.E. - 25110 Baume-les-Dames
Dépôt légal n° 49359 - octobre 2004 - Collection n° 25 - Édition n° 01
Impression n° 17692 - ISBN : 201-243874-1
24/3874/5

À nos Lecteurs...

Ces pages vous appartiennent. Notez-y vos remarques, vos impressions de voyage, vos découvertes personnelles, vos bonnes adresses. Et ne manquez pas de nous en informer à votre retour. Nous accordons la plus grande attention au courrier de nos lecteurs.

HACHETTE
Tourisme
Guides Bleus Évasion – Courrier des lecteurs
43, quai de Grenelle – 75905 PARIS Cedex 15

Carnet de voyage